A mulher que inventou a beleza

Michèle Fitoussi

A mulher que inventou a beleza

A vida de Helena Rubinstein

Tradução
Véra Lucia dos Reis

OBJETIVA

Grafia atualizada segundo o Acordo Ortográfico da Língua Portuguesa de 1990, que entrou em vigor no Brasil em 2009.

Título original
Helena Rubinstein: la femme qui inventa la beauté

Capa
Adaptação de Bárbara Estrada sobre design original

Imagem de capa
G. Maillard-Kesslère/Arquivo Helena Rubinstein

Caderno de fotos
Todas as fotos e documentos pertencem ao Arquivo Helena Rubinstein, exceto a foto da página 2 à esquerda, ©Latinstock/Cecil Beaton/Corbis

Revisão
Andrea Dapieve
Lilia Zanetti
Fatima Fadel

CIP-Brasil. Catalogação na Fonte
Sindicato Nacional dos Editores de Livros, RJ

F574m
Fitoussi, Michèle
A mulher que inventou a beleza: a vida de Helena Rubinstein / Michèle Fitoussi; tradução Véra Lucia dos Reis. — 1ª ed. — Rio de Janeiro : Objetiva, 2013.

Tradução de: Helena Rubinstein: la femme qui inventa la beauté.
ISBN 978-85-390-0512-3

1. Helena Rubinstein, 1871-1965. 2. Mulheres – Estados Unidos — Biografia. 3. Cosméticos — Indústria — Estados Unidos — História. I. Título

13-03262 CDD: 920.72
CDU: 929-055.2

EDITORA SCHWARCZ S.A.
Praça Floriano, 19, sala 3001 — Cinelândia
20031-050 — Rio de Janeiro — RJ
Telefone: (21) 3993-7510
www.companhiadasletras.com.br
www.blogdacompanhia.com.br
facebook.com/editoraobjetiva
instagram.com/editora_objetiva
twitter.com/edobjetiva

Tudo o que experimentei em minha vida — os grandes e os pequenos acontecimentos, o estresse e as tensões — bastaria para preencher plenamente uma meia dúzia de existências.

HELENA RUBINSTEIN

Para Léa,
Para Hugo.

Sumário

Prefácio

Sempre me perguntam por que me interessei por Helena Rubinstein. O encontro com um personagem é algo muito misterioso. Embora nunca se possa dizer com exatidão como ele aconteceu — a maioria das vezes é obra do acaso —, sabemos de que modo sua história nos marcou.

Para mim, que não conhecia nada a respeito dessa mulher, a não ser sua assinatura nos produtos de beleza que eu não usava, bastaram-me as primeiras linhas de sua biografia: seu nascimento, em 1872, em Kazimierz, subúrbio judeu da Cracóvia, as sete irmãs mais novas, Pauline, Rosa, Regina, Stella, Ceska, Manka e Erna, e a partida, sozinha, para a Austrália, aos 24 anos, armada com um guarda-chuva, 12 potes de creme e uma audácia — *chutzpah*, em ídiche — incomensurável.

Imediatamente minha imaginação começou a voar. Eu a vi pegar o trem, a testa pensativamente apoiada na janela, recitando como um mantra o nome das irmãs. Eu a vi, do alto de seu 1,47 metro, subir a passarela do navio que levaria dois meses para chegar à Austrália, percorrendo a metade do globo. Eu vi aquele pedacinho minúsculo de pioneira desembarcar em Melbourne, num país deserto, eu a vi debater-se, eu a vi quase afundar, eu a vi vencer.

Sem que eu soubesse muito mais que isso a seu respeito, Helena Rubinstein se tornou para mim uma heroína romanesca, uma Scarlett O'Hara polonesa, uma conquistadora de caráter ferrenho. Para ela, que detestava o passado, o lema poderia ser "Avante!", empoleirada nos saltos de 12 centímetros. "Dê a uma mulher um par de sapatos nos quais ela se sinta bem, e ela conquistará o mundo", diz o ditado.

Um mergulho em sua vida intensa confirmou o que eu pressentia. Aquela personalidade pouco conhecida, na verdade esquecida, cuja existência atravessou quase um século (ela morreu aos 93 anos, em 1965) e três continentes, era incrível, fora dos padrões, um gênio, em resumo.

Dotada de uma coragem, de uma inteligência e de uma vontade de vencer que faziam com que esquecesse marido, filhos, família, ela construiu um império ao mesmo tempo industrial e financeiro. Melhor ainda, inventou quase tudo sobre a cosmética moderna e os meios de democratizá-la. O que na época não era tão simples — e que, apesar do que se pensa, ainda não é — para uma mulher, além do mais, estrangeira, pobre e judia. Desdenhando orgulhosamente essas quatro desvantagens, das quais não sabemos qual a pior, fez delas uma força. Sem dúvida não sem dificuldades.

Ela fundou seu primeiro instituto de beleza em Melbourne, em 1902, ano em que as australianas foram as primeiras do mundo a obter o direito de voto. Helena sempre acompanhará o movimento de emancipação feminina, que, ao longo do século XX, também passa pela conquista dos mais elementares direitos de libertação do corpo entravado pelos espartilhos, e pela "destabuização" da maquiagem, restrita, até o início dos anos 1920, às prostitutas e às atrizes.

Dizia que a beleza é tudo, menos frívola. Para ela, a beleza era "um novo poder", o da afirmação de uma independência nascente. A busca da sedução e o desejo de se valorizar não constituem submissão uma vez que se sabe utilizá-los. Ao contrário, é a compreensão de que as mulheres devem se utilizar das armas postas à sua disposição para conquistar o mundo ou, pelo menos, nele ocupar um espaço; o reconhecimento, também, de suas personalidades multifacetadas, quase sempre mais variadas e mais ricas que as dos homens, se ao menos a sociedade lhes der o direito de desabrochar.

Evidentemente, a cosmética existia antes de Helena Rubinstein; existe desde a Antiguidade! Mas foi essa visionária quem criou a moderna beleza científica, rigorosa, exigente, valorizando a hidratação da pele, a proteção contra os males do sol, as massagens, a eletricidade, a hidroterapia, a higiene, a cirurgia.

Foi a paixão pela arte e pela estética sob todas as suas formas, pintura, escultura, arquitetura, mobiliário, decoração, alta-costura, joalheria, que levou essa colecionadora obsessiva — e ela foi apelidada de "um Hearst feminino" — a inventar as cores de suas linhas de maquiagem.

Finalmente, foi seu sentido inato do marketing que lhe ditou, além do melhor modo de promover seus produtos, as constantes inovações das técnicas de venda nos salões e a varejo, a regulamentação da profissão de esteticista, recurso à publicidade desde 1904...

Essa trabalhadora incansável, que considerava o trabalho o melhor dos cuidados de beleza ("Nada melhor para evitar as rugas do rosto e do espírito"), construiu, quase que sozinha, uma gigantesca fortuna. Diziam que ela era uma das mulheres mais ricas do mundo: no mesmo nível, existia apenas um punhado de contemporâneas que tiveram sucesso no empresariado feminino, particularmente no campo da beleza e da moda. Coco Chanel, Elizabeth Arden, Estée Lauder, para citar apenas essas, tinham, como Helena Rubinstein, o dom da realização e da valorização da própria imagem. Começou como Helena, "*Helayna*", como ela pronunciava à americana, com sotaque polonês mesclado de ídiche; depois, com a chegada do sucesso, ela se tornou Madame. Todos a chamavam assim, até mesmo os membros da família. De fato, duas pessoas coexistiam nela: Helena, a rebelde, a aventureira, a apaixonada, e Madame, a mulher de negócios, a milionária, mais tarde, a princesa.

A primeira, mais jovem, mais rebelde, mais inconsciente também, é a minha preferida; mas a segunda não deixa de me fascinar; ela me emociona, à medida que envelhece. No entardecer da vida, seus retratos a revelam muito. Apesar das roupas caras, das joias, dos cenários luxuosos, o rosto é o de uma avó judia, ao mesmo tempo muito rígida e muito frágil. Apesar do aparato, era exatamente o que era, o que não deixou de ser: a "pequena dama da Cracóvia"[1] que durante toda a vida teve de lutar para aprender as regras de etiqueta.

Esses longos meses passados em sua companhia me ensinaram cada dia um pouco mais sobre sua aptidão de compreender o momento, as ideias novas, a incrível capacidade de atravessar épocas, países, guerras, modos, costumes, estando exatamente no lugar em que se deveria estar: a emancipação das australianas, a Belle Époque na Europa, a Londres dos anos 1910, livre do puritanismo vitoriano, o Montparnasse artístico e literário dos anos loucos, os "*roaring twenties*" na América, o pré-guerra em Paris e em Nova York, os anos 1950 da reconstrução e da democratização da beleza, os anos 1960 do consumo. E sempre, implicitamente, a longa marcha das mulheres rumo à liberdade.

Sua vida, cuja realidade ultrapassa de longe a ficção, é uma mistura de História e Geografia — ela não parava num lugar e viajava de barco, trem ou avião, de um continente a outro, como se tomasse o metrô — e inclui, como em toda saga, seus dramas, amores malsucedidos, tragédias íntimas, grande solidão.

Quanto aos defeitos, ela os possuía, e muitos: autoritária, exigente, tirânica, déspota, cruel, avarenta, egoísta, trapaceira, às vezes desumana, mas também podia ser generosa, gentil, atenciosa, encantadora, tímida, aberta, tolerante, cheia de humor. Ela era, como muitas pessoas da sua espécie, um paradoxo vivo, desmedido, *too much, bigger than life, "Over the top"* como proclama o título de uma obra que Susan Slesin, a nora de seu filho Roy, lhe dedicou há alguns anos.[2]

Tinha como principal charme — ela que, mais tarde, levava apenas alguns minutos para se pentear e se maquiar, porque se preocupava em não perder tempo — a mentira. Mentia sobre tudo e primeiramente sobre a idade que é melhor que o melhor dos cremes antirrugas, o meio mais simples de rejuvenescer.

Seguindo o exemplo de outras celebridades que querem construir a própria lenda, não parou de reescrever sua vida, de transformá-la à vontade, escondendo, mascarando, fantasiando, embelezando, exagerando, garantindo para a posteridade sua cota de sonho. A seu respeito, sobram boatos, invenções, contradições, histórias. Sabe-se que dinheiro chama dinheiro, e ela não foi exceção ao ditado. Existem, porém, aspectos duvidosos, mesmo que os documentos, as autobiografias, as biografias, os artigos de jornais, os documentos de identidade, o testemunho dos mortos e dos vivos que a conheceram — estes, pouco numerosos, agora — possam nos informar sobre o todo.

"Ela não se aborrecerá se você recriar a lenda mais uma vez", disse sua prima Litka Fasse, na nossa primeira entrevista. "Madame sempre trapaceou sobre sua vida." Depois de uma pausa, acrescentou: "Para ela, o que importava, antes de tudo, era que falassem dela."

Para justificar sua incrível trajetória, Madame repetia frequentemente: "Se não fosse eu, seriam outros."

Não importa. Ela foi a primeira.

Michèle Fitoussi
Junho de 2010

O exílio

Ao subir a bordo do *Prinz Regent Luitpold*, o navio alemão que liga a Europa à Austrália, Helena Rubinstein sentiu-se imediatamente flutuando.

Livre.

Embora pressentindo que a aventura será difícil, ela aproveita cada segundo da milagrosa viagem sem pensar muito no que a espera por lá. Compreendeu que, deixando seu país, vai poder mudar de vida e finalmente sentir-se realizada. Como? Por que meios? Ela não sabe. Não hesitou, contudo, quando sua família lhe sugeriu o exílio. Apesar dos perigos reais ou supostos que a espreitam — naufrágios, acidentes, febres malignas, sem contar os maus encontros —, aceitou partir sozinha, a milhares de quilômetros de sua Polônia natal, para se encontrar com três tios que nunca tinha visto na vida.

Estamos em maio de 1896. Helena tem 24 anos, 1,47 metro de altura, coragem para dar e vender, uma velha mala por companhia. Certos dias, seu peito se enche de desejos esperançosos, a ponto de ter a impressão de que o coração vai explodir. Ela gostaria de abrir bem os braços e abraçar o mundo.

Apesar da angústia que a domina desde o embarque em Gênova, o presente a fascina. Pela primeira vez na vida, o que sente se assemelha à felicidade. Quando o tempo permite, se põe no convés e contempla o oceano, fascinada pelos reflexos do mar cujas nuances ela gostaria de capturar. Seu temperamento nervoso, sujeito a enxaquecas, se acomoda sem dificuldade a essas horas de imobilidade.

Se o vento sopra com força, ela explora as coxias da segunda classe, para na sala de música, ou à porta do fumódromo, examina as obras da biblioteca. No bar, pede um chá, um bolo de frutas secas, saboreia o prazer de beber em porcelana chinesa, de utilizar talheres de prata. Em seguida, afunda em canapés de veludo para ler ou bordar. Não pensa uma única vez nos parentes que ficaram em Kazimierz, o subúrbio da Cracóvia onde cresceu. Não sente saudade; pelo menos, ainda não.

Por sorte, não sofre de enjoo, mal que prende os passageiros ao leito. Sedenta de descobertas, chegou a ir ao porão, escapando da vigilância dos rígidos stewards que proíbem a passagem de uma classe para a outra. O espetáculo de dezenas de imigrantes, homens e mulheres misturados, amontoados no deque, deitados uns sobre os outros, gemendo ou vociferando, vomitando as tripas no chão, perturbou-a. O cheiro de corpos mal lavados, de gordura de cozinha e de combustível a nauseou. Com o coração acelerado, subiu correndo, como se tivesse roubado um lugar na ponte superior, e que, ao descobri-la embaixo, fossem obrigá-la a ficar lá. Era uma reação mesquinha. Depois, zangou--se consigo mesma.

Naquela manhã, debruçada na amurada, com uma sombrinha protegendo a pele frágil — o sol, inimigo mortal das mulheres! —, se apaixonou pelo espetáculo oferecido pelo porto de Bombaim, no qual o navio a vapor aportou. Na multidão que se comprime nas docas, fervilhar de humanidade estrangeira, a miséria lhe parece familiar, ainda mais crua sob o sol do que no rigor do inverno polonês. Seu olhar evita os mendigos estropiados, os cules vestidos com tangas de algodão, os moleques esfarrapados correndo atrás dos brancos, e se pousa sobre as indianas enroladas em sáris de sedas vivas, nas inglesas abotoadas até o queixo apesar do calor, repreendendo os carregadores curvados sob o peso das bagagens.

Antes de Bombaim houve Nápoles, Alexandria, Ádem, Porto-Said. Todas as vezes, primeiramente ela observou a multidão e em seguida se deixou tentar por um curto passeio no porto, cambaleando como se ainda estivesse a bordo. Cercada de vendedores ambulantes, parou para examinar a pacotilha. Com o olhar sério, a testa franzida como se toda a sua vida dependesse daquilo, pechinchou com segurança, contando nos dedos para se fazer compreender, e depois comprou, pelo preço que ela estipulou, miçangas, bétel, pigmentos, pomadas e maquiagem, almíscar, âmbar, essências, chá, lantejoulas, alguns tecidos brilhantes.

Em todos os lugares observou as mulheres, fascinada por sua beleza múltipla, inalcançável. As italianas louras e pálidas da Ligúria, as napolitanas gordinhas, as egípcias e as iemenitas de quem só se vê o olhar ardente sob o véu, as etíopes de finos traços, as asiáticas de rostos suaves. Todas, as velhas, as jovens, as feias e até mesmo as menininhas grudadas nas mães, possuem um encanto particular, uma atitude, com os olhos pintados de khol, os dentes cintilantes que tornam as peles morenas ainda mais escuras, as joias volumosas em volta do pescoço, dos braços e dos tornozelos, as roupas vistosas, os perfumes tão inebriantes que chegam a ser enjoativos.

Habituada às névoas do Leste, Helena pisca os olhos. Luz demais, barulho demais, multidão demais e cores fortes demais, que ela absorve, contudo, com sofreguidão, e armazena para mais tarde.

No navio, à jovem não faltam admiradores. Primeiramente, os dois rapazes italianos que não compreendem polonês, ou ídiche e, todas as noites, a convidam para dançar à força de mímica. O pouco de alemão que ela arranha consegue aproximá-los. Depois, o inglês de bigode que se expressa como se tivesse uma batata quente na boca. Quando ele lhe dirige a palavra, sua face vermelha parece pegar fogo. "*Oh! Miss Helena, you're so... So pretty*", Ó senhorita Helena, a senhora é tão... Tão bonita.

Miss Helena não era exatamente uma beleza; seu charme, contudo, age imediatamente. Com seu tamanho minúsculo, mais parece uma criança empoleirada em saltos altíssimos. A perna, porém, é fina; o busto, avantajado; os anos ainda não envolveram a silhueta. Os cabelos negros são presos num coque baixo, deixando livres a testa e as orelhas. Os traços são regulares; as maçãs do rosto, altas; os lábios, bem desenhados e a pele, translúcida de tanta palidez. O que se observa de imediato são os grandes olhos afastados, aveludados de tão escuros, ora pensativos, ora inquiridores. "O olhar mesmo da precisão, da observação; um olhar que se percebe pronto tanto para calcular, observar os dossiês, examinar os números, estudar fórmulas, quanto para sonhar incansavelmente sobre as coisas belas."[1] Por vezes, eles também fuzilam. Suas sete irmãs a apelidaram de "A Águia".[2]

Desde o início ela deixa seus pretendentes intrigados. Uma jovem que viaja sozinha, sem parecer assustada, é uma raridade na época; quase uma incongruência. Somente as aventureiras se deslocavam sem acompanhante. Mas seus silêncios, seu jeito reservado, a dureza do olhar, rapidamente fizeram com que compreendessem que não é uma aventureira.

Helena gosta de se divertir, mas imediatamente impõe seus limites. A timidez também a impede de ir adiante. Além disso, o que a mãe pensaria? Os severos princípios de Gitte, seu pudor, sua noção de virtude, estão bem ancorados nela. "Cada beijo me parecia imoral e, para mim, os mistérios do sexo ainda eram... mistérios."[3] Vai demorar até que eles se esclareçam. No navio, ela foi pedida em casamento três vezes, e três vezes recusou, sorrindo, como se se tratasse de uma brincadeira de rapazes. Não é acorrentada a um homem que ela imagina o seu futuro.

Todas as noites, depois de algumas polcas no salão de baile, os jovens a cercam. Os cinquenta passageiros que compõem a segunda classe rapidamente se aproximaram. Iniciaram-se namoros. E também uniões que se querem sólidas, mas que ao final da viagem vão se desfazer. Os homens são investidores, exploradores, garimpeiros, oficiais franceses, diplomatas britânicos, missionários; as mulheres pertencem à sociedade, matronas, são esposas de alfandegários, de altos funcionários. Há até mesmo uma trupe de teatro em turnê. Helena simpatizou com duas inglesas que, como ela, vão para a Austrália. A primeira, Lady Susanna, viaja com o marido, ajudante de ordens de Lorde Lamington, governador do Queensland. Estão voltando das férias na Inglaterra. A outra, Helen Mac Donald, que mora em Melbourne, vai se casar. Antes de deixar o navio, Helena anotou o endereço delas. Já possui aptidão para fazer amizades convenientes.

No salão, o calor é massacrante apesar dos ventiladores. Helena saboreia um chá gelado para se refrescar. Seus olhos deslizam pelos lambris, pelas mesas de jacarandá, pelos aparelhos de prata e de porcelana, pelos lustres de cristal, pelos altos espelhos cintilantes que refletem seu rosto. Todo esse refinamento a encanta. Depois, volta para o pequeno grupo que conversa alegremente. Seu olhar de ave de rapina registra cada detalhe. As roupas das mulheres, a pose, o penteado, o modo como seguram os leques, como riem ou se calam.

Durante o dia, ela as observa disputar uma partida de tênis ou de whist, esforçando-se para memorizar as regras. Sabe tão pouco desse mundo em que tudo parece fácil, que tira proveito das menores coisas colhidas aqui e ali. O desconhecimento dos códigos, dos modos, da arte da conversação também explica sua mudez. Implicitamente, existe — e sempre existirá, não importando o que ela faça — o medo de ter suas origens julgadas. Mesmo que aprenda na prática, e aprende depressa, algumas lacunas vão ficar. A fortuna, o bom gosto ou as mentiras que embelezam o passado não bastarão para preenchê-las.

Durante sua longa existência, realizará muitas outras travessias, navegará de um continente a outro. Em seu império, o da beleza, o sol jamais se põe. Mas essa primeira viagem vai ser fundadora; vai dar a ela o gosto da aventura, do luxo, da beleza. Para obter o que deseja, trabalhará sem se poupar; isso não a assusta. Sua educação foi severa. Ainda não sabe que caminho seguir, mas recusa com todas as forças a mediocridade à qual sua condição poderia forçá-la.

A natureza a dotou de todas as qualidades necessárias para o sucesso: audácia, energia, obstinação, inteligência. Falta-lhe apenas a sorte, que ela prometeu a si mesma buscar. Ela não avalia muito bem os obstáculos que terá de vencer, mas acredita no destino. Não aceita que ele a decepcione.

Kazimierz

Ela nasceu Chaja Rubinstein, filha mais velha de Hertzel Naftali Rubinstein e de Augusta Gitte Silberfeld, a 25 de dezembro de 1872,[1] sob o signo de Capricórnio. Detesta tanto a versão hebraica de seu nome que se apressou em mudá-lo ao partir. Na lista de passageiros do *Prinz Regent Luitpold*, se inscreve com o nome de Helena Juliet Rubinstein, 20 anos.

Quatro anos a menos; é como engana o tempo. Ela mente sobre seu estado civil com a mesma segurança com que mente sobre tudo. Seus primeiros passaportes indicam 1880 como ano de seu nascimento.[2] A administração não era muito rigorosa e, além do mais, ela parece ter dez anos menos. "Sempre achei que uma mulher deve falar a respeito de sua idade com imprecisão."[3] Assim começa sua autobiografia ditada aos... 93 anos.

Sua cidade natal, Kazimierz, na Galícia, foi fundada em 1335, pelo rei polonês Casimiro III, que deu seu nome a esse enclave separado da Cracóvia, a capital. Cento e cinquenta anos depois, todos os judeus da cidade foram confinados atrás de seus muros. Durante séculos, Kazimierz, a judaica, se desenvolveu ao lado do bairro cristão, mais ou menos protegida pelos soberanos poloneses. Hertzel Rubinstein contou muitas vezes à filha que, naquela época, eram frequentes as trocas culturais com o restante da Europa. Os judeus afluíam da França, da Inglaterra, da Itália, da Espanha e da Boêmia, fugindo das perseguições.

A situação política, no entanto, permaneceu instável. Cobiçada pelos vizinhos, a Polônia é continuamente invadida. Em 1772, foi pela primeira vez dividida em três territórios. O Império Austro-Húngaro anexou a Galícia e suas duas cidades principais, Cracóvia e Lviv; a Rússia, que anexou a Lituânia, estendeu, com a Prússia, seu protetorado ao restante do país. Uma segunda divisão aconteceu em 1793. A terceira, um ano depois, sempre entre os mesmos, concluiu o desmembramento. A Kazimierz é agora um subúrbio da Cracóvia. Em 1815, o congresso de Viena estabeleceu uma quarta divisão. Tendo se tornado uma república autônoma até meados do século XIX, a Cracóvia conserva a cultura polonesa, mas, como toda a Galícia, a cidade permaneceu sob a dependência do Império Austro-Húngaro.

Mutilada, mas ainda viva, a Polônia se recusa a se render. As revoltas pela independência se sucedem, todas reprimidas com derramamento de sangue. Em consequência dessas insurreições, o movimento nacionalista cresceu. Ao mesmo tempo, ondas de emigrados políticos deixaram a Polônia, a maioria com destino à França: pintores, escritores, músicos, aristocratas, um pequeno universo brilhante para o qual a nostalgia é um fermento artístico. Entre eles, Frédéric Chopin, o compositor, e Adam Mickiewicz, o poeta. Foi no estrangeiro que, frequentemente, nasceram as mais belas obras polonesas.

O Império Austro-Húngaro se orgulha de ser uma nação evoluída que permite a todos os seus súditos viverem em paz. A sorte dos judeus é ali um pouco mais "invejável" do que em outros lugares. Em 1822, quando os muros da Kazimierz foram derrubados, os mais ricos e os mais decididos dentre eles se estabeleceram no bairro cristão. Em 1867, após muitos subterfúgios, o imperador Francisco José acabou concedendo-lhes plena igualdade de direitos. Quando Helena nasceu, a Galícia, e com ela toda a Polônia, é tomada pela febre de modernidade. Constroem-se ferrovias, usinas, edifícios, alargam-se os limites da cidade, alargam-se as ruas, pavimentando-as com pedras, provendo-as com lampiões e sarjetas.

Com 26 mil judeus, ou seja, um quarto da população, a Cracóvia volta a ser um importante centro do judaísmo. Constroem-se sinagogas e escolas religiosas, yeshivas e *heders*. Mais e mais jovens frequentam os liceus e as universidades, afastando, assim, as barreiras sociais. Elegem-se deputados. Médicos, advogados, dentistas, escritores, poetas, atores, músicos judeus são mais numerosos que os poloneses e os ucranianos que exercem essas profissões.

As famílias abastadas se instalam no centro da cidade, em amplas moradias semelhantes às dos cristãos, cheias de livros, quadros, espelhos, mobiliário precioso, veludo e brocado. Os mais ortodoxos e os mais pobres, o que frequentemente se equivale, permaneceram em Kazimierz. Foi o caso de Hertzel Rubinstein e os seus. Apesar do crescimento econômico na Galícia, a grande maioria dos judeus ainda vive na miséria, sobretudo no campo. Na cidade, os artesãos, alfaiates, marceneiros, chapeleiros, joalheiros, oculistas conseguiam se sair um pouco melhor. Por isso, a assimilação avança. As elites se polonizam.

Mas o antissemitismo ainda não desapareceu. A infância de Helena foi alimentada com histórias de pogroms que os adultos contavam em voz baixa, à noite, achando que as crianças estavam dormindo. Eles falavam detalhadamente dos *shtetls* queimados, das sinagogas profanadas, das casas destruídas, das mães e das filhas estupradas juntas, dos bebês atirados vivos nas chamas, dos velhos obrigados a chicotear seus semelhantes, dos pais massacrados a golpes de forcado pelos camponeses poloneses, perfurados por baionetas ucranianas ou mortos pelos sabres dos cossacos. Pesadelos sangrentos assombram as noites das irmãs Rubinstein: homens pendurados pelas mãos, carnes retalhadas, olhos furados, línguas cortadas, cabeças decepadas com as quais os soldados truculentos jogam bocha.

Os judeus que podem, partem em grupos para regiões menos hostis. Entre 1881 e 1914, 300 mil dos que fugiram dos massacres, guerras e pobreza, emigraram para a América ou para a Austrália. Como aconteceu com os irmãos de Gitel, John, Bernhard e Louis Silberfeld, a quem Helena foi enviada "como um embrulho".

A Cracóvia é um centro intelectual com teatros, editoras, salões literários, salas de concerto, sociedades secretas. E a universidade Jaguelônica, a mais antiga da Europa, na qual Helena se gaba de ter estudado medicina durante alguns meses, e abandonado porque ela não suporta ver sangue.

Na verdade, não chegou a terminar o ensino médio.[4] Frequentou a escola judaica de Kazimierz e, aos 16 anos, porque era a regra para as moças de seu meio, foi obrigada a interromper os estudos. Lamentando, porque ela gosta de aprender. Sua mente é sintética, rápida, ávida de saber. As matérias preferidas são matemática, literatura e história, sobretudo a de seu país. Se sente polonesa até o fundo da alma.

Evidentemente, judia também. E como ser diferente numa família tão devota, tão estimada na comunidade? Os dois ramos da árvore genealógica, os Rubinstein e os Silberfeld, se compõem de rabinos, sábios, eruditos, homens do Livro. A linhagem paterna remonta ao célebre Rachi de Troyes, um dos mais renomados comentadores da Bíblia e do Talmude.[5] Salomon Rubinstein, bisavô de Helena, é rabino. Seu filho, Aryeh, vendedor de gado, teve três filhos, dos quais Hertzel Naftali Rubinstein, o pai de Helena, é o mais velho.

A família vem de Dukla, pequena aldeia dos Cárpatos. Foi lá que Hertzel nasceu em 1840 e que se casou com Augusta Gitte Silberfeld, chamada de Gitel, sua prima pelo lado materno. Nascida em 1844, Gitel é a nona de 19 filhos dos quais mais da metade não chegou aos 20 anos. Seu pai, Solomon Zale Silberfeld, era usurário. A sede de promoção social de Helena transformou-a em "banqueira".

Um ano antes do nascimento de Helena, Hertzel e Gitel Rubinstein se instalaram na Cracóvia, na rua Szeroka, número 14, numa pequena casa de pedra vermelha. Conforme a família crescia — dos quinze filhos do casal, apenas oito meninas sobreviveram —, os Rubinstein mudavam-se, sempre para as redondezas da rua Jozefa. Hertzel Rubinstein tem ali uma espécie de grande bazar no qual ele vende um pouco de tudo. Ovos e conservas, grandes barris cheios de arenque, frascos de grandes pepinos em conserva, velas, trigo e cevada a granel, e querosene. Quando se entra, o cheiro de salmoura e de petróleo sufoca. Ele não lucra com o comércio, mas faz o que pode para alimentar a família. "Naquela época, os judeus não tinham uma vida fácil; éramos gente modesta com muito pouco dinheiro",[6] dirá Helena, em um dos raros momentos em que consente fazer revelações sobre a juventude.

Em torno de sua casa natal estão cinco das sete sinagogas de Kazimierz. A Alta, a Velha, a sinagoga Popper, a sinagoga Ramah, a sinagoga Kupa e o Mikveh, a piscina ritual, aonde vão as mulheres nos fins de semana para se purificarem. Os dias são marcados pelos ofícios, pelas estações, pelas festas. De manhã e à noite, Helena ouve as preces e os cânticos que se erguem para o céu.

Um labirinto de ruas pavimentadas, ladeadas de grandes casas de madeira ou de pedra, com varandas, constitui todo o seu universo. Ali se encontram casas comerciais, livrarias, tipografias, jornais, bancos, cafés, mercados, casas de festas, escolas, cemitérios, um hospital. Na fachada das lojas, o nome é escrito em polonês e em ídiche. Entre as ruas Miodowa, Dajwor, Wawrzynca, Bartosza, Jozefa e a praça Nowy coexistem a prosperidade e a miséria, o religioso e o profano, a cultura e a ignorância.

Rabinos de cachos, usando longos casacos pretos, cruzam com chassidins barbudos, vestidos com cafetãs cintados, sobre calças enfiadas nas botas, e com judeus piedosos cobertos com um gorro com borda de pele. Os notáveis de cartola cumprimentam cerimoniosamente os velhos com quipá de veludo, levando sob o braço velhos livros encadernados. Mulheres usando ridículas perucas, a cabeça coberta por uma estola ou um boné bordado, ralham com menininhos com o boné enfiado nos cachos. Agrupados em torno de seus *yeshivot*, estudantes apressados discutem interminavelmente sobre um parágrafo do Talmude.

No verão, todos vivem do lado de fora, nas ruelas, ou mantêm as janelas abertas. De seu quarto, Helena ouve os choros, as brigas, as matronas que se interpelam das varandas nas quais a roupa foi posta para secar, os gritos dos vendedores de água que se dirigem ao cliente. Puxadas por cavalos famintos, as carroças cheias de tijolos ou de feno impedem o trânsito.

As *yenteh*, as faladeiras, se sentavam em minúsculos bancos dobráveis para falar mal dos vizinhos e ralhar com os meninos que correm pelas passagens entre os pátios. Os comerciantes montam ao ar livre seus cavaletes sobre os quais se amontoam as mercadorias quase sem equilíbrio: roupas velhas, sapatos usados, guarda-chuvas, xales de preces, livros, filactérios, menorá. Os artesãos trazem para fora móveis quebrados, para consertá-los; as moças vão encher os baldes na fonte. Mil pequenos ofícios são exercidos desde o amanhecer: o sapateiro, o peixeiro, o usurário, a velha na sobreloja que borda os enxovais dos ricos.

Nos cantos mais miseráveis, as pessoas gritam, se insultam, esgoelam-se em ídiche, em polonês, em alemão; descarregam cestos na poeira e nas ruas cobertas de imundícies; derramam água suja nas calçadas. O cheiro de frutas podres, de urina de gato, de carne defumada, de cebola, de cominho, de pepino salgado, de tripas, flutua no ar saturado. No inverno, o termômetro desce a -30º; tempestades glaciais levantam a neve acumulada nas calçadas. Impiedoso, o frio toma conta do corpo e da alma, as paredes se esmigalham por causa da umidade, o cinza envolve a cidade numa auréola triste. Quando a neve derrete, as calçadas se cobrem de uma crosta lamacenta que estraga os sapatos e a barra das saias.

Helena Rubinstein sempre preferiu calar-se acerca dessa parte da vida, como se tivesse vergonha dela. Preferia falar sobre o Planty, o Jardim Botânico, a igreja de Santa Ana, divagar sobre as casas de aristocratas nas quais sonhava ser recebida e afirmou tê-lo sido. Dependendo do humor, descreverá uma Cracóvia culta, elegante ou, então, monótona e provinciana. A realidade se situa no meio; na cidade abundam monumentos medievais e góticos, o castelo real de Wavel, o túmulo dos reis poloneses, que domina o Vístula, os muros da cidade velha, cercados pelo Jardim Botânico, a basílica de Santa Maria, a igreja de Santa Catarina, o Observatório. E a grandiosa praça central, o Rynek característico das cidades polonesas, com seu mercado de tecidos.

Sempre que possível, Helena foge de Kazimierz pela rua Stradom, depois pela Grodska, para passear ao longo das barracas instaladas sob as arcadas. Aqui não se encontram judeus de casacão, comadres caducas ou crianças miseráveis. Os homens usam cartola e chapéu-coco; as mulheres, chapéus enfeitados.

A jovem admira o conteúdo das vitrines como se quisesse sabê-las de cor. Ela, que não tem um só *zloty* na bolsa, sonha em, um dia, comprar rendas, sedas, peles, diamantes, pérolas, cristais. Quando for rica, se exibirá como as polonesas distintas que passeiam pela praça, agasalhadas em peliças, ou como as que são vistas em suas caleches puxadas por elegantes cavalos, ao passo que ela é obrigada a andar a pé, na lama, arrastando as irmãs atrás de si.

Desde cedo, Helena teve o dom de transformar os episódios de seu passado para embelezá-los ou suavizá-los conforme desejava. Sua imaginação não conhece limites, tanto que se tem dificuldade em saber o que é ou não verdade. Uma mentirosa? Antes uma bordadeira. Durante toda a vida, ela vai tecer uma lenda, com pequenos pontos, sem temer contradizer-se.

A realidade, porém, é mil vezes mais apaixonante do que tudo o que ela se obstinou em embelezar. Ela quis negá-la, mas foi exatamente daquelas ruas escuras que veio, daqueles becos miseráveis, daqueles pátios mal pavimentados, daquelas casas de oração e daqueles *heders*, de um mundo judeu que parecia imutável, ancorado nos *shtetls* e nos guetos da Galícia, da Polônia ou da Ucrânia, para sempre desaparecido.

Aquele meio rude em que passou os primeiros 24 anos da vida insuflou-lhe a raiva para sair dali. Foi de lá que tirou a força de seu caráter, sua coragem, sua capacidade de adaptação, como todos os emigrados que venceram na vida em outra parte.

Mas era uma mulher judia e pobre, nascida na Polônia, no final do século XIX. O que significa que não era ninguém. Para ela, apesar de toda a sua genialidade, o caminho iria ser ainda mais difícil.

A família Rubinstein

Helena, Pauline, Rosa, Regina, Stella, Ceska, Manka e Erna Rubinstein. A ladainha de seus nomes parece uma cantiga. Todas bonitas, todas de cabelo escuro, todas pálidas como o alabastro. Dez anos separam a mais nova da mais velha. Na casa ampla e sombria, iluminada pelas lamparinas, o ambiente não é nada animado. Brigam por uma fita, um foulard, pavoneiam-se diante dos espelhos. A alma desse gineceu em miniatura é Gitel Rubinstein, boa esposa, boa mãe, boa dona de casa, que faz milagres para que nada falte dentro de casa. O temperamento lunático de seu marido logo acabou com o dinheiro da família. Gitel suspira ao pensar em seus irmãos e irmãs que vivem confortavelmente na Cracóvia, em Viena, em Anvers ou em outra parte.

É verdade que ainda restam algumas belas coisas: mobiliário esculpido, espelhos, candelabros de prata, roupa de cama nos armários, livros em quantidade. Mas eles poupam tudo, sabão, pão, velas, empregados. Tantas bocas para alimentar pesam no orçamento.

Oito filhas. Oito tesouros. Oito dotes, porém.

Todas terão de se casar. Com bons partidos, se possível. Gitel pensa nisso desde que elas nasceram. É uma mulher corajosa, arredondada pelos partos, que usa a peruca penteada em coque, como as judias ortodoxas. Ela obedece escrupulosamente a todos os mandamentos da sua fé, sem desprezar a aparência, que importa tanto quanto a pureza da alma. Ensina as meninas a costurar a roupa, a tricotar, a bordar; são trabalhos em que é exímia; é ela mesma quem corta seus vestidos e casacos. Ela lhes ensina, especialmente, a arte de serem senhoritas bem cuidadas. Mostra como tratar da cabeleira de que se orgulham tanto. Cem escovadelas antes de ir para a cama. Assim, enquanto elas se penteiam, as meninas praticam os números. Na casa dos Rubinstein não se esbanja nada, nem mesmo o tempo.

— O encanto e a beleza interior dão a você o poder de controlar sua vida e de conquistar o amor do homem que a desposará.

Gitel possui alguns mantras, ideias fixas, que vai enumerando. Nem por isso autoriza a maquiagem. Somente mulheres de má fama, ou atrizes como a grande Helena Modejeska, têm o direito de ousar se maquiar. Mas pode-se continuar respeitável, protegendo o rosto avermelhado pelo vento e o gelo. E Gitel saca sua arma secreta.

O creme de beleza.

Na Polônia, como em todo Leste Europeu, cada família tem sua própria receita. Nas cozinhas, nas quais fervem a sopa de batatas e os ensopados que sustentam o corpo, fabricam-se pomadas e unguentos cuja fórmula é transmitida de geração em geração. Ela contém plantas, espermacete, lanolina, essência de amêndoas e extrato de casca de conífera dos Cárpatos. Todas as noites, principalmente quando o frio foi especialmente intenso durante o dia, todas aquelas jovens senhoritas, de camisola, enfileiradas por ordem de tamanho, estendem os rostinhos impacientes como passarinhos que exigem a comida.

— Mamãe, mamãe! E eu!? E eu!? Não, Pauline, sai daí, agora sou eu!

A família gosta de histórias. Gitel conta que o creme foi fabricado para a Modjeska pelos irmãos Lykuvsky, dois químicos húngaros clientes de Hertzel. A atriz, tão célebre no país quanto Sarah Bernhardt na França, certamente nunca frequentou a família Rubinstein, mesmo que Helena finja o contrário. Mas Jacob, o mais velho dos dois irmãos, provavelmente janta, às vezes, na casa deles. Sem dúvida ele leva consigo o grande pote, que contém a preciosa mistura, embrulhado em papel jornal.

Gitel o transfere para pequenos recipientes de cerâmica que ela mantém resfriados na despensa, com as conservas de pepino e de cebola. O gosto pela economia faz com que o creme dure até a próxima visita. Esses poucos princípios de beleza vão mudar o curso da existência da filha mais velha. Antes de sua partida para o Novo Mundo, Gitel lhe oferece doze pequenos potes, como doze pequenos talismãs que devem protegê-la.

Maravilhosa intuição das mães...

O lugar de Helena na irmandade certamente teve influência na formação de sua personalidade. "Desde cedo tive de ajudar minha mãe a dirigir a pequena tropa rebelde. Ser a filha mais velha é habituar-se a comandar."[1] O que não desagrada ao seu caráter dominador. Ela tem jeito de menino e, ao mesmo tempo, é uma menina completa. Um trator cheio de graça.

Comandar e seduzir. Helena cabe inteira nessas duas palavras. Desde os 12 anos ela é a responsável pelo bom funcionamento da casa. Se torna "chefe das tarefas", compra a comida e a roupa de cama, "escolhendo naturalmente o que havia de melhor e de mais resistente". Sem dúvida esses encargos precoces formaram seus talentos de organizadora. "Eu servia de intercessora e de intérprete entre minhas irmãs mais novas e nossos pais, o melhor treinamento para dirigir meus futuros empregados."[2] Mas ela tem de assumir outras tarefas domésticas que a única empregada não pode realizar: fazer as camas, pôr água para esquentar, buscar lenha para o forno, ajudar as menores a se arrumar, verificar os deveres, separá-las quando brigam.

— *Shat, shat,* silêncio! Papai vai nos castigar. E se não castigar, juro que eu castigo!

Além disso, pôr a mesa; guardar a louça, separando os pratos para os produtos lácteos e os destinados à carne; verificar os preparativos para o Sabá e as festas que se sucedem: Rosh Hachaná, Yom Kipur, Chanucá, Pessach, Sucot, Shavuot. Escolher as toalhas de mesa, passá-las a ferro, polir os talheres, acender as velas, arrumar os livros de oração, controlar o jantar na cozinha, o caldo de frango no qual se cozinham os *Kneidels* ou o *gefiltefish*, amassar o pão com a mãe. Que as filhas se tornem boas *balabooste*, donas de casa perfeitas, é o desejo de Gitel. Porque não basta agarrar um homem; é preciso prendê-lo.

Certamente não é o que Helena, que detesta limitar-se ao lar, deseja. Desde a adolescência ela corre ao encontro do pai para fugir das obrigações com que sua mãe a sobrecarrega. Quando deixa a escola, logo encontra lugar atrás do balcão. Teria preferido estudar, mas não lhe deram escolha.

Aliás, ela gosta muito de ir para a loja. Se sai muito melhor que o pai com a clientela, faz conta mais depressa que ele, conhece minuciosamente a situação do estoque, das encomendas, das dívidas e dos créditos. Mais dotado para a leitura dos textos sagrados do que para o negócio, Hertzel aprecia a energia dela, a aptidão para manter a contabilidade; mas ele também se irrita com sua autoridade. Eles deveriam casá-la rapidamente, mas, para isso, precisa de um dote, e Hertzel não consegue poupar um só tostão, nem para ela, nem para as outras que vêm depois. Ele suspira, pensando nisso. Depois, volta a mergulhar nos velhos livros, entregando-se à vontade do Todo-poderoso que, no fim, o ajudará.

Helena se aborrece com a moleza do pai. Livros, sempre os livros... De que lhe serve estudar se ele não consegue alimentar a família? Duas vezes seguidas ela o ajudou. Na primeira, negociou a compra de 20 litros de querosene com um fornecedor que mora em Lviv, a capital. Na segunda, um mau jeito nas costas o derrubou na cama. Gitel tem coisa demais a fazer em casa para poder substituí-lo.

Hertzel não pode perder o contrato. A carga foi revendida pelo dobro do preço a um comerciante de gado, que já lhe pagou um adiantamento. Pelo menos dessa vez eles poderão terminar o mês sem dívidas. Helena ouve os pais discutirem a noite inteira: o pai se lamenta, a mãe suspira. São sempre as mesmas censuras; Gitel sofre com a pobreza deles, Hertzel é rude com ela porque tem vergonha. A jovem não aguenta mais as brigas deles.

Pela manhã, assim que se levanta, ela anuncia que vai a Lviv no lugar do pai, que a chama de louca e diz que vão caçoar dela. Helena insiste tanto que Hertzel, com o consentimento da mulher, permite que ela pegue o trem, em companhia de dois empregados da loja. No momento em que se dirige à estação central da rua Lubicz, Gitel olhou a filha diretamente nos olhos.

— Se você quiser mesmo ser esperta, prefira ouvir. Fale o menos possível.

O negócio foi concluído a seu favor, pelo preço estipulado por Hertzel. Bastou que se mantivesse firme. E ninguém caçoou dela.

Algum tempo depois, Hertzel encomendou uma enorme quantidade de ovos que devem ser consumidos o mais rapidamente possível. O trem se atrasa e a carga chega à estação da Cracóvia na véspera da festa da Assunção. O que, naquela Polônia católica, significa quatro dias de feriados, sem trabalhadores para descarregá-la.

O calor do mês de agosto massacra a cidade. Nas ruas incandescentes, ninguém se arrisca a sair antes do final da tarde. Os vagões vão se transformar em chocadeiras. Algumas dezenas de pintinhos já nasceram. Com a certeza de que ficará arruinado, Hertzel se agita inutilmente para conseguir uma derrogação. Os lamentos de Gitel recomeçam. Sem avisar aos pais, Helena decide ela mesma convencer o chefe da estação a desembarcar a carga. Ao cabo de meia hora de falação, em que o homem não tem a palavra final, ele a encaminha ao diretor da Estrada de Ferro. Fechado no gabinete transformado em fornalha, o diretor sua como um porco.

Quando entra na sala, ele olha de cima a baixo a minúscula judia, com todo o desprezo que ela lhe inspira. Mas Helena está pouco ligando para o que ele pensa dela, obcecada pela ideia de convencê-lo. Ela funga, soluça, derrama uma torrente de palavras, os ovos, meu pai, a falência. Em seguida, recomeça, até ele ficar tonto.

Esgotado, o diretor manda que descarreguem os ovos no cais e a despede com um gesto. Helena corre por Cracóvia como se tivesse formiga nos calcanhares, e chega em casa, sem fôlego, o rosto vermelho, despenteada. Antes de recuperar o fôlego, ela anuncia a boa notícia aos pais que reclamam de sua audácia, mas são obrigados a agradecer-lhe. Hertzel está salvo.

Mais tarde, ela conta que deve seus primeiros sucessos à juventude, à inexperiência e aos conselhos sensatos de sua mãe. Modesta? Não inteiramente. "Minha compreensão do triunfo era uma antecipação do que o sucesso nos negócios poderia significar para mim."[3]

Trabalhar, trabalhar sempre. Helena se torna muito madura para a idade. Séria demais, ansiosa demais, nervosa demais também. Seu pai fica intratável sempre que o assunto é sua independência. De fato, como todas as moças, ela gostaria de se divertir um pouco. Cantar, dançar, usar vestidos novos, não vestidos reaproveitados de Gitel, que, em seguida, passarão de irmã para irmã até que o tecido se desgaste. Ela espreita todas as oportunidades para rir. Não são tantas assim.

Na casa ao lado, mora um professor de música que, todas as semanas, dá uma aula de dança para os meninos e as meninas do bairro. A maioria das amigas tem direito de participar. Helena deve se contentar em ouvir a música e esboçar três passos no quarto. Numa tarde, não aguentando mais, ela escapole de casa e vai correndo se juntar ao alegre grupo.

Durante mais de uma hora, ela esquece tudo, a casa, as contas, as irmãs, a vida difícil. Gira, volteia nos braços de seu dançarino.

— Desavergonhada!

Ofendido, como se a filha tivesse oferecido a virgindade a um batalhão de cossacos, Hertzel acaba de brotar no salão do professor. Quando enfurecido, ele pode ser muito imponente. Ele ordena que ela o acompanhe e, calado, os lábios apertados, gira nos calcanhares. Helena vai correndo atrás dele, o rosto em fogo. O que é que ela fez de errado agora? Decididamente, ninguém naquele lugar nunca a compreenderá. Suas ideias não se parecem com as de ninguém. Ela sufoca naquele universo pequeno demais. Tudo é sempre tão igual, tão tedioso. Chega a ser desesperador.

Nenhuma de suas tentativas para mudar o curso da vidinha monótona deles parece agradar a Hertzel. Entre outros escândalos, houve o da venda da mobília do quarto que divide com Pauline, mais nova um ano. Helena detesta a grande cama de jacarandá que parece um palanque. Ela lhe provoca pesadelos. No meio da noite acredita ver fantasmas e agarra a mão de Pauline para acalmar o terror. Também acha as mesinhas de cabeceira, roídas pelos cupins, terrivelmente fora de moda. Seus pais herdaram esses móveis dos pais deles. Entre nascimentos e mudanças, eles acrescentaram camas, armários, baús vindos dos sótãos familiares ou comprados por alguns tostões em brechós. Tudo está disposto ao acaso, sem cuidado, o que a desespera.

Uma loja de móveis acaba de abrir na rua Stradom, cujas vitrines ela conhece quase que de cor. Inicialmente, deu uma olhada lá dentro e, em seguida, criou coragem para entrar. Encontrou uma grande cama sóbria e moderna e duas mesinhas de cabeceira combinando. "É o estilo Biedermeier", explica o vendedor. "Senhorita, não procure mais, é o que de melhor se faz em Viena", acrescenta ele num tom um pouco afetado.

Helena passa a mão na madeira envernizada. A textura lhe agrada. Sem ter aprendido, ela sabe por instinto a diferença entre o belo e o feio, o refinado e o grosseiro. Toda a sua vida não bastará para afirmar esse gosto pela beleza que lhe vem não se sabe de onde. Ela, porém, não possui meios para comprar aqueles móveis cujo preço lhe pareceu exorbitante. Para convencê-la, o vendedor lhe sugere pagar a crédito, e até mesmo ficar com a mobília velha. E veja só, já que a senhorita parece conhecer as coisas, eu lhe vendo esta poltrona pela metade do preço. E, como brinde, o grande espelho de pé.

A tentação é grande demais. Helena pechincha, e como ela é excelente nesse joguinho, consegue um preço melhor ainda. Vai conseguir pagar as prestações. Para receber a entrega, espera que os pais se ausentem. A surpresa será maior. Os avós maternos de Helena, Salomon e Rebecca, justamente convidaram toda a família para passar o Sabá em sua velha casa nas redondezas de Kazimierz. Para não acompanhá-los, Helena dá como pretexto uma dor de cabeça, o que lhe acontece com frequência.

Gitel se preocupa. Habitualmente, a filha nunca perde essas visitas; é a neta predileta de Rebecca que a cobre de presentes: lenços bordados, uma gola de renda. Quando fez 15 anos, a avó lhe ofereceu um colar de pérolas. Suas irmãs quase morreram de inveja. Helena guardou esse colar. Foi por causa desse precioso presente que ela passou a gostar tanto de joias. É lá também que mora Stass, o faz-tudo dos avós. Muito habilidoso, ele fabrica para as meninas uma mobília em miniatura que imita perfeitamente a dos adultos. Helena não se cansa de ver as novas maravilhas que ele modelou. As casas de bonecas serão uma paixão constante em sua vida; ela não se cansará de colecioná-las.

— Tem certeza? — pergunta Gitel.

— Tenho — responde Helena. Vai descansar melhor no quarto; precisa de calma.

— Vamos logo, vamos logo — grita então Hertzel exasperado com as idas e vindas de sua mulher que corre por toda parte, sem resolver partir. — Vamos nos atrasar; se sua filha quer fazer pirraça, é problema dela.

Gitel se deixa convencer e se junta ao resto da tropa, já amontoada no carro puxado por um cavalo.

Todos esses rodeios os atrasaram. Helena foi várias vezes à janela. Ela está preocupada. A carroça com os móveis deve chegar de uma hora para outra. Por sorte, a família está virando a esquina no momento em que o vendedor desembarca a entrega. Helena não precisou de muito tempo para arrumar tudo ao seu gosto: refaz a cama, estende a colcha que ela acaba de bordar, porque, como sua mãe, é excelente nos trabalhos com agulha.

Em seguida, espera os pais, confiante, certa do entusiasmo deles.

É difícil reconhecer Hertzel, que se paralisa na soleira da porta. Decididamente sua filha é *meshuggeh*, completamente louca. Um *dibbouk* lhe virou a cabeça. Vender os móveis da família! Não é coisa que se faça! Com quem ela negociou? Uma loja da rua Stradom? Mas ela tem mania de grandeza! Isso deve ter custado os olhos da cara! Hertzel exige que o acompanhe e corre à loja para devolver os móveis antes que seja tarde demais.

Obedecer ao pai mais uma vez. Até quando isso vai durar? "Até seu casamento", responde Gitel com firmeza. "Depois, você terá de obedecer ao seu marido. Sim, mas quem vai querê-la?", retruca Hertzel com amargura, quando Helena vira as costas. "Todos sabem como ela é rebelde. Já recusou quatro pretendentes. E já passou dos vinte! Sem um bom dote, não há bom partido", responde Gitel. "Na idade dela, só encontrará as sobras. E não se esqueça de que existem mais sete atrás dela, esperando a vez."

Hertzel finge não entender. Gitel consulta as casamenteiras, apela para os conhecidos dos conhecidos, revolve Kazimierz e adjacências, Podgorze e Dukla, onde nasceu, pergunta, em meio à agitação, se não deve enviar embaixadoras a Lviv. Finalmente, indicam-lhe a pérola rara. Schmuel, um velho viúvo rico que mora em Cracóvia, para os lados do bairro cristão, aceita se casar com a filha deles, sem dote. Ele a viu algumas vezes na sinagoga e ela lhe agrada.

Ele mesmo não é muito bonito: pequeno, calvo e ligeiramente prognata, mas sua família é honrada e, afinal, para que serve a beleza de um homem? Ele possui uma casa grande pertinho do Rynek, na qual trabalham três empregados, e um próspero ateliê de confecção. Helena não pode sonhar com nada melhor.

Hertzel fica aliviado quando a mulher lhe conta a novidade. Esse Schmuel é uma excelente ideia. Ele vai livrá-los da filha, e lhe fazer dois ou três filhos logo de saída. Graças a ele, a diabinha vai se acalmar. Só falta convencê-la.

A jovem escuta inicialmente o pai, depois a mãe. Muda, pelo menos dessa vez, olha para ambos. Ela não responde, é bom sinal, pensa Hertzel. Gitel é mais desconfiada. Conhece a filha. Sua imobilidade não lhe diz nada de bom. Aliás, ela não acaba de sacudir a cabeça? O que é que ela está resmungando? Que está fora de questão? Que nunca se casará com aquele... Como é mesmo? Aliás, com ele ou com nenhum outro.

— Mas, afinal, o que é que você quer? — Hertzel perde a paciência.

— Stanislaw.

Surpreso, Hertzel se vira para a mulher que faz um gesto, mostrando sua ignorância a respeito.

Stanislaw é um estudante de medicina que Helena diz ter conhecido na frente da universidade. Às vezes ela perambula por ali, sonhando que participa daqueles grupos de estudantes que riem e conversam, sem lhe dar a menor atenção. Têm todos o mesmo garbo, mas nenhum se parece com Stanislaw. Os olhos como o céu da Cracóvia no verão, uma cabeleira cacheada. Ele tem uma aparência e tanto debaixo da sobrecasaca de botões dourados. Um príncipe.

Provavelmente ela jamais lhe dirigira a palavra. E como poderia, com um pai tão exigente a respeito de suas companhias? Mas uma de suas amigas, que conhece o rapaz, apontou-o, um dia em que elas passeavam juntas. Helena afirma que se apaixonou na hora; ela tem sede de romantismo. Isso ela não conta aos pais. Ao contrário, enfeita a história como se, entre eles, as coisas já tivessem começado. Tudo, menos se casar com Schmuel.

Então Hertzel Naftaly Rubinstein se enfurece de verdade. Ele anda de um lado para outro na sala, gritando, repreendendo-a.

— *Shoyn gening*, basta! Você tem de me obedecer!

Sentada no canapé de tafetá puído, Gitel torce as mãos. Seu rosto redondo balança ao ritmo dos passos do marido. Parece uma galinha gorda.

— *Oi gevald*, o que vamos fazer com você? — repete, chorando.

— Ela anda muito por aí, eu sempre te disse isso — reclama Hertzel com a mulher, esquecendo-se de que é ele quem sobrecarrega a filha com tarefas impossíveis.

Helena não diz nada, mas não deixa de pensar sobre isso. Tudo nela recusa essa vida que a espera, inexoravelmente. Imobilizada na Cracóvia, apaixonada por um homem inacessível, ameaçada de se casar com outro que ela não ama. Prometida ao destino mortalmente tedioso de sua mãe, tias, avós e todas as gerações de mulheres antes dela. Muitos filhos, muitos Sabás, muitas preces e muita submissão.

Não se muda a tradição. Especialmente para agradar as filhas. Ela é a mais velha, deve ser a primeira a se casar. "Do contrário, como casar as outras?", esbraveja Hertzel. "Você já recusou tantos bons partidos! Quem você pensa que é? Você não passa de uma pretensiosa!"

Helena ouve as irmãs cochicharem atrás da porta da sala. Nenhuma delas vem em seu socorro, aterrorizadas que estão com os gritos do pai. Além disso, Helena exagera... Dessa vez ela não vai se safar.

Ah! É? Ela levanta o queixo, se empina sobre os saltos como um galo que se prepara para a briga. Sem Stanislaw? Que seja. Mas sem Schmuel velho e calvo também. Aos 21 anos, não é mais uma menina. Ninguém deve decidir em seu lugar. Numa família como a sua, porém, não se brinca com o casamento. Embora dotada de um *chutzpah* daqueles, uma audácia monstruosa, uma moça deve passar por isso.

A situação fica feia. Helena passa correndo pelas irmãs, bate a porta e se tranca no quarto. Atira-se na cama, soluçando de raiva. "Eu os detesto. Quero ir embora. Aqui tudo é velho, chato, parado, pobre. Vou morrer se ficar aqui."

Helena partiu.

Ela ainda se surpreende de ter tido aquela coragem. Foi se esconder na Cracóvia, na casa da tia Rosa Silberfeld Beckman, uma das irmãs de Gitel, que aceita acolhê-la por alguns meses. "Não mais", avisa "apenas enquanto você se recupera".

Helena não pretende viver naquela casa pequena e triste, ou partilhar o quarto da prima Lola, a filha de Rosa. Ela tem outras ambições. Em Viena, vive outra irmã de sua mãe, Chaja Silberfeld, casada com Liebisch Splitter, um peleteiro que, com três irmãos, possui uma grande loja. A grande Chaja convida a pequena para juntar-se a ela.[4] Ela ajudará a tia a cuidar da casa e trabalhará no negócio do tio.

Os Splitter são mais abastados que seus pais, o que não é difícil. A casa deles é maior, o mobiliário mais moderno. Liebisch tem tino para os negócios; ele não sonha como Hertzel ou se perde nos livros. Ele acumula. E seus primos se mostram amáveis. E Viena é uma verdadeira capital, rica em museus, teatros, cafés, salas de concerto. Comparativamente, Cracóvia, que ela tanto ama, parece uma província.

Helena aperfeiçoa seu conhecimento da língua alemã e aprende o básico do comércio de luxo. Ninguém se compara a ela para atrair uma cliente, segurá-la e vender-lhe a pele mais cara. Também gosta de usá-las. Numa foto que data desses anos, ela é vista posando com um casaco de astracã negro.

Assim, dois anos se passam rapidamente. A jovem não tem tempo de se entregar ao lazer. Ela trabalha. Não se interessa pelas agitações políticas, filosóficas ou literárias da capital austríaca. Ouviu falar vagamente do caso Dreyfus, mesmo porque todos os judeus da Europa se preocupam com isso e falam a respeito, à mesa, e às vezes até mesmo na loja, bem como do antissemitismo que reina na Áustria e atinge todos os ambientes, mas nem uma coisa nem outra lhe interessam. Tampouco a efervescência em torno do sionismo, da Palestina, e daquele jornalista húngaro, Theodor Herzl que faz com que os irmãos de tio Liebisch briguem. Ela economiza para a sua vida futura, assim que a oportunidade se apresentar.

As únicas distrações são o habitual passeio sabático nas margens do Danúbio ou nos jardins do Prater. Cedendo às súplicas de Gitel, a tia lhe apresenta alguns pretendentes, mas Helena sempre os recusa. Chaja Splitter não insiste. A sobrinha tornou-se indispensável à loja.

Helena, que não fala mais com o pai, mantém relações epistolares com a mãe. Em todas as cartas Gitel lhe faz a mesma pergunta, incansavelmente. Quando você pretende se casar? Invariavelmente, a jovem dá de ombros. Como se o casamento fosse o único destino de uma mulher. As cartas das irmãs a consolam um pouco. O que elas contam, porém, não lhe dá vontade de voltar à Cracóvia. Nada lhe parece mudado por lá.

Vender peles não é um destino. Em todo caso, não o seu. É tempo de sair dali. Sua prima Eva, filha do tio Bernhard Silberfeld, irmão de Gitel, começou a escrever regularmente. Órfã de mãe, ela viveu por muito tempo na família de Helena, como uma nona irmã. Quando mais jovens, foram muito próximas.

Depois de ter ido ao encontro do pai na Austrália, Eva se casou com Louis Levy, um homem violento, alcoólatra, que começou roubando-a e terminou batendo nela, e, por duas vezes, quase a matou. Eva encontrou, contudo, força para se divorciar. Nas cartas, pede que Helena a ajude a cuidar de suas três crianças pequenas. Théodore, o menor, ainda é um bebê.

A Austrália? É uma ideia entre outras. Helena pensou nisso algumas vezes, sem insistência. Ela não sabe muito a respeito desse país de colonos, que, apesar disso, a atrai incontestavelmente. Quando Eva lhe descreve os grandes espaços, as extensões selvagens, as cidades modernas, Helena sonha com liberdade.

Ela reflete e se abre com a tia que, por sua vez, fala com o marido. Este acha o projeto excelente. Os Splitter, que estão de mudança para Anvers, em breve deixarão a sobrinha sem teto, sem trabalho e sem recursos. Lá, não há lugar para ela e, de qualquer modo, ela se recusa a acompanhá-los.

Então Chaja escreve a Gitel. E todos concordam: Helena deve emigrar. Como de costume, ela vai embelezar os motivos de sua partida: "Desde criança, sempre sonhei partir para a Austrália. Meus tios se estabeleceram lá, e minha imaginação se alimentou com suas cartas que contavam a vida naquelas terras distantes."[5] Fazendo a decisão de se exilar tão longe, ela modela à vontade a fama de aventureira. Vai embora porque decidiu. Não quer dever nada a ninguém.

Está fora de questão dizer que a família quis se livrar dela, mandando-a para longe, a milhares de quilômetros. Para todos, a solução australiana é uma saída honrosa para a rebelde in-ca-sá-vel. *Alteh moid*, solteirona, é o destino que a ameaça. Pode ser que, do outro lado mundo, ela ainda possa encontrar um *gvir*, um marido rico, que a desejará, apesar da idade, como Gitel ainda espera.

Helena deixa que eles falem, com medo de que mudem de ideia. Quando chegar lá, estará muito longe para que venham aborrecê-la com essas histórias de casamento.

Gitel vende uma joia, uma das poucas que ainda possui, e lhe manda o dinheiro com mais doze potes do famoso creme que Helena guarda na mala, sob os vestidos de seda plissada. Os Splitter, assim como outros membros da família da Cracóvia, completam a quantia.

A jovem pode, assim, comprar uma passagem na segunda classe, sem tocar em suas economias. Depois, mais sozinha e mais determinada do que nunca, ela pega o trem para a Itália.

Em Gênova, onde o navio que chega de Brema acaba de zarpar, ela embarca, à noite.

Um novo mundo sem compaixão

Carneiros.

A perder de vista.

O que existe de mais tedioso do que um carneiro? Aqui eles existem aos milhares, espalhados na savana carbonizada pelo sol. Animais estúpidos que pastam incansavelmente no meio dos arbustos e dos eucaliptos inchados de resina, nas extensões monótonas nas quais se percorrem centenas de quilômetros a cavalo sem encontrar vivalma. Pelo menos os carneiros não bebem rum ou cerveja até perder a fala. Eles não voltam bêbados dos botequins de Coleraine. Eles não a perseguem com desejo, os olhos fixos em seus seios, como se nunca tivessem visto uma mulher. Eles não são grosseiros com ela, não gritam, não arrotam. Os carneiros são idiotas, mas suportáveis. Não são como os seus tios.

Helena fecha a sombrinha com um gesto brusco antes de entrar na loja no número 107 da White Street, ao lado da casa de tijolos com um amplo pórtico, na qual está morando.[1] É um bazar, um pouco mais moderno que o de seu pai em Kazimierz, com altos balcões, suas prateleiras, e com altos escaninhos de madeira. Seu tio Bernhard, que também é criador de carneiros, e se diz oculista — uma palavra muito forte para os quatro pares de óculos que ele oferece —, vende de tudo. De óleo de castor, pás e peneiras, biscoitos secos, açúcar, batatas, cataplasmas, pomada para as articulações dos cavalos, cabrestos, cordas, farinha, pregos, instrumentos, sabão preto, óculos, e até roupas, calças de algodão grosso, camisas de linho bruto e chapéus de lona que, por lá, se chamam *akubras.*

Helena detesta o modo como as fazendeiras se vestem: saias de chita grosseira e grossos sapatos de laços. Todas as manhãs, mesmo sendo incômodo, ela veste um de seus vestidos de seda plissada, que vive remendando, e suas botinas de salto, maltratadas pelos passeios a cavalo. Não suporta as botas que o tio a obriga a usar quando a leva para cavalgar na savana, outro dos inúmeros suplícios pelos quais passa, chega a tremer diante da montaria. Que ideia é essa de subir no lombo de um animal? Ela não é feita para ser amazona. Sua única concessão à rusticidade é o avental que usa sobre a roupa para não sujá-la quando trabalha na loja.

É o que ela faz ao entrar, antes de se pôr atrás do balcão. Não há cliente à vista, mas não sabe ficar inativa. Abre o livro de contabilidade, pega uma pena. Logo é absorvida pelos cálculos.

— Você voltou? — A voz vem dos fundos da loja. — Demorou. Aonde é que você foi?

— Aula de inglês — responde secamente. — Desde que cheguei vou todos os dias à escola; você deveria saber.

E assim que eu souber o bastante para me virar sozinha, vou embora — acrescenta baixinho, antes de inclinar novamente a cabeça sobre os números.

O sotaque ídiche de Bernhard a irrita. Assim como a voz grossa e áspera, sem falar dos maus modos. Ele mastiga fumo, arrota, limpa o nariz sem o menor constrangimento. Rebecca Silberfeld, a avó de Helena, ficaria furiosa se visse o filho tão relaxado. Ele se tornou um verdadeiro bronco com os calçados enlameados, os punhos de lustrina e o lápis atrás da orelha. Mas não destoa no meio de todos os colonos, esses *gold diggers* ou garimpeiros de ouro, esses *stockmen* ou guardadores de carneiros, e esses ex-presidiários deportados da Europa. Se o país é tão rude, é porque se parece com os que o povoam.

Nas cidades é diferente; as pessoas são educadas, bem-vestidas, refinadas. Ela observou bem quando desembarcou em Melbourne. O pouco que conseguiu ver durante a metade do dia em que eles ficaram lá, pois Bernhard precisava fazer compras, agradou-lhe de imediato. Em Coleraine, porém, não há escolha. Aqui, não é o gênero humano que importa, o carneiro é o rei. Os fazendeiros criam carneiros, as mulheres que se casam com os fazendeiros cuidam dos carneiros e fazem muitos filhos que seguirão os passos dos pais. Elas não têm assunto algum para conversar a não ser de doenças infantis, ou então se queixam do tempo, dos empregados aborígenes, da seca, das inundações e, é claro, dos carneiros.

Helena volta a fazer cálculos com rapidez. O calor aumenta; ela seca a testa suada na manga. Não suporta aquele clima tórrido no verão, glacial no inverno, quase sempre úmido. Aliás, ela não suporta nada. Vai fazer dois anos que chegou àquela cidadezinha de pioneiros, de 2 mil almas, no meio do nada, situada no sudoeste do estado de Victoria, e ainda não se habituou.

Ao redor de Coleraine se estendem vastos pântanos varridos pelo vento violento da pradaria, que carrega atrás de si nuvens de poeira amarela que lhe provocam enxaquecas. Aproximadamente a 10 quilômetros ao sul corre o rio Wannon que deu nome ao distrito e que frequentemente transborda por ocasião das chuvas, isolando Coleraine e suas redondezas.

Estranhos animais, que alguns acham muito menos inofensivos que os carneiros, completam o quadro. Cangurus, coalas, lagartos, gambás, ornitorrincos, ratos aquáticos, gatos selvagens, perus selvagens e cães das pradarias. Aqui é preciso estar sempre alerta, prestar atenção aos mosquitos, fugir das serpentes, das aranhas-caranguejeiras e das aranhas de costas vermelhas, atentar para os incêndios que irrompem esporadicamente na savana, provocados pela maldade de vagabundos ou pelo sol que queima a erva seca. Sem falar dos bandidos do mato, os *bush rangers*, que rondam as fazendas prontos para assaltar, e dos indígenas, dos quais evidentemente se deve desconfiar, que surgem de repente diante de você com suas peles escuras de brilho ameaçador e suas bocas desdentadas mais assustadoras que máscaras.

Coleraine possui um correio, três bazares como o de Bernhard, um fabricante de selas, um ferreiro, um jornal, um joalheiro, um alfaiate, três hotéis, um presbitério e uma escola particular mantida por duas solteironas, Miss Crouch e sua sobrinha, Miss Arrovoye, onde Helena aprende inglês com alunos que têm 15 anos menos que ela. E também dois ou três bares nos quais os fazendeiros se embebedam depois das corridas de cavalos, a única distração ali.

O lugar não tem nada a ver com os portos magníficos que Helena viu durante a viagem de barco e cujos nomes ainda a fazem sonhar. Ou com Melbourne cuja efervescência ela pôde observar, antes de percorrer 300 quilômetros numa estrada poeirenta, na carroça de Bernhard, tão cheia de mercadorias que ela mal pôde ajeitar a mala e se sentar. Coleraine fica muito longe da Viena tão refinada, e da Cracóvia, cuja simples lembrança faz com que as lágrimas lhe venham aos olhos.

Depois de todo esse tempo, Helena ainda se sente só. Não é por acaso que essas regiões foram chamadas de *out back*, "terras isoladas", um nome que traduz com perfeição seu sentimento de abandono. A beleza dos lugares não a emociona, ela despreza a natureza luxuriante, as nuances resplandecentes das flores na primavera, as vastas extensões selvagens. Ela não tem amigos em Coleraine e não deseja ter.

É verdade que as pessoas são gentis, mostram-se prestativas, solidárias; é preciso que as pessoas se ajudem quando as condições de vida são difíceis, mas ela não tem nada a lhes dizer que não esteja ligado às relações de vizinhança ou às conversas com os clientes. Se pelo menos Eva tivesse ficado com ela. Depois de um ano em Coleraine, sua prima, que não se entende com o pai, preferiu voltar para Melbourne, com os três filhos nos braços.

Helena a teria acompanhado, se soubesse o que fazer na cidade. Sem dinheiro, porém, aonde ir? Agora ela cuida sozinha das refeições. Também se encarrega da administração da casa. A casa de Bernhard, dotada de todo o conforto moderno, possui um banheiro de verdade, com banheira com pés em forma de garras e um chuveiro, quatro quartos, uma cozinha, um salão, uma sala de jantar.[2] Para limpar tudo ela perde muito tempo.

O tio nem mesmo lhe é agradecido. Quando não caçoa dos vestidos de dama, dos saltos ridiculamente altos que ela teima em usar mesmo nos caminhos de terra, da inaptidão para montar a cavalo, do medo de lagarto, das aranhas e dos ruídos noturnos, das sombrinhas que sempre protegem seu rosto, dos modos excessivamente urbanos ou de suas pernocas queimadas, ele se cala. Ele pode ficar dias sem dizer uma só palavra, manifestando-se apenas por resmungos e outros sons irreconhecíveis. Não é de espantar que não tenha conseguido se casar depois da morte da esposa, a pobre tia Chana. Nenhuma mulher sensata iria querer um tipo daquele.

No início, pressionado por toda a família, inclusive suas irmãs que, da Cracóvia, insistiam por carta, Bernhard pôs na cabeça casar a sobrinha. Nos primeiros meses após sua chegada, ele lhe apresentou pretendentes escolhidos entre alguns imigrantes judeus poloneses, romenos, alemães, que moravam em Coleraine e nas povoações em torno do distrito de Wannon. Todos ficaram encantados; Helena é uma mercadoria rara por aqui. Uma *shaineh maisdel*, uma bela moça, dizem os olhares apreciadores que acompanham a frágil silhueta com as curvas certas para agradar a um homem. Além disso, com personalidade forte, útil para se sobreviver nesse país difícil. Eles já a veem dirigindo o lar, esquentando o leito, rigorosa com as muitas crianças que não deixarão de fazer nela.

Mas eles são criadores, e ferreiros, sapateiros, garimpeiros, *proster mensh*, indivíduos vulgares com quem ela jamais se relacionaria na Cracóvia. Casar com eles então...

Em seguida, como ela teimou em rejeitá-los sem nem mesmo conceder-lhes um sorriso — não, eu não quero saber de Yankel, estou pouco ligando que o bar dele seja o mais frequentado de Digby; e também não quero Moishe, o manco; esse Nathan pode ser um fazendeiro muito rico, mas não deixa de ser um *ongentrinken*, um bêbado —, Bernhard apresentou os solteiros que restavam nas redondezas, dessa vez, os *goyim*, não judeus.

Helena não se casará. Quantas vezes ela lhe explicou, inicialmente com educação, depois, elevando a voz durante as discussões que acompanharam cada uma de suas recusas, que não pretende se enterrar em Coleraine? Então, Bernhard abandonou a ideia. Agora, ele olha tudo o que ela come como se calculasse o que cada bocado lhe custa. Helena, porém, come como um passarinho. Quando bebe, ele anuncia que ela vai secar como a pele velha de um carneiro, curtida pelo *brick-fielder*, o vento do deserto, já que não quer saber de um homem.

Mas há coisa pior que Bernhard.

Louis, seu irmão mais novo, cria carneiros em Merino, uma pequena povoação situada a 19 quilômetros ao sul de Coleraine. Louis, o lascivo, um verdadeiro *bushman*, que dorme sem tirar as botas e fala com o sotaque pesado dos guardadores de rebanhos. Ele a encara, passando a língua pelos lábios, como se ela fosse uma tigela de creme. Todas as vezes que ele os visita, insiste em ensiná-la a montar a cavalo. Ao fim de apenas alguns minutos, Helena, que se queixa de dor nas costas, exige voltar. Ela não sabe dizer qual lhe provoca mais medo, o animal ou o tio.

Louis, não perde a esperança. Aparentemente, as grosserias da sobrinha o excitam. A última vez em que ele se aproximou dela, no estábulo, tocando-lhe os seios, ela lhe deu uma guarda-chuvada. Ele ficou vermelho, ergueu o punho para agredi-la. Bernhard, que não deseja que a filha de Gitel fique desfigurada — criaria uma confusão na família — quase não conseguiu acalmar o irmão. Louis fingiu persegui-la, insultando-a. Helena correu o mais rápido que pôde e se refugiou na escola. Os alunos a olharam, boquiabertos.

— O que é um *bugger*? — ela perguntou, quando recuperou o fôlego, a Miss Crouch e a Miss Arrovoye, as professoras.

As duas solteironas ficaram vermelhas como as cortinas de pelúcia usadas no quarto que ela ocupa na casa de Bernhard.

— Bem, suponho que seja uma mulher da vida ou algo do tipo — murmurou Miss Crouch, enquanto Miss Arrovoye abaixava os olhos.

Não, nada aconteceu como estava previsto. Aliás, o que é que ela previra? Não sabe mais. Todas as noites, chora ao se deitar, esgotada, depois de ter trabalhado como uma condenada na loja, salvo nas poucas horas em que vai à escola. Ela se levanta de madrugada, sempre chorando porque sonhou com as lojas do Rynek e com os passeios sob as muralhas, quando os lilases florescem. Até mesmo a lembrança das ruelas barulhentas de Kazimierz lhe provoca saudade. Acontece-lhe de fechar os olhos e lembrar seu pequeno mundo perdido, as carrocinhas dos mercadores ambulantes, as boas mulheres na soleira da porta, os doces de papoula de sua mãe.

A saudade do país a corrói. Aqui, ela detesta tudo: o clima, as pessoas, os carneiros, os tios. É muito difícil e, contudo, na Polônia, a vida estava longe de ser fácil. Mas a Austrália... Ela jamais se habituará. Gitel choraria durante uma semana se tivesse a menor ideia das condições de vida da sua mais velha.

— Não se preocupe, mamãe — Helena repete, olhando-se no caco de espelho acima da pia. — Eu lavo a pele ao acordar, me hidrato com o seu creme, e escovo cem vezes os cabelos antes de ir para a cama, como você me ensinou.

O ritual de Gitel. Uma das únicas lembranças que a prendem ao passado. Helena se esquece de como reclamou da limitação de sua vida lá e de como rezou para ir embora. Ela sente saudade das irmãs, recorda a beleza de Stella, a mais bonita de todas, pensa nas frases inteligentes de Pauline, no mau gênio de Ceska, com quem brigou muitas vezes, e em sua pequena Erna, a irmã mais nova, que ela praticamente criou. Nunca imaginou que aquelas garotinhas insuportáveis lhe fossem fazer tanta falta, já que, em Viena, quase nunca pensava nelas.

Helena sente fisicamente o calor do ninho. As raras cartas que recebe da Cracóvia e que relê até saber de cor mergulham-na numa saudade que a entristece após a leitura. Ela tem o *pip*, fica na fossa. É triste e pesado.

Em breve, 27 anos, e estragou tudo — ela pensa, quando o desespero a domina. Não estudou, não se casou, trabalha como um burro de carga sem ganhar um *shilling*, um tostão. Sua vida é um fracasso num país hostil, com tios que não o são menos. Está fora de questão, contudo, voltar atrás. Para encontrar o quê? A mesma vida difícil e sem possibilidade de fuga? O olhar penalizado dos seus parentes? Ela os ouve daqui. Sempre sem um tostão, essa pobre Chaja, e ainda sem um par. Ser taxada de *shlimazel*, azarada? Ou pior, de *lebish*, perdedora?

Nunca.

Até agora ela escapou das armadilhas que a espreitam. Mas um dia desses vai cair de um daqueles malditos cavalos e quebrar a coluna. Ou então ela será picada por uma daquelas pequenas cobras malvadas do mato, que se enfiam nos lençóis e nos calçados, e morrerá depois de longa agonia. Ou então aquele idiota do Louis conseguirá o que quer. Ele a violará num canto escuro, e ela vai chorar rios de lágrimas. Se, por acaso, conseguir sobreviver, será obrigada a casar-se com um daqueles brutos. Não poderá se livrar disso.

Encurralada entre o rebanho de crianças e o de carneiros, o rosto estragado pelo sol e pelo vento, envelhecerá prematuramente, queimada e enrugada como as clientes da loja, ou como as senhoras inglesas com quem ela cruzou em Melbourne, e cujo rosto se parece com um pergaminho. Felizmente, sua mãe deu-lhe aqueles poucos potes de creme. A ação prudente de Gitel e seu terror do sol mantiveram intacta sua tez de porcelana que lhe garante os olhares apreciadores dos homens e os cumprimentos um pouco invejosos das mulheres.

— Querida, o que é que você faz para ter uma pele tão branca?

O pavor delas é se parecerem com as mulheres aborígenes, aquelas que não valem nada, segundo seus códigos, e cuja pele escura as repugna. Helena responde em seu inglês ruim, marcado com o impossível sotaque polonês que ela nunca conseguiu perder:

— Family secret.

Em seguida, como se partilhasse um tesouro misterioso e precioso, ela pega de baixo do balcão um pequeno pote de creme e passa no rosto da cliente. As mulheres adoram que cuidem delas. Helena também lhes dá conselhos. "Não peguem sol, é um desastre para o rosto. Usem suas sombrinhas, seus chapéus." Elas saem encantadas do bazar de Bernhard.

Apesar do uso comedido, sua provisão está chegando ao fim. Inutilmente, Helena diz às fazendeiras que o creme custa muito caro porque vem de longe; elas pedem mais. Pode ser que ela pudesse vender alguns potes dele no bazar. Bernhard permitiria. Mas para isso teria de pedir a Gitel.

Numa noite em que não conseguia dormir — em Coleraine a noite assusta ainda mais que o dia —, Helena refaz seus cálculos pela centésima vez. Se tudo der certo, serão necessários dois meses para sua mãe receber a carta, dois meses para que a encomenda viaje da Cracóvia a Melbourne, mais 15 dias para tirar a mercadoria da alfândega e transportá-la até aqui.

É muito tempo e também muito complicado. Seria mais rápido se Helena mesma fabricasse o creme. Não deve ser difícil. Bastaria pedir a fórmula a Jacob Lykuvsky. Tio Jacob. De repente, pensa intensamente nisso e se lembra com saudade do largo sorriso de sua mãe quando ela abre os grandes potes de creme trazidos pelo químico. Ele não pode recusar-lhe esse favor.

Helena se senta na cama, muito entusiasmada. Como é que não pensou nisso antes? As australianas invejam sua pele perfeita? Ela vai lhes oferecer a mesma coisa. Ou melhor, vai vender-lhes. Fabricará o creme e o comercializará em pequenos potes lindamente decorados. Se fizer tudo direito, rapidamente poderá ganhar a vida. Para investir em pesquisas, ela precisa, porém, de algum dinheiro. Infelizmente, suas economias já se foram há muito tempo.

Desde que chegou a Coleraine os negócios cresceram um terço, mas o velho avarento do Bernhard preferiria ser picado por uma cascavel a reconhecer o fato. Com o pretexto de oferecer à sobrinha casa e comida, ele não lhe dá um salário, exceto algum dinheiro, de vez em quando, para suas necessidades essenciais. Todas as vezes Helena se sente humilhada de ter de pedir esse dinheiro ao qual, todavia, ela teria direito.

Bernhard é tão pão-duro que não lhe emprestará um único centavo, ela tem certeza. Aliás, em Coleraine ninguém o fará. Terá de se virar sozinha. Durante toda a noite, Helena elabora planos, aperfeiçoando-os durante as semanas que se seguem. Tem de trocar Coleraine por Melbourne. Lá, ela abrirá seu salão de beleza num bairro de prestígio. Ela o vê nos mínimos detalhes, imagina as cores das paredes, a forma dos móveis. No seu instituto, as mulheres se sentirão em casa, livres, durante algumas horas, das preocupações domésticas e dos gritos da criançada.

Helena ensinará as mulheres a cuidar da pele, a protegê-la com o creme de Gitel. Talvez elas também necessitem de massagens. Helena se lembra do bem-estar que sentia quando sua mãe massageava suas costas nos raros momentos de ternura.

Sonhar lhe faz bem; é como ela esquece sua vida miserável. Agora, não chora mais ao se deitar. Não tem mais medo dos ruídos noturnos que habitualmente a fazem estremecer ou a obrigam a se encolher debaixo das cobertas porque tem certeza de que um animal selvagem ronda a casa. Ao contrário, ela se apressa a soprar a lamparina para deixar o pensamento vagar no escuro. Todas as vezes, porém, tropeça no mesmo problema. Falta-lhe financiamento. Como pagar a viagem a Melbourne? E a fabricação do creme? Essas perguntas se tornam cada vez mais dolorosas.

De repente, ela pensa no velho farmacêutico que tem um laboratório em Sandford, a povoação vizinha. Uma vez por semana, quando vai ao mercado na carroça do tio, não deixa de lhe fazer uma visita. A loja minúscula, poeirenta e antiquada, transborda de potes de ervas, cascas, óleos, poções, unguentos e pomadas. Helena adora aqueles cheiros medicinais que lhe lembram a sua vocação reprimida. Desde que a mulher foi levada por uma gripe na primavera anterior, o senhor Henderson, que não tem herdeiros, sente dificuldade em tocar o negócio sozinho. Ele já se queixou com ela, e ela balançou a cabeça em sinal de compaixão.

Como é que não pensou nisso antes? É ele quem a salvará — pensa. No dia do mercado, ela se afasta de Bernhard, que se demora com os vendedores de gado, e com o coração acelerado, se dirige à farmácia.

Inicialmente, ela finge remexer na loja, abre frascos, desloca potes de creme. Em seguida, para tomar coragem, respira fundo e se dirige ao velho farmacêutico.

— Diga, senhor Henderson. O senhor me contrataria como ajudante?

Uma difícil aprendizagem

Tio Bernhard se recusa a deixá-la partir para Sandford. Ele não quer ouvir falar do velho farmacêutico que, imediatamente, aceitou a sugestão de Helena.

— Seu lugar é em Coleraine — ele repete, sacudindo a cabeça dura de polonês —, você não tem nada o que fazer lá. Ganhar a vida? Mas por quê? Uma mulher respeitável deve ficar em casa, não atrás de um balcão. Teria sido melhor se você tivesse casado, em vez de virar as costas aos belos partidos que eu lhe apresentei! E de que adiantou? Você vai se tornar a vergonha da família, trabalhando para esses *fremders*, esses estrangeiros! O que vai dizer sua pobre mãe, minha querida Gitel, que confiou você a mim? E minhas outras irmãs, minha querida Rosalie e minha querida Chaja? Elas vão me censurar pelo resto da vida por eu ter abandonado você.

Bernhard tenta ganhar a sobrinha oferecendo-lhe até mesmo um salário, bem magro, é verdade, mas vindo daquele velho avarento, é sinal de que lhe era necessária. Helena está determinada. Mesmo por todo o ouro do mundo ela não tem a intenção de ficar um minuto a mais em Coleraine.

— Você é mais teimosa do que a peste de um carneiro — diz-lhe Bernhard, que troca o tom queixoso por insultos em ídiche.

Helena lhe lança um olhar glacial e, sem uma palavra, volta para o quarto para acabar de arrumar suas coisas. Parado na soleira, sem ousar entrar, Bernhard continua com suas amabilidades. Sempre em silêncio, Helena sai à rua arrastando sua pesada mala atrás de si. Ele não faz um gesto para ajudá-la.

Lá fora, um vizinho a espera na carroça. Um corajoso fazendeiro que aceitou conduzi-la a Sandford. Ela sobe para a boleia, ajeita o chapéu, enquanto o homem deposita sua bagagem atrás, no meio dos carneiros.

— Até que enfim! — grita Bernhard como bênção, enquanto os cavalos se põem em marcha.

O farmacêutico estipulou um salário de 22 shillings por mês, com dias de trabalho ininterruptos, desde o amanhecer até a noite. Não é muita coisa, mas já é o início da independência. Além disso, Helena aprecia a clientela. Como no bazar do tio, as mulheres lhe fazem confidências. A jovem as escuta com um misto de curiosidade e de empatia, pergunta sobre as crianças, os maridos, a saúde deles. Ela se desdobra para ajudá-las, vai buscar as poções de que precisam nos fundos da loja, prepara as receitas. Trabalhar na farmácia a deixa empolgada; não se cansa do minúsculo poder que os clientes lhe concedem, ao seguir à risca seus conselhos.

Dia após dia, o velho Henderson lhe ensina seu saber. Aprende ali mesmo como misturar o espermacete e o bulbo do lírio, a parafina e a casca da amêndoa doce, a cera de abelha e as ervas, a lavanda e o mel. Ela lê tratados científicos que ele lhe indica e, mais de uma vez, pensa na vocação médica perdida. No belo Stanislaw também, seu amor da Cracóvia, mas cada vez menos. Os traços do rapaz se esvaíram há tempos. Ele deve estar casado, com uma penca de filhos — pensa, por vezes, sem a menor nostalgia. Ela não é do tipo de mulher que se entrega à tristeza do amor, real ou idealizado.

Helena examina o último pote de creme de Lykuvsky no microscópio e tenta decompor todos os seus elementos. Todas as noites ela gasta a vista, passa as noites no microscópio até literalmente cair de sono na escada que a leva ao quartinho onde mora. De manhã, ela se levanta antes do sol para limpar a farmácia, lavar o chão, passar um pano nos potes. À noite, tem de cuidar do caixa, depois de horas cansativas em que não tem tempo nem mesmo para respirar. Ela não se queixa. Sempre foi trabalhadeira e, além disso, agora, sente-se estimulada por seu projeto.

Gitel finalmente lhe respondeu. Acrescentou alguns potes à carta. Não posso lhe mandar mais que isso, filha. Aqui tudo custa caro. Você pensa o quê? O dinheiro não brota nas calçadas da rua Szeroka. Helena lê rapidamente duas páginas cheias de notícias sem interesse. Gitel se recrimina ao longo das frases. *Oy gevelt*, suas irmãs crescem, é difícil casá-las sem dote, seu pai faliu outra vez.

No momento em que o desânimo toma conta dela, um *P.S.* lhe aponta para o que está ansiosa para saber. A fórmula mágica. Ou, pelo menos, o que sua mãe compreendeu dela. Ervas, casca de pinheiro, gergelim, essência de amêndoa, azeite, cera... Com o texto em uma das mãos e o pilão na outra, rapidinho, Helena retoma suas pesquisas. Não deve ser complicado. Mas, de fato, é. A textura se perde. Líquida demais, ou não o bastante, seca demais ou grudenta.

Helena se torna sua própria cobaia. Todas as noites, antes de se deitar, ela experimenta no rosto as misturas que preparou. Às vezes, fica assustada. E se acordar cheia de espinhas? Não, não há perigo; em todo caso, não com aqueles ingredientes. Mas falta alguma coisa para que seus preparados imprevisíveis se pareçam com um creme de beleza digno desse nome.

Até o dia em que uma luzinha se acende em sua cabeça. Acontece por acaso, justamente no momento em que ela vai dormir. É frequentemente entre a vigília e o sono, nesse curioso estado intermediário em que pensamentos e sonhos se atropelam que você topa com as grandes revelações. No momento em que menos espera, Helena pensa nos carneiros. Ela leu num velho livro do senhor Henderson, sem prestar muita atenção, que a lã deles secretava uma gordura indispensável à fabricação do *cold cream*, como dizem as senhoras inglesas, que pronunciam a palavra arredondando os lábios. Esse ingrediente é a lanolina. E, de repente, essa leitura volta-lhe à mente. E isso lhe parece tão claro como se a última peça do quebra-cabeça se ajustasse às outras para formar o desenho certo. A lanolina é exatamente o que precisa ser acrescentado aos outros ingredientes para que se obtenha um creme ao mesmo tempo suave e hidratante.

Em um dos velhos livros de cosmetologia do farmacêutico, ela lê de um só fôlego, em inglês — obrigada Miss Crouch e obrigada Miss Arrovoye por suas lições —, tudo o que diz respeito aos poderes suavizantes da lanolina. Mas como extraí-la da lã, como purificá-la, pois a suarda, em estado bruto, solta um cheiro insuportável.

E se lembra então de que torcia o nariz quando passava por algumas ruas estreitas de Kazimierz, onde os curtidores punham as peles para secar antes de transformá-las em couro. Para eliminar o cheiro, era necessário passar água de rosas ou lavanda e depois água, essencial para a hidratação.

A lanolina é o elo que lhe faltava para transformar o chumbo em ouro. Ou, mais exatamente, a mistura cheia de grumos que até então saía de suas panelas, em produto acabado. Um pouco mais de paciência e ela será rica. Antecipadamente, saboreia a revanche. Ainda precisa, porém, trabalhar muito para poder conseguir os caros ingredientes, especialmente com o salário que o senhor Henderson lhe paga. Ora, Helena tem pressa. Os anos passam com a maior rapidez.

Ela se recorda do rosto simpático de Lady Susanna, a esposa do ajudante de ordens do governador do Queensland, que conheceu no *Prinz Regent Luitpold*. Helena guardou seu endereço numa bolsinha de seda branca onde conserva seus mais preciosos documentos. Ela lhe escreve imediatamente e recebe uma resposta pelo correio. Certamente, Susana se lembra perfeitamente de Helena. Como esquecer uma pessoa tão encantadora? Ela termina a carta convidando-a para ir a Brisbane. "Por quanto tempo você quiser, querida. Você verá, vai gostar desta cidade. Um pouco provinciana, de fato, não é Londres ou Melbourne, mas aqui se encontra de tudo."

Agora hábil na arte de fazer as malas, Helena costura algumas roupas mais ou menos apresentáveis. Em seguida, se despede de seu protetor e sobe no trem que vai salvá-la. O trajeto é bem longo, sobretudo para uma jovem que viaja sozinha, mas ela começa a se habituar a isso. Para chegar a Brisbane, é preciso percorrer 2 mil quilômetros e atravessar três estados, Victoria, Gales do Sul e Queensland.

Ao final de uma semana interminável, que ela passou olhando as paisagens e dormindo, Helena chega à estação central de Brisbane, exausta e empoeirada.

Livre, porém, mais uma vez.

No fiacre que a leva à casa da amiga, seu olhar é atraído pelo que ela vê à sua volta. Brisbane, capital de Queensland, é uma cidade agradável, moderna, dotada de largas avenidas nas quais se sucedem construções baixas, restaurantes, teatros, lojas de roupas, e um novo bonde elétrico. Colonos ingleses e alemães a construíram cinquenta anos antes, à beira do rio de mesmo nome, conhecido por suas repetidas inundações. A última, a mais terrível, acontecida em 1893, ficou na memória de todos. Todas as vezes foi necessário reconstruir as casas à beira das margens.

Helena absorve o espetáculo da cidade como se tivesse sido privada de beleza por muito tempo. Ela se surpreende diante dos monumentos em estilo clássico, a catedral, o Parlamento e o Velho Moinho erguido pelos condenados. O país foi construído com o suor deles. Os primeiros condenados, que chegaram a Sydney em 1788, foram deportados da Inglaterra em 11 navios da Royal Navy. Numa época em que as prisões britânicas transbordavam de gente, a Austrália se tornou o melhor lugar para abandonar os criminosos excedentes. Durante quase um século, os condenados serviram para estabelecer colônias em condições frequentemente terríveis. A última leva chegou em 1868. Ao todo, 160 mil almas: homens, mulheres, crianças, foram deportadas. Muitos tinham menos de 15 anos.

Ela, que tantas vezes se sentira prisioneira naquela savana tão detestada, teve de se compadecer com a história deles. Também tem a sensação de sair da prisão. Em Coleraine, entrar sozinha num bar dava margem a ser considerada uma mulher vulgar. Ela se pergunta como pôde ficar tanto tempo ali.

Ao chegar a casa de Susanna, depois das primeiras efusões seguidas de uma boa xícara de chá, ela faz uma narrativa bem pessoal de seus anos em Victoria. "Never complain never explain" — nunca se lamentar, nunca se explicar — poderia ser seu lema. Ela se recusa a inspirar pena. Em suas *Memórias*, limita-se a versões açucaradas de seus momentos difíceis. "Seu tio é um grande proprietário de terras", diz. Lá, nada lhe faltou, e ela não aceitou casar-se com o irmão dele que tinha uma queda por ela. Helena sorri interiormente quando diz essas mentiras, baixando os olhos como uma virgem assustada. "Assim é que", continua "seria delicado ficar mais tempo. Além disso, aquela vida de mulher ociosa a entediava mortalmente".

Ela se cala a respeito da loja de Bernhard, da brutalidade de Louis, da farmácia do senhor Henderson e de todas as horas em que trabalhou sem descanso, lavando, secando, preparando, vendendo... Enquanto fala, esconde as mãos calejadas que poderiam traí-la. Cuidou delas, contudo, o melhor que pôde. Mas as unhas manicuradas não são compatíveis com o trabalho doméstico.

Felizmente, Susanna olha apenas para o rosto dela, exclamando de vez em quando desconsolados "oh". O único momento em que Helena se mostra sincera é quando ela pede à amiga para ajudá-la a encontrar um emprego digno, porque precisa ganhar a vida. E Susanna, emocionada com a narrativa na qual, por detrás do que não foi dito, percebeu, sem dúvida, uma verdade mais sórdida, o promete.

Essas poucas semanas em Brisbane passam como um sonho. Dividida entre a admiração por Susanna e suas amigas, e a compreensão que ela tem de sua modesta pessoa, Helena não sabe mais o que pensar. As roupas remendadas lhe parecem miseráveis diante das daquelas ladies de Brisbane que exibem vestimentas na última moda de Londres. Nas peles claras, porém, o sol e o vento fizeram estragos difíceis de serem corrigidos. Elas se extasiam com a pele sem defeitos da jovem, o aveludado da tez, a ausência de rugas. Esses cumprimentos lhe restituem a confiança, especialmente em seu projeto. Em breve, ela será tão rica e famosa quanto aquelas mulheres inacessíveis.

Fiel à sua promessa, Susanna sai em busca de um trabalho e de um teto para ela. Por acaso, fica sabendo que Lady Lamington, a esposa do governador de Queensland, que se tornou muito popular na Austrália por ter defendido a causa das tribos aborígenes, procura uma pessoa de confiança para auxiliar sua *nanny*. O casal, que vive em Brisbane, acomodou os dois filhos pequenos em sua mansão de Toowoomba, uma estação de montanha situada a 60 quilômetros da cidade.

Em Brisbane, os Lamington residem no palácio do governador, uma imponente casa colonial situada no meio de amplos jardins. Como esposa do ajudante de ordens, Susanna não teve dificuldade em conseguir uma entrevista para a amiga. O casal gosta de Helena. Eles a acham bonita, bem-educada e discreta. Por sua vez, ela se sente mais intimidada do que gostaria de estar diante do luxo da casa e de seus numerosos empregados. Fiel à sua regra de conduta, ela conta o estritamente necessário sobre seu passado. Os Lamington, porém, são curiosos. Eles a pressionam com perguntas.

— Sete irmãs! — diz Lady Lamington, achando engraçado. — Como é que se pode ter sete irmãs?

— Você fala alemão? — pergunta Lorde Lamington. — É muito importante. Ah, você viveu em Viena? E francês?

— Na Polônia, onde meu pai possuía uma grande propriedade, tive uma governanta vinda de Paris — replica Helena sem se perturbar. Ao longo da conversa, comovida com o interesse que seus anfitriões lhe manifestam, ela recupera a segurança.

Os Lamington nunca verificarão suas declarações. Helena diz mentiras com tamanha candura que se é obrigado a confiar nela. Aliás, a jovem fica imediatamente à vontade com as duas crianças, que a seguem por toda parte e se refugiam em seus braços. Ela gosta muito de bebês, especialmente do dos outros. Sua vivacidade e inteligência a tornam uma *nanny* fora do comum. Em poucos dias é adotada pela família e passa da situação de doméstica à de dama de companhia. Para ela, é humilhante do mesmo modo, mas essa nova situação lhe dá, contudo, acesso ao mundo deles, a uma porta de entrada para a aristocracia, mesmo que seja pela escada de serviço.

Quando os Lamington voltam para Toowoomba, ela participa de todos os jantares, de todas as festas ao ar livre. Sua educação mundana começa na mansão. Ali aprende os costumes da aristocracia inglesa, o que lhe será bastante útil, mais tarde, em Londres, na convivência com a *gentry.* Ela observa, imita, acumula. Comportar-se à mesa, servir-se com um garfo para ostras, apreciar um vinho, sorrir quando não tiver nada a dizer, ouvir pacientemente os senhores falarem de caça, e as damas, de suas preocupações domésticas.

Considerada um encantador animal exótico num país no qual, porém, eles não faltam, a pequena senhorita da Cracóvia começa a se desabrochar. Ao mesmo tempo, ela dá continuidade às pesquisas para o aperfeiçoamento de seu creme. Porque se mantém atenta ao seu objetivo.

De todos os estados da Austrália, ricamente beneficiados pela natureza, Queensland é o mais famoso por sua flora. Grande quantidade de plantas que ali cresce entra na composição de unguentos e pomadas de beleza. Quando a *nursery* lhe deixa algum tempo livre, Helena as estuda. Em Coleraine, a savana não a seduzira. Aqui, ela se sente inspirada assim que começa a colheita em torno da casa, com um cesto no braço para guardar seus tesouros.

De volta ao quarto, examina seriamente cada achado, pesquisa as propriedades das plantas, o modo como misturá-las com outras para obter delas o melhor resultado. A biblioteca da casa transborda de livros de botânica, de herbários antigos e de enciclopédias que aumentam seus conhecimentos rudimentares sobre o básico.

Essas horas que passa com os velhos tratados são momentos de pura felicidade. Ela absorve os conhecimentos, memoriza receitas. Na Antiguidade — ela lê — a Cosmetologia foi reconhecida como uma arte em si, e suas fórmulas, reproduzidas nos tratados de Galeno, o médico da corte de Marco Aurélio, nos de Heráclito de Tarento e nos de Críton, que cuida da esposa do imperador Trajano. A palavra vem do grego *kosmos*, que significa ornamento e ordem. Platão rejeita a maquiagem e os unguentos porque eles produzem uma beleza estranha, fugindo ao natural, que ele opõe à beleza de corpos, modelada pela ginástica.

Outra etimologia a atribuiu à *kemet*, a terra negra das margens do Nilo, que as mulheres utilizam para se proteger do ar seco e dos ventos do deserto. Os egípcios são verdadeiros químicos da beleza, capazes de criar produtos de síntese para embelezar e curar. Eles fabricam seus pós preferidos com farinha de gesso perfumada com mirra e incenso. Outras pomadas incluem o ocre para clarear a tez, o azeite, a cera de abelha, a água de rosas. É comum a utilização de objetos de toalete: pinças para depilar, pentes, grampos de cabelos, espelhos que são guardados em lindos cofrinhos.

Em Roma e em Atenas, as elegantes banham as mãos em águas perfumadas com óleos aromáticos obtidos de azeitonas prensadas ou de amêndoas amargas, misturados com especiarias como o cardamomo e o gengibre, ou com essências de lírios ou de íris. Elas se untam com alvaiade, tóxico para a pele, o que então não se sabia, e preparam máscaras à base de argila, amido, mel ou leite de asna.

Na Idade Média, prescrevem cerveja para dar cor ao rosto, e erva de lício para dar brilho aos olhos. A farinha de fava e o grão-de-bico entram na composição das máscaras de beleza. As mulheres depilam inteiramente o rosto e o corpo com faixas de cera quente e cuidam das rugas com pomadas compostas de cera, óleo de amêndoas, gordura de crocodilo, sangue de ouriço, morcego ou serpente. A Igreja se opõe às técnicas de embelezamento, pois elas corrigem a obra do criador e levam as mulheres a buscar futilidades em vez de trabalhar para a salvação de suas almas. Para os clérigos, a beleza tem as cores do Diabo.

No Renascimento, Lucrécia Bórgia deve a transparência de sua pele a uma pomada à base de leite de mulher e azeite, misturados com prata e pérola finamente trituradas. O blush, fabricado com cochonilha, madeira de sândalo e sulfeto mercúrico, é a cor preferida das belas para realçar o rosto. A palidez continua sendo, porém, a marca suprema da distinção.

Helena não se cansa de aprender ou de tomar notas. Ela adora as receitas naturais da marquesa de Pompadour: mel batido com *crème fraîche* e água de salsa tonificante para refrescar a pele. No século XVII, a palidez da pele é um bem difícil de ser conservado. É preciso evitar o ar livre e o sol, e também os excessos da vida na corte, dormir tarde e alimentação pesada que maltrata a tez. Pomadas à base de caramujo e plantas aromáticas são aplicadas à noite, para restaurar a palidez e tratar as espinhas.

Seu novo saber confirma suas intuições: o sol é ruim para a pele, e a hidratação cura muitos males. Ela espera, impaciente, as caixas de creme que sua mãe lhe envia da Cracóvia a cada dois ou três meses. A quantidade de potes varia de acordo com os meios de Gitel. Helena convoca então a roda feminina dos Lamington para testá-lo e sempre obtém o mesmo sucesso.

Um ano após sua chegada a Toowoomba, no dia 1º de janeiro de 1901, foi proclamado o Commonwealth da Austrália, formado pela federação das seis grandes colônias do país. No dia 22 do mesmo mês, a rainha Vitória morre aos 80 anos. Seu filho, o rei Eduardo VII, a sucede e, alguns meses depois, inaugura o primeiro parlamento australiano, em Melbourne.

Os Lamington, que levam filhos e empregados para Brisbane, estão muito ocupados com as cerimônias e as festas da coroação. Sem querer, a jovem fica presa nesse turbilhão que marca sua verdadeira entrada no mundo. Lady Lamington a apresenta a todas as suas amigas como uma especialista em beleza. Para a tímida Helena que nunca se sente à vontade naquela aristocracia arrogante e fechada, o único modo de provocar interesse é falar de seu creme e dos projetos de fabricá-lo.

Todos se divertem com isso, e a encorajam, como se se tratasse de uma encantadora excentricidade. Os ingleses adoram esse tipo de personagem. Então, Helena finge ser frívola, mas seu cérebro permanece alerta. Não deve se deixar embriagar por esse mundo ao qual, não importa o que ela faça, jamais pertencerá.

Essa época termina bruscamente quando Lady Lamington lhe anuncia a partida da família para Bombaim. Ao longo dos meses, as duas mulheres nutriram verdadeira estima uma pela outra. No coração de Helena, porém, não há lugar para a saudade. Sua vida de empregada, por mais dourada que tenha sido, era provisória. Para ela, está na hora de ensinar às australianas a arte e a maneira de serem belas.

242, Collins Street

O que pode fazer uma trintona decidida a vencer numa grande cidade como Melbourne? Trabalhar. Assim como os milhares de jovens mulheres solteiras que, naquela época, constituem mais de um terço do batalhão dos ativos.

Melbourne é, na época, uma cidade nova, com mais de 2 milhões de habitantes. Fundada em 1834, na foz do rio Yarra, por dois súditos da rainha Vitória, a cidade recebeu o nome do primeiro-ministro britânico, Lorde Melbourne. Vinte anos depois, o país dos trabalhadores forçados tornou-se uma terra prometida. Os boatos correm por toda parte. Encontraram pepitas no fundo de um rio, perto de Ballarat, no estado de Victoria.

O oeste da Austrália conhece, então, o frenesi da corrida do ouro, comparável à que já tinha sido vivida na Califórnia e no Alaska. Homens do mundo todo, armados com pás e picaretas, desembarcam em Port Philip Bay e partem para fundar cidades auríferas que crescem como erva daninha. O sonho dura pouco, apenas quatro anos. Não tem importância. Melbourne começa a crescer exponencialmente. Na falta do ouro, os colonos ganham dinheiro a rodo no ramo imobiliário e nas finanças. Constroem-se obstinadamente igrejas, templos, escritórios, cafés, restaurantes, hotéis de luxo, galerias comerciais. Abrem-se bulevares, criam-se jardins. Tendo se tornado em menos de quarenta anos uma das mais importantes cidades do Império, Melbourne é considerada a cidade mais rica do mundo. Sua Bolsa é tão importante, se não mais, que a das praças financeiras de Nova York e de Londres.

Em 1891, a crise econômica põe um freio nesse crescimento desenfreado. Melbourne continua a se desenvolver, mas sem o frenesi do início. Sydney não leva muito tempo para ultrapassá-la. Quando Helena chegou, a cidade, povoada por mais de trinta nacionalidades ainda é *Marvellous Melbourne*, ou *Smellbourne*,* referência ao sofisticado sistema de esgoto que a municipalidade acaba de instalar. A jovem se entusiasma com a modernidade que é superior a tudo o que ela já conhece. Comparativamente, Cracóvia, Viena, e até mesmo Brisbane, parecem insignificantes.

O único empecilho à sua felicidade é a pobreza que a paralisa. O que economizou do salário recebido na casa dos Lamington lhe garantirá exatamente o aluguel do mobiliado e com o que sobreviver até encontrar um emprego. Ela terá de se contentar em sonhar diante das salas de concerto, teatros e restaurantes por não ter os meios para entrar.

Antes de se lançar à conquista da cidade, ela decide, contudo, impregnar-se de seu ambiente para melhor compreendê-la. Passear a pé é um prazer gratuito, do qual abusa com gosto. E o que ela descobre lhe agrada. Por alguns centavos, pega o novo bonde, vai até o rio Yarra para olhar os canoeiros, assiste às regatas organizadas no porto. O esporte nacional é o críquete: de um extremo a outro do país, os australianos se interessam por ele com fervor. Os Ashes, torneio que de dois em dois anos acontece entre os times da Inglaterra e da Austrália, deslocam multidões incontáveis. Durante algumas semanas, todos ficam ligados nos feitos dos campeões.

Em Melbourne, no verão, os habitantes vivem ao ar livre. As mulheres, sadias e musculosas, jogam tênis, pedalam alegremente suas bicicletas, tomam banhos de mar vestidas da cabeça aos pés. Uma nadadora australiana, Annette Kellerman, inventará em breve a roupa de banho mais despojada.

Apesar da proteção dos chapéus e das sombrinhas, o sol estraga os rostos, o vento do inverno enruga a pele, sulcos precoces se formam em torno das bocas e das pálpebras. Do mesmo modo que as habitantes de Coleraine ou de Brisbane, nenhuma dessas mulheres ainda se preocupa em proteger a tez.

---

* *Marvelous Melbourne*, Maravilhosa Melbourne. *Smellbourne*, um trocadilho com a palavra inglesa *smell* que significa cheiro ou fedor. (N. da E.)

Como em todas as grandes cidades da Austrália, a novidade é bem-vinda aqui. O sistema social é muito mais avançado do que na Europa. Os direitos dos assalariados são respeitados, a jornada de oito horas, pela qual eles lutaram durante muito tempo, acaba de ser instaurada. As sufragistas são particularmente ativas. Em Sydney, Louisa Lawson, escritora, editora e jornalista fez campanha pelos direitos das mulheres. Mais de dez anos antes ela tinha fundado *The Dawn*, uma publicação mensal cuja equipe é totalmente feminina. Distribuída por toda a Austrália, e até mesmo além-mar, a revista trata de política, violências conjugais e educação das meninas.

Graças à ação dessas feministas, as australianas conseguem o direito de voto em 1902, alguns anos depois das neozelandesas, que o obtiveram em 1898. As tasmanianas o obterão um ano mais tarde, em 1903. O hemisfério sul está adiante de seu tempo: para votar, as americanas terão de esperar até 1920; as inglesas, até 1928; as francesas, 1944. Somente as aborígenes permanecem à margem. Serão necessários mais 65 anos para que seu povo obtenha o direito de cidadania total, embora sua presença no território remonte a 50 mil anos, no mínimo. Os colonos britânicos, que tomaram conta do país, o batizaram de "Terra Nullius", como se ninguém antes deles tivesse jamais vivido nela. Exatamente como os índios da América, os aborígenes da Austrália não existem oficialmente para os brancos.

Nessa terra de pioneiros, em que a vida é rude para todos, as mulheres exercem um papel quase tão importante quanto o dos homens. Aqui ninguém se surpreende ao ver jovens vendedoras, secretárias, jornalistas, garçonetes, camareiras, serventes ou operadoras da central telefônica que cintilava de nova. Seus salários são duas vezes menores que os de seus colegas masculinos, mas todas se sentem inebriadas pela nova independência. Além disso, não lhes sobra, depois de pagos o aluguel, o gás, a comida, um tantinho para gastar em bugigangas, meias de seda ou cosméticos? Elas não se privam.

A fabulosa ascensão de Helena Rubinstein na Austrália se explica também por sua percepção do *timing*, o que, nos negócios, como no amor, é a condição primeira do sucesso. Ela chegou ao lugar certo, no momento certo, ao país onde as mulheres começam a se libertar dos grilhões. Em Londres, Paris, Nova York o mesmo roteiro se repetirá.

Seus ensinamentos sobre a beleza sempre acompanham a evolução delas. Não há nada de frívolo em querer ser bela, e, aliás, os direitos políticos, o trabalho e a autonomia financeira caminham juntos com o melhoramento da aparência. Este último aspecto se torna muitas vezes um ato de resistência. Helena entendeu isso muito bem: para vencer na vida, uma mulher moderna deve ter uma cabeça bem-feita e preenchida.

Por agora, ainda não refletiu verdadeiramente sobre tudo isso. O que quer, antes de tudo, é ganhar dinheiro, e rapidamente. Depois de todos esses anos difíceis, nada ou ninguém a assusta, exceto a pobreza. Em compensação, o que ela recusa é andar para trás. Naquela cidade onde não conhece ninguém, seu primeiro impulso é fazer contato com a comunidade judaica. Seu tio John, irmão mais velho de Bernhard e Louis, que se instalara na cidade como diamantário, parte para Anvers no momento em que a sobrinha chega a Melbourne.

Munida das cartas de apresentação do tio, ela se candidata a uma vaga de babá num respeitável lar judeu polonês cujos membros emigraram para a Austrália alguns anos antes. Uma mulher de peruca a recebe num apartamento fora de moda que cheira a caldo de *kniddels* e *kasha* requentada. Ela recebe uma torrente de perguntas enquanto uma garotada corre na sala, aos gritos. De que adiantava ter saído da Polônia para ser empregada pelo mesmo tipo de família que a sua? Helena sai correndo dali como o diabo foge da cruz.

Ela encontra um quarto numa pensão familiar, em Saint-Kilda, subúrbio da cidade, e decide assumir dois empregos como garçonete, que mal lhe permitem sobreviver. De manhã, ela está na Casa Dourada; à tarde e à noite, no Winter Gardens Tea Room, um café frequentado por escritores, músicos, pintores. Ela acorda ao amanhecer e trabalha como uma condenada, sempre de pé, as pernas inchadas, os pés doloridos. Quando finalmente volta para sua minúscula morada, bem depois da meia-noite, só tem força para se deitar e dormir imediatamente.

Há noites em que está tão cansada que se descuida dos sacrossantos preceitos de Gitel: escovar os cabelos, lavar o rosto, untá-lo com creme. O desânimo pode até dominá-la nesses momentos de extrema solidão e esgotamento, mas não pretende desistir. Ao alvorecer, ela respira fundo e recomeça, valentemente.

Em meio à adversidade, ela, contudo, tem faro. A Casa Dourada e o Winter Gardens Tea Room são dois lugares estratégicos para encontrar pessoas. O salário é pequeno, mesmo contando as gorjetas, mas uma jovem hábil pode facilmente agarrar um homem rico e se arranjar num casamento. Helena teria todas as chances se tal fosse seu projeto. Em Melbourne, como antes em Coleraine, os homens não são indiferentes ao seu charme. Mas isso não significa nada para ela. Então, se esquiva rapidamente para evitar as carícias de seus admiradores. Entre eles, quatro amigos que com frequência vão tomar uns chopes juntos. Cyril Dillon, pintor que acaba de começar a carreira. Abel Isaacson, que fez fortuna vendendo vinho e que exibe, em todas as circunstâncias, um Borsalino e uma gravata de seda branca com um alfinete de pérolas. Herbert Farrow, que possui uma das gráficas mais rentáveis da cidade. E, finalmente, o senhor Thompson, diretor da Robur Tea Company, uma empresa que importa chá da Índia e da China, e produz porcelana e utensílios de prata.

Homem bonito e apreciador das mulheres, Thompson cobre Helena de flores. É claro que ele é casado, mas os princípios não a atrapalham. Foi ele o seu primeiro amante? Três anos em Coleraine, um ano em Toowoomba certamente venceram seu pudor. Ela será, contudo, sempre discreta a esse respeito. Os quatro vão lhe servir de estribo para a sua impressionante ascensão australiana, mesmo que mais tarde os apague de seu percurso. Sua lenda terá de mencionar apenas ela.

Em meados dos anos 1950, quando ela retorna pela última vez à Austrália acompanhada de seu secretário Patrick O'Higgins, Abel Isaacson, que ainda vive, conta ao jovem o papel que cada um exerceu para ela. Em 1971, quando aparece o livro de O'Higgins sobre sua patroa,[1] Cyril Dillon, cujas telas agora são expostas em diversos museus da Austrália e da América, confirma a um jornalista australiano a versão do comerciante de vinhos.[2] Numa entrevista dada ao *Herald*, de Melbourne, ele se estende sobre seus respectivos papéis.

De tanto vê-los todos os dias, juntos ou separadamente, ela acabou simpatizando com eles. Intrigados com a personalidade de Helena, os quatro amigos a encheram de perguntas, até que ela lhes explicou seu projeto. Assim que o trabalho lhe dá alguma folga, se dedica ao seu creme. Ela incorporou lanolina, comprada com seu salário, e essência de nenúfar para que o cheiro ficasse mais agradável.

Quando fala, com seu inglês ruim, com sotaque ídiche e polonês, seu rosto se anima, seus olhos lançam faíscas. De repente, só se vê aquela mulherzinha voluntariosa, autoritária, que decidiu que a vida lhe devia uma revanche. Eles a levam a sério e decidem ajudá-la, cada um à sua maneira. Thompson lhe explica a importância do marketing, uma palavra nova que significa que se pode influenciar o consumidor se as mercadorias lhe forem apresentadas de modo atraente. A Robour Tea Company compra regularmente espaços nos jornais para publicar anúncios que têm influência direta sobre as vendas. Quando ela tiver produzido seu creme, deverá fazer o mesmo. "Sem publicidade, não se consegue nada hoje em dia", ele conclui após a explicação. Helena guarda a lição.

Cyril Dillon desenha um logo com motivo egípcio, o que lhe agrada muito. Ela decide utilizá-lo para ilustrar as embalagens. Dillon fica encarregado de promover os primeiros folhetos que Herbert Farrow vai imprimir. Eles serão distribuídos nos bondes e nas estações. Abel Isaacson colocará sua logística ao seu dispor.

Um quinto homem entra em cena. Trata-se de Frédéric Sheppard Grimwade, presidente de uma empresa farmacêutica muito bem-conceituada. Será que ele também foi seu amante? Mais uma vez, o mistério permanece. Graças a ele, porém, em maio de 1907,[3] Helena obterá a nacionalidade australiana. Respondendo por sua protegida, ele assinou o documento no final da página. Melhor ainda, seu laboratório forneceu à jovem os sofisticados equipamentos indispensáveis à fabricação de seu creme, caldeiras de altas temperaturas, alambiques de destilar, recipientes para misturar ingredientes.

Com o novo nome de *Valaze*, o creme de sua infância renasce quase idêntico.

De onde vem esse nome esquisito que estala como um nome da aristocracia francesa, e que, em húngaro, significa "Dom do Céu"? Não se sabe, mas ele agrada.

O creme não sai caro; apenas dez pence o pote. Thompson, que também trata da contabilidade, acha que é preciso vendê-lo por dois shillings e três pence. "As mulheres não comprarão um produto tão barato", declara Helena. "Para melhorar a aparência, elas vão querer ter a impressão de estar comprando algo excepcional. É preciso lhes propor, vejamos... Sete shillings e sete pence."

Ela compreendeu a psicologia de suas futuras clientes. Nenhuma delas jamais irá contra a etiqueta; todas sabem que a beleza tem um preço. Antes mesmo de ter encontrado um espaço, Helena apresenta seus potezinhos nos mercados. Ela também os coloca nos laboratórios dos farmacêuticos, indo de porta em porta. Na primeira semana eles ficam com seis potes; na seguinte, com oito... E assim por diante.

As clientes também compram. Gostam do papo de Helena que não tem medo de nada e discursa para elas com bom humor. Os pequenos potes se vendem como água. O dinheiro recebido aos poucos enche uma caixa de papelão que ela esconde debaixo do colchão.

O Winter Gardens Tea Room fica na galeria comercial do Block Arcade que liga Elizabeth Street a Collins Street e Little Collins Street, três das mais elegantes ruas da cidade. Construída no mais puro estilo vitoriano, pavimentada de mosaicos, a galeria é iluminada por uma vidraça que ocupa todo o teto. Ao percorrer o bairro, Helena descobre um pequeno apartamento de três cômodos ao lado do restaurante, no número 138 da Elizabeth Street. Provavelmente, Thompson e Grimwade lhe emprestam dinheiro para o depósito.

Ela diz também ter pedido emprestado 250 dólares a Helen Mac Donald, que conheceu no navio que a levou à Austrália. De algum modo, ela pagará suas dívidas assim que puder; detesta dever dinheiro a quem quer que seja. Um belo dia, devolve o avental de garçonete e se muda com seus poucos bens e potes de creme. O apartamento também servirá de sede social e de fábrica. Sem demora, ela manda gravar seu nome numa placa afixada na entrada do edifício. HELENA RUBINSTEIN & COMPANY.

Pouco antes de sua morte, Helena, que sempre foi evasiva a respeito da composição desse primeiro creme, mostra ao secretário Patrick O'Higgins um pedaço de papel encontrado quando separava velhos arquivos. Trata-se da célebre fórmula mágica de Jacob Lykuvsky. Ela pede que o jovem a leia, afirmando que pertence à história.

Numa folha amarelada pelos anos, rasgada em alguns pontos, todos os ingredientes estão anotados com sua larga caligrafia antiga, que respeita os cheios e os finos das letras. O'Higgins, que esperava uma lista de componentes exóticos, como essência de amêndoa do Oriente ou extratos de casca de conífera dos Cárpatos, se decepciona. "Cera vegetal, óleo mineral e gergelim." A isso se resume a receita à qual falta, sem dúvida, a metade dos ingredientes e, sobretudo, o modo de misturá-los.

Até o fim, Helena Rubinstein guardou o segredo desse primeiro creme *Valaze* que, acreditamos, não tinha a fluidez, a leveza ou as propriedades dos produtos que se seguiram. Já era, contudo, uma promessa. Além disso, o começo é excelente. Graças ao esforço conjugado do marketing — lições de Thompson — e aos artigos que a imprensa lhe dedica, as vendas crescem.

Ao final de apenas alguns meses, ela pode sair da Elizabeth Street. Em 1902, abre seu primeiro instituto, no número 242 da Collins Street.

Beleza é poder

Eugenia Stone mordisca a ponta do lápis, o que nela significa uma extrema agitação. Contudo, os laboratórios dedicados à beleza não faltam no país. Melbourne, Brisbane, Adelaide ou Sydney transbordam de salões de cabeleireiros e de massagem, de lojas de manicure e pedicuro, mantidas geralmente por emigrados chineses. Ela mesma testou alguns para redigir seus artigos. Esse apartamento de três cômodos, inundado de luz, situado no segundo andar de um bonito edifício no centro de Melbourne, porém, não se parece com nada do que já viu.

Com sua decoração impertinente, ao mesmo tempo feminina e despojada, o contrário do luxo vitoriano em voga, as paredes pintadas de branco, as cortinas combinadas, de seda plissada, seus bufês e cadeiras de vime, a *Casa de Beleza Valaze* possui um toque europeu, parisiense, até. Eugenia se arrepia de tanta excitação. É *so chic* e tão adaptado às necessidades das mulheres modernas.

Miss Stone veio de Sydney especialmente para constatar o fenômeno sobre o qual se comenta por lá. Inutilmente, ela procurou o menor defeito, não encontrou como recriminar a limpeza do lugar, seu charme ou a disposição da mercadoria. Tem-se vontade de comprar todos os bonitos potes de creme, brancos, negros e dourados que guarnecem as prateleiras.

O mais incrível, porém, é a proprietária, um pedacinho de mulher de coque sério e bem preso, de pele transparente de tanta palidez. Sobre o vestido azul-noite com reflexos furta-cor, ela vestiu um jaleco branco de químico. Quando fala, os r rolam como uma torrente de pedras na boca. Ela estropia a metade das palavras inglesas e mistura duas ou três línguas. Eugenia Stone aguça os ouvidos, mas não consegue adivinhar a origem daquele sotaque. Na cidade, dizem que é vienense.

A jornalista chegou na hora de fechar. Miss Rubinstein dava uma aula de beleza para algumas clientes. Quando ela a viu, aproximou-se para recebê-la e convidou-a, com simplicidade, para juntar-se ao pequeno grupo. Miss Stone nunca ouvira ninguém falar da pele daquele modo científico, como fariam um médico ou um biólogo.

Sem se desconcertar, com a seriedade de um velho erudito, Miss Rubinstein lhes fala de derme e de epiderme, remonta à Antiguidade e à Idade Média, refere-se às mulheres elegantes do leste da Europa com quem conviveu em seus nobres palácios, todas dotadas de carnação perfeita, pois seus segredos de beleza se transmitem de mãe para filha. Falta apenas um quadro-negro, fórmulas químicas e alguns professores de beca para se imaginar na universidade — pensa Miss Stone, cada vez mais conquistada.

Tudo o que aquela jovem mulher conta parece impregnado de bom senso. Aliás, as clientes, que acreditam totalmente, saíram encantadas, levando um pequeno saco negro e bege, com o nome de Helena Rubinstein. Cada uma delas comprou pelo menos três potes de creme.

A hora de fechar já passou há muito tempo, mas a loja não se esvazia. Finalmente, Helena consente em parar. Ela mesma desce a porta de ferro e convida a jornalista a se sentar. Dá entrevistas como uma verdadeira profissional, e não para de falar. Miss Stone fica com dor no pulso de tanto tomar notas. Suas leitoras do suplemento feminino do *Sydney Morning Herald* vão adorar seu artigo. Ela própria, que se envaidece de estar entre as primeiras jornalistas femininas da cidade, está literalmente deslumbrada. No início do século XX, num país onde as mulheres obtiveram algumas vitórias, ainda não é fácil vencer num mundo de homens. Essa jovem *lady* de coque apertado está, contudo, demonstrando que a vontade conduz ao sucesso.

O que ela revela sobre sua origem polonesa, seus estudos de medicina interrompidos na Cracóvia, seus cursos com grandes químicos em Viena, os anos em Coleraine entre os pioneiros, sua convivência com os Lamington quando não conhecia ninguém ao desembarcar na Austrália, é absolutamente extraordinário. E, além disso, aquele salão... Por falta de dinheiro — conta Helena com simplicidade — comprou aqueles móveis de bambu por alguns tostões, instalou um pequeno laboratório, que ela chama de *cozinha* e, com um de seus vestidos, fez as cortinas. E, sozinha, com um pincel, sem tremer, traçou as letras da tabuleta, com o orgulho que se imagina.

Sua história tem toques flagrantes de verdade; Miss Stone não se engana nunca. No país, nunca faltaram mulheres corajosas, das primeiras pioneiras da savana, amazonas que montavam a cavalo e atiravam nos animais selvagens com carabina, até as sufragistas que Miss Stone tantas vezes defendeu. Essa morena minúscula não é exceção. Em breve, ela será o orgulho e a honra das australianas. E dos australianos também.

Helena Rubinstein prossegue em suas explicações. Quando começa, nada pode interrompê-la.

— Portanto, minha cara — ela explica arrastando os r com mais força —, eu lhe dizia que minhas primeiras pesquisas me levaram a um achado fundamental. Revolucionário, até. A pele das mulheres pode ser classificada em três categorias: a seca, a oleosa e a normal. Exatamente como existem três carnações, a ruiva, a loura e a morena. Ninguém antes de mim tinha notado isso. Mas eu observei as mulheres, é meu trabalho. E eu posso lhe garantir que a hidratação não é igual para todas. A proteção também não. Cada mulher deve aprender a identificar seu tipo de pele antes de escolher o tratamento. Por enquanto, minha variedade é limitada, mas eu trabalho sem descanso para completá-la.

Muito cedo, Helena teve uma de suas numerosas intuições em matéria de tipologia de pele. Mais tarde, ela irá comprová-la com os maiores especialistas. Por agora, ainda tateia, opina empiricamente. Seu instinto é tanto que é raro que se engane. A beleza feminina lhe parece um vasto campo não cultivado que ela tem a incumbência de fazer frutificar. Essa ideia a embriaga mais ainda que a perspectiva de ganhar dinheiro.

Ela compreendeu algo essencial: "Beleza é poder. O mais importante de todos, até." É o que afirma uma de suas primeiras publicidades no *Table Talk,* em 1904. Nesse mundo regido pelos homens, as mulheres devem ser e usar de astúcia. A inteligência é um senhor trunfo, mas sem a sedução, ela não serve para muita coisa. As duas juntas compõem uma arma fatal. "Entre uma mulher cujos bons trunfos são o divino dom da beleza, e uma mulher inteligente, brilhante, trabalhadora, desabrochada e amada, e que tem de lutar sempre, qual delas você escolheria?", pergunta outro de seus anúncios publicado em *The Mercury*.[1]

Visionária, Helena vê emergir um novo tipo de beleza, como uma nova dignidade. A cintura espartilhada, o corpo de violão, o busto alargado, a ausência de músculos, os movimentos entravados pela crinolina, toda aquela confusão incômoda que aprisiona as mulheres tão seguramente quanto as sultanas nos haréns vai em breve desaparecer. A nova mulher deverá ter anatomia de combate para conquistar e manter seu lugar ao sol. A vida ativa não aceitará a tristeza, o cansaço ou as rugas que ambos acentuam.

No século XX que se inicia, resolutamente voltada para a modernidade, Helena já anteviu toda a vida futura de seus semelhantes. Essa profissão de fé em benefício da beleza e de hábitos saudáveis para "ganhar" é uma verdadeira revolução. Ela é retomada pelas feministas do mundo inteiro, que lutam, entre outras coisas, contra a submissão ao espartilho.

Eugenia Stone saiu de Collins Street com alguns potes de creme *Valaze* embalados numa bonita sacola de papel. "Um presente", insistiu Helena, "sim, sim, tenho certeza, você é muito simpática". Como recusar? A jornalista adora a embalagem e a etiqueta com a marca de sua nova amiga. O conjunto causará uma bela impressão na sua penteadeira. Na Austrália ainda não se viu nada tão refinado.

Miss Stone também testou o creme em seu rosto. A sensação lhe pareceu untuosa; o cheiro, delicado. Jura que vai seguir todos os conselhos da especialista. Helena concorda, sorrindo. Ela compreendeu a importância da imprensa. As jornalistas, mulheres como as outras, também gostam de ser mimadas. E talvez até mais que as outras, haja vista a repercussão de seus artigos que podem fazer ou desfazer reputações. É preciso, portanto, cuidar delas melhor do que das outras. Sempre agirá assim. Mesmo quando seu sucesso estiver estabelecido, ela não lhes oferecerá apenas produtos, mas suas roupas tiradas dos armários, e até mesmo joias, tiradas de seu cofre.

Desde a abertura do salão, o sucesso é imediato. O endereço é divulgado em jantares, nas partidas de whist, nos piqueniques às margens do Yarra. Sempre seguindo os conselhos de seu amigo Thompson, Helena publica, já em 1904, muitos encartes publicitários no *Table Talk*, de Melbourne, e no *Adviser*, de Adelaide.

"*Valaze* do dr. Lykuvsky, o mais célebre especialista europeu em pele, é o melhor creme hidratante. *Valaze* amenizará os piores problemas de sua pele em menos de um mês."

Ela também mandou publicar anúncios que sugerem um início de venda por correspondência. O artigo de Eugenia Stone, porém, vai lhe dar o impulso indispensável. "O creme de Madame Rubinstein é a resposta para as preces de todas as mulheres australianas", escreve a jornalista na conclusão de sua crônica sempre muito lida.

Quinze mil cartas e quase o mesmo número de encomendas se seguem à publicação do artigo. Helena é pega de surpresa. Ela as abre uma após outra. Todas dizem mais ou menos a mesma coisa.

"Cara senhorita Rubinstein, tenho uma pele muito branca e muitas sardas; a senhorita acha possível..."

"Cara senhora, vivo numa fazenda perto de Sydney. Há algum tempo venho notando marcas escuras em meu rosto..."

A maioria dos envelopes contém dinheiro ou cheques. O estoque que Helena produziu sozinha não será suficiente para honrar todos os pedidos. Imediatamente, ela começa a trabalhar. Desde cedo, antes da abertura do salão, ela prepara as misturas na *cozinha*. Em seguida, enche os potes de porcelana, cola as etiquetas, arruma-os nas prateleiras e guarda os estoques nos móveis de bambu.

Durante o dia ela cuida somente da clientela. À noite, depois de ter anotado as entradas e as saídas num caderno comprado especialmente para isso, responde às cartas. Nelas, pede paciência às suas futuras clientes, pois o creme leva "oito semanas para chegar por navio". Ela faz questão absoluta dessa lenda que explica o custo elevado do produto "por causa do transporte e dos custos alfandegários". Além disso, "o pinheiro dos Cárpatos" ou "a essência de rosas da Hungria" estimulam a imaginação das mulheres diferentemente da lanolina dos carneiros de Victoria ou dos nenúfares de Queensland. É uma séria vantagem sobre os concorrentes.

Helena propôs reembolsar aquelas que não quiserem esperar. Apenas uma pede seu dinheiro de volta. As outras aceitam aguardar a reposição dos estoques. Acontece que a tarefa é sobre-humana, mesmo para uma força da natureza como ela. Como conseguir isso sozinha?

Diversas vezes o sono a surpreendeu à mesa, de madrugada. Quando desperta bruscamente, o sol já está alto; ela só tem tempo de subir para se lavar e se trocar, beber um chá às pressas. As primeiras clientes já batem à porta. Isso não pode continuar; agora, precisa seriamente de ajuda. Então, ela pega a pena e seu novo papel de carta timbrado com seu nome.

"Caro doutor Lykuvsky, o senhor sabia que seu creme provocou uma verdadeira mania na Austrália? As mulheres brigam para consegui-lo, e eu tenho dificuldade em fornecê-lo. O senhor gostaria de vir trabalhar comigo? Assinarei um contrato formal e comprarei legalmente a sua fórmula. Peço-lhe que aceite. O senhor não lamentará. Mando-lhe o valor de sua passagem. Sua dedicada, etc."

Três meses depois, Jacob Lykuvsky desembarca em Melbourne, mas apenas por um curto período, como determinou em sua resposta. Helena disse sim a tudo. Que ele viesse: depois, veria. Assim como Eugenia Stone, todos os jornalistas que a visitaram publicaram artigos elogiosos que, somados às publicidades nos jornais, tiveram um impacto considerável sobre os clientes. Helena anunciou então que o doutor Jacob Lykuvsky, um grande médico polonês, veio ajudá-la. O que provoca novo afluxo de mulheres atraídas pela garantia científica.

A necessidade de mão de obra se faz sentir, mas ela não tem como pagá-la. Então, acostuma-se a usar os homens que a convidam para sair. Outros jovens se agregaram ao seu grupo de admiradores habituais. A bela solteira, sozinha em Melbourne, os atrai como o mel atrai as moscas.

Quando entram no salão, um após outro, torcendo o chapéu nas mãos úmidas e com o coração palpitante de esperança, logo se decepcionam. Helena está ocupada demais, experimentando seus preparados em sua *cozinha*, para aceitar convites para o teatro ou para o concerto. Então, ela bate os cílios, faz uma cara sedutora. "John, você que tem uma letra tão bonita, não gostaria de responder às cartas? E você Robert, com seus ombros largos, não levaria essas caixas lá para cima? Oh... e quando vocês tiverem acabado, não fujam... Ainda tem mais no pátio... E no alpendre..."

— E eu, Miss Helena?

Ela olha com ar de dúvida os bíceps magrelinhos e as pernas finas do rapaz, depois, balança a cabeça, e o rosto se ilumina com um sorriso cheio de malícia.

— Meu caro, com essa língua tagarela que você tem, acho que dará um formidável colador de etiquetas...

Assim passa a tarde de domingo. Raros são os corajosos que tornam a voltar. Ocupada demais para pensar em flertar, Helena nem percebe.

Finalmente, ela dá conta de suas primeiras encomendas. Lykuvsky a ajudou a reformular o creme que registrou com o nome de *Valaze*. Ele também a ajuda a aumentar a linha de cuidados. Juntos, eles fabricam um sabonete, uma loção adstringente, um creme de limpeza. Lança um ritual de cuidados pelo qual as clientes devem pagar um alto preço. No salão, ela manifesta seu conhecimento recente com a mescla de doçura e autoridade que revelou durante toda a sua juventude na Cracóvia com suas irmãs.

— Antes de tudo, é preciso cobrir o rosto com o creme de limpeza — ela explica, juntando o gesto à palavra. — Ele deve penetrar em todos os poros da pele para dissolver a sujeira acumulada durante o dia. Em seguida, deve limpá-lo com a loção adstringente para retirar os resíduos. Olhe este lenço! Está nojento.

Melbourne ainda não está poluída pelos canos de descarga dos carros. Mas um dia na cidade suja terrivelmente a pele. O fino tecido branco tornou-se cinzento. A cliente fica envergonhada.

— Esperem — retoma Helena, de supetão. — Chegamos agora à terceira etapa. É preciso aplicar o creme *Valaze* para hidratar, proteger e clarear a pele. Eu massageio lentamente, para fazer os ativos penetrarem. Vocês verão, é um verdadeiro milagre.

Um milagre econômico, antes de tudo.

As clientes comentam com suas amigas, mandam-nas ao salão, voltam com elas. Todas compram o creme. A loção adstringente também, a 10 shillings e 3 pence. Os preços aumentaram novamente por causa das “despesas alfandegárias”.

O dinheiro entra.

Ao final de alguns meses, Helena Rubinstein juntou uma boa fortuna que pesa na sua conta bancária. A era da caixa de papelão debaixo da cama se foi. Paga as dívidas, contrata uma vendedora que ela treina de acordo com seus princípios, e reinveste a metade de seus ganhos em publicidade. De Melbourne a Brisbane, de Sydney a Perth, de Adelaide a Victoria, vê-se seu nome por toda parte. Os anúncios continuam a exaltar o famoso doutor Lykuvsky, as propriedades do creme *Valaze*, sua composição e origem. Ela nunca deixa de acrescentar o endereço do salão de Collins Street, pois a venda também é feita por correspondência.

Ela escreve um *Guia da Beleza*, que explica o ritual dos cuidados e as propriedades do creme, e manda imprimir centenas de exemplares. Para obtê-lo, as clientes devem lhe escrever, juntando à carta o cupom recortado do encarte publicitário. Helena também o oferece no salão.

Durante anos, os textos serão bastante semelhantes, embora a linguagem se torne cada vez mais elaborada. "Uma boa atualização com um pouco de blá-blá-blá",[2] ela dirá muitas vezes, sem ilusão. Um pouco mais tarde, ela pede a atrizes para elogiar seus produtos. Nelly Steward, uma das maiores estrelas dos palcos australianos, passa alguns meses justamente em Melbourne. Depois do sucesso de sua peça, *Sweet Nell of Old Drury*, seu nome está em todas as bocas, e os espectadores memorizaram suas réplicas famosas. Não demora muito para ela ouvir falar de Helena.

Ao voltar para a sua região natal, a atriz percorreu quilômetros num carro aberto, sem pensar em se proteger do sol. Sua pele resseca, manchas indesejadas se espalham pelas faces e o nariz.

— Minha querida — diagnostica Helena, depois de tê-la examinado —, você vai recuperar seu tom de pele natural. Faça o que eu lhe disse, sem esquecer nada.

Nelly a abraça como se fossem as melhores amigas do mundo. O que de fato elas se tornam. Nelly Steward aceita ser o primeiro rosto de *Valaze*. "É o mais maravilhoso preparado que eu jamais usei", ela declara nos encartes publicitários.

Helena soube dos cremes, sabonetes, perfumes e loções dos quais Sarah Bernhardt foi o emblema quando de sua estadia em Nova York, em 1880?[3] Ou então o procedimento se deve apenas à sua imaginação? Em todo caso, ela compreendeu a importância das *people* na comunicação de uma marca. E continuará usando isso, já que todas as mulheres do mundo, atrizes e socialites vão se tornar seu rosto.

Nelly Steward sempre aparece no salão sem avisar. Um dia, ela chega com outra Nellie, australiana também: a Melba. A gorda cantora de ópera também voltou à Austrália para uma turnê que resultou em triunfo. Usando um longo mantô bordado e um extravagante chapéu com plumas de avestruz, ela entoa, como introdução, a grande ária de *Aída*. Em seguida, volta o enorme corpo para Helena que está paralisada.

— Você, que devolveu à minha pequena Nelly sua tez de pêssego, estou certa de que vai fabricar um creme que possa melhorar a minha voz...

— Cara senhora, sente-se.

Os frágeis acentos de vime podem arriar sob o peso da criatura que, prudentemente, insiste em ficar de pé. Então, cabe à pequena Helena, que se sente "como uma anã" perto da imponente carcaça, subir numa cadeira para ficar à sua altura.

Há dias em que as clientes fazem fila na escada que vai até a rua. O salão fica pequeno demais para abrigar todas. Não se pode, porém, mover as paredes. Um pouco mais adiante, no número 274 da Little Collins Street, Helena descobriu um edifício que acaba de ser construído.

Ela aluga um apartamento composto de sete pequenos cômodos, que ela transforma em três grandes, derrubando as paredes divisórias.

A distribuição permanece a mesma: um escritório, um salão de beleza, uma *cozinha*. As paredes são pintadas num bonito verde-claro, a mobília melhorada. O imóvel é decorado com o mesmo bom gosto "artístico", como escreve um jornal de Sydney. Continua moderno, planejado com atenção para o bem-estar das mulheres. A linha de cuidados se ampliou, e a conta no banco aumentou ainda mais.

Em 1905, nove anos após sua chegada à Austrália, Helena está com 33 anos e 100 mil dólares australianos diante de si. Ela deve esse dinheiro à sua fenomenal capacidade de trabalho, ela que não poupa tempo nem sacrifício para fabricar e vender seus potezinhos de creme aos milhares.

Cada um deles lhe rendeu 12 cents, descontados os impostos, os salários, a locação dos salões, a publicidade — cujo investimento, por mais caro que seja, rende o cêntuplo, conforme as predições do senhor Thompson — e todas as outras despesas. Ela continua morando acima da loja, gasta pouco consigo mesma, exceto o que considera importante para a divulgação de sua marca, economiza cada centavo para fazer sua empresa prosperar.

Dessa época, ela guardou algumas regras simples. Sessenta anos depois, ainda as aplicará. Nunca deixar correspondência sem resposta. Ouvir a todos com atenção. Dormir uma noite inteira antes de tomar uma decisão importante. Em caso de dúvida, pedir conselho e calar-se. Praticando, aprende ainda a dirigir uma equipe e a delegar tarefas. Ela separa cada uma das ramificações do negócio — a fabricação do creme, a embalagem, a venda, a publicidade — em departamentos distintos, mas ela mesma verifica o bom andamento do conjunto. "Na época, eu tinha, e ainda tenho, paixão pelos detalhes."[4]

Ela tem consciência da fragilidade do momento: todas as portas lhe estão abertas, mas tudo pode ruir. Ela poderia se contentar em gozar de seu sucesso na Austrália, e consolidá-lo, abrindo novos salões suplementares, em Sydney, Brisbane, Wellington, Nova Zelândia, além do suficiente para viver. Mas seu sucesso a estimula e, além disso, ela sempre pede mais à vida. Possui a natureza ambiciosa de uma empreendedora. Já que ela venceu quando tudo conspirava para derrotá-la, ela deve a si mesma ultrapassar-se.

Convencida de que o único e verdadeiro caminho para a beleza é a abordagem científica, ela lamenta mais que nunca não ter podido estudar medicina. Agora que possui os meios, decide preencher as lacunas. Porá seu novo conhecimento a serviço do antigo.

Desde que partiu da Europa, nove anos antes, houve, certamente, outras descobertas sobre a pele. Ela anseia por conhecê-las.

"Quero oferecer todos os recursos da ciência ao culto da beleza que eu considero fácil despertar nas mulheres."[5]

Está dito. Falta apenas pôr a frase em prática. Para isso, ela deve voltar ao velho continente, lá onde se encontram os melhores cientistas, os melhores especialistas, as melhores universidades, as melhores bibliotecas. Assim, ela matará a sede de estudos. Atualizará seus conhecimentos.

Em junho de 1905, ela toma o navio novamente. Dessa vez rumo à Europa.

A volta às origens

Kazimierz, a primeira etapa obrigatória de sua viagem, lhe parece pobre, suja, medíocre. Na Austrália, Helena se habituou a uma vida confortável. Além disso, ela viajou, conheceu pessoas de todos os tipos, colonos, ladies, homens de negócio, banqueiros. Convivendo com eles, ela aprendeu muito, seu horizonte expandiu-se. Em Melbourne, o constante movimento é a norma; parece que a cidade nunca dorme. Aqui, é o contrário. Uma imobilidade pesada reina sobre tudo e sobre todos. Nada mudou desde sua partida: os rabinos sem idade, corvos barbudos apertados em suas sobrecasacas gastas, as comadres tagarelando na porta das casas, os estudantes empalidecidos pelo estudo, que saem dos *yeshivot* discutindo um comentário da Torá.

Até mesmo as ruas parecem ter se estreitado durante sua ausência. O cheiro de comida gordurosa que escapa pelas janelas abertas lhe provocam náusea. Ela observa as fachadas decrépitas, os muros escurecidos de fumaça, as sujeiras espalhadas nas calçadas enlameadas, como se nunca os tivesse visto. No fiacre que a leva da estação a sua casa — que revanche contra as calçadas sujas —, sua infância lhe volta, em fragmentos. Ela nunca mais poderá viver aqui, entre esses estrangeiros.

Aliás, a Cracóvia a decepciona por inteiro. Tudo aqui é provinciano, até mesmo as lojas em torno do Rynek. Seu gosto se refinou; agora ela se veste nas costureiras famosas que copiam os vestidos da última moda de Paris. A saudade sentida de longe lhe parece preferível a essa realidade decepcionante.

A recepção da família, porém, é o que mais a entristece.

— Por que é que você usa um coque tão sério? — pergunta-lhe Gitel, com aquela voz de censura que ela detesta. — Você estraga os cabelos. E não é desse jeito que você vai encontrar um marido, minha filha. Suas irmãs, Pauline, Rosa e Regina já se casaram... Enquanto você...!

Gitel envelheceu. Suas mãos tremem, a boca adquiriu uma ruga amarga, o excesso de privações acentuou sua acidez. Em suas censuras, talvez haja despeito, um pouco de inveja também. Sua mais velha venceu, apesar das mais sombrias previsões. Helena quase ergue a voz como antes, mas se contenta em sacudir a cabeça. Sua mãe não mudará nunca. Sempre obcecada pelo casamento de sua progenitura, ela enumera os maridos esperados, ou supostos, como um avarento contaria seu ouro. Enquanto isso, se três irmãs encontraram um marido, as outras se aborrecem em casa.

Hertzel estuda num canto, em silêncio. Ele encolheu, encurvou, a barba embranqueceu. Com o solidéu de veludo e o casaco lustroso, se parece cada vez mais com o avô, o rabino Salomon Rubinstein, cujo rosto severo ornamenta uma das paredes do salão. Ele ainda se recusa a perdoar a filha, e mal lhe dirige a palavra. Volta a mergulhar nos livros depois de tê-la cumprimentado com frieza.

Felizmente, Stella, Manka, Ceska e Erna se mostram mais amáveis. Admiradas diante da elegância da irmã mais velha, fascinadas por suas joias, elas apalpam o tecido de seu vestido, avaliam as rendas, o preço do chapéu, enchem-na de perguntas sobre a nova vida. Tagarelam, dão gritinhos e a criticam com suas vozes agudas de estudantes. É inevitável que sintam um pouco de inveja.

Helena evita as palavras ácidas, brinca e as faz sonhar, falando sobre a Austrália. Em seus olhos arregalados, ela reconhece o desejo de soltar as amarras que ela experimentou no passado. Ela tira cremes e loções *Valaze* da bolsa, unta e massageia o rosto delas como a mãe fazia, explica-lhes seus princípios de beleza, e tudo o que aprendeu em dez anos.

Durante algumas horas, ela experimenta a ilusão de ter recuperado o viveiro de sua infância. O encanto, porém, se rompeu. Ela se aborrece e foge assim que pode, sob a desculpa de encontros importantes. Ela nunca mais verá seus parentes. Essa visita meio frustrada lhe confirma a ideia de que não se enganou ao escolher um caminho difícil, mas preferível a qualquer casamento imposto.

Os membros de sua família permanecem, contudo, queridos para ela. Suas irmãs, suas primas, seus tios e suas tias são as únicas pessoas em que ela pode confiar. Ela quer associá-los à sua empresa e promete a si mesma fazê-lo assim que tiver oportunidade. Antes de partir, convence a jovem irmã Ceska, de 22 anos, bem como a prima Lola, filha de sua tia Rosalie Beckman, a ajudá-la em Melbourne. Para que tenham tempo de preparar suas coisas, ela marca encontro com elas em Viena.

Na Europa, um vento de modernidade e de liberdade se ergue. Por toda parte se exalta a beleza, o corpo, a juventude. Helena está de acordo com os novos desejos das mulheres: "Elas se livraram dos espartilhos que comprimiam seus seios, abriram mão das sombrinhas e dos véus porque não temem mais o ar livre e o sol, encurtaram os vestidos a fim de melhor movimentar as pernas no tênis, elas não tiveram mais vergonha de mostrar suas panturrilhas bem-feitas."[1]

Em Viena, segunda etapa de sua viagem, ela conhece a doutora Emmie List, célebre por seu tratamento com base em peelings que combatem a acne e as manchas persistentes. Ao final de seis meses de abrasões regulares, as cicatrizes se atenuam, a pele recupera a juventude. A médica se torna sua amiga. Quando Helena abrir seu salão de Londres, ela a chamará para trabalhar ao seu lado.

Lola e Ceska se encontram com ela. As três se dirigem de trem para a Alemanha. Lá, os cirurgiões inventaram novas técnicas de embelezamento. Em Berlim, em 1901, o doutor Eugène Hollander foi o primeiro a praticar um lifting numa aristocrata polonesa. Alguns anos antes, o doutor Jacques Joseph realizara a primeira operação de nariz. Entre todas essas inovações, a injeção de parafina na face para acabar com as rugas é a mais espetacular.

Mas as consequências são muitas vezes desastrosas porque a parafina que se desloca sob a pele provoca cavidades e calombos indesejáveis e, por vezes, contudo mais raramente, cegueira ou necrose. A cirurgia estética que pretende "remediar feiura ou deformidades"[2] ainda engatinha. Seus resultados não estão à altura das esperanças. Será preciso esperar pela Primeira Guerra Mundial para se consertar as "Gueules Cassées", soldados com o rosto desfigurado nas trincheiras. Por enquanto, todos concordam em achar que as sequelas dessas operações são inevitáveis e que será preciso encontrar soluções para reduzir as cicatrizes.[3]

Prosseguindo em sua viagem, as três jovens mulheres descobrem os spas. Para Helena, é uma revelação. Seu encanto é tamanho que durante toda a sua vida ela os frequentará regularmente, para emagrecer, descansar ou cuidar de uma depressão passageira, o que lhe acontecerá com frequência depois da abertura de um ou outro de seus salões.

Para os aristocratas europeus, ir a águas termais tornou-se um acontecimento obrigatório da mundanidade. Eles vão a Brides-les-Bains e a Eugénie-les-Bains, duas fontes termais descobertas por Napoleão III e sua família. Apreciam Budapeste, Baden-Baden e Marienbad cuja moda foi lançada pelo rei Eduardo VII, entusiasta dos cuidados naturais. Cada um desses locais possui sua especialidade e seu médico estrela que prescreve hidroterapias, e envelopamentos e peelings. "Numerosos húngaros e romenos muito hábeis nos cuidados da pele me ensinaram uma quantidade de coisas",[4] ela se recorda.

Em Wiesbaden, na margem direita do Reno, Helena faz amizade com o doutor Joseph Kapp, diretor da fonte termal, que lhe prescreve um tratamento angiológico para os distúrbios circulatórios de que ela sofre. Ela observa seus métodos, que pretende imitar. O médico se torna uma de suas referências. Sempre que ela precisa atualizar seus conhecimentos médicos, Helena, cuja sede de conhecimento jamais se esgota, se dirige a ele.

Em Paris, a Belle Époque revela um formidável desejo de viver. Depois de um longo período de depressão iniciado em 1873, que durou mais de vinte anos, os parisienses buscam diversão. Os operários e os burgueses, as costureirinhas e as mulheres do mundo mesclam seu suor nos lugares de prazer. As pessoas se excedem no Chat Noir e no Baile Bullier, aplaudem as dançarinas das Folies-Bergères e do Moulin Rouge. Descobrem o cinema com os filmes de Méliès, dos irmãos Lumière e de Charles Pathé. O automóvel não é mais uma excentricidade reservada aos intrépidos, seu uso se dissemina entre os pobres mortais. A estrada de ferro que liga Paris a Nice empurra multidões para a Riviera encantada, seus palácios e banhos de mar.

O escultor Guimard lançou o estilo Art Nouveau que decora as saídas do novíssimo metropolitano. No Bateau-Lavoir, uma cidade de artistas pendurada na Colina Montmartre, cruza-se com Renoir, Toulouse-Lautrec, Utrillo, Max Jacob, Matisse, Braque, Apollinaire e Picasso. Em Montparnasse, é a cafeteria Ruche (Colmeia) que atrai como mel os pintores judeus vindos do Leste da Europa, Zadkine, Kikoïne ou Chagall.

Helena se apaixona imediatamente por Paris, que vai ser uma de suas cidades preferidas. Sempre acompanhada da irmã e da prima, ela visita o Louvre, admira a *Mona Lisa* e o setor de antiguidades gregas, sobe ao alto da Torre Eiffel, almoça no Café de la Paix, passeia de carruagem pelos Champs-Elysées. Durante sua curta permanência, ela se entrega ao frenesi das compras: vasos de Gallé, frascos de Lalique, joias, roupas, alguns quadros, já nessa época.

Nada é bonito demais para essa ex-pobre que descobre com volúpia as seções de moda e de beleza do *Bon Marché*, a "catedral do comércio"[5] fundada em 1838 por Marguerite e Aristides Boucicault. Ela compra perfumes, pomadas, luvas de couro fino, roupa de baixo. Gastando com alegria um dinheiro que ela deve exclusivamente ao trabalho, ela manda confeccionar suas primeiras roupas de alta-costura por Doucet e Worth, rue de la Paix. Ela aprecia o conforto silencioso dos salões e dos provadores, a dança das vendedoras que fazem surgir um turbilhão de fitas, rendas, cetins, veludos. Quando lhe entregam suas roupas no hotel, ela estende sobre a cama os casacos e os vestidos justos na cintura, que formam, ao se abrir, uma série de godês. Ela gostaria de usá-los todos ao mesmo tempo.

A vida toda ela vai se vestir nos maiores costureiros, primeiramente, por gosto, e depois porque ela quer ser a primeira embaixadora de sua marca. Cada despesa de Helena faz Rubinstein lucrar. Além disso, ela insiste em que "a costura e a beleza caminham juntas".

Ela não veio de tão longe, porém, para fazer papel de turista ociosa. Na França, a medicina e a higiene evoluíram muito. Desde que Pasteur descobriu a microbiologia em 1860, a assepsia se tornou obrigatória nos hospitais. Helena começa sua turnê de visitas por Marcellin Berthelot que inventou a desinfecção com água sanitária, em 1875. O químico, já idoso — morrerá dois anos depois —, aceitou recebê-la sem recomendação.

Ele lhe dá uma aula expositiva sobre os princípios que regem a saúde da pele. "É a válvula da segurança animal", explica, citando Pierre Curie. Com ele, ela comprova sua intuição sobre a classificação da pele em vários tipos, o que lhe permitirá ampliar o leque de seus produtos. Consulta dermatologistas que lhe ensinam como regenerar os tecidos, torná-los mais firmes, retardar o aparecimento de rugas. Aprende as técnicas da eletricidade cujos benefícios, que datam de apenas um quarto de século, já são aplicados aos cuidados com o rosto.

Alguns médicos não a levam a sério. "O lugar da mulher é em casa", eles lhe dizem. "Por que é que ela teima em encher seu encantador pequenino crânio com toda essa confusão, além de tudo, inútil? Se ela tem um real talento para a perfumaria, para que se incomodar com anatomia?"

— Deixe isso para os homens, minha cara — disse-lhe um deles, beijando sua mãozinha agora bem cuidada.

Ele a empurrou suave, mas firmemente, até a porta de seu consultório. Helena não argumentou. Aliás, outros sábios famosos anseiam por recebê-la. Ela guarda, contudo, a lição. Para conseguir o que deseja, uma bela mulher não deve nunca parecer inteligente demais. Ela não tem o hábito de fazer rodeios; se parece mais com um tanque do que com uma odalisca, mas os fins justificam os meios.

Convencida de que a beleza também passa pelo cuidado do corpo, ela se apaixona pela massagem com rolos que supostamente diminuem a flacidez das bochechas, o queixo duplo e a gordura. Alguns são providos de corrente elétrica, o que permite massagear a face, o ventre ou os seios com mais eficácia que com as mãos.[6] A dieta ainda não se tornou a obsessão do século, mas as vaidosas já sabem como corrigir a silhueta por meio de tratamentos apropriados e regimes que variam segundo as modas e as estações.

Já em 1896, a revista feminina *La Vie Parisienne* sugeria não menos que oito regimes de emagrecimento, todos diferentes. Mais tarde, Horace Fletcher, um americano apelidado de "O Grande Mastigador", explica que, para perder peso, é preciso mastigar centenas de vezes todos os alimentos líquidos e sólidos. O doutor Guelpa, um francês, opta pelo jejum, enquanto o doutor Leven preconiza a dieta láctea. As pílulas à base de sene e os diuréticos naturais, erva-doce, anis ou zimbro, vendem-se muito. Os "Cardina" supostamente diminuem o ventre, reduzem os quadris, afinam a cintura.[7] Outros comprimidos, à base de extratos de tireoide, provocam danos, caso se abuse deles. São incontáveis as infelizes que, teimando em emagrecer a qualquer preço, sofrem de desordens endócrinas ou de distúrbios menstruais.

A visita atenta aos salões parisienses permite que Helena observe práticas que se parecem com as dispensadas nos spas europeus: hidroterapia que tonifica e modela o corpo, a eletricidade em todas as suas formas, a luz, a ginástica, as massagens.[8] Ela leva essas novidades para Melbourne e, mais tarde, para seus institutos no mundo todo, introduzindo melhoramentos. Sempre que se trata de cuidados, sua imaginação não tem limites.

De tudo o que aprendeu durante a viagem, ela reteve duas ou três ideias-chave que vão constituir a base de seus programas. Para aumentar a eficácia dos produtos e manter uma tez luminosa, são necessários um estilo de vida saudável, exercícios físicos, alimentação equilibrada e muita água, sucos de frutas e legumes pobres em gordura e em toxinas, e a aprendizagem da respiração. Suas futuras clientes não deverão contentar-se em comprar o creme, elas também deverão aplicar esses princípios.

Na Inglaterra, termina sua estada na Europa. É lá que ela vai pegar o barco para a Austrália. Em Londres, a beleza é reservada à elite. Ali, o privilégio é sem dúvida mais acentuado que em outros lugares. Alguns perfumistas ingleses como Atkinsons ou Yardley dominam o campo. As marcas francesas, importadas, Coty, Bourjois ou Rimmel, continuam terrivelmente caras. As três jovens mulheres as descobrem na *Harrods*, em Brompton Road, uma grande loja que não deve nada às marcas parisienses. A escada rolante as fascina, mas elas hesitam em usá-la, com medo de prender suas saias longas.

Juntas, elas testam os institutos de Bond Street, que frequentemente são luxuosos por dentro, mas não cumprem as promessas anunciadas. Há trabalho a ser feito — observa Helena que pretende voltar. Tudo o que ela viu, observou, guardou, mostrou-lhe mais uma vez que a beleza se trabalha e se ganha. Os esforços valem a pena: "Não existem mulheres feias; existem mulheres preguiçosas", se torna sua máxima preferida.

Ela esquece, ou quer esquecer, que as mulheres não são iguais diante da beleza, que o mundo delas é dividido entre as que têm tempo e dinheiro para melhorar sua condição física, e aquelas que a pobreza condena a uma velhice precoce.

Na volta, suas malas estão abarrotadas de pílulas de emagrecimento, de fórmulas para curar a acne ou os malefícios do sol, de rolos elétricos para massagear, moldar, firmar as pernas, as nádegas, o peito. Todo um material de trabalho que vai junto com seu novo guarda-roupa. Ela também leva vasos, em especial de opalina — que começou a colecionar —, quadros, bibelôs, tecidos e outros objetos para redecorar seus dois salões.

Um encarte publicitário publicado no diário australiano *The Talk*, em 1906, anuncia que a senhorita Helena Rubinstein acaba de voltar da Europa. Seus estudos com os maiores especialistas da pele a ajudaram a aperfeiçoar os cuidados propostos no instituto de beleza do número 274 da Collins Street. O texto menciona que ela contratou duas assistentes "vienenses". Estas exercem seu papel com seriedade.

Ceska, no entanto, tem dificuldade em se acostumar à Austrália; sente saudade de casa. Além disso, Helena é muito exigente. Ela as faz trabalhar o dia todo como escravas numa mina de carvão. Há outra coisa na vida além dos salões de beleza? Não.

— Não! Por acaso eu me divirto? Do contrário, como você viveria?

Ceska reclama, protesta, mas acaba se adaptando e passa horas na *cozinha* olhando a irmã elaborar seus novos preparados, a Água Verde, a Água que espeta. À noite, ela recebe convites de toda parte. Como todas as meninas Rubinstein que herdaram da mãe uma carnação perfeita, parece mais jovem do que realmente é. E como Helena, ela trapaceia, confessa ter 18 anos quando, de fato, tem quatro a mais, o que não parece incomodá-la. Aliás, na Austrália, ninguém se preocupa com o estado civil. Um inglês encantador chamado Edward Cooper começou a cortejá-la e, de sua parte, ela não é indiferente à sua aproximação.

E Helena? É rica, bonita, e ainda jovem, apesar de seus 34 anos completos. Seu salão de Melbourne funciona quase que sozinho, sua linha de beleza é perfeita e sua reputação perfeitamente estabelecida. Também poderia pensar em se casar.

A senhorita Rubinstein, porém, é um tipo diferente da maioria das jovens mulheres que gravitam à sua volta. Ela não ambiciona fundar uma família ou criar filhos que se pareçam com ela. Em seus sonhos, as palavras de amor, os juramentos ao luar, os abraços apaixonados não têm vez. Seu pequeno cérebro bem estruturado zumbe com palavras sérias como balanços, livros de contabilidade, volume de negócios ou expansão. Ela é uma das raras *self-made women* de sua época e pretende continuar nesse caminho. Sozinha. Não precisa de homens. De que é que eles lhe serviriam?

E Melbourne já lhe parece pequena demais.

Agora ela visa Londres, uma cidade como ela gosta: moderna, elegante, efervescente. Lá tudo é possível. Durante sua breve estada na capital, Helena teve a oportunidade de observar as inglesas de rostos secos, sujeitas à rosácea, como as australianas. Muitas delas sofrem de uma acne persistente que não sabem tratar e que escondem debaixo de camadas de pó.

Helena tem dificuldade em conter a impaciência. Seus planos já estão estabelecidos. Ela se fixará na Inglaterra a partir do próximo ano. Antes, terá de abrir o salão de Sydney cuja construção já começou. Ceska logo partirá para tomar conta deles. Também pensa em expandir até Wellington, na Nova Zelândia.

Está na hora de fechar. Sozinha no salão, Helena não se decide a subir para descansar. Suas duas empregadas se despediram meia hora mais cedo que de costume, Lola e Ceska fizeram o mesmo. A semana foi difícil, o número de clientes foi ainda maior, e as jovens, esgotadas, entregaram os pontos. Ela teve de permitir, um pouco contra a vontade, que fossem embora.

Quando tiver terminado a contabilidade, ela limpará o chão e descerá a pesada porta de ferro. Nenhuma tarefa lhe parece vergonhosa ou inferior. No momento, ela está de pé atrás do balcão, ocupada em calcular a receita do dia.

Em Melbourne, alguns dias de maio possuem a umidade do verão. Naquele início de noite, o calor fica preso ao asfalto, e a noite não oferece nenhuma promessa de frescor. Helena abriu o decote um pouco mais que o permitido pela decência. Suas faces estão vermelhas, a testa, molhada de suor. Algumas mechas rebeldes escapam do coque. Esse pouco de indisciplina, que suaviza sua atitude rígida, a torna muito encantadora.

— É com a senhorita Helena Rubinstein que eu tenho a honra de falar?

Surpreendida por aquela voz masculina, ela ergue a cabeça. Com seu olhar de ave de rapina fita o homem que acaba de tirar o chapéu. É um moreno alto, de porte elegante, que usa uma roupa do melhor tecido, com plastrão engomado. Carrega sob o braço direito alguns livros e jornais. Por detrás dos óculos redondos, seus olhos vivos a observam. Ela tem a impressão de que ele percebe tudo, a desordem da aparência, a abertura da blusa. Automaticamente, ela se abotoa.

— Sim?

— Conheci suas irmãs na Cracóvia, há alguns meses, quando fui visitar minha família. Elas me falaram de você. Sou jornalista, nascido na Polônia, exatamente como você, mas cidadão americano.

Um compatriota? Ele tem charme, desembaraço, uma voz calorosa. O olhar confiante, demais, talvez. Ela sorri um pouco, enxuga a testa, corrige o penteado.

Ainda não lhe disse seu nome.

— Perdoe-me. A senhora me deixa perturbado. Eu me chamo Titus. Edward William Titus.

Helena mordisca a caneta, abaixa a cabeça sobre o livro de contabilidade. Seu coração bate muito forte sem que ela compreenda por quê.

Ele está perturbado?

Ela também.

Edward William Titus

Ela ainda não tinha conhecido um homem como ele. Imbatível em pintura, literatura, música, política, ele tem prazer em fazer o papel de Pigmalião. Helena Rubinstein poderia ouvi-lo durante horas, Edward William Titus nunca é pedante ou tedioso. Ao contrário, é um pedagogo formidável, claro, preciso, divertido. Assim que ele abre a boca, ela logo se apaixona. Sua fala é recheada de citações, de casos. Perto dele, ela esquece os cremes, as clientes, as contas.

— Helena, olhe este edifício, o Yorkshire Brewery. Ele data do início dos anos 1880; é o primeiro *skyscraper* da cidade, construído a partir do modelo dos arranha-céus nova-iorquinos. Oito andares, você imagina? Lá do alto, a vista é incrível. Vamos subir?

Ele lhe mostra uma Melbourne diferente, quando ela achava que conhecia bem a cidade. Até agora, seus longos dias dedicados ao trabalho tinham-lhe deixado poucas oportunidades para sair. De agora em diante, Edward a leva ao teatro quase todas as noites. Nessa Austrália do início do século, é o divertimento mais apreciado. As trupes estrangeiras incluem as grandes cidades no programa de suas turnês. Vê-se tudo, sem distinção. O público é muito variado, o ambiente, simples; muito diferente da contenção polida dos espectadores europeus.

Helena chora em *The Squatter's Daughter*, um melodrama pesado; aplaude Minnie Tittel-Brune que brilha na *Tosca* e no *l'Aiglon*; se diverte com as pantomimas, uma arte inglesa que os australianos valorizaram ao máximo. Edward não perde uma oportunidade de aperfeiçoar sua educação. Pensando bem, o rapaz tem mesmo um charme louco, e Helena sempre pensa nele. A simetria do rosto, os cabelos que se agrisalham lhe dão uma aparência de distinção muito inglesa. Seu modo de falar é preciso, incisivo; o vocabulário, refinado. Sempre bem barbeado, cheirando a lavanda, ele se veste com uma preocupação de minuciosa elegância. Seus ternos são feitos em Londres, seu sapateiro é italiano, suas camisas vêm da casa Chavert, em Paris.

Grande conhecedor da moda feminina, ele aprecia as roupas parisienses de Helena Rubinstein, nota os menores detalhes, o caimento de uma saia, o franzido de uma blusa, o enfeite de um chapéu. Quando volta para casa, depois de uma noite passada em sua companhia, ela se pega cantarolando um trecho de Grace Fletcher ou de Dorothy Brunton enquanto se despe diante do espelho. Depois do espetáculo, eles vão jantar nos restaurantes da moda, em Melbourne. "Come-se mal aqui", reclama Edward, "não tem nada a ver com a França. Quando formos a Paris, você vai ver, vou levar você..."

Helena se sente provinciana, desajeitada. Edward acaba de chegar a Melbourne e já se sente à vontade em todos os lugares. Ele conhece os *maîtres d'hôtel* pelo nome, consegue as melhores mesas, ele a inicia nos vinhos franceses, na cozinha chinesa. Ela diz que ele "excita sua imaginação", abre-lhe "um novo mundo que ela desconhecia".[1] A conversa é recheada de nomes famosos — de alguns deles, Helena nunca ouviu falar —, artistas, escritores, pintores, intelectuais e também poderosos, nobres, ladies inglesas, condessas parisienses, socialites nova-iorquinas.

Embora pratique com desenvoltura o *name dropping*, como o verdadeiro esnobe que é, os ricos e os bem-nascidos não o impressionam. Para grande surpresa de Helena, que os imagina superiores.

— Minha cara, não é o que somos que importa, mas o que fazemos.

E ele, quem é, exatamente? Sua vida é muito misteriosa, pelo menos no período que precede seu encontro com Helena Rubinstein, na Austrália. Como ela, ele cultiva deliberadamente uma indefinição artística. "Um jornalista americano de origem polonesa", é assim que ele é quase sempre apresentado nas biografias. Mas o que foi que ele publicou antes dessa época? E em que jornais? Mistério.

Segundo o testemunho de seu sobrinho, Emmanuel Ameisen, procurador da firma francesa de Helena Rubinstein no final dos anos

1930,[2] antes de se tornar seu diretor-geral depois da guerra, Edward Titus se chama, na verdade, Ameisen. Ele mudou de nome antes de partir para a Austrália em 1904 ou 1905. Escolha estranha para um judeu, como constata o filho de Emmanuel, Olivier Ameisen: "Titus foi o imperador romano que destruiu o templo de Jerusalém. Mas Edward era um verdadeiro anticonformista", ele acrescenta.[3]

Como Helena Rubinstein, Edward Titus teve, portanto, várias vidas. Na primeira, nasceu Arthur Ameisen, a 25 de julho de 1870 em Podgorze, um subúrbio da Cracóvia. Seu irmão, Leo Ameisen, casado com Emilie Mandel, possuía uma pequena fábrica de refrigerante. O mais velho de uma irmandade numerosa composta por nove filhos,[4] dos quais o mais novo, Yakov, era o pai de Emmanuel Ameisen, estudou na escola pública da cidade e continuou os estudos secundários no ginásio Sainte-Anne.

Empregado num jornal pertencente ao tio, foi jornalista durante três anos na Polônia. Foi, sem dúvida, nessa época que ele aprendeu inglês e francês, que fala fluentemente, assim como o polonês, o italiano, o ídiche e o hebraico. Com 21 anos, em 1891, emigrou para os Estados Unidos, no *Campania*, que partia para Liverpool. Viveu em Pittsburg, na Pensilvânia, onde foi assentada uma importante colônia austro-húngara. Ele requereu a nacionalidade americana em 1893[5] e a obteve três anos depois.[6]

Desde que chegou a Pittsburg, Arthur Ameisen trabalhou no consulado da Áustria sob as ordens do cônsul Max Schamberg, até 1895.[7] Paralelamente, realizou estudos de Direito e, obtido o diploma em 1897, abriu um escritório de advocacia, Ameisen e Kramer, onde trabalhou mais especificamente com seus compatriotas estabelecidos em Pittsburg. Foi casado uma primeira vez, antes de conhecer Helena Rubinstein,[8] e provavelmente teve dois filhos[9] que, quando abandonou a mulher, recusaram-se a revê-lo. Ele nunca vai se referir a isso; apenas sua família conhece esse penoso segredo. Helena também, sem dúvida, mas ela nunca falará a respeito.

Depois de Pittsburg, seus rastros se perdem... E são encontrados alguns anos mais tarde em Nova York e, depois, na Austrália. Edward William Titus — pseudônimo de Arthur Ameisen — guardou para si alguns de seus segredos que, sem dúvida, contribuem para o seu charme.

Enquanto isso, ele vive em Melbourne e a corteja como quem não quer nada. Às vezes aparece no salão de beleza *Valaze*, no meio da tarde, e, apesar dos protestos de sua proprietária, a leva para um passeio nos jardins de Fitzroy ou no parque Queen Victoria, que os australianos inauguraram no ano anterior, em memória da falecida rainha.

Corando, Helena deixa Ceska cuidando da loja, amarra as fitas do chapéu, pega a sombrinha e desaparece de braço dado, sob os olhares meio ternos, meio zombeteiros da irmã e da prima. Para se defender, ela tenta basear o relacionamento deles no campo profissional. O contrata como diretor de marketing e publicidade. É porque Edward é muitíssimo competente. Com ele, as palavras se ordenam sozinhas, sua pena corre no papel. Não foi preciso muito tempo para compreender toda a ambição da jovem mulher e oferecer-lhe apoio.

Ela o escuta, aceita suas inovações. Ele tem cem ideias por segundo, a ponto de muitas vezes lhe provocar vertigem. Porém, sabe traduzir de imediato o que ela lhe sugere. Mal começa uma frase e ele já a terminou. É precioso e, sobretudo, novo. Edward é a única pessoa que pensa mais rápido que ela; ele a surpreende continuamente.

Ele sabe fazer tudo, e bem: melhora o design e o empacotamento dos produtos, redige os textos das propagandas, acrescenta a eles citações, poemas, lirismo. Nunca lhe falta imaginação; ele inventa, especialmente para Helena, uma escola de beleza vienense "diferente das escolas inglesa e australiana". As publicidades que redige e que são publicadas no *The Talk, The Mercury, The Sydney Herald Tribune, The Australian Home Journal* são elaboradas segundo o mesmo princípio. Inicialmente, ele dá às futuras clientes um motivo específico para recorrerem aos cosméticos, por exemplo, os rigores do clima australiano. Em seguida, ele estabelece uma relação privilegiada com elas, apoiando-se na experiência e na prática científica de Helena. "O que querem as mulheres? Um 'je ne sais quoi...' — um "não sei quê", diz em francês, no texto...

A propósito do *Pequeno guia da beleza* ele escreve: "Não existe no mundo livro mais conciso, mais luminoso e cujos conselhos sejam tão regularmente revistos à luz da atualidade." Sobre a juventude: "Dizem que uma mulher tem a idade que parece, quer dizer a idade que sua pele aparenta ter. Conservem a pele jovem, e os anos não as aterrorizarão."

Também dá estes sábios conselhos às esposas: "Um homem que, manhã após manhã, no café, se coloca diante de uma mulher inteligente, cuja conversa é brilhante, mas cuja pele é maltratada, não estará satisfeito todos os dias: ele pode se aborrecer."

Ele mostra Helena como benfeitora de seu sexo. "Madame Rubinstein inventou todo tipo de coisa deliciosa e eficaz para que as mulheres saudáveis sejam belas e continuem assim."

— Você precisa se valorizar, falar continuamente de você, pôr-se o máximo possível em evidência. Você é seu melhor trunfo comercial.

Em muito pouco tempo, Edward Titus molda a imagem de Helena Rubinstein. Ela se torna a sacerdotisa da beleza, brilhante, rica, célebre na Europa, que põe sua competência científica a serviço das mulheres da moda. É ele também que lhe dá um apelido.

— Helena, o que você acha de Madame? Não Madame Rubinstein, mas simplesmente Madame... Soa bem, não é mesmo?

Encantada, ela repete esse *Madame* em todos os tons. É o nome pelo qual ela será conhecida a partir de então, aquele que os empregados, as clientes, os jornalistas, sua família e até mesmo seus filhos usarão. Edward prefere chamá-la carinhosamente de *Petite Madame*.

Com seu apoio, Helena ganha asas. Como previsto, ela cria outro salão em Sydney, em 1907, situado no número 158 da Pitt Street. "Como você sabe, eu já possuo um em Melbourne, criado conforme o modelo dos famosos institutos de beleza europeus onde estive. Venha me ver em Sydney; eu e minha irmã a receberemos", ela anuncia. Em 1908, ela inaugura o de Wellington, sempre com o mesmo sucesso.

Edward ainda está ao seu lado para aconselhá-la. Edward pra cá, Edward pra lá. Em menos de dois anos, ele se tornou tão indispensável à sua vida quanto o ar que ela respira. Não se passa um dia sem que ela lhe peça opinião sobre tudo. Ele é seu empregado, e também conselheiro, guia, amigo, cúmplice. Durante o dia, trabalha ao seu lado; à noite, eles são vistos juntos em todos os lugares.

E então, ela fica com medo. Não é assim que pretende conduzir sua vida. Mas está apaixonada. Surgiu uma nova Helena que cantarola de manhã na banheira, cuida da aparência mais do que de costume. À noite, se vira cem vezes na cama até pegar no sono, remói todas as palavras pronunciadas por Edward, interpreta seus olhares, seus toques, os apertos de mão.

Depois, ela reflete, se acalma, se levanta, vai ao banheiro molhar o rosto. Olha-se no espelho e vê uma jovem mulher de camisola branca, os cabelos desfeitos em volta do rosto. Sorri, depois suspira. Não é bela o bastante para ele, e também não é culta o bastante; velha demais, sem dúvida. Apaixonada, já se vê.

Ela reflete. Edward é sedutor, carismático, gosta de agradar, de conquistar. Evidentemente, é um mulherengo; ele a fará sofrer. Parece, contudo, que ele sente verdadeiro prazer em sua companhia; está fascinado por seu sucesso, sua vontade, sua coragem, sua ambição. Ela lhe contou, sem mentir, sua partida da Kazimierz, e os anos de trabalho forçado que se seguiram.

Alguma coisa, porém, na atitude, não é transparente. Por que ele é tão...? Ou melhor, por que ele não é bastante... Ele não a corteja, pelo menos não no sentido clássico. Ele não a cobre de elogios, como os outros homens. Nunca tentou beijá-la. Então ela não lhe agrada? O que ele quer, exatamente? Dinheiro? Negócio? Os dois?

Naquela noite de verão, quando eles estão a uma mesa da varanda de um restaurante francês, ela fica em silêncio durante todo o jantar. Mal toca na taça de Bordeaux que Edward pediu, pois ele cismou de ensinar-lhe as grandes safras. Dessa vez, entregue a seus pensamentos, não ouve nada do que ele diz.

Ela esfarela o miolo de um pedaço grande de pão e faz minúsculas bolinhas com ele. Seu nervosismo não escapou ao companheiro; ele se debruça sobre ela e segura suas mãos. Ela estremece, tenta se soltar, mas ele aumenta a pressão. Ficam assim, alguns minutos, sem pronunciar uma palavra.

Helena tem a garganta seca; teme o que vai ouvir. A espera lhe parece interminável.

— Helena — diz ele lentamente —, vejo que você está determinada a construir um império. Case-se comigo e o construiremos juntos.

Mayfair Lady

Chove em Londres. Uma chuvinha fina, triste, que cai persistente em sua capelina de veludo. Já tinha chovido na véspera. E na antevéspera. E há 15 dias. E quando não chove, a neblina vem, espessa, glacial, grudenta. Nesse mês de abril de 1908, a primavera se faz esperar. E, é claro, nenhum fiacre à vista.

Molhada, tremendo, Helena se contenta em se abrigar sob um portal. Ela não pode desistir, é o que não para de repetir; chegou a virar uma obsessão. Desde Coleraine ela sabe que quanto mais ambicioso é o objetivo fixado, mais elevado é o preço a pagar para atingi-lo. Ela repete a frase como um mantra todas as manhãs, ao acordar no pequeno apartamento mobiliado que alugou no terceiro andar de um edifício em Arlington Street, e cujo aluguel divide com uma jovem australiana.

Aqui, Madame não existe. O sucesso, o dinheiro — possui quase meio milhão de dólares em segurança num banco australiano e acaba de abrir uma conta em Londres — não a impedem de se sentir uma estrangeira. Nesse mundo hermético, regido por códigos complicados que ela não sabe descodificar, está sozinha, mais uma vez. Aprenderá, é claro, como aprendeu o resto. Os começos, porém, são difíceis.

Pelo menos uma vez por dia ela se pergunta se não cometeu um erro recusando-se a casar com Edward. Sente tanta falta dele que só em pensar ela às vezes perde o fôlego. Ela tem saudade das conversas, das noites, da cumplicidade, se sente enfeitiçada, não encontra outra palavra para definir esse sentimento que a afunda. Sempre que ela pensa na última noite deles em Melbourne, ela esmiúça cada palavra.

Sua emoção pareceu sincera quando, ao fim de alguns minutos que lhe pareceram séculos, ela acabou dizendo não. "Não, Edward, não quero me casar com você, lamento, mas é não." Foi-lhe preciso juntar toda a sua coragem para pronunciar aquelas poucas palavras e fingir indiferença quando viu no rosto do companheiro sua reação. Em seus traços, pôde ler a surpresa, a tristeza e o orgulho ferido.

Sentindo-se culpada, Helena se viu obrigada a suavizar sua recusa.

— Dê-me tempo; preciso ver como me saio na Europa.

Edward não respondeu. Olhou-a nos olhos e novamente ela se retesou para não fraquejar. Por sorte, ele pareceu compreender. Em seguida, continuou, porque não é o tipo de homem que te deixa com a última palavra.

— Está bem. Mas daqui a alguns meses, irei ao seu encontro.

Em toda a sua vida Helena jamais hesitou quando se tratava de avançar... Rejeitar o velho Schmuel que seus pais lhe destinaram, partir sozinha para a Austrália, enfrentar os tios em Coleraine, viver na savana, trabalhar para sobreviver, abrir seu salão... Mas essas ações ditadas pela necessidade ou pela ambição não lhe pareceram tão difíceis quanto dizer não a Edward. Se o amor é o ponto fraco das mulheres racionais, certamente é o dela também. "Meu coração sempre foi dividido em dois, de um lado, as pessoas que eu amava, e do outro, a ambição que me torturava."[1]

Então, fugiu mais uma vez. Para ela, isso quase virou um hábito: quando não sabe como vencer um obstáculo, prefere sair pela tangente. E sem arrependimentos; ela não tem tempo de remoer o passado. A partir de então, Londres atrai toda a sua atenção. Londres, da qual Edward lhe descreveu detalhadamente os costumes de uma aristocracia fechada em si mesma. Londres que, com seus 2 milhões e meio de habitantes, tem fama de ser a capital mais alegre do mundo, mas onde, dependendo do bairro, a riqueza mais resplandecente compete com a mais terrível indigência.

Quando desembarcou, dessa vez como imigrante e não mais como turista, quis ver os lugares que evitou cuidadosamente na primeira vez em que esteve lá, os lugares vergonhosos que são escondidos como horríveis espinhas no rosto de uma bela mulher. Os trabalhadores braçais nas docas, as prostitutas de White Chapel, as crianças que dormem nas ruas de St. Giles, e seus compatriotas judeus poloneses e russos, amontoados como gado nas favelas do East End. O cheiro persistente da miséria, pior que nos mais pobres cantos da Kazimierz ou do *bas-fond* de Melbourne, a sufocou. Ela voltou atrás.

Apiedar-se de uma pobreza que ela abomina não faz seu gênero. As lutas políticas também não a interessam. Em Londres, porém, há manifestações por todos os lados. No dia 21 de junho de 1908, algumas semanas após sua chegada, 200 mil mulheres enfurecidas, conduzidas por Emmeline Pankhurst e sua filha Christabel, as fundadoras da *União Feminina, Social e Política*, fazem uma manifestação em Hyde Park para exigir o direito do voto. No ano seguinte, uma jovem de 25 anos esbofeteará Winston Churchill, ministro do Comércio.

— Sir, o senhor vai ver o que as mulheres britânicas vão fazer.

A radicalização do movimento das sufragistas provocou a repressão crescente de seus membros. As militantes são presas às dezenas. Protestando contra a arbitrariedade, elas se lançam em intermináveis greves de fome.

Helena pouco se preocupa com isso. A independência das mulheres lhe interessa, mas do único modo que conta para ela, pela libertação da aparência. É assim que ela pretende tornar as inglesas mais audaciosas. Na verdade, elas começam a sê-lo. Desde que o rei Eduardo VII impôs seu estilo quando sucedeu à mãe, a rainha Vitória, a vida na Inglaterra é um pouco menos austera. Os costumes se renovaram.

Por toda parte são criados salões de massagem e salas de estética. Em *The Queen*, o periódico lido pelas aristocratas ociosas, uma crônica intitulada *La Toilette* dá conselhos de beleza: "As mulheres com problemas de pele devem nos escrever, sob pseudônimo, para pedir conselhos práticos e estritamente confidenciais." Os jornais femininos divulgam receitas, mas o resultado não é garantido. E, acima de tudo, a aplicação desses produtos na pele é da total responsabilidade das leitoras.

Um século e meio antes, um projeto de lei, que quase passou no Parlamento, estipulava que "Todas as mulheres, de qualquer nível, profissão ou situação, virgens, esposas, viúvas, que seduzirem e levarem ao casamento qualquer súdito de Sua Majestade, pelo uso de essências, maquiagem, sabões, dentaduras, perucas, blush nas faces, barbatanas nos vestidos, crinolinas, sapato de salto alto e enchimento nos quadris, serão punidas pela lei por delito de feitiçaria."[2] Esse texto parece vir da pré-história, contudo, em alguns salões, como no da senhora Henning, em South Molton Street, as damas não ousam se mostrar à luz do dia. Ser vista lá seria quase tão inconveniente quanto ser surpreendida num bordel. Assim é que a proprietária instalou uma porta secreta, nos fundos da loja, que impede que as clientes mais ricas sejam vistas.

Nada aqui é garantido. Mas ninguém sabe tanto quanto Helena Rubinstein. Ninguém vende um creme tão milagroso quanto o *Valaze*. Ninguém entende tanto de marketing e de venda quanto ela. Foi a primeira a saber capitalizar o desejo de beleza das mulheres e o entusiasmo dos homens por esse desejo.[3] Todas essas certezas não a deixam abater-se. É o que, certas noites, faz com que ela aguente, quando a tristeza toma conta dela, insistente como o *pip* australiano, sentido nos tempos mais difíceis de Coleraine. "Eu sou a única com esse talento ambicionado pelas mulheres, essa habilidade para criar a beleza e aumentá-la", repete para se convencer.

Somente ela pode incentivar a si mesma, assim, pois quem à sua volta poderia lhe incutir força? Edward está tão longe. Nunca, a não ser nos malditos tempos de Coleraine, ela teve tanta consciência de sua solidão. Hoje, porém, seus trunfos são outros; ela tem dinheiro, salões, patentes. Na Austrália, teve sucesso. Sim, mas você não é ninguém em Londres — sopra-lhe uma vozinha, rapidamente substituída por outra que lhe martela que ela vai conseguir, e que é apenas uma questão de dias. Então, se obriga a pensar nos projetos que a fascinam, uma técnica que já comprovou.

Os menores detalhes do novo instituto já estão gravados em sua mente. A escolha do bairro está feita, será Mayfair, Belgravia ou Parklane, os lugares mais prestigiosos da cidade, porque dinheiro chama dinheiro. Ela já visualiza uma dessas grandes casas brancas e ricas em estilo neopaladiano, com colunas na fachada. A agência imobiliária já lhe mostrou dezenas, mas há sempre um defeito.

À noite, para enganar a solidão, ela vai ao teatro. Cinco vezes seguidas, foi aplaudir Lilly Elsie em *A viúva alegre.* No Duke of York's Theater, conheceu Isadora Duncan, que choca a boa sociedade, exibindo-se nua, sob véus. Ela fica encantada com "a mistura da graça de um felino com os modos de uma dama". Com uma silhueta inteiramente nova, à la Klimt, coxas emagrecidas, longas pernas finas, o alto do corpo estreito, a dançarina é, para ela, o protótipo da mulher independente.

Alguns anos depois, elas se encontram numa recepção oferecida por Margot Asquith, mulher do primeiro-ministro. Isadora está usando uma de suas imensas echarpes que, arrastando-se pelo chão, são a sua assinatura.

Helena ficou espantada.

— Não seria menos perigoso, mas igualmente belo, se seu véu fosse mais curto?

— E o estilo, querida criança? — responde Isadora, achando sua ingenuidade engraçada.

Os véus, que tanto intrigam Helena, transformaram a dançarina em lenda. Vinte anos depois, eles vão ficar presos nas rodas de um carro de corrida e quebrar seu gracioso pescoço.

Numa noite de chuva, ainda mais gelada que de costume, ao voltar para casa, Helena quase desistiu. Encolhida perto da lareira, com uma xícara de chá quente nas mãos, ela pensou que Londres não se deixaria conquistar. Uma boa noite de sono, porém, venceu suas angústias e, logo no dia seguinte, o sol se pôs a brilhar sobre a cidade. Nesse mesmo dia, como que por encanto, a agência imobiliária lhe mostrou uma pérola rara.

No número 24 da Grafton Street, Mayfair: isso é o que se chama de endereço. A casa de Robert Albert Talbot Gascoyne Cecil, terceiro marquês de Salisbury, ex-primeiro-ministro da rainha Vitória, morto alguns anos antes, acaba de ser posta para alugar por seus herdeiros, por 2 mil libras por ano. O aluguel dessa elegante construção em estilo georgiano é um pouco elevado para Helena, mas, como sempre, ela aposta na sorte para pagá-lo. Ter um comércio na rua Mayfair não tem preço, ela sabe.

O bairro, delimitado por Oxford Street, Park Lane, Regent Street e Piccadilly, recebe o nome de uma feira anual que ali existiu até 1706. Alguns anos depois, o arquiteto Edward Shepherd construiu ali um grande mercado cercado por pequenas casas. Em seguida, a alta sociedade, que agora ocupa o lugar, mandou construir imensas casas vitorianas.

Em Mayfair, vivem os felizes deste mundo. "É mais uma maneira de ser do que um bairro, um modo de encarar a vida, de saber carregar um guarda-chuva durante o ano todo, de não reconhecer alguém que só lhe foi apresentado quatro ou cinco vezes, ter o sotaque de Oxford e não terminar as frases."[4] Babás de avental branco empurram carrinhos cuja carroceria se assemelha às carruagens nos parques e jardins, enquanto criados de uniforme, ainda mais esnobes que seus mestres, levam minúsculos cães para passear.

Desconfia-se dos novos-ricos, dos americanos, da política, dos judeus, dos franceses, dos comerciantes e dos pobres, evidentemente. Os hábitos são moldados no bronze, os rituais são imutáveis. De abril a maio, a *nobreza,* de volta de seus palácios no campo, dá bailes, festas, concertos privados e se aglomera nas corridas e nas regatas. É antiquado, espartilhado, apertado, elegante, insolente. Incontornável.

A casa de Lorde Salisbury se estende por 26 cômodos e quatro andares. Os dois primeiros andares serão reservados para a loja e para o instituto. Helena prevê morar no terceiro. O sótão abrigará sua *cozinha.* Ela contrata designers de interiores para a remodelação, mas, em matéria de decoração, confia apenas em seu instinto. Não mais os móveis de vime ou chita nas cadeiras. Ela opta pelo branco, creme, rosa, cores neutras, pastel, que assinalam um universo feminino, luxuoso e nobre. Determinada, exige o que há de melhor.

As obras devem se iniciar em algumas semanas. Helena tem consciência de que está apostando tudo. Londres pode rejeitá-la num piscar de olhos.

— Ou me pôr nas nuvens — decide.

Viver sem desafios é decididamente impossível para ela. Como não para quieta, entrega as obras aos arquitetos e parte para o continente. Em Paris, informa-se a respeito dos últimos achados sobre a pele, descobre novos tratamentos com eletricidade, refaz o guarda-roupa. Em Viena, convence a doutora Emmie List, que anteriormente lhe ensinara a arte do peeling, a participar de sua equipe.

Na volta, transborda energia e ideias para inventar outros produtos, cremes contra a acne, tônicos, adstringentes. Todos os dias ela visita a obra na qual a equipe trabalha sem parar. O conjunto parece satisfatório, de acordo com o que ela esperava.

— Está muito bonito, querida amiga. Parabéns!

A voz lhe parece familiar. Ela interrompe a conversa com o carpinteiro e se vira.

— Edward!

Num impulso de audácia como apenas os grandes tímidos podem ter, ela se atira em seus braços sem constrangimento algum. Está louca para lhe dizer o que sentiu durante as longas semanas em que lhe fez tanta falta. Tudo o que realizou, descobriu, iniciou, tinha menos sabor sem ele. Ela é, contudo, por demais tímida. Além disso, não possui as palavras. Contenta-se em aninhar o rosto em seu casaco e redescobrir o cheiro de homem que a deixa tonta, uma mistura de lavanda, tabaco e couro. Dessa vez, Edward também emudece. Ele beija os cabelos dela, acaricia sua nuca. Quando ela ergue a cabeça, suas bocas se encontram.

"Então, o amor é isso", ela pensa.

Aos 36 anos, ela tem a coragem de um homem, a autoridade de um chefe e as ingenuidades de uma virgem. Durante um tempo eles ficam abraçados, isolados do mundo, logo interrompidos por um pigarro. Tinham esquecido o carpinteiro.

— E os meus armários...

Edward dá sua opinião, Helena aceita. Aliás, tem razão, os armários ficarão bem melhor no fundo do cômodo. Ela o pega pela mão e o arrasta pela casa, para que ele a visite, sem esconder seu orgulho.

— O que você acha? — pergunta alegremente quando, da janela do terceiro andar, lhe mostra a vista, maravilhada, dos tetos de Londres.

— Magnífica. Minha cara, você nunca deixará de me impressionar.

Terá ela percorrido todo esse caminho para ouvir essa frase? Naquele dia, pareceu-lhe que sim.

Como foi que conseguiu passar tanto tempo sem ele? Tudo, porém, os opõe. Ela é reservada, pouco segura de si, salvo no trabalho, onde é trabalhadeira. Ele é extrovertido, curioso, impulsivo. Eles têm em comum o mesmo anticonformismo, a mesma curiosidade pelos seres e pelas coisas, o mesmo entusiasmo, o mesmo espírito visionário. Além disso, Edward é o único que consegue fazer com que ela se esqueça da empresa. Como em Melbourne, ele a leva para sair todas as noites.

Londres fervilha, então, de novidades, de talentos, de cultura. É a época do Entendimento Cordial e da grande Exposição Franco-Britânica da qual toda a aristocracia participa. Edward lhe apresenta Somerset Maugham, de monóculo, num smoking impecável; George Bernard Shaw, reconhecível pela barba ruiva e pelas roupas tricotadas à mão, originárias do luxuoso Jaeger; Max Beerbohm, dândi e crítico teatral.

Ali também ele conhece todos e parece sentir-se à vontade. Perto deles, ela se sente como uma tola provinciana. Edward se diverte com seus complexos, ele sabe torná-la confiante.

— Você não tem nada o que invejar deles. Em breve você será a rainha daqui.

Eles cruzam com Rudyard Kipling, que acaba de ganhar o prêmio Nobel de literatura, James Barrie, cuja peça, *Peter Pan*, teve ótima aceitação, e também Jerome K Jerome e Virginia Stephan que ainda não se chama Virginia Wolf — ela se casará com Leonard três anos mais tarde — e sua irmã, Vanessa Bell, com todo o grupo de Bloomsbury. A elite intelectual e política frequenta o Café Royal, que se tornou o quartel-general do casal. Depois do almoço que faziam sempre juntos Edward fica lendo o jornal ou conversando com um amigo, enquanto Helena corre para o salão. A obra está um pouco atrasada, mas ela quer que fique perfeita. E depois, Edward está aqui, é o que importa.

Numa noite de tempestade, eles se abrigam sob o portal de um restaurante, enquanto esperam o fiacre. Aconchegada em seus braços, ela reza para que a chuva não passe. Edward William Titus escolhe esse momento para lhe pedir mais uma vez em casamento.

Se casam no dia 28 de julho de 1908,[5] em Londres, com dois amigos próximos como testemunhas. A cerimônia é muito íntima e terna. O rei Eduardo VII acaba de inaugurar os Jogos Olímpicos. De toda a Europa, as pessoas chegam para assistir aos jogos no estádio construído para esse fim, nas imediações da cidade. Entregues à felicidade, os dois jovens recém-casados não dão atenção a isso. Durante o almoço após o casamento, no Savoy Grill, Helena flutua numa nuvenzinha. Ela mal toca os pratos.

O senhor e a senhora Edward Titus decidem passar a lua de mel em Nice, como então era a moda. Eles se hospedam no Riviera Palace, que a rainha Vitória frequentara. Com construções rococó, residências extravagantes construídas pelos milionários, a cidade continua o símbolo da Belle Époque. Os ricos estrangeiros ali vêm passar uma temporada, os ingleses se instalaram no Cimiez, enquanto os russos se reúnem em torno do Parque Imperial.

O casal visita Cannes, Grasse, Monte-Carlo; janta à luz de velas no Negresco e no Ruhl. No Cassino, depois de algumas danças, Edward senta-se à mesa de jogo. Helena se contenta em olhá-lo e se deleita com o espetáculo em torno. Apostar dinheiro não a tenta, ela sabe quanto custa ganhá-lo. Os excessos da nobreza russa, contudo, a divertem. O marido lhe conta mil histórias sobre as loucuras deles, seu gosto pela festa, o modo insensato de apostar a fortuna e perdê-la.

Todas as manhãs, o mundo lhes pertence.

— Toda essa beleza foi criada para nós, minha querida — Edward não para de lhe repetir.

Ele lhe mostra o mar debruado de prata que acompanha os meandros da orla, os palacetes enfeitados que se erguem sobre as falésias, os jardins pesados de buganvílias, as palmeiras encurvadas sob a carícia do vento mistral. Tudo a embriaga, seus beijos, o cheiro de seu charuto, o da madressilva quando a noite cai. Aconchegada a ele na cama, do quarto de hotel, corpo com corpo, pele com pele, ela sente um frio na barriga subindo e descendo, quando lembra de seus abraços. Edward é um bom amante, gentil, terno, e se mostra paciente mesmo quando o pudor de Helena a impede de se entregar totalmente.

Ele faz com que ela descubra o prazer. Depois do amor, Helena se sente a rainha do universo. Às vezes, se pergunta se tamanha felicidade é merecida. Ela não teria de sofrer mais? Num impulso de otimismo, decide que a merece e que fará de tudo para mantê-la intacta.

É não levar em conta os demônios de Edward, ou os seus. Uma manhã, ela sai mais cedo que o marido, e como ele demora a vir ao seu encontro, desce do carro e entra novamente no hall do hotel para apressá-lo um pouco. Para o último dia antes da volta a Londres, eles combinaram uma visita ao interior.

Edward se encontra em altas conversas com uma bela ruiva que Helena já havia notado na véspera, por causa de sua pele magnífica.

— Ela é encantadora, você não acha? — perguntou ao marido.

— Quem? Ah, sim... Uma mundana. Há muitas que caçam por aqui.

Edward olhou distraidamente para a jovem mulher que atravessava a sala do restaurante, enfeitada com um penacho de plumas e diamantes plantado como uma bandeira nos cabelos flamejantes. Certamente, ela não passou despercebida, mas, se os olhares dos senhores eram de admiração, as damas se mostraram mais cautelosas. Edward se virou sorrindo para a esposa e lhe deu um suave beijo no pulso.

— Minha querida, só tenho olhos para você.

Naquela manhã, o traidor não deixa apenas o olhar se perder nas qualidades da ruivinha. Ele tinha pegado a mãozinha enluvada e executado um número de charme que Helena conhece bem, o do pavão pronto para fazer a roda.

A mulher cai na risada, joga a cabeça para trás. Só se vê seu penacho balançando. E o sorriso de Edward, satisfeito com o efeito produzido. No auge do ciúme e da raiva, Helena dá meia-volta, mete-se no carro e ordena que o motorista dê a partida. Ao fim de alguns minutos, ela o manda parar e desce, ainda agitada. Na véspera, ela notara na vitrine de uma joalheria um colar de pérolas. Em poucos segundos ela o compra, apesar do preço indecente. Tremendo, pega as notas na bolsa e pede que o coloquem em seu pescoço.

Em seguida, volta para o carro, pede para ser levada à estação de Nice e toma o primeiro trem para Paris, sem dar a Edward a menor oportunidade de se explicar. Assim que se refugia no Crillon, chorando e sem bagagem, ela manda chamar o Riviera Palace. Extremamente preocupado, Edward fuma no hall, desesperado para vê-la. Ele fica aliviado ao ouvir sua voz ao telefone; estava a ponto de avisar a polícia. Não entendeu nada do drama representado na cabeça da pequena esposa.

— Aquela mulher? Aquela mulher o quê?

— Eu vi vocês — soluça Helena.

Ele acaba se desculpando. Ela lamenta seu gesto insensato. Perdões, juras, palavras de amor. Imediatamente, ele toma o trem para Paris, encontra-a no Crillon e tudo acaba em champanhe na varanda do quarto, diante da place de la Concorde iluminada.

Helena guarda o colar. É o primeiro de sua coleção de joias "de brigas". Ela pega a mania de comprar joias muito caras e de preferência muito grandes, todas as vezes que o marido a engana. O dinheiro não cura, não consola, apenas ajuda a anestesiar as feridas. Com frequência Helena precisará desse calmante.

Sua coleção cresce quase que rápido demais. As compras obedecem a uma curva imutável. Traição de Edward, soluços e raiva, compulsão por Harry Winston ou Cartier. Desde muito jovem Helena gosta loucamente de joias: os diamantes, as safiras, os topázios e as esmeraldas, as cornalinas e as pedras da lua. E também as pérolas, evidentemente, cuja paixão adquiriu desde aquele primeiro tesouro, aquele colar dado pela avó quando ela era menina, na Polônia. Ela usou o primeiro dinheiro ganho na Collins Street para comprar pérolas australianas, minhas "boas" pérolas, diz sempre, significando que elas não a trairão jamais. Ela as mistura com pérolas marinhas, pérolas negras ou cinza, e se cobre com elas como se fossem uma armadura, sempre que tem necessidade de se sentir bem.

Ela não sabe resistir à atração de uma pedra, assim como Edward a um rosto bonito. Ele aprecia as mulheres coquetes, vaidosas, cultas, brilhantes, mundanas, que são o oposto exato de sua esposa. Obcecada pelo trabalho, Helena não está muito por dentro da alta sociedade e, embora aprenda rápido, ela deve grande parte de seu verniz cultural ao marido.

Este, que sente verdadeira afeição por ela, admira sua inteligência, a energia e audácia. Ela o impressiona muitas vezes, surpreende-o sempre. Ele está feliz por começar uma família com ela. Mas seu desejo vai logo se apagar. Financeiramente, ele depende dela, e essa situação, sem dúvida, também contribui para lhe podar o desejo.

O abandono do leito conjugal é o pior dos sofrimentos para ela. Mesmo nos momentos da mais intensa aflição, porém, quando os tormentos do ciúme são tão fortes que acha que vai morrer, não pensa seriamente em deixá-lo. Perdoa porque acredita — ele lhe promete — que ele vai acabar mudando. Promessas de bêbado.

Além disso, volta sempre para ela; logo, ela ainda é a mais forte. Ou a mais fraca, depende. Ela se habitua a engolir o orgulho e sublima a frustração no consumo de joias, quadros, móveis, objetos raros e preciosos. O casamento deles vai ter altos e baixos, brigas e reconciliações, períodos de calmaria e outros de tempestades, de reencontros e de longas separações. Legalmente, vai durar trinta anos.

24, Grafton Street

O senhor e a senhora Edward Titus voltam a Londres para inaugurar a "Casa de beleza Valaze". Dessa vez, Helena não pegou em pincéis para traçar pessoalmente as letras da tabuleta, ela a encomendou a um pintor profissional. Também mandou instalar o telefone. *Mayfair 4611*: ela repete o número sem parar, orgulhosa por essa aquisição moderna, e o manda gravar, com seu endereço, em cartões de visita com seu nome.

O casal se instala no terceiro andar, em cima do instituto de beleza. O apartamento é claro, amplo, mobiliado com bom gosto, agradável, perfeito para um casal jovem recém-casado. Edward adaptou um cômodo como escritório, a fim de ali escrever tranquilamente. Ele continua trabalhando nos textos publicitários e participa de todas as engrenagens da empresa.

Sua mulher não se mostra ingrata. Quando, em abril de 1909, ela cria oficialmente sua companhia inglesa, *Helena Rubinstein, Pty Ltd*, ela lhe atribui 46% das cotas e guarda o mesmo para si. O restante vai para a irmã Ceska, que se torna diretora-geral, e para dois de seus gerentes.[1]

O salão acaba de abrir e já Edward a pressiona para comprar espaço publicitário nos jornais. "Não é uma boa estratégia", responde ela.

— Os clientes vão vir. Basta sermos pacientes e fazer funcionar o boca a boca. Esperemos um pouco.

Como previsto, elas chegam uma depois das outras, movidas por uma curiosidade doentia. A elite de Londres se pergunta sobre a identidade de Helena. As pessoas se perdem em suposições sobre o estranho sotaque, as roupas sofisticadas na moda de Paris, as joias usadas com ostentação. Desejam ardentemente constatar erros de estilo que ela cometeu durante a reforma da *mansion* tão refinada de Lorde Salisbury. Suas deficiências são enormes: ela é estrangeira, plebeia e judia. Os ingleses suportam o exotismo somente em suas colônias, e mesmo assim desde que os nativos permaneçam em seus lugares.

Dizem, contudo, que seus tratamentos fazem maravilhas na pele. A atração pela novidade é mais forte que o esnobismo. As damas ousam. No mundo delas, porém, a curiosidade não é apenas um grande defeito, mas também o cúmulo da vulgaridade. Assim é que, como na casa da senhora Henning, elas mandam as carruagens parar em Burton Lane, na esquina com Grafton Street. Descem com chapéus, o rosto coberto por um veuzinho para lhes dissimular os traços, e se apressam em subir os degraus do patamar, olhando de um lado e de outro, para se certificarem de que ninguém as segue.

Mal atravessam a soleira, a decepção leva a melhor, pelo menos para as que alimentavam a esperança de denegrir. A elegância do lugar impede as críticas. O salão é simples, mas refinado, e suas cores, que vão do branco ao creme, tendo aqui e ali uma ponta de rosa pálido, dão um toque quase que médico àquela feminilidade tranquila.

Elas mal têm tempo de se surpreender; como uma ilusionista, Helena entra em cena por uma porta escondida por uma cortina. Para melhor impressionar aquelas mulheres blasées, ela vestiu um jaleco de químico sobre um vestido de tafetá. Ela as cumprimenta com distanciamento: a *gentry* não aprecia a familiaridade. Imediatamente, porém, ela cria um ambiente caloroso, quase que cúmplice: aproxima uma poltrona, oferece chá, biscoitos, distribui seu cartão de visita, explica seu modo de trabalhar, abre os potes de creme e os frascos de loções, cita, de passagem, Lady Lamington e as senhoras da alta sociedade com quem conviveu na Austrália, emenda com os médicos, os dermatologistas, os spas...

— Minha abordagem da beleza é científica — repete continuamente, para melhor convencer seu auditório.

Sua segurança impressiona, seus relacionamentos também. Quanto ao sotaque, o mínimo que se pode dizer é que ele intriga. Mas as damas mudaram de registro, a estrangeira que elas estavam prontas a rejeitar, por falta de pedigree, tornou-se uma condessa, nascida em Viena. Ou então a filha de um aristocrata russo.

Ela deixa os boatos se espalharem.

O que lhe importa, antes de tudo, são os preços estabelecidos. Dez guinéus por 12 sessões de tratamento do rosto, ou 2 mil libras por ano, para um tratamento semanal com massagens corporais e exercícios físicos. Essas mulheres de sociedade, milionárias, fazem cara feia. Não está muito caro?

— Eu acho que está de graça! Vocês não imaginam a quantidade de ingredientes raros de que meus cremes são feitos! Eu mesma vou buscá-los nos cantos mais distantes da Europa.

Para conseguir o efeito desejado, ela se inclina sobre a clientela, sussurrando, e lhe revela num tom de confidência que afastou a doutora Emma List de seus pacientes de Viena para que ela tratasse da pele das londrinas. Lá — explica — a doutora List era uma médica tão conceituada que até mesmo a mulher desse senhor Freud, o psicanalista, tratava-se com ela. Como um acrobata em sua plataforma, Helena é capaz de dizer qualquer coisa para atrair a clientela.

Ela não fala, apenas. Oferece sessões gratuitas e potes de creme *Valaze*, especialmente às mais intituladas e às mais influentes. É essa elite que, antes de tudo, ela precisa ter como alvo. O conselho lhe vem do marido que entende de esnobismo. Depois de seduzidas — o que acontece rapidamente —, elas pagam. Ao final de um ano, Helena, que conta com mil boas clientes em seus arquivos, não precisa mais se preocupar com o aluguel. Seu renome logo se estabeleceu por causa das curas espetaculares...

Uma jovem aristocrata, cuja acne desfigura a ponto de ela não retirar o veuzinho, está entre suas primeiras vitórias. Durante seis meses, a dama comparece todas as semanas, sempre nervosa antes da sessão. Os peelings aperfeiçoados pela doutora List e a máscara da Pomada Negra que Helena inventou para secar as peles gordurosas realizam prodígios. As espinhas desaparecem, o rosto recupera o frescor. A cliente não se mostra ingrata. Helena logo vê as amigas dela desfilarem, todas impressionadas com o sucesso do tratamento.

Algum tempo depois, a dama, que foi para a Índia com o marido, lhe envia novos conhecidos que vêm com a família visitar a Inglaterra. Essas maranis se deslocam em grupos, acompanhadas das mães, filhas, tias, primas e criadas. Um pequeno pedaço do Oriente toma conta da sala de espera e das cabines de tratamento. Os perfumes estonteantes, o farfalhar da seda, o tilintar dos braceletes, os dialetos cantantes invadem o espaço. Agradecidas, as princesas indianas lhe oferecem joias caras, rubis, esmeraldas, pérolas, topázios, cada vez que Madame obtém resultados em suas peles estragadas pelo sol, o que não lhe desagrada.

A mulher do vice-rei da Irlanda, uma velha rabugenta cujo queixo enorme é enfeitado com alguns pelos desgraciosos, pergunta a Helena se seu médico particular pode inspecionar o estabelecimento para verificar sua higiene.

— Ele pode vir — responde amavelmente.

A aprovação do médico foi mais eficaz do que qualquer propaganda. *The Queen* escreve: "A senhorita Rubinstein se encontra entre nós há apenas algumas semanas, na velha casa de Lorde Salisbury, em Grafton Street, e já deixou sua marca. Ela tem a notável qualidade de imediatamente inspirar confiança. Na capital austríaca, bem como na Rússia onde viveu por muito tempo, estudou clinicamente tudo o que se refere à pele."[2]

Incansavelmente, Madame repete que a beleza deve tudo à ciência. As clientes precisam ser informadas e instruídas ao mesmo tempo. Desde a primeira visita ao salão, cada uma delas se beneficia de uma consulta personalizada, conduzida por um médico e uma esteticista, que complementam as receitas com uma dieta alimentar e uma série de exercícios físicos. Cada receita é redigida sob medida, cada cuidado estabelecido segundo um ritual bem preciso.

Com a fama crescendo, chegou a hora de comprar espaços publicitários. Edward os redige como artigos ou entrevistas e, para completar a página, ele manda o impressor acrescentar fotografias de clientes satisfeitas. Seguindo a tradição estabelecida por Helena, elas são, na maioria, atrizes. Kate Cutler, que atua em *Bellamy o Magnífico,* lhe enviou uma carta elogiosa, da qual Edward cita um trecho: "Utilizei os produtos *Valaze* com os melhores resultados." Lilly Elsie, May de Souza, Alice Crawford, todas elas estrelas em ascensão ou já presentes no palco inglês, e Fanny Ward ou Edna May, atrizes americanas em turnê em Londres fazem parte do *dream team.*

Maduramente pensada pelo casal, a estratégia se revela recompensadora. Madame começa então a pensar numa gama de maquiagem, ato revolucionário, porque o uso dos cosméticos ainda só é admitido entre as prostitutas ou as atrizes. Ela, que se habituou a frequentar as coxias dos teatros para encontrar novas recrutas que enalteçam seus produtos, a partir de agora aproveita para aprender a arte do artifício com as atrizes. Gabrielle Ray que, como tantas outras, defende a marca Rubinstein, era mestra na utilização de pós coloridos no rosto. Antes de subir ao palco, ela esfrega as faces com blush vermelho-encarnado, sombreia as pálpebras de negro.

Com boa vontade, Ray ensina todo o seu saber a Helena que já antevê o momento em que as aristocratas e as burguesas se habituarão a usar maquiagem. Mas ela também sabe que as mudanças acontecerão lentamente, e que nada pode ser apressado. Enquanto isso, observa com interesse os primeiros movimentos de liberdade, mesmo entre as inglesas, tão pudicas. Algumas mulheres ousam trocar as saias longas por vestimentas concebidas para a bicicleta, a equitação, o golfe. Algumas usam essas calças bufantes popularizadas por certa Amelia Bloomer, que lhes deu o nome. Outras ousam timidamente pintar as faces. Dizem que a rainha Alexandra colore suas faces de vermelho, mas apenas quando vai se deitar.

Margot Asquith, mulher do primeiro-ministro, "uma das figuras mais vivas e animadas da vida londrina",[3] tornou-se frequentadora do salão de Grafton Street. Ela aceita que maquiem seu rosto de beleza especial, "nariz longo muito aristocrático, perfil agudo, boca fina, mas sempre em movimento, porte altivo, gestos vivos e caprichosos".[4] Helena lhe mostra como utilizar os pigmentos para valorizar a ossatura. A audaciosa ousa ir às festas, nas quais todos a admiram. Para a casa de beleza *Valaze*, é mais uma excelente publicidade.

As duas mulheres se dão bem. Margot Asquith insiste em convidar os Titus para as suas recepções frequentadas pelas pessoas importantes de Londres e por hóspedes que não ligam para as convenções. Assim, a excêntrica baronesa Catherine d'Erlanger, encontrada nesse círculo, se torna sua cliente e, depois, estabelece uma amizade com ela. Essa é apelidada de Flame, Labareda, por causa de sua cabeleira de um ruivo elétrico. A baronesa, que mora na antiga residência de Byron, em Piccadilly, se torna a guia de Helena nos complicados meandros da *gentry*.

Juntas, elas percorrem os mercados das pulgas e os antiquários, à procura de tesouros. Flame d'Erlanger gosta do "too much", as decorações sobrecarregadas, mas seu gosto seguro é o de uma aristocrata; ela nunca se engana. Ela ensina Helena a amar o barroco, os espelhos venezianos, o estilo rococó. Influenciada por ela, Helena aprende melhor a colecionar louças, móveis, roupas, obras de arte. Assim como seu marido, bibliófilo insaciável, acumulava livros raros, manuscritos preciosos.

Para os ingleses, a diversão é um passatempo sério e Helena pode, finalmente, se distrair um pouco. Em pouco tempo ela se encontra no centro da vida social e experimenta simultaneamente alegria e medo. Nas noites em que artistas e aristocratas se encontram, ela cruza a boemia chique da época e penetra num mundo que nunca ousou imaginar na Cracóvia.

Mas, com sua lucidez fria, ela não se deixa iludir. Ela sabe que eles são convidados para as festas em que a anfitriã se gaba de aceitar misturas sociais e não teme convidar as "trade people", os fornecedores. Nunca Edward e ela serão aceitos nos meios fechados de Mayfair ou Belgravia, nos quais as convenções sociais erguem altos muros intransponíveis e o velho antissemitismo inglês se manifesta às claras. Para se fazer aceitar, não basta ter conhecidos, é também preciso muito dinheiro. Então, Helena paga o bilhete de entrada na sociedade.[5]

Convidada para jantar, ela paga sem pestanejar as contas do restaurante, da adega, dos floristas. *A gentry* não se priva de nada. Caviar, trufas, perdizes, ostras, presuntos, frangos, galantinas, lagostas, frutos exóticos, a conta chega às alturas. As damas se sentem devedoras e, em troca, aceitam seus convites. Em suas crônicas sociais, os jornais relatam histórias elogiosas ou sarcásticas sobre o salão da exótica senhora Rubinstein, sua postura, seu estilo, suas recepções.

Em sua casa, o ambiente é informal. Helena descobriu que adorava receber, e já que a moda tende para a boemia de luxo, ela decora suas mesas com uma fantasia refinada, combinando as cores e os estilos. Coloca opalinas laranja ou amarelas sobre toalhas verde-anis, associa laqueados japoneses com copos vermelhos de cristal da Boêmia. Somente ela para ousar essas combinações audaciosas e conseguir um bom resultado. Com frequência contrata um cozinheiro polonês que prepara o borche, os pirochski, as sopas de legumes e outros pratos típicos de seu país. Os hóspedes se divertem: é muito original, e, além disso, esse cardápio rústico varia das codornas e das sombrias.*

---

* A sombria (*Emberiza hortulana*) é uma ave da família Emberizidae, de pequeno porte, que nidifica na Europa e inverna na África. (N. da E.)

Familiarizado com todos esses assuntos, Edward inicia conversas brilhantes em que o humor e a erudição competem. Sua cultura encanta os convidados. Helena permanece afastada durante esses combates oratórios. Por detrás da anfitriã refinada se esconde a pequena judia complexada que ainda não domina os códigos ou a língua. Seus silêncios não a impedem de registrar tudo.

Durante uma recepção organizada pela embaixada polonesa, apresentam-lhe o pianista Arthur Rubinstein. Helena se encontra em terreno conhecido. Finalmente um compatriota. Além do sobrenome e da língua, eles descobrem muitos pontos em comum. Inutilmente, porém, buscaram e remontaram longe nas respectivas genealogias; não detectaram o menor traço de parentesco. Ela o convidou para tocar em sua casa. Os dois Rubinstein se tornam amigos. Arthur possui uma filosofia da existência que Helena adotou.

— Minha cara, o mais importante na vida é compreender por que cada um de nós está no mundo. O principal não é construir pontes, erguer edifícios ou ganhar muito dinheiro, mas inventar algo de importante que sirva à humanidade.

Ela concorda plenamente.

Os anos londrinos são os da inovação. Helena inventa pelo menos cinco novos produtos, o *Valaze Snow Lotion,* o creme *Novena Cerate* para o rosto, o *Valaze Lip Lustre* para os lábios, o *Valaze Complexion Soap* para limpar a pele e o *Refining Lotion Valaze* para combater os pontos pretos. Ela os criou sozinha ou confiou no talento de seus químicos? Sem dúvida as duas coisas. A partir de agora, ela dispõe de uma verdadeira equipe para concretizar suas intuições. Ela acompanha a elaboração do produto desde sua concepção até o acondicionamento dos potes e dos frascos, verifica as encomendas que agora vêm do mundo todo, pois sua fama ultrapassou as fronteiras.

Trouxe uma irmã para Londres. Solteira, Manka possui "energia, habilidade e encanto". Aos 23 anos, torna-se uma das inúmeras engrenagens dessa "máfia polonesa".[6] Helena lhe ensina o ofício, como fez com as outras.

Frequentemente, após uma recepção, ela retoma o trabalho até o amanhecer. Não necessita de muito sono. Em seguida, deita-se sem fazer ruído, para não despertar Edward. Nos negócios, o casal continua a funcionar em equipe, mas na vida privada está cada vez menos afinado. Saídas demais, muitas mulheres bonitas disponíveis, muitas oportunidades para adultérios, às quais Edward teve dificuldade em resistir. Helena não suporta nenhuma dessas extravagâncias. Eles brigam e logo se reconciliam, para brigar novamente. Ele se refugia nos livros, ela bate a porta e viaja.

Em dezembro de 1908, volta mais uma vez à Austrália, onde se reencontra com a irmã Ceska, que cuida dos salões de Sydney e Melbourne. Habituou-se a essas longas travessias, que eram para ela momentos roubados ao trabalho. No Grande Hotel de Melbourne, os jornalistas desfilam um após outro: é um acontecimento comparável às "press junket" das estrelas de hoje. "Como ela conquistou o mundo", título do *The Mercury*,[7] entre outros. Lá, se tornou uma heroína nacional de quem os australianos se apropriaram com orgulho. Sem se fazer de rogada, ela se deixa mais uma vez levar por seu defeito menor, a invenção de sua lenda.

Ela afirma que estudou filosofia, história, literatura, para compreender o funcionamento do mundo, bem como química e anatomia, sob a orientação das maiores autoridades médicas da Europa. Não é falso, mas exagerado. Entretanto, ela finge modéstia: "Nada me desagrada mais do que falar de mim mesma. Permitam-me dizer-lhes, porém, como estou feliz por voltar à Austrália." O artigo assinado por Dorothy C, como tantos outros, vai além dos elogios. "As cartas das mulheres agradecidas chegam a Londres, vindas do mundo todo", observa ainda a jornalista.

De volta à Europa, Helena para em Paris, de onde não pode mais abrir mão. Quando reside em Londres, ela atravessa o Canal uma ou duas vezes por mês, na maioria das vezes com Edward que se abastece de manuscritos e de edições raras nas livrarias da capital francesa. Ela pensa seriamente em se instalar por lá. O doutor Berthelot, cuja então recente morte ela lamentou, a estimulou vivamente a fazê-lo.

— As francesas são mulheres pragmáticas que adoram o luxo; você pode satisfazer as duas tendências delas, criando o seu salão em Paris.

Incansavelmente, ela busca o lugar ideal para se instalar. E também aproveita suas estadas para encomendar roupas nos costureiros da moda. Vestir-se na alta-costura tornou-se uma paixão. Durante o dia, ela usa tailleurs e reserva os vestidos excêntricos de seda bordada, com aplicações de rendas, para a noite. Ela trocou Worth por seu assistente, Paul Poiret, que abriu um salão de costura em 1903. Em Paris, as mulheres só falam dele. Influenciadas pelo orientalismo então em voga, suas coleções são um desfile permanente de quimonos, blusas ucranianas, túnicas gregas...

Esse tal de Poiret é baixo, usa uma barba pontuda como o deus Pã, uma pança redonda de farrista. Sua aparência é excêntrica, mas sempre elegante. "Era de origem humilde, mas tinha o dom de fazer com que cada mulher que usava suas roupas se sentisse ao mesmo tempo bela e extravagante."[8] Sonhador, idealista, acima de tudo um visionário, filho de um comerciante de tecidos do bairro dos Halles, ele começou entregando sombrinhas. Com as sobras das sedas, criou roupas para bonecas. Seu traço era magistral. Doucet o contratou como assistente assim que viu seus croquis.

O menor dos méritos de Paul Poiret foi libertar as mulheres dos terríveis corpetes. "Foi em nome da liberdade que eu defendi a queda deles e a adoção do sutiã que desde então foi um sucesso."[9]

Inventor da meia cor de pele e da cinta-liga para prendê-la, ele também revolucionou as cores. No meio das "ovelhas" de nuances desbotadas e pastel, jogou alguns "lobos sólidos, vermelhos, verdes, violeta, azul-rei, que fizeram todo o resto cantar". Influenciada por ele, a moda se tornou uma arte. Ele próprio vive em meio a artistas. Seus amigos são Picabia, Derain, Vlaminck, Dufy, Paul Iribe. Também cria cenários de teatro que fazem sua reputação e funda uma escola de arte decorativa que ganha o nome de uma das filhas, Martine. Seu trabalho veste Mistinguett, Isadora Duncan e as grandes atrizes da época.

Os salões do mestre, restaurados por Louis Süe, arquiteto da moda, são inicialmente situados num palacete da avenue d'Antin, cercado por um jardim para onde dão todos os salões de recepção. Na entrada, o costureiro instalou a estátua monumental de uma deusa asiática. Desde a inauguração as personalidades parisienses desfilaram em sua casa, todos os dias, das cinco às sete, a tal ponto que teve de limitar o espetáculo das modelos "ondeantes como ninfas" para as clientes decididas a encomendar.

Num dos lados do jardim, destaca-se a fachada de um segundo palacete no qual o costureiro instalou seus apartamentos. Poiret, que quer criar um centro que seja a capital do espírito e do gosto parisienses, ali oferece festas inesquecíveis, "sem igual nos anais da vida parisiense".[10]

Helena sente pelo costureiro uma dupla paixão: como cliente e como amiga. Ela lhe vai ser longamente fiel, mesmo depois que Chanel o tiver destronado. Ela não deixa de visitá-lo todas as vezes que vai a Paris, pede que desfile suas novas roupas, escolhe alguns vestidos e depois emenda com as últimas fofocas. Com ele, ela pode falar dos assuntos que a apaixonam: a beleza, a moda, a arte, o mobiliário, a pintura. E tem uma opinião inteligente sobre tudo. Como ela, é um autodidata, indisciplinado, curioso, atento.

Sua cultura foi adquirida no convívio assíduo com os museus e monumentos da Europa, com os amigos pintores e músicos; vem de viagens, leituras, teatro e do gosto inato que faz com que ele se volte imediatamente para o belo. Nisso eles se parecem: ambos tiram proveito dos encontros; ambos gostam do progresso, do avanço, do "movimento". Eles se compreendem e se admiram mutuamente; ela o escuta, imita, copia. Poiret, mesmo que indiretamente, vai influenciá-la muito em suas escolhas artísticas, na decoração de suas casas, na organização das festas e dos jantares.

A amizade deles, contudo, começou mal. Helena se enfureceu quando lhe apresentaram o primeiro vestido que o costureiro criou para ela. Disse a ele brutalmente o que pensava dele, o que, por sua vez, o enfureceu. Poiret libertou o busto, é verdade, mas entravou as pernas. "Lembramo-nos dos choros, dos gritos, do ranger de dentes que causou essa imposição da moda. As mulheres queixavam-se de não mais poder andar ou subir nos carros."[11]

— Como é que você quer que, com uma altura tão pequena quanto a minha, eu possa caminhar num vestido tão estreito?

Ela não quer ceder; ele também não. Ele argumenta, ela responde, ele acaba se rendendo. Ele desenha para aquela cliente exigente as roupas mais belas que ela usou. Suas novas vestimentas, que fazem sensação em Londres, logo a inscrevem na lista das dez mulheres mais bem-vestidas do mundo. Durante anos, ela vai fazer parte dessa lista.

Nos primeiros meses de 1909, ela volta à Inglaterra depois de uma de suas passagens relâmpago por Paris. O que ela acaba de saber perturba todos os seus planos. Aos 36 anos completos, está grávida do primeiro filho.

Rica e famosa

Ela esperava a reação de Edward? Parece que não. Ele não consegue esconder a alegria que sente quando, um pouco nervosa, ela lhe atira a notícia ao rosto assim que desembarcou do trem. Se mostra mais emocionado do que ela poderia imaginar, abraça-a e cobre-a de beijos, com um entusiasmo que ela não costumava mais ver nele. Parece realmente feliz com a notícia, como se fosse ser pai pela primeira vez. Helena sabe que ele já teve outros filhos nos Estados Unidos? Mentiu por omissão e agiu como se seu passado estivesse morto? Ela nunca falou a respeito, ele também não, aliás...

Por fim, ele se esforça para lhe oferecer conforto, coloca-a quase que à força numa poltroninha, no salão, arruma uma almofada debaixo de seus pés, chama a criada para que lhe traga um chá, um xale, que acendam a lareira naquele grande cômodo pouco aquecido por um pálido sol primaveril. Ela está longe de partilhar seu entusiasmo. Sem perceber sua hesitação, ele continua a divagar sobre a criança. Espera um menino. Uma menina, porém, será muito bom, especialmente se ela se parecer com a mãe. E, além disso, antes de tudo, Helena deverá repousar.

— Repouso? E por quê? Não estou doente — esbraveja Helena, que detesta estar grávida.

Os primeiros meses são um calvário. Às náuseas somam-se as tonteiras matinais e um cansaço fora do comum que a prende à poltrona, quando ela queria tanto continuar a galopar. A cada momento se pergunta por que o danado daquele corpo estranho que cresce em seu ventre a impede de ser totalmente ela mesma. Mas nem pensar em revelar suas fraquezas. Os malditos médicos, cúmplices de Edward, seriam capazes de forçá-la a deitar-se. Então trinca os dentes, obriga-se a levantar, a ir trabalhar, enquanto em seu interior reina o caos.

Ela não queria aquela criança. Pelo menos, não tão cedo. Primeiramente, o casamento não vai tão bem quanto deveria. Sua personalidade e a de Edward não são compatíveis, ela tem de reconhecer. As brigas começam sem que ela compreenda por que: uma palavra, uma entonação, o sorriso que ele dá a uma bela mulher, e pronto.

Na copa, os empregados não se metem. A palavra separação chegou a ser lembrada, sem dúvida por Edward, o que teve como resultado acalmá-la na hora. Ela não imagina viver sem ele, então se esforça, eles se reconciliam na cama, mas, no dia seguinte, as brigas continuam mais intensas. Sua coleção de joias aumentou muito com isso, sem contudo apagar a lembrança de cenas tempestuosas.

Parece que a chegada próxima do bebê está mudando o jogo. Agora Edward está atencioso com Helena, que se pergunta, desconfortável, como fingir uma felicidade que não sente. Porque esse nascimento não beneficia seus projetos profissionais. Quando em Paris, fez contato com a senhora Chambaron, uma esteticista russa casada com um francês. Seu salão de beleza, situado no 255, rue Faubourg-Saint-Honoré, está à venda.

Apesar da área reduzida, a loja lhe agrada muito. O negócio está em bom estado, a contabilidade é bem mantida. A decoração deixa a desejar, mas o potencial não pode ser desprezado e, além disso, a localização é a melhor de toda a Paris. O Faubourg-Saint-Honoré é um endereço da mesma importância que Grafton Street.

Algo, porém, a intriga.

— Por que está vendendo? — ela pergunta à russa, uma mulher de meia-idade, de cabelos presos num coque. — A clientela é fiel, e os produtos fazem sucesso...

— Meu marido não gosta que eu trabalhe — responde a senhora Chambaron, arrastando os r tanto quanto sua interlocutora. — E me fez escolher: ou meu salão, ou ele...

Helena balança a cabeça. Felizmente, Edward não lhe impõe essa escolha. Ao casar-se com ela, lhe prometeu nunca ser um obstáculo à sua ambição, ao contrário, fará o que puder para ajudá-la a ser bem-sucedida. Ela ainda o ouve pronunciar essas palavras no tom solene que ele assume quando quer se mostrar persuasivo.

Edward nem sempre mente. Pelo menos nesse ponto, falou a verdade. Não se encontram com frequência homens decididos a apoiar a carreira das esposas, a trabalhar ao lado delas. Por sua vez, ela não conhece outro além dele em seu círculo. Pelo menos nesse aspecto Helena reconhece ter muita sorte.

Enquanto isso, a loja do 255, rue Faubourg-Saint-Honoré parece uma excelente oportunidade que ela não deve perder. Escreve a Kazimierz e pede à irmã Pauline, sua quase gêmea em idade, a mais vaidosa das oito filhas Rubinstein, que venha encontrar-se com ela em Paris. Com Manka, "uma gerente nata e uma demonstradora entusiasta", que dirige a loja de Londres, e Ceska, que zela por seus interesses na Austrália, ela poderá dar à luz em paz. Terá condição de retomar as atividades o mais rapidamente possível. Edward opina em contrário; ele gostaria que ela parasse pelo menos nos primeiros meses, mas Helena não liga para o que pensa.

Algumas semanas antes do parto, com um barrigão, ela volta a Paris e assina o contrato de venda com a velha esteticista. Pelo mesmo preço, consegue todas as suas fórmulas. A própria senhora Chambaron fabrica todos os seus produtos, à base de plantas. Alguns são pasteurizados para garantir melhor conservação e, sobretudo, uma melhor higiene. Helena desconhece todo o processo, mas ela vai dominá-lo em pouquíssimo tempo.

Pauline, que acaba de chegar a Paris, mal teve tempo de se instalar. Sua irmã lhe dá uma rápida formação e, ao final de alguns dias, lhe entrega a direção do salão, lamentando não poder inaugurá-lo como tinha inicialmente planejado. Antes de voltar para Londres, ela encomenda alguns vestidos-túnica a seu amigo Paul Poiret. Suas formas amplas convêm ao seu corpo deformado.

O costureiro foi convidado por Margot Asquith para apresentar suas coleções no 10, Downing Street, em Londres. A mulher do primeiro-ministro, que adora as roupas, decidiu organizar um desfile em casa, para o qual convidou suas mais elegantes amigas. Helena Rubinstein foi requisitada para maquiar as modelos. A tarde foi um triunfo, as clientes estão encantadas. O primeiro-ministro aparece por alguns instantes, antes de voltar ao seu gabinete, com ar preocupado.[1] No dia seguinte, os jornalistas que entrevistaram o costureiro e as modelos depois do desfile, fingindo entusiasmo para melhor recolher confidências, publicam artigos escandalizados.

Asquith, o livre-cambista, é acusado de abrir seus salões para um estrangeiro, ele traiu a causa do comércio inglês. O ministro é interpelado pelo Parlamento e repreendido pelo partido liberal. Durante muito tempo a imprensa o atacou: como é que se recorre a um costureiro francês — perguntam os jornalistas —, quando temos talentos nacionais como Henry Creed e Charles Poynter?

Helena teria a resposta prontinha se os jornalistas a tivessem interrogado. Qualquer que seja sua silhueta — ela teria respondido — as mulheres são sempre valorizadas pelo gênio de Poiret. Ninguém, entretanto, lhe perguntou nada. Aliás, a confusão beneficiou o costureiro; que agora foi lançado em Londres.

Em Roehampton Lane, ao lado de Putney Heath, no subúrbio residencial de Londres, ergue-se uma grande casa vitoriana de vinte cômodos, dando para um amplo parque exuberante, plantado à inglesa, com estufas e maciços de flores, um extenso gramado, árvores debaixo das quais é agradável se refrescar. A casa pertenceu ao banqueiro J. Pierpont Morgan que lhe deu o nome de *Solna*.

Os Titus se apaixonam por ela. Eles decidem se instalar ali. Helena mandou adaptar uma biblioteca, uma sala de bilhar, um escritório para Edward onde poderá trabalhar com calma, e pede uma linha telefônica: *Putney 2285*.[2] A casa possui salas de recepção, dois imensos quartos de vestir, um para ela, outro para o guarda-roupa de seu marido, tão abastecido quanto o seu, e ainda muitos móveis para seus apartamentos privados.

Helena pode finalmente dar livre curso à sua paixão por decoração. Ela se entrega à mistura de estilos. Passa do Luís XII às *chinoiseries*, do Chippendale ao Império. As estufas são transformadas em salões. Uma delas, batizada de Sherazade, em homenagem ao orientalismo na moda dos lados do canal da Mancha, tem, no centro, uma fonte na qual a água corre com um som cristalino. Os sofás se sucedem ao longo das paredes, o chão é coberto por almofadas, como no palacete de Paul Poiret. O berçário, disposto como a cabine de um barco, é atapetado de azul e branco. Helena tem certeza de que espera um menino.

Roy Valentine Titus vem ao mundo no dia 12 de dezembro de 1909. Sua mãe trabalhou como louca até o parto e só aceitou parar quando os médicos exigiram que ela ficasse de repouso. Durante os nove meses, que lhe pareceram um século, ela bateu pé, xingou, suspirou, contou os dias. Foi, porém, obrigada, como todas as mulheres do mundo, a obedecer à natureza.

Edward está realizado. O filho se parece com ele, não para de repetir, debruçando-se sobre o berço. Helena Rubinstein acha o bebê feio, avermelhado e enrugado; seu agudo senso da beleza passa na frente do instinto materno. A felicidade de seu marido é, porém, contagiosa. Contra a própria vontade, aquele pedacinho de homem, cujo choro e balbucio invadem a casa, enternece-a um pouco. Edward volta ao trabalho: sua mulher deve cuidar de Roy, pelo menos nos primeiros meses. Num momento de entrega, ela concorda. Desde que o bebê entrou em suas vidas, seu marido voltou a ser carinhoso; ela não quer decepcioná-lo.

Incapaz, contudo, de manter a promessa, volta ao salão de Grafton Street, quase que imediatamente. Mestra na arte do discurso duplo, ela se vê como uma mulher moderna, realizada, capaz de enfrentar tudo, a profissão, a vida doméstica, a maternidade. É o que conta aos jornalistas, é o que escreverá diversas vezes em sua autobiografia. Nada disso, porém, é verdade; sua sede de sucesso é maior que tudo, e o trabalho, ou melhor, a ambição, tem primazia sobre o resto.

Como nas melhores famílias, portanto, Madame deixa Roy aos cuidados das babás, não esquece de beijá-lo de manhã, ao sair, e lhe dá uma olhada distraída ao voltar, à noite, quando ele está dormindo. Contrariando Edward, ela multiplica as idas e vindas entre a Inglaterra e a França. Não parava quieta.

Ela se enfurece por ter perdido a inauguração do Faubourg Saint-Honoré. As clientes que o frequentam não são as que esperava: bastante ricas ou bem-nascidas. A grande inundação de janeiro de 1910, que durou três meses, impediu, sem dúvida, a aproximação delas. Em Paris, todos circulam de barca em volta das margens do Sena. Talvez não seja um bom momento para pensar em tratamento de pele.

A enchente, porém, não é o único motivo. O salão é pequeno demais, sua decoração deixa a desejar, ela o inaugurou rápido demais e não fez publicidade. Então ela elabora outros planos de batalha. Em Saint-Cloud, no subúrbio de Paris, manda construir uma pequena fábrica para manufaturar os produtos de beleza. Em 1911, ela inaugura o local que se parece mais com uma fábrica do que com uma construção industrial, mas já é um primeiro passo para sair do artesanato.

Nesse mesmo ano, Helena volta à Austrália. Mais uma vez Edward não concorda. Ele acha que a viagem é bem longa, e o bebê ainda é muito pequeno para ser privado da mãe por tanto tempo. Ela resiste, teima e obtém ganho de causa. Durante algumas semanas ela poderá viver como quiser, esquecendo as obrigações da maternidade.

Como sempre, a imprensa australiana homenageia sua heroína. "A grande Helena Rubinstein está de volta", lê-se nos jornais. A inspeção de seus salões de Melbourne, Sydney, Wellington a satisfaz plenamente. Mesmo a distância, eles são notavelmente administrados. Ela só tem motivos para se congratular e voltar à Europa com o coração leve, pensando em seu novo objetivo: a conquista da França.

Em Paris, os Balés Russos eletrizam a cidade, provocando uma comoção, tal como em Monte-Carlo e Bruxelas. Criada em 1907, em São Petersburgo por Serge Diaghilev, a trupe de bailarinos logo rompeu com o Balé Imperial, ao qual pertencia. Dois anos depois de sua criação, segura com o sucesso na Rússia, iniciou uma turnê internacional. Lançada com estardalhaço por Diaghilev — que sabe, como bom empresário que também é, que a comunicação é a alma do negócio —, a primeira das *Danças polovisianas do príncipe Igor* acontece em maio de 1909, no Châtelet. O público aplaude entusiasticamente aquela explosão de cores numa cena parisiense um pouco triste, na qual o balé há muito tempo não tem mais lugar.

Na sala, Anna de Noilles, Reynaldo Hahn, Misia Sert, Jean Cocteau invadem o palco para falar com os dançarinos. Marcel Proust fala de uma "prodigiosa eflorescência", Maurice Sachs de uma "droga preciosa que se usa em comum numa atmosfera ao mesmo tempo religiosa e delicada".[3] Tanto no meio intelectual quanto na aristocracia, os "fãs" dos Balés são tão calorosos quanto os das estrelas de rock dos anos 1960.

Convidada pela marquesa de Ripon para as festas de coroação de George V, a trupe chega a Londres em 1911. Como nos outros países da Europa, o público inglês leva uma descarga de 100 mil volts em plena face. Edward quer ser dos primeiros a aplaudir os dançarinos e compra dois bilhetes para *Petrouchka*. Os prodigiosos dons de Nijinski — "a vitória da respiração sobre o peso", escreve Claudel — deslumbram Helena do mesmo modo que a música de Igor Stravinsky. Acima de tudo, ela é conquistada pelo guarda-roupa e cenário de Leon Bakst e Alexandre Benois.

As combinações de púrpura e de magenta, de laranja e de amarelo, de preto e de dourado fascinam os espectadores. De pé, no teatro, eles não se cansam de pedir bis enquanto outros, menos numerosos, mas muito chocados com a liberdade dos corpos desnudos, gritam sua indignação. No ano seguinte, quando Nijinski substitui Mikhail Fokine na direção do *A tarde de um fauno* e da *Sagração da primavera,* Paris se revoltará. A dançarina Ida Rubinstein, cujo nome, na época, é muito mais conhecido do que o de Helena, se recusará a dançar. Escandalizado com a grande modernidade da coreografia, que lhe parece uma "dança de selvagens", o público do teatro dos Champs-Elysées chega à beira do tumulto.

Ninguém fica indiferente diante da extravagância, da orgia de cores, que Helena aprecia acima de tudo. Paul Poiret se inspira nela para seus vestidos, Flame d'Erlanger, para a decoração de suas casas. Por que ela não ousaria também?

Ao sair do teatro, manda que a levem diretamente ao salão de Grafton Street. Assim que chega lá, ela corre para as janelas e arranca as cortinas de brocado branco. Edward morre de rir e a imita. É nesses momentos de pura loucura que ele ama a mais imprevisível das esposas. No dia seguinte, Helena manda substituir os tecidos virginais por cores vivas, copiada dos Balés Russos. A partir de agora, o chamejante será sua assinatura. No mundo todo, todos os seus institutos e casas serão decorados de coloridos que se chocam e que deslumbram o olhar.

Helena está feliz? Se pudéssemos lhe atribuir a palavra felicidade, seria durante esse breve período de sua vida. Edward e ela quase não brigam mais, como se a chegada de Roy tivesse conseguido unir o casal. Como ele fica em adoração diante do filho, ela, por mimetismo, começou a amá-lo também. Nesse clima pacificado, e apesar de suas contínuas viagens, ela engravida novamente. Horace Gustave Titus nasce no dia 3 de maio de 1912, em Londres. Seu nome é a tradução inglesa de Hertzel. Helena, que do pai tem apenas notícias indiretas, graças às cartas de Gitel e de suas irmãs, quis fazer-lhe essa homenagem.

Diferentemente do irmão, Horace é o filho do amor. Helena tem por ele verdadeira paixão. Será sempre seu preferido, o filho querido a quem ela transmite quase tudo. Aliás, é um bebê magnífico, alegre e dócil, que dá vontade de mimar. Com ele, Helena descobriu a felicidade de ser mãe e ela não se priva disso.

Quando cresce, Horace se revela uma criança brilhante, enquanto Roy, o mais velho, permanece tímido e reservado. A mãe não deixa de comparar os dois, o bom e o mau filho, o inteligente e o esforçado. Em público, ela envergonhava o pobre Roy, perguntando-lhe por que ele não é tão esperto quanto o mais novo, o que aterroriza os dois. Dividir para melhor reinar: desde Maquiavel, a tática sempre se mostrou proveitosa. Na empresa, onde ela põe os empregados uns contra os outros, Madame a aplica com proveito. Ninguém a avisou, porém, dos desgastes que tais princípios podem causar em questão de educação. Aliás, ela teria seguido esses conselhos?

Horace precisa de toda a sua atenção, depois que, aos seis meses, uma babá o deixa cair de cabeça. Não lhe ficarão marcas físicas desse acidente, mas todas as vezes que aprontava, até a idade adulta, Helena encontrará nisso explicação para o caráter lunático do filho.

— É assim — ela afirma, suspirando —, não se pode fazer nada, Horace é "biruta".

Os dois meninos são mimados e abandonados pela mãe. Edward faz o que pode para lhes garantir sua presença, mas, sem dúvida, não é suficiente. Durante toda a vida eles vão procurar um calor, uma atenção, uma afeição que Helena lhes dispensou tão pouco. Ela desconhece a psicologia infantil, e os arrasta ao sabor de suas sucessivas moradias, em Londres, Paris, ou Nova York. Os cerca com um monte de babás e preceptores, chama-os, quando decide aproveitar a presença deles, depois os despacha para seus brinquedos, assim que eles deixam de diverti-la. Os meninos acabam se acostumando com aquela mãe esquiva, pois habituamo-nos a tudo.

Mais uma vez, Edward, que não desiste de moderar seu ritmo infernal, lhe pede para descansar depois do nascimento de Horace. Helena aproveita as poucas semanas de inação profissional para redecorar *Solna*. Faz pouco tempo que ela ficou encantada com Elie Nadelman, escultor polonês conhecido por acaso numa exposição de suas obras, numa galeria de Bond Street. Originário de Varsóvia, Nadelman vive em Paris, depois de ter passado rapidamente por Munique. Ele expôs na Sociedade dos Artistas Independentes e no Salão de Outono. Leo Stein, o marchand de quadros americano, irmão da escritora Gertrude Stein, descobriu, em 1908, seus bronzes de mulher e desenhos influenciados pelo cubismo. Entusiasmado, convenceu Picasso a ir vê-lo em seu ateliê.

Nadelman é bonito, amável e ainda por cima muito talentoso, mas não tem muito sucesso em Londres, e sua exposição vai ser um fiasco. Helena Rubinstein compra, anonimamente, todo o lote de suas esculturas. Elie Nadelman ficará sabendo de seu gesto muitos anos depois. Comprar em quantidade, quase "por atacado" — "I'm used to buy in bulk", costumo comprar em quantidade, diz com frequência — é um hábito que adquiriu, às vezes em detrimento da qualidade das obras adquiridas... Ela não se enganou, porém, quanto ao talento do artista. Sua influência sobre a arte moderna será muito importante, embora ele seja reconhecido somente depois de sua morte, em 1946.

Tornaram-se amigos. Para *Solna,* ela lhe encomenda baixos-relevos de mármore, que ele gravará nas paredes das salas de recepção. A colaboração de ambos vai durar muito tempo; seus nomes serão indissociáveis: as obras do escultor vão ser amplamente representadas nos futuros salões de Paris e de Nova York.

A arte que ainda não está "na moda", como acontecerá depois da guerra, é o prolongamento do amor de Madame pela beleza. "Estar cercada de objetos de arte é como que o contrapeso à preocupação com a aparência exterior que eu tanto defendo. Agora se trata da saúde da vida interior",[4] diz ela. O dinheiro lhe permite satisfazer essa paixão. Seu gosto — em grande parte formado graças aos conselhos esclarecidos de Edward, que conhece tudo sobre tudo — se volta espontaneamente para a vanguarda.

Além disso, ela aprendeu sozinha, como seu amigo e mentor Paul Poiret, indo aos museus, visitando exposições, frequentando os ateliês dos artistas, ouvindo conversas, lendo jornais, observando com seu olhar inquisidor as casas para as quais é convidada. E também, com frequência, ela cisma com um guia que a ajuda a descobrir o que ela ainda não conhece.

Todas as vezes que vai a Paris, visita os ateliês dos pintores reconhecidos, e nunca perde o Salão de Outono no qual são expostos os talentos que ela começa a apreciar, Matisse, Derain, Picabia, Modigliani. Em 1908, ela pede a Jacques Helleu, o pintor da alta sociedade, que a retrate. Essa escolha é seu modo de se ancorar num meio ao qual, com todas as suas forças, ela deseja pertencer. É também um modo de anunciar isso às mulheres que frequentam seus salões de beleza, nos quais ela vai expor suas mais famosas telas. O quadro marca seu pertencimento a esse mundo. É também o primeiro de uma coleção de retratos que a representam, na qual vão figurar Salvador Dalí, Marie Laurencin, Raoul Dufy ou Christian Bérard e uma dezena de outros grandes pintores.

Em arte, ela jamais se mostra exclusiva ou sectária. Até mesmo o "mau gosto"[5] a interessa, desde que "haja intuição e crença na justeza da coisa". É frequente ela preferir objetos engraçados, bizarros ou feios mesmo, de acordo com o critério em vigor, se eles possuem força. Ela aplica essa concepção à beleza: todo rosto pode ser bonito, desde que tenha caráter. O que detesta acima de tudo é a pieguice, o conformismo, a banalidade.

Entre seus iniciadores, o pintor e escultor Jacob Epstein, amigo íntimo de Edward, ensina-lhe as novas tendências e forma seu olhar para as artes primitivas. Na época, Matisse, Derain e Vlaminck estão entre os raros que se interessam por elas. Aí também ela se mostra precursora, seu interesse pela beleza não se limita ao "déjà vu". Aprendeu a reconhecer o diamante sob a arte bruta. Além disso, sua longa permanência na Austrália, onde teve a oportunidade de ver as pinturas aborígenes — sem forçosamente admirá-las, pois seria vanguardista demais —, sem dúvida contribuiu para educar seu olhar.

As maiores vendas de arte primitiva acontecem em Paris. Epstein, que vai até lá com menos frequência que ela, lhe pede para dar lances em seu lugar. Ele aparece em *Solna,* mostra-lhe o catálogo do Hôtel Drouot, onde acontece a venda, e faz com que ela admire uma máscara baulê, uma estatueta bambara. Ela aprende depressa: logo as esculturas das diferentes etnias do Mali, do Congo, do Senegal não são mais segredo para ela. Quando o preço da obra ultrapassa o limite que Jacob Epstein está disposto a pagar, Helena a compra para si.

É assim que adquire, peça por peça, uma notável coleção que vai crescer ao longo dos anos. Seus amigos se surpreendem com isso. Como é que uma mulher que decidiu dedicar a vida à beleza pode se cercar de figurinhas tão feias? Ela insiste, com razão. Em breve a arte primitiva estará na moda, e talvez até demais. Gris, Modigliani, Picasso e outros vão se inspirar nela.

Vinte anos depois, quando Jacob Epstein vê que a coleção de sua aluna chegou à maturidade, exclama com orgulho:

— Nunca se esqueça de que você comprou tudo isso graças a mim!

Desde a morte de Eduardo VII, em maio de 1910, e a subida ao trono de George V, Paris substituiu Londres como a rainha dos prazeres e das festas. Para conquistar a França, Helena elabora sérios planos de batalha. Edward deixou-se convencer facilmente porque sonha em montar lá uma editora. Em arte e literatura, é em Paris que as coisas acontecem, entre Montparnasse e Montmartre, entre a rue Delambre e o Bateau-Lavoir, entre a Closerie e o Chat Noir. Helena o ajudará a financiar seu sonho? Ela aceita de boa vontade, já que ele concorda em acompanhá-la.

É outra das qualidades que ela reconhece no marido. Como ela, Edward é um nômade, um cidadão do mundo, habituado a se deslocar e a viver onde as circunstâncias o levam. Nada lhe parece impossível. Com filhos, babás, livros, obras de arte e bagagens, uma verdadeira caravana, eles atravessam definitivamente a Mancha.

Em 1912, Helena Rubinstein está com quarenta anos, parece ter 35, e chega a declarar trinta. Em apenas um decênio, se tornou ao mesmo tempo rica e famosa. Sua trajetória é única: em Melbourne e em Londres, por sua simples vontade e inteligência, conseguiu penetrar nos meios habitualmente fechados aos que não fazem parte deles pelo nascimento ou pela fortuna.

Essa mulher fora dos padrões do século merece nossa atenção. Madame passou de bonita a linda, sem ter o físico da moda. Ao vê-la, pensamos numa espanhola, numa levantina, numa italiana, numa dessas belezas exóticas que dissimulam sob os traços langorosos um temperamento forjado em aço. Desde Nero e Napoleão, sabemos que os déspotas são frequentemente baixos, e ela não foge à regra. Do alto de seus 147 centímetros, se mostra dura, tirânica, exigente com os outros e consigo mesma. Nunca volta atrás; as lembranças lhe parecem perda de tempo. O presente a interessa pouco; para ela, somente o futuro conta.

Seguindo o conselho que sua mãe lhe deu, em Kazimierz, em público, fala pouco; prefere ouvir. Aliás, permaneceu tímida. Quando resolve falar, sua voz grave se perde nos baixos. Seu terrível sotaque polonês e a mistura de línguas que pratica, sem conhecer bem nenhuma delas, contribuem para seu charme. Fisicamente, Madame inventou um estilo único. Um coque no qual ela nunca permitirá um só cabelo branco, deixa a larga testa livre. Mesmo quando o uso estiver estabelecido, ela se maquiará pouco, com exceção de um batom vermelho vivo que realça a palidez de sua pele. Seu gosto em moda se resume a essas três simples palavras: "Only the best", somente o melhor.

Tão seguramente quanto seu penteado, seus acessórios são sua assinatura. Inicialmente e antes de tudo, as joias, sobretudo as grandes pedras que embelezam qualquer mulher que as use. "Porque eu sou pequena, acho que esses acessórios misturados às minhas roupas me dão uma verdadeira identidade. É muito importante para uma mulher que, como eu, trabalha duro num mundo regido pelos homens."[6]

Ela aplica a si mesma os bons conselhos que oferece. "Várias fileiras de pérolas realçam a tez mais pálida. Brincos com a forma e a cor adequada fazem brilhar as pupilas e dão caráter a um rosto. Um belo anel, de formato original, dá graça à elegância da mão.[7] As joias são os melhores amigos das mulheres", ela conclui.

Helena nunca sai de casa sem uma bolsa de grife, sapatos combinando, meias de seda, ou sem as unhas pintadas. Ela também não tolera o relaxamento nas outras. Ela chama a atenção de todas as suas clientes, mesmo as mais intituladas, quando percebe nelas uma atitude negligente.

Sempre à frente do seu tempo, ela compreendeu que, para se tornar um ícone, é preciso apresentar uma visão imutável de si e propagá-la ao infinito. Então, se deixa fotografar continuamente, em todos os lugares, em todas as poses. Reproduzam, reproduzam, sempre sobrará alguma coisa.

Edward Titus a ajudou a emergir, mas ela também se autoinventou. Em 1912, depois de ter posto seus dois filhos no mundo, Madame finalmente deu à luz a si mesma.

Agora é a nossa vez, Paris!

"Comparadas às americanas, as francesas são adultas", observa Edith Wharton em um de seus ensaios.[1] A romancista americana, que passa os invernos em Paris, em seu apartamento no subúrbio Saint-Germain, observa os modos da época a partir dos parâmetros de uma elite. "Na França, viver é uma arte, e as mulheres são artistas."[2] Sua fama de mulheres livres cresce, mas elas permanecem dependentes dos maridos. Nas classes superiores, a separação dos papéis não pode ser mais clássica: os homens proveem as necessidades familiares, enquanto as esposas cuidam das crianças e do lar. O adultério é um delito, a prostituição, um mal necessário.

Existem, porém, diversos sinais de que elas começam a se libertar. Escapando do universo doméstico onde eram confinadas, elas mantêm salões onde tecem redes sociais, políticas, artísticas, literárias, que serão proveitosas para os maridos. Apoiadas pelas feministas, as jovens bacharéis forçam as portas das universidades e se tornam professoras, datilógrafas, advogadas. Outras lutam para ser tipógrafas ou cocheiras. Em 1909, o uso da calça comprida não é mais ilícito, desde que elas estejam segurando as rédeas de um cavalo ou o guidão de uma bicicleta. A grande Sarah Bernhardt se ofende com a admiração das mulheres pela pequena rainha (nome que se dava à bicicleta): "Todas essas jovens mulheres, todas essas moças que saem, devorando o espaço, abrem mão de uma parte significativa da vida interior, da vida de família."

Camille Claudel é uma escultora conhecida; Jane Dieulafoy, escritora, arqueóloga, preside o novo prêmio *Femina*; Judith Gautier é a primeira mulher eleita para a Academia Goncourt; a polonesa Marie Curie, compatriota de Helena, é a primeira cientista a ocupar uma cadeira em Sorbonne e obter o prêmio Nobel de física em 1903 e, em seguida, o de química, em 1911. É apenas o começo.

E a sedução? Nesse campo também as parisienses estão adiantadas. Desde o início do século XIX, elas se tornaram um "tipo de civilização"[3] que, instintivamente, "sabe ser leve, segura, focalizando o ciúme provinciano e realçando a cintilação de uma cidade".[4]

Helena, que se instalou em Paris, constata que a cidade é o "laboratório da beleza". Durante suas frequentes estadas na capital, ela pôde apreciar o requinte inimitável das marquesas e duquesas que se vestem com Poiret ou Doucet e usam chapéus emplumados de Caroline Reboux, a rainha das modistas. Ela as viu exibirem-se nos campos de corrida, em Deauville ou em Enghien, usando cambraia branca e vestidos "bordados em ponto cheio, entremeados com valencianas, que eram o pesadelo das camareiras".[5]

Nesse terreno, as burguesas não ficam atrás. Em poucos anos, a venda de cosméticos ultrapassou o simples quadro dos institutos de beleza. Bem no início do século, 90 milhões de francos foram aplicados nos perfumes criados por Coty, Guerlain, Houbigant, Roger e Gallet, Bourjois, Caron.[6] As grandes lojas contribuíram para essa atração. Todos os dias, 15 mil mulheres compram águas de toalete, cremes, roupas, acessórios. As costureirinhas, as vendedoras, as mocinhas dos correios, as professorinhas, leitoras de jornais de moda, atentas aos cuidados com o rosto, cabelos, perfumes, consomem de acordo com seus meios.[7]

A aparência das parisienses deve muito ao barão Hausmann cujas obras de canalização fizeram com que a água corresse nos banheiros e nos sanitários, esses novos santuários da intimidade. A higiene ainda não ganhou a partida, e as francesas ainda "não cheiram a rosas", segundo Eugène Schueller, jovem químico inventor de uma tintura sintética, e futuro criador da L'Oréal. Mas, afinal, o progresso está chegando.

Longe dos olhares, as vaidosas podem se lavar, se pentear, se maquiar, verificar a silhueta graças à invenção do espelho de pé. "Nunca há espelhos suficientes num banheiro. Para ser bela, assim como se comportar bem, é preciso se conhecer. E para se conhecer bem, é preciso se ver bem."[8]

Desde o final do século precedente, as revistas do *Moulin Rouge*, do *Casino de Paris* banalizaram o nu. Foram lançados concursos da "perna mais bonita", da "nuca mais bonita", dos "seios mais bonitos". Nos jornais, nas revistas, nas gravuras de moda, as mulheres bonitas aparecem nuas. Será, como alguns afirmam, uma vontade de se libertar das determinações da decência? No ano de 1912, ano em que Helena atravessa a Mancha, uma peça de Feydeau — *Mais ne t'promène donc pas toute nue* (Não saia nuazinha assim) — faz os apaixonados pelo vaudeville morrerem de rir.

Dois tipos de beleza coexistem. A antiga, com a silhueta bem marcada, os seios fartos, as nádegas saltadas, as coxas grossas, mostra um erotismo clássico. A outra, a que Helena defende, é elegante, delgada, o busto esguio, as costas retas, as coxas longas e finas.

O braço de mar que separa a Inglaterra da França é bastante estreito e, contudo, entre os dois países, os modelos estéticos se opõem. As inglesas têm carnação delicada, são sujeitas a rugas e a vermelhidões. Durante seus anos londrinos, Helena imaginou e aperfeiçoou para elas produtos que não irritam, cremes hidratantes para todos os momentos do dia, loções adstringentes, pomadas curativas.

Em Paris, é exatamente o oposto. As belas vaidosas querem cuidar do rosto e se libertar dos tabus. Em 1827, na Enciclopédia Roret,[9] que divulga técnicas, lia-se: "Nada se opõe mais ao desejo inocente de agradar do que o uso da maquiagem e dos cosméticos." Essa época já se foi. Quase um século depois, a maquiagem atrai as mulheres; elas não têm mais medo de se parecer com prostitutas ou com atrizes. Seu reconhecimento se torna progressivamente um direito e a afirmação de uma autonomia balbuciante.[10] Algumas ousam sair maquiadas, mesmo durante o dia.

Madame, que detesta o gosto por rostos pálidos, olhos de preto, lábios vermelho sangue, acha essas experiências lamentáveis. Ela quer "ensinar a moderação" às parisienses, quer pôr um fim no "massacre", e é a essa primeira tarefa que, de início, ela vai se dedicar. Enquanto espera uma acomodação mais adequada, que Edward logo vai descobrir no coração de Montparnasse, a família se instala acima do número 255 da rue du Faubourg Saint-Honoré.

Nos fundos da loja, Helena Rubinstein trabalha a noite toda com os químicos de sua fábrica de Saint-Cloud. Ela faz as bases mais leves, incorpora corantes e pigmentos aos seus pós. Eterna insatisfeita, não sabe ficar no quase: recomeça incansavelmente, esgota os que trabalham com ela. Acaba criando um blush cremoso, fabricado com cera da Pérsia, óleos naturais e pétalas de rosa da Bulgária e, em seguida, um primeiro pó colorido e delicadamente perfumado, com efeito mate.

Muitas de suas novas descobertas se devem a Paul Poiret. Os dois criadores passam horas conversando, metade em inglês, metade em francês, uma língua que Madame aprendeu praticando, sem, todavia, dominá-la ainda. Seus assuntos prediletos são obsessivos: a beleza das mulheres e os meios de aperfeiçoá-la. O mestre acaba de lançar *Les Parfums de Rosine*, uma linha de fragrâncias de luxo, que assim batizou em homenagem a uma de suas filhas.

— Felizmente — lhe diz Helena, rindo —, eu pensei em me tornar esteticista antes de você. Do contrário, o que eu teria feito? Vestidos? Mas nisso também você é o melhor.

Poiret sorri, lisonjeado. O homem-orquestra tem todos os talentos. Além disso, nunca poupa conselhos.

— O supremo artifício é a aparência do natural — lhe diz sempre. — Mas um natural sublime.

Em sua "Casa de Beleza", da qual ela substituiu a palavra *Valaze* por Rubinstein, Helena ensina as parisienses a aplicar blush nas faces para criar uma impressão de boa aparência e, em seguida, esfumá-lo com a ponta dos dedos. No nariz, no pescoço, nos ombros, ela aconselha um pó pastel. A boca exige um tom mais vivo, uma tonalidade de framboesa ou mirtilo. Ela pinta as pálpebras de malva-escuro, escurece os cílios e as sobrancelhas com o pó de antimônio, o ancestral do rímel.

Invenção americana, este surgirá em 1913. Sua criação, que se parece com uma história para crianças, deve tudo ao amor fraterno e à química. Mr. William, um cientista americano, quer ajudar a irmã Maybel a conquistar um homem por quem ela se apaixonou. Para tornar os cílios dela mais espessos, ele prepara no laboratório um composto, misturando pó de carvão e vaselina. Não se sabe se o galã foi conquistado, mas a invenção do irmão o enriqueceu e, consequentemente, a irmã também. O rímel *Maybilline,* contração de Maybel e vaselina, foi inicialmente vendido por correspondência, teve, e ainda tem, o sucesso que se conhece. Pouco tempo depois, Helena vai aperfeiçoar a técnica desse produto.

Enquanto desenvolve sua linha de maquiagem, Madame se interessa pelo acondicionamento dos cosméticos. Para atrair uma clientela parisiense semelhante à de Londres, a embalagem dos produtos deve ser tão refinada quanto o conteúdo. Ela passa horas no Mercado das Pulgas ou em antiquários para descobrir potes e estojos belamente ornamentados, que manda copiar. Mais tarde, pedirá a artistas como Marie Laurencin, Raoul Dufy ou Salvador Dalí que os desenhe para ela. Também tem um cuidado enorme com a escolha do papel que embrulha os cremes e as loções, os sacos que os transportam.

Em sua conquista metódica de Paris, nada é deixado ao acaso. Para aperfeiçoar seus conhecimentos científicos, ela passou um tempo no serviço de Dermatologia do hospital Saint-Louis, considerado um dos melhores do país e talvez do mundo. A cirurgia estética, que engatinhava no início do século, ganhou força. Os cirurgiões, no entanto, ainda causam alguns estragos. Principalmente porque eles estão longe de associar a prática do ofício ao aperfeiçoamento do físico feminino.

O discurso da cirurgiã Suzanne Noël, que Helena deseja conhecer, é um pouco diferente. Seu percurso médico é no mínimo atípico. Nascida numa família burguesa de Laon, inicialmente estudou letras clássicas antes de casar e se dedicar ao lar e ao filho. Tendo enviuvado prematuramente, ela se casou com um dermatologista, o doutor André Noël. Para ficar longe dele o menos possível, ela estudou medicina. Aluna brilhante, completou o internato com a média mais alta em seu grupo, e começou a exercer ginecologia e obstetrícia.

Em 1912, Suzanne Noël conhece uma atriz americana que se submeteu a uma cirurgia no rosto em Chicago, depois de um acidente de carro. A jovem mulher lhe confidencia que parece bem mais jovem depois da intervenção. Apaixonada pela história de sua paciente, Suzanne Noël fica impressionada com a remodelação de seu rosto. Ela decide mudar de direção e se torna cirurgiã da face. Desenvolverá sua prática nos grandes feridos no rosto da guerra de 1914-1918, os *Gueules Cassées* (Caras quebradas). Nessa época nasce a cirurgia estética e maxilofacial, tal como se pratica hoje.

No hospital Saint-Louis, Suzanne Noël inventou uma técnica ambulatorial que permite às mulheres voltar quase que imediatamente às suas atividades. "Elas se submetem à cirurgia e não comentam",[11] ela explica a Helena que, imediatamente, percebe o campo de possibilidades que se abre para as mulheres.

— Minhas primeiras pacientes — explica a cirurgiã que concorda inteiramente com ela — eram mulheres desesperadas. Depois vieram outras clientes, motivadas pelo amor da arte e da beleza.

Porque não se trata mais apenas de seduzir os homens. As mulheres também desejam agradar a si mesmas...

Auxiliada pela irmã Pauline, agora conhecedora do ofício, Madame cria novos tratamentos e forma jovens profissionais para aplicá-los. Agora, está pronta para a clientela aristocrática, à qual aspira. Algumas duquesas, duas ou três condessas, entre as que comparecem às luxuosas festas organizadas por Paul Poiret, farão o maior sucesso em sua agenda.

Entre outras loucuras, Poiret organizou no dia 24 de junho de 1911, em sua mansão particular do Faubourg Saint-Honoré, a festa à fantasia da "Milésima Segunda Noite", que desejou que fosse inesquecível. Recriando os esplendores do Oriente, ele criou as roupas dos trezentos convidados escolhidos a dedo, e entregou a decoração a Dufy. Os pátios, nos quais brotam fontes, são cobertos com toldos em azul e dourado. Por toda parte, forros, tapetes, almofadas multicoloridas, luzes escondidas nas folhagens. Como num mercado oriental, havia a barraca da vidente, do ceramista, do mercador de miquinhos. A esposa do costureiro, que faz o papel da favorita, está presa numa imensa gaiola. Ele próprio, fantasiado de sultão, sacudindo um chicote com cabo de marfim, está cercado de odaliscas sentadas ou reclinadas em pufes e tapetes, formando um "emaranhado confuso de sedas, joias, pingentes que cintilam como um vitral ao luar".[12]

De outra vez, Poiret reproduz uma quermesse na corte de Versalhes. A festa acontece no pavilhão do Butard que ele alugou no bosque de Fausses-Reposes e cuja restauração custou muito caro. As vestimentas foram copiadas da mitologia de Luís XIV. O costureiro representa Júpiter; sua barba e seus cabelos são trançados com ouro; ele está envolto num véu branco e calça coturnos. Na noite estrelada, os convidados bebem novecentas garrafas de champanhe, ao som de uma orquestra de quarenta músicos que tocam Lully. Às quatro horas da manhã, é servida uma ceia de melões e lagostas, enquanto Isadora Duncan improvisa uma dança ao som de uma ária de Bach.

Poiret não é o único a imaginar festas que competem em esplendor e orgia de despesas. Para que um baile tenha sucesso, não bastam mais as fantasias. São também necessários a encenação, o cenário, os figurantes. Tudo deve contribuir para recriar, durante algumas horas, a ilusão de um mundo reinventado. A exemplo do costureiro, a condessa de Chabrillan dá um baile persa e, posteriormente, uma Noite Branca, em que as mulheres comparecem vestindo branco e prata, e os homens, casaca preta. Por sua vez, a princesa de Broglie organiza um baile das Pedrarias, em que as convidados usam um vestido da cor de uma pedra preciosa.[13]

Para participar dessas festas, Helena precisa mais do que nunca de uma recomendação e, particularmente, de um guia. Em Londres, na casa de Lady Ripon, que recebia em homenagem aos Balés Russos, ela cruzou com uma lenda viva da mundanidade, Misia Sert. Naquela noite, as duas mulheres simpatizaram uma com a outra.

— Venha me ver quando você estiver morando em Paris — sussurra a jovem mulher em polonês. — Eu recebo todas as quintas-feiras.

Como todas as redes de expatriados, a dos poloneses são das mais ativas. Misia, a mais parisiense das polonesas, e também a mais parisiense das parisienses, é o seu centro. "Risonha e ríspida, ela conquistou os seres mais díspares; ela agradou na sociedade e na boemia; se apegou à gente simples e aos príncipes."[14] Seus três casamentos a tornaram sucessivamente Misia Natanson, Misia Edwards e agora Misia Sert. Mas, em Paris só se é verdadeiramente esnobe se a chamar pelo primeiro nome.

As duas mulheres se reveem na casa de Poiret. A amizade à primeira vista é acompanhada do prazer de estarem entre compatriotas. Apesar de terem a mesma nacionalidade, não existem mulheres mais diferentes. Se uma vem de um meio judeu ortodoxo e modesto, a outra é uma grande burguesa católica. Misia Sert nasceu Marie Sophie Godebska, em 1872, em São Petersburgo, de um pai polonês, escultor de sucesso, Cyprien Godebski, e de uma mãe belga, Sophie Servais, morta muito jovem. Grande sedutor, seu pai casou-se novamente com Matylda Natanson, uma judia polonesa riquíssima, amiga da atriz Modjeska que a mãe de Helena dizia conhecer.

Matylda, que mantinha um salão em Varsóvia, criou outro em Paris. O universo de Misia sempre foi formado por essa boemia chique, intelectual, aristocrática que, por sua vez, ela não deixou de receber. Bem-dotada — excelente pianista, brilhante aluna de Fauré —, hesitou em se profissionalizar na música. Para grande decepção do mestre, com apenas 18 anos casou-se com Thaddée Natanson, sobrinho de Matylda. O casal reuniu em torno de si as mais brilhantes mentes da época, Stéphane Mallarmé, Paul Verlaine, Jules Renard, Tristan Bernard, Alfred Jarry, Paul Valéry, Paul Claudel, Guillaume Apollinaire... Todos colaboram na *Revue Blanche* que Thaddée acaba de fundar.

Na casa deles as pessoas cruzam com Willy e Colette, Sarah Bernhardt que representa *L'Aiglon* com figurinos de Poiret, a grande Réjane, Eric Satie, Claude Debussy. Misia, então descrita como uma "princesa primitiva", é o encanto, a despreocupação e a graça em pessoa. Ao mesmo tempo pilar e musa desse meio, ela é o modelo dos pintores que gravitam à sua volta, Renoir, Bonnard, Vuillard, Toulouse-Lautrec, Valloton que está loucamente apaixonado por ela.

Em 1907, se divorcia de seu marido arruinado, e se casa com Alfred Edwards que lhe fez uma corte insistente. O industrial milionário possui, entre outros, o Teatro de Paris e o jornal *Le Matin*. Dizem que ele está disposto a fazer qualquer loucura para agradá-la e, de fato, transforma sua mulher na "menininha mais mimada do mundo".[15] Ele lhe oferece um apartamento na rue de Rivoli e um barco ancorado no quai des Orfèvres. Misia é então uma mulher mantida com extravagância, colecionadora de joias sem preço, que vive "no meio dos artistas e da alta sociedade". Apaixonada por moda, ela faz amizade com a iniciante Coco Chanel, da qual ela é ao mesmo tempo cúmplice e rival.

Quando Edwards a deixa por uma atriz, o pintor catalão José Maria Sert se torna seu amante antes de se casar com ela e, por sua vez, abandoná-la. É por seu intermédio que Misia conhece Serguei Diaghilev de quem rapidamente se torna inseparável. Sua vida gira, então, em torno dos Balés Russos, ela é inspiradora, mecenas e seu mais ardente apoio.

Nessa época, Misia é "uma beleza de voz comovente, de modos sedutores".[16] Com seu modo desconcertante de dizer de repente o que pensa, "verdades brutais sob a aparência de ditos espirituosos",[17] é única, todos concordam. Com toda a naturalidade ela traz a "rica Helena Rubinstein" para debaixo de suas asas. Embora sua natureza a leve mais para o trabalho do que para a mundanidade, esta sabe, por tê-lo experimentado, que uma boa rede de contatos é a primeira condição do sucesso. Tendo Misia como madrinha, ela não pode sonhar com melhor apresentação. A opinião que tem de sua nova amiga, contudo, nem sempre é admirativa...

— Misia? Uma doida e uma excêntrica. Uma *messhugeh*...[18]

Pelo menos é o que ela diz ao seu secretário, Patrick O'Higgins, cinquenta anos mais tarde. Acrescenta que Misia orientou a bobinha que era até então e lhe ensinou como se comportar nos meandros da vida parisiense. Por intermédio da nova amiga, Helena encontra todos os artistas importantes em Paris: o grupo do Bateau-Lavoir, Braque, Juan Gris, Picasso, Modigliani ("um rapaz gentil, mas sujo"), o Douanier Rousseau e Matisse, que será sempre seu pintor preferido.

— Foi ela que me deu a ideia de mandar fazer todos os meus retratos — diz a O'Higgins. — É bom para a publicidade, é um excelente investimento e preenche as paredes vazias![19]

Com Misia, ela vai a todos os antiquários, galerias, ateliês, como fazia em Londres com Flame d'Erlanger, e refina o seu gosto. Não para de comprar, sempre pechinchando. Misia a incentiva a receber todos os domingos. Desse modo — explica —, ela estabelecerá a clientela e aprenderá a falar melhor o francês, o que lhe dará uma aparência menos tímida em sociedade. Helena tinha suas dúvidas. Saberá navegar nesse mundo tão fechado, tão cheio de códigos e de preconceitos cujos usos ela não domina? Misia insiste e, para melhor convencê-la, assume a organização da primeira recepção, do bufê à lista de convidados.

Naquele domingo, Helena se convence de que foi um fiasco. Todos os seus convidados comparecem, mas agem de modo estranho. Os homens não falam com as mulheres; limitam-se a olhá-las com desejo, o que ela acha totalmente inadequado. Edward não concorda. Imediatamente se sentiu muito à vontade entre aqueles intelectuais e mundanos. Quanto a Misia, ela ri quando Helena lhe comunica seu espanto. Em Paris — diz —, tudo o que se pede a uma brilhante anfitriã é ter bom vinho, bons pratos em quantidade e reunir muitas mulheres bonitas para que os homens possam olhá-las e falar delas.

Ela sabe o que diz. Todos os convidados de Madame Rubinstein voltam na semana seguinte. Com boas intenções ou não, talvez, eles acabam indo. E Helena se habitua a receber em Paris, tão bem quanto ela fazia em Londres.

Ela também é recebida. No salão do apartamento do quai Voltaire que Edwards deixou para Misia quando a abandonou, ela encontra Marcel Proust, que deu à Madame Verdurin algumas características da anfitriã. Ela contará ao seu secretário[20] o encontro que teve com o grande homem. Em sua linguagem cheia de imagens, o escritor se tornou "aquele rapaz que dormia num quarto forrado de cortiça e que escreveu aquele livro muito conhecido que eu nunca consegui ler". Sua memória fraca para nomes e sobrenomes não melhora com a idade.

Como ela se impacienta, repetindo: "Aquele Marcel sei lá o quê...", O'Higgins lhe diz: "Proust?" Helena concorda, aliviada. Em sua lembrança, Proust é um rapaz de aparência insignificante que "tem cheiro de naftalina" e usa uma capa de pele que vai até os pés. O autor de *Em busca do tempo perdido* faz muitas perguntas a Helena sobre a maquiagem. As mundanas usam *khôl*? Uma duquesa usaria blush? Sempre tímida, Helena tem dificuldade em lhe responder e interrompe a conversa. Meio século depois ela lamentará amargamente.

— Como é que eu ia adivinhar que ele iria se tornar tão célebre? — diz ela de repente.

Os amigos de Misia se chamam condessa de Chevigné, condessa Greffhule, também imortalizada por Proust, a grã-duquesa Marie Pavlovna, a princesa de Broglie, a duquesa de Gramont, a princesa de Polignac, Réjane, Cécile Sorel, Marguerite Moreno, Marguerite Deval, Colette... Todas se tornam clientes assíduas do salão. Alguns meses depois da segunda inauguração, ele vai tão bem quanto o de Londres. Seguindo a tendência, Helena pediu que André Groult o redecorasse no estilo Art Nouveau. Elegante e moderno, agora está como ela sonhou.

Debaixo das roupas soltas imaginadas por Poiret, sem o espartilho que enrijecia tecidos e corpos, as curvas desabrocham. Madame contratou Tilla, uma massagista sueca, para se dedicar à eliminação da gordura. A conselho de Edward, sempre inventivo, ela oferece às mulheres em evidência uma consulta de beleza e uma massagem gratuita.

A grande Colette aceita imediatamente. Ela gosta tanto dos tratamentos corporais que em 1932 abrirá seu próprio salão em Paris, sem ter, contudo, o mesmo sucesso de Madame. Edward sugere à mulher chamar um jornalista para colher as impressões da escritora. Toda a imprensa retoma seus comentários que, como sempre, exalam um perfume de escândalo. Ela foi massageada nua? Com essa exibicionista tudo é possível.

— Eu nunca me senti tão bem... Agora, estou pronta para tudo... até para meu marido...

Depois de Willy, ela se casou com Henry de Jouvenel por quem está muito apaixonada. A notícia circula em Paris. Tão rápido que a agenda de Tilla se enche em pouquíssimo tempo. A libertina acrescentou com sua bela voz áspera:

— A massagem é um dever sagrado. As francesas devem isso a si mesmas. Do contrário, como elas esperam conservar um amante?

Pouco depois, Helena explica por meias palavras aos jornalistas o que a célebre cliente quis dizer. As massagens suecas não são massagens comuns. Foram oferecidos a Colette pequenos "extras" travessos e, para ser mais exato, um tratamento especial com a ajuda de um vibrador.

A utilização do equipamento está longe de ser especial. Aliás, ele ainda não tem conotação erótica. Seu uso remonta à Antiguidade quando Galeno constatou que a frustração sexual acarretava leves males físicos. Para canalizá-los, ele recomenda fortemente a masturbação. Ainda hoje se dedicam médicos e parteiras numa questão estritamente de saúde.

No século XIX, a eletricidade libera a mão dos cuidadores. A popularidade dos vibromassageadores se torna tão grande que em 1900, uma dúzia de modelos destinados aos pacientes dos dois sexos é apresentada na Exposição Universal. Os jornais, os catálogos, aprovam o uso cada vez mais privado. Nos Estados Unidos, as propagandas aconselham os maridos a comprar um desses aparelhos para que as mulheres possam relaxar. O vibrador é, então, um dos objetos domésticos mais comuns, quase tanto quanto a torradeira elétrica.

A partir de Freud e de seus pares, que finalmente reconhecem a existência da sexualidade feminina, a moral agora reprova a simulação vaginal fora das relações matrimoniais, e até mesmo nelas. O vibrador desaparece dos consultórios médicos e da venda por correspondência, tornando-se um objeto clandestino.

Helena observou o uso frequente nos spas. Será que ela própria recorreu? Seu pudor é tanto que jamais vai se referir a ele. Mas compra alguns que são, segundo ela, o prolongamento dos cuidados corporais bem-sucedidos. Aliás, como Colette, as clientes pedem mais.

Por sua vez, ela prefere cuidar de suas próprias frustrações acumulando tudo o que o dinheiro pode oferecer: joias, quadros, objetos. Ela sente um prazer louco em percorrer os antiquários, visitar os ateliês, apaixonar-se por um artista ainda desconhecido e lançá-lo.

Em menos de dois anos ela conquistou Paris como tinha conquistado Londres. Cem pessoas, distribuídas em cinco salões, e na fábrica de Saint-Cloud, trabalham por sua marca. Ela ofereceu uma profissão a três de suas irmãs, a algumas primas, e garante o sustento da família na Polônia. Para seu desespero, porém, o casamento continua afundando, tão belicoso e deprimido quanto a Europa que se esgarça nas fronteiras. Edward não liga para ela, então ela se embriaga de trabalho. O abismo se aprofunda dia após dia.

A guerra que se anuncia dá a Helena a oportunidade de mais uma vez praticar a arte da fuga que agora domina como uma virtuose. Dessa vez, ela espera reduzir suas dificuldades conjugais. Tudo recomeçará em outro lugar, nos Estados Unidos, por exemplo, dará talvez um novo estímulo ao casal.

No dia 28 de junho, o arquiduque Ferdinando, herdeiro do trono austro-húngaro, é assassinado em Sarajevo, uma tragédia que desencadeia oficialmente o conflito. Jaurès, o pacifista, é morto em Paris, a 31 de julho. A 1º de agosto, a França decreta a mobilização geral. Uma agitação incrível toma conta da capital que festeja com uma inconsciência mesclada de temor contido a partida dos soldados para o front.

Em 3 de agosto, os alemães, que invadiram Luxemburgo e lançaram um ultimato à Bélgica, declaram guerra à França. No dia 20, as tropas alemãs entram em Bruxelas. O ataque a Paris parece iminente. Em setembro, o primeiro avião alemão sobrevoa a capital e solta três bombas. Os zepelins aparecem no céu, as sirenes soam a todo momento. Os ricos fogem para Bordeaux a exemplo do governo que decide se concentrar ali com o presidente Poincaré. As primeiras hordas de fugitivos esfarrapados e aterrorizados afluem da Bélgica.

O Grand Palais e seis escolas são transformados em hospitais. Criam-se centros de acolhimento nos quais se amontoa um bom número de voluntários, entre os quais mulheres de sociedade transformadas em enfermeiras para ajudar os refugiados. Os cinemas e restaurantes fecham, os teatros suspendem as apresentações, e os artistas — Braque, Léger, Derain, Kisling, Apollinaire — são convocados.

Os automóveis, sobretudo os seiscentos táxis parisienses, são requisitados para a iminente batalha do Marne. Os veículos puxados a cavalo reaparecem. Uma jovem costureira chamada Gabrielle Chanel, que acaba de abrir uma loja em Deauville, apresenta uma roupa de guerra para as senhoras da aristocracia que "perderam tudo".[21] Ela consiste numa saia reta até o chão, camiseta, blusa, botinas, chapéu de palha sem enfeite. Depois, arruma para elas uniformes de enfermeiras com o que sobra dos lençóis dos grandes hotéis.

Em Paris, o ambiente se tornou sinistro; embora as notícias não vazem, todos pressentem o que acontece no front. Misia decide ser útil. Toma a iniciativa de formar um comboio de ambulâncias com os carros de entregas emprestados pelas grandes casas de costura. Defendendo sua causa perante o general Gallieni, ela consegue autorização para levar socorro aos feridos da L'Haÿ-les-Roses.

Seu Mercedes, dirigida por Paul Iribe em trajes de escafandrista, tendo a bordo Jean Cocteau, José Maria Sert e Paul Poiret, toma a frente do comboio de 13 ambulâncias. A missão começa numa estação de trens incendiada na qual jazem os moribundos. A caravana improvisada voltará várias vezes para a estrada. Todas as vezes, o espetáculo das destruições, das mortes e dos soldados agonizantes por falta de cuidados horroriza o grupo.

A visão daqueles "jovens esplêndidos que caminham para a morte, em Verdun, e de mães, viúvas ou noivas chorosas",[22] aterroriza Helena. Ela quer proteger a si mesma e a sua família. Com o casamento, se tornou americana, assim como seus dois filhos. A decisão se impõe: os Titus devem ir para Nova York. Durante noites em claro, que a esgotaram, ela conversou com Edward, e pesou os prós e os contra. Se eles partirem, terão de deixar tudo na Europa, os salões, as casas, as coleções, os amigos. Depois de muita conversa, e muita briga, decidem que ela partirá sozinha, para reconhecer o terreno. Edward e os dois meninos se juntarão a ela um pouco depois, com a mobília e as bagagens.

No outono de 1914, Madame toma o trem para Calais, depois a barca para Douvres. Ao final de uma viagem cansativa, onde a angústia se mistura ao seu terror por bombardeios ela chega a Londres. Seu primeiro reflexo é conseguir dinheiro vivo com seu banqueiro. Em Paris, todos os bancos fecharam.

Em Liverpool, embarca para Nova York. Para se tranquilizar, repete para si mesma que a família logo vai se juntar a ela. Graças às telecomunicações modernas, o cabo e o telefone, encontrará meios de dirigir seus negócios na Europa e na Austrália, e de ter notícias dos parentes que ficaram na Polônia. Desde a declaração da guerra, Hertzel e Gitel não deram sinal de vida, o que afeta a filha mais velha muito mais do que ela deseja confessar. A família continua para ela uma fonte de preocupações sem fim.

A beleza iluminando o mundo

De pé na ponte do *Baltic*, Helena Rubinstein se ergue, abotoa o casaco, ajusta o chapéu, verifica se sua camareira está levando a maleta de joias. Como todos os que descobrem Nova York ao chegar por mar, ela teve um choque ao sair da cabine, e continua deslumbrada. A tempestade soprou durante toda a travessia, mas agora o céu virgem de nuvens tem a pureza de um diamante azul. Semelhantes a fortalezas de vidro e aço, os arranha-céus de Wall Street rompem a bruma e se lançam para o dia que nasce. Seus frontões gigantescos protegem a ponta de Manhattan que avança na água como a proa de um navio.

Ouvem-se sirenes de transatlânticos que acostam, o grito obsessivo das gaivotas acima das ondas e os clamores da multidão, o rangido das roldanas, os ruídos surdos das cargas descarregadas nas docas. Com uma majestade tranquila, a América se oferece a ela no amanhecer fresco daquele mês de outubro de 1914.

Embriagada de ar marinho e de esperança, Helena promete a si mesma conquistar esse continente, construído à sua altura. Será a quarta vez que ela se instala num lugar que desconhece. A aposta é alta, o que a estimula e assusta ao mesmo tempo. Não se trata apenas de um novo país, mas de um mercado nascente cujo orçamento é mil vezes maior que o da Europa. Edward lhe disse repetidamente que na América, se tudo era possível, nada era certo. Ela não poderia errar, mas o desafio a interessa, sem falar na excitação de mais uma vez ter de recomeçar tudo.

Ela se vira para a estátua da Liberdade, cujo símbolo poderia tomar para si, transformando-o um pouco. "A Beleza iluminando o mundo": o slogan é feito para ela.

Os mil passageiros que viajavam no *Baltic* são, na maioria, americanos que voltam para se proteger em casa. A grande onda de imigrantes que, até o início das hostilidades na Europa, chegavam em massa a Liverpool, Southampton, Hamburgo ou Bremen, parece ter-se diluído. Desde 1870, quase 16 milhões de pobres coitados de todas as nacionalidades — e entre eles 3 milhões de judeus — desembarcaram em Ellis Island, com a esperança de enriquecer no Novo Mundo, ou, pelo menos, de ali encontrar condições de vida menos difíceis que em casa. Eles levarão mais de uma geração para se livrar da miséria.

Nas grandes cidades, eles formaram comunidades solidárias que vivem lado a lado, mas não se misturam. Sejam irlandeses, italianos, chineses, alemães, 3/4 vivem sempre na sujeira e na promiscuidade. Os americanos "autênticos" e os imigrados da primeira ou da segunda geração, xenófobos como quase sempre se tornam os que temem perder seus privilégios penosamente obtidos, consideram que essa onda humana não controlada, esse *melting pot* — que, contudo, forjou a alma do país — tornou-se um sério problema. Exigem medidas para freá-la. De fato, em meados dos anos 1920, sob a pressão dos lobbys que preocupam com a frágil economia do pós-guerra, o governo vai limitar a imigração, criando cotas.

Helena Rubinstein nada tem a temer. Americana por seu casamento, ela desembarca com um nome, uma habilidade e muito dinheiro. Os guardas da alfândega não ligam para seu passaporte com a data de nascimento falsificada; roupas, joias, bagagens de luxo que comprovam sua fortuna são mais eloquentes do que um salvo-conduto.

Nos Estados Unidos, porém, uma mulher de sucesso é uma espécie ao mesmo tempo rara e malvista. Ser judia aumenta a deficiência. Como em Londres e em Paris, o antissemitismo é frequente e muitas vezes viral entre os membros da elite branca, anglo-saxã e protestante, mas também em outras comunidades, principalmente as irlandesas. Sobre isso, Edward já a preveniu, mas ela está habituada a essa rejeição; seria preciso mais para perturbá-la. Não mudará de nome, como antes dela fizeram outras imigrantes célebres. Ela se fez com ele, é conhecida por ele, pretende permanecer fiel às suas origens. Quanto ao seu sexo, fez dele uma força. Somente uma mulher pode inventar bons produtos e encontrar os argumentos certos para embelezar as outras mulheres.

A acolhida que a espera não é o primeiro motivo da angústia que a oprime desde que embarcou... No *Baltic*, algumas noites, as ondas eram mais altas que edifícios de cinco andares. Os passageiros se lembraram com ansiedade do naufrágio do *Titanic*, acontecido dois anos antes, na linha Southampton-Nova York. Enquanto lá fora os elementos se desencadeavam, Helena, confinada na cabina, pensava. A guerra, as vendas, as encomendas, as matérias-primas, as contas, o exílio, os produtos, as clientes, a família, as coleções. Em que estado ela iria encontrar tudo isso quando voltasse? Dormiu muito mal, ainda mais com aquele vento que soprava sem descanso, que piorava sua enxaqueca.

No momento da despedida, ela e Edward se deram um prazo de seis meses para se reencontrarem. Caberia a ele, a tarefa de juntar os móveis, as obras de arte e de cuidar dos dois meninos; a ela, o encargo de encontrar um apartamento e um salão no centro da cidade. A divisão do trabalho é incomum, mas o casal também o é.

O marido continua sendo o melhor dos conselheiros; sua ajuda é infinitamente preciosa, opiniões sempre sensatas. Com ele, as publicidades atingem o alvo; ele possui a palavra certa, exata; e conhece a marca quase tão bem quanto ela. Além disso, é um bom pai, afetuoso, carinhoso. É ela, porém, quem segura o leme do negócio; é dela a responsabilidade das decisões finais. E é de seu dinheiro que se trata.

A esse respeito, Edward é verdadeiramente infernal. Gasta demais, sobretudo em livros e em roupas. Ele sabe muito bem o quanto lhe custa o trabalho, as despesas que tem com gastos, impostos, taxas, esse esbanjamento contra o qual ela deve lutar sem descanso, essa desatenção de todos os instantes que acaba custando tão caro para uma empresa. Ser gastador não é, porém, o pior de seus defeitos. As mulheres rondam à sua volta como abelhas em torno de um pote de mel. Ele seduziria todas elas se Helena não ficasse de olhos abertos o tempo todo. Volúvel era, volúvel continuou. Quantas brigas extenuantes, sempre acompanhadas das mesmas censuras...

Não se pode ganhar sempre, ela concluiu numa manhã depois de uma boa crise de lágrimas. A infelicidade no amor é sem dúvida sua sina. *Oy vé*, os homens. Entre seu pai, fraco demais, e seu marido, namorador demais, ela não teve com quem contar.

No fundo, pouco lhe importa que Edward não seja um marido perfeito. Sua família é bastante numerosa para apoiá-la. Chamará as irmãs em seu socorro, mandará vir Manka para ficar com ela em Nova York, enviará Ceska, com seu novo marido inglês, para Londres. Encontrará outra irmã ou prima a quem entregar os salões da Austrália. A pequena Pauline ficará em Paris durante toda a guerra. Entre os Rubinstein parentes não faltam, mesmo que Helena não se entenda muito bem com as mais novas.

Apesar de todas as discordâncias, é sempre para Edward que ela se volta quando precisa de conselhos ou, simplesmente, quando tem vontade de se abrir.

— Oh, meu caro, todas as americanas são de dar pena. Se você pudesse ver os pobres narizes azulados de frio e os lábios acinzentados que se destacam de seus rostos desbotados... Estava na hora de eu aparecer.

Em Nova York, Helena se instalou provisoriamente num hotel enquanto espera um apartamento e um salão ao seu gosto, e seu primeiro telefonema é para o marido. A conversa é picotada por causa da distância, mas ela consegue lhe transmitir sua impressão suavizada.

Ela acha as americanas pouco cuidadas. Contudo, nenhuma é indiferente à questão do visual. Ao contrário, elas parecem muito preocupadas, em particular as nova-iorquinas. O ideal feminino é a *Gibson Girl,* nascida do traço do desenhista Charles Dana Gibson. Todas querem se parecer com aquela garota chique, saudável e zombeteira, à vontade na vida bem como com os homens dos quais ela é ao mesmo tempo parceira e colega. Avó da pin-up, ancestral da Bimbo, a *Gibson Girl* é alta, esguia, usa um coque volumoso. Seu corpete valoriza formas generosas: na América, as mulheres estão algumas modas atrasadas em relação à Europa.

Seguindo o exemplo de suas compatriotas, a *Gibson Girl* não se maquia. De acordo com um guia de comportamento, as nova-iorquinas podem usar blush e pó quando almoçam num restaurante, mas nunca ao jantar. O natural. É essa a palavra-chave. *Comam bem, movimentem-se bem, durmam bem, e serão belas*, diz fundamentalmente um artigo do *Denver Post,* em 1899.[1] As vaidosas, resume o jornalista, descobriram o segredo da eterna juventude, fazendo regimes, exercício, saunas e massagens. Muitas americanas seguem esse programa vanguardista, preconizado pelas revistas. "*If you want beauty, think beauty*", "Se quer beleza, pense beleza". Toda mulher pode ser bela se quiser, é nisso que Helena acredita desde sempre, mas ela preferiria, contudo, um pouco mais de sofisticação nessa busca do natural.

Muito ativas na América, as feministas e suas líderes, Lucrezia Mott, Elisabeth Cady, Charlote Perkins Gillman, Inez Milholland, não estão preocupadas apenas com suas lutas políticas. Nada do que é feminino lhes é indiferente. Assim é que elas questionam a imagem da dama confinada em casa, que detesta seu corpo deformado pelas maternidades. A bem da verdade, as questões em torno do corpo, da sexualidade, do aborto, da contracepção ou da gravidez são menos frequentemente abordadas em suas reuniões do que as dos direitos públicos pelos quais, antes de tudo, elas lutam. Em 1869, o Wyoming foi o primeiro Estado a conceder, mediante condições, o direito de voto às mulheres. Foi seguido por Utah e por Idaho. A pressão das sufragistas foi muito importante.

A manifestação de 6 de maio de 1912 deu o que falar. Naquele dia, atendendo ao chamado dos sindicatos e das associações feministas, 20 mil mulheres vestidas de branco, com a participação de quinhentos homens, marcharam da 59th Avenue até Washington Square, para reivindicar mais uma vez o direito de voto. A novidade é que, a maioria usava, orgulhosamente, batom. Esse gesto tão corajoso quanto político significava ao mesmo tempo sua emancipação e desejo de rejeitar os tabus.

Essa atitude descontraída, quase que um manifesto, ainda é chocante. Edward Bok, o editor do *Ladies Home Journal* não escreveu que "os homens continuam a ver o batom como uma marca do sexo e do pecado"?[2] Os costumes, porém, evoluem muito rapidamente. "A paixão pela maquiagem se propagou das atrizes de teatro em cena, até a cidade, até as damas nas suas intimidades e até as empregadas e operárias", insiste Elizabeth Reid, uma especialista em beleza.[3]

* * *

Em poucos anos, as americanas vão passar do puritanismo à libertação. Com bom faro para as tendências da época, Helena Rubinstein imediatamente captou essas tomadas de posição em busca da independência e da afirmação de si, que as mais audaciosas encorajam, e que o conflito mundial vai intensificar. Ela vai transformar em consumo os direitos que as mulheres reivindicam, à semelhança de um país que mergulha com volúpia numa abundância rebatizada de Progresso. "Comprem Jell-O, Kelloggs, um carro, um fogão a gás, vão ao cinema", martelam as publicidades no *Woman's Home Companion*. Os cosméticos não ficam devendo em nada: "Comprem Hind's Honey, Almond Cream, Ponds Cold Cream, sabonete facial Woodbury."

Quando ela diz que desembarca como pioneira num território que ignora tudo sobre a beleza, Helena exagera como sempre. É verdade que as *self-made women*, que não são muitas, predominam especialmente na moda. Kane Bryant cria roupas para as mulheres cheinhas ou grávidas, Hattie Carnegie inventa o prêt-à-porter, e Carrie Marcus criou Neiman Marcus, a primeira loja de departamentos de luxo, com o irmão e o marido, Herbert Neiman. As três são de origem judaica, e as duas primeiras mudaram de nome.

A beleza, porém, tem seus adeptos, suas práticas e sacerdotisas. Já em 1893, uma jornalista do *Harper's Bazaar* observou que, no país, "a cultura da beleza se desenvolveu enormemente durante os últimos anos".[4] A exemplo do que se faz na Europa, a medicina começa a se interessar por melhorar rostos e corpos. Dermatologistas e cirurgiões abrem institutos, escolas, nas quais eles reestruturam as faces.

Peelings elétricos, injeções subcutâneas de parafina para preenchimento da face ou diminuição das olheiras, rinoplastia, liftings, nenhuma dessas novas técnicas é isenta de riscos. Esses supostos especialistas tiveram como formação apenas um vago treinamento, ou então aprenderam praticando. Cada vez mais atrizes recorrem a eles, especialmente para os liftings do rosto muito em voga nos dois lados do Atlântico. A francesa Sarah Bernhardt foi uma das primeiras a apontar o caminho.

O mercado dos cosméticos abriu excelentes perspectivas para as novas carreiras femininas. Em 1914, 36 mil salões de cabeleireiros, 25 mil cabines de manicure e 36 mil especialistas em massagens e cuidados da pele brotaram por toda a América, concentrados, sobretudo, nas grandes cidades. Em Nova York, o Risers Manucure Parlor, que ocupa vários andares de um prédio, apresenta todos os cuidados imagináveis para o couro cabeludo, o rosto e o corpo com tratamentos elétricos, manicures, pedicuros e depilações.

Muitas mulheres optam pelo empreendimento: o investimento é mínimo, e o lucro líquido, excelente. Desde o início do século, dezenas de marcas de beleza desenvolveram-se, geralmente preparadas numa cozinha, ou nos fundos de uma loja. Elas são vendidas localmente, numa cidade, num bairro ou numa comunidade. A senhora J. Walkers mandou imprimir seu rosto de Mãe Negra nos potes vendidos nas farmácias e destinados às afro-americanas.

Em maior escala, outras visionárias também investiram nesse campo. Em meados do século XIX, Ellen Demorest é uma das pioneiras dessa indústria ainda embrionária. Harriett Hubbard Ayer, que a sucede, inventa o creme de cuidados batizado de *Récamier*, que ela diz ter trazido de Paris. Sua vida pessoal e profissional foi uma sucessão de golpes de sorte e de triunfos. Ela nasceu em Hubbard, Chicago, em 1849, casou-se com Herbert Crawford Ayer com a idade de 16 anos, teve três filhos dos quais um faleceu de modo trágico no incêndio que devastou Chicago em 1871.

Durante anos, um pouco enfadonhos apesar do conforto, Harriett contentou-se em ser uma rica esposa, uma figura da alta sociedade de sua cidade e uma mecenas apaixonada por arte. Até o dia em que sua estrada bem traçada se bifurcou. Cansada das traições de seu marido e de sua tendência para a bebida, ela pediu o divórcio após 18 anos de casamento, um escândalo numa época em que uma mulher de sociedade não toma a iniciativa da separação. Com os três filhos, ela partiu para Nova York, e ganhou a vida vendendo móveis numa loja de antiguidades, pois o marido, que nesse meio-tempo tinha falido, não podia lhe pagar pensão.

O divórcio finalmente obtido, a corajosa Harriett pede empréstimo e cria sua empresa, a Récamier Manufactured Company, para comercializar seu famoso creme. Ela conta por toda parte que madame Récamier, conhecida por seu charme e beleza, teria inventado essa receita. Verdade ou não, o argumento publicitário dá resultado. Harriett Hubbard Ayer se torna a primeira americana a enriquecer com os cosméticos. Apóstola feroz do natural em moda, ela detesta os cheiros fortes como o almíscar, o patchuli, a rosa, e prefere a eles o perfume delicado da lavanda que, segundo ela, as mulheres refinadas devem usar.

Um de seus patrocinadores, James Seymour, se interessa por ela. Para se vingar de suas recusas, ele manda interná-la, em 1883, com a cumplicidade do ex-marido de Harriett e da filha deles, casada com o filho do próprio Seymour. Diante da corte, o financista afirma que ela é muito instável para dirigir uma empresa. Mentirosa e, sobretudo, muito misógina, sua acusação dá resultado.

Quatorze meses depois, Harriett Hubbard Ayer é finalmente libertada do asilo graças à intervenção de seus advogados, mas ela sai de lá destruída. Durante a internação arbitrária, ela se tornou uma mulher gorda, de cabelos brancos, embrutecida pelos medicamentos. Dessa horrível experiência, narra uma história: *Quatorze meses num asilo de alienados*, que obtém grande sucesso de público.

Ela continua lutando para recuperar seu negócio do qual Seymour se apropriou, o que conseguiu depois de muitos processos. Infelizmente, sua carreira de empresária terminou. Sem se deixar destruir, Harriett Hubbard Ayer passou para o jornalismo. O *New York World* publica seus artigos. Ela chama a atenção por uma crônica de beleza que as leitoras apreciam, e por um guia, o *Harriett Hubbard Ayer Beauty Book* que se torna um best-seller. Quando, em 1903, ela morre de uma gripe, sua filha Margaret, estudante de teatro, assume sua marca.

Quatro anos depois de sua morte, a Harriett Hubbard Ayer Corporation é criada por Vincent Benjamin Thomas, cuja esposa, uma atriz de teatro, é amiga de Margaret Ayer. Depois de ter comprado o nome e a licença, ele se tornou presidente do negócio. Thomas teve faro: nos Estados Unidos, a indústria de cosméticos deu um salto. Durante muitos anos ainda, a influência de Harriett Hubbard Ayer vai se fazer sentir junto às mulheres.

Helena não a teme.

Aliás, ela não teme ninguém. Com uma exceção apenas. Porque, na América, uma concorrente temível vai lhe opor resistência durante anos. *That woman* — aquela mulher, como ela chama numa mistura de desdém e raiva — se chama Elizabeth Arden, nascida Florence Nightingale Graham, nos confins do Canadá, em Ontário. Aquela loura de farmácia é sua única e verdadeira rival, a única pessoa capaz de lhe fazer sombra na profissão.

A recíproca é verdadeira. Em toda a sua vida profissional, Elizabeth Arden temerá apenas aquela polonesa que desembarcou como uma conquistadora em seu país. Ela vai desprezá-la e detestá-la ao mesmo tempo.

É difícil encontrar duas mulheres mais diferentes. Arden é fina, delicada, feminina até a raiz dos cabelos. Ela gosta de rosa e de dourado, de cavalos, da vida ao ar livre, de golfe, e personifica o ideal da beleza *wasp* que frequenta os country clubes proibidos aos judeus. Durante mais de meio século ela vai aperfeiçoar essa imagem patrícia, usurpada do mesmo modo que a descendência da alta burguesia que Helena reivindica para si. Adulada, porém, pela elite nova-iorquina que se reconhece nela, Arden não pretende ceder um centímetro sequer de seu terreno.

Em muitos pontos, contudo, elas também se parecem, a começar pelo biótipo sem defeitos que constitui sua melhor publicidade. Mentirosas consumadas a respeito das origens, trapaceiam igualmente sobre a idade e fazem do rejuvenescimento um ponto de honra. Nascidas na base da pirâmide social (a mãe de Arden é enfermeira, e seu pai, agricultor), elas têm em comum o gosto inato pelo luxo e pela representação, acompanhado de um tremendo talento para os negócios. São duras, autoritárias, tirânicas, audaciosas, temperadas no mesmo aço afiado. E ambas são gênios em sua espécie.[5]

Elizabeth Arden começou a trabalhar como enfermeira, depois como vendedora. Em Nova York, ela se tornou secretária de Eleonor Adair, uma especialista em beleza que abriu salões em Paris, na rue Cambon, e em Londres, na Bond Street. Inventora de massagens faciais e musculares com eletricidade, Adair comercializou em pequenas caixinhas os materiais para um tratamento completo de beleza a ser feito em casa.[6] Foi com ela que Elizabeth Arden aprendeu o básico da profissão, antes de se estabelecer. Em 1909, pediu emprestados 600 dólares às pessoas próximas e contratou um farmacêutico que fabricou, sob sua orientação, um creme batizado de *Vénitienne*. Não há nada de italiano nisso, apenas um sentido inato do marketing e, em especial, da embalagem. Seus cremes são vendidos em potes cor-de-rosa e dourados, delicadamente decorados.

Em pouco tempo Arden abre seu primeiro salão na Quinta Avenida, em sociedade com uma esteticista chamada Elizabeth Hubbard, sem relação com Harriett. Dois anos depois, as duas mulheres se separam. Então, Florence Graham adota o patronímico de Elizabeth Arden, do qual pegando o nome de sua ex-sócia, e o sobrenome, de um poema de Tennyson, "Enoch Arden". Ela conserva o salão da Quinta Avenida, abre dois outros, um em Washington, e outro em Boston, casa-se com Thomas Lewis, um fabricante de seda que durante mais de vinte anos será seu diretor de vendas, chegando a dirigir toda a empresa.

Ainda um ponto em comum com Helena: ambas fizeram dos maridos seus assalariados, com todos os problemas que essa condição subalterna pode engendrar. "Não se esqueça de uma coisa", lembra frequentemente Elizabeth Arden ao marido "aqui, o patrão sou eu".[7]

Como fez Helena Rubinstein na Europa, em 1905, Elizabeth Arden foi a Paris e a Londres, em 1912, para verificar o que se faz de melhor no campo da beleza. Sem dúvida, ela visitou os salões de sua rival e, sem dúvida também, conhece seu poder. Isso não a assusta: por enquanto, ela ainda é a mais forte na América.

No momento em que Helena Rubinstein chega, Elizabeth Arden reina incontestável no mercado da beleza. Ela possui três salões cujo sinal distintivo é sua pesada porta vermelha. Stern Brothers e Bonwit Tellers, duas das maiores lojas frequentadas pelas mulheres elegantes, começaram a vender sua linha veneziana.

Suas publicidades aparecem na *Vogue* e em outros jornais femininos. Ela escreveu um ensaio intitulado *A busca do belo* e se fez passar por especialista na pesquisa da juventude. Quando convém ao bom andamento de seus negócios, também se coloca do lado da libertação das mulheres. No dia 6 de maio de 1912, ela participou da marcha das sufragistas. Assumiu a linguagem reivindicadora delas: "Toda mulher tem o direito de ser bela."

Há bastante lugar para as duas, mas as duas querem ser a primeira.

A estrada de ferro, que há meio século liga uma costa à outra, permite viajar sem riscos. Porque o sucesso de toda conquista exige o conhecimento do campo, Helena começa visitando o país de trem. A primeira viagem não é tranquila, podemos imaginar, mas os Pullmans são confortáveis, e suas cabines espaçosas convidam ao repouso.

Ela, que tem o hábito dos grandes espaços e das regiões selvagens, está impressionada por conta das paisagens através da vidraça. Ela as acha menos hostis que as da Austrália, sem dúvida porque as condições de sua viagem são outras. Durante aquelas poucas semanas, tem a sensação de visitar dez ou 15 países diferentes. Das cidades trepidantes da Costa Leste até as grandes planícies do Meio-Oeste, dos panoramas montanhosos do Colorado aos desertos do Texas e às mesas do Arizona, ela observa tudo, absorve tudo, como é de seu costume. Boston, Chicago, Saint-Louis, Houston a fascinam pela modernidade; as povoações tranquilas, situadas de ambos os lados da via férrea, a fazem pensar em Coleraine. Por toda parte, quando lhe é útil, ela estabelece contatos, deixa seu cartão de visitas, avalia as necessidades e as faltas. A ideia de que tudo aqui está por fazer lhe insufla coragem.

Inicialmente, porém, é preciso tomar Nova York.

Assim que chega, se concentra nesse objetivo. Seis meses depois de sua entrada nos Estados Unidos, abre seu primeiro instituto, entre a 15th Street e a 49th Avenue, num desses edifícios de tijolinhos marrons de dois andares, com uma pequena escada de pedra na entrada, que são o charme e a particularidade da cidade. Seguindo o exemplo de Elizabeth Arden, cujo salão é vizinho das mais prestigiosas moradias nova-iorquinas, ela teria gostado de se instalar na Quinta Avenida. Mas o prédio que escolheu é proibido aos judeus. Ela ainda não tem os meios para replicar com bravura, como fará em 1939, quando semelhante infortúnio lhe acontecer novamente.

Para cultivar sua imagem de rica europeia refinada, se dirigiu a Paul Frankl, um arquiteto austríaco recentemente imigrado, que estudou em Viena e em Berlim. Frankl se encontrava no Japão quando a guerra explodiu e em vez de voltar para a Áustria, ele preferiu se dirigir aos Estados Unidos para esperar o fim do conflito. Em Nova York, ele abriu uma pequena agência de arquitetura de interiores na Park Avenue. Madame o conhece por intermédio de Elie Nadelman, cuja passagem para a América ela pagou.

Ao lhe apresentar Paul Frankl, Nadelman tem uma ideia em mente. Ele se enraivece ao imaginar que para decorar seu salão ela prefira as obras de outros artistas às suas. Ele quer fazer com que ela ceda. "É fácil", disse-lhe Frankl quando o escultor se abriu com ele, "basta dar uma forma oval ou redonda às peças do salão, e cavar nas paredes nichos que lembrem estátuas".[8]

O orçamento, mais limitado do que os dois imaginaram, não permite criar peças ovais, mas Frankl fabrica estantes e espaços vazios no quais Madame pode colocar as esculturas que finalmente ela encomendou a Elie Nadelman.

Ajudado por Witold Gordon, um decorador, que também veio de Paris, Paul Frankl realiza uma boa combinação entre as linhas vanguardistas que Helena aprecia e o mobiliário tradicional, de mogno e pau-rosa, incrustado com flores estilizadas, que agrada à clientela pouco inclinada às mudanças. Uma das cinco cabines de cuidados é forrada de chita branco e preto. Outra é decorada segundo a moda orientalista: um papel de parede com motivos chineses, canapés dourados e mesas de laca negra mobiliam a peça.

"Nós criamos o primeiro 'beauty parlor' importante e moderno em solo americano",[9] Frankl recordará, anos mais tarde. Em Nova York, nenhum salão de beleza se parece com aquele apartamento "chique burguês", imaginado por Madame, exceto, talvez, o de Elizabeth Arden que tentou se destacar, mas não saiu do habitual.

A colaboração entre Frankl e Rubinstein vai durar bem uns 15 anos, sempre com os mesmos bons resultados, "um casamento perfeito entre um arquiteto e sua cliente que, juntos, criam uma nova imagem da beleza".[10] Paul Frankl desenhará o mobiliário de todos os salões americanos, enquanto Nadelman esculpirá especialmente estátuas neoclássicas e, particularmente, torsos e cabeças em mármore Carrara. Witold Gordon tratará do grafismo, da embalagem e da paleta.

De todos os seus templos da beleza, o de Nova York é o mais refinado, o mais completo, para praticar a religião dos hábitos saudáveis e dos cuidados como ela os entende. Seu modo de fazer do salão uma caixinha de joias modernista como modelo para o corpo e para o rosto corresponde a uma corrente inovadora na Europa, que inclui ao mesmo tempo a arte, a moda e a decoração, o luxo e a beleza. Todos os sentidos devem ser satisfeitos, despertados num ambiente propício. Helena Rubinstein é a primeira a propor tal harmonia, num mesmo lugar, às mulheres da alta burguesia americana.[11]

O novo instituto lhe traz notoriedade imediata. Um artigo de *Vogue* descreve salão como "uma combinação ideal de prazer para os olhos e de conforto para o corpo".[12] Os jornalistas se deixam seduzir pelo charme de Madame. Ela é *so exotic, so glamorous*... No mesmo artigo de *Vogue*, encontram-se essas linhas: "Madame é continental e chique, vestida por Poiret. É filha de um russo e de uma vienense. Sua vida é como um conto de fadas."

É assim mesmo que ela se vê: uma estrangeira que traz para os americanos um pouco de sua elegância parisiense. Com seus trajes, o gosto pela arte, o vanguardismo, sua clientela cosmopolita que vai das cortes europeias aos maiores artistas, e aquele retrato pintado por Helleu, pendurado num bom lugar em seu salão.[13] Os jornais falam dela como de uma "Beauty Queen" ou de uma "Woman specialist", sempre "incansável trabalhadora". Ela própria se denominou: "A melhor especialista do mundo em cultura da beleza."

Em abril de 1915, um mês antes da abertura do salão, finalmente Edward chega com os meninos. Helena estava tão ocupada, primeiramente com suas viagens e depois, com os trabalhos, que ela não teve tempo de sofrer com a separação ou de experimentar um sentimento de solidão. A família, contudo, lhe fez falta; ela se dá conta disso ao abraçar seus três homens. Os filhos cresceram; o afastamento da mãe e, sem dúvida, os seis meses de guerra em Paris deram aos seus olhares uma expressão um pouco severa demais para crianças tão jovens.

Edward parece muito contente em revê-la, mas, imediatamente após as primeiras efusões, ele dá notícias terríveis da Europa. Helena está dividida entre a compaixão pelos amigos que lá ficaram, e a satisfação de estar protegida com os seus.

— É uma guerra suja, Helena, os hospitais estão superlotados. Todas as suas amigas de Londres e de Paris, aquelas aristocratas que você conheceu tão ociosas, sua Misia em primeiro lugar, se tornaram enfermeiras voluntárias. Elas levam a tarefa muito a sério. Em Londres, *Solna* foi requisitada. Transformaram-na num hospital. Eu trouxe comigo grande parte de suas coleções de quadros e de arte africana, como tínhamos combinado. Não pude pegar tudo, porém.

Helena assimila a notícia sem ousar se queixar. Ela sente que Edward está sofrendo, apesar do tom superficial. Ele continua contando:

— Paris está sinistra, você pode imaginar. A maioria de nossos conhecidos, os pintores e os escritores, foi convocada: Braque, Derain, Léger. Kisling se engajou na Legião Estrangeira. Quanto a Modigliani, ele está furioso por ter sido reformado por causa de sua tuberculose. Picasso e Brancusi ficaram em Montparnasse. Apesar de tudo existem fofocas engraçadas. Você se lembra daquela estilista tímida e morena que encontramos diversas vezes na casa de Misia? Sim, aquela que fazia bonitos chapéus de palha bem simples que você comprou, a Coco Chanel. Depois de Paris e Deauville, ela abriu uma casa de costura em Biarritz. O que ela faz com tecidos de jérsei é bem minimalista, masculino, até, e muito Europa em guerra. Estamos longe do esplendor de Poiret. Mas eu acho que vai lhe agradar muito.

Acima do salão de beleza, Helena adaptou um apartamento, bem prático para ela que trabalha dia e noite. Enquanto espera coisa melhor, sua família se instala ali. Algumas semanas depois, Edward encontra um amplo apartamento no Upper West Side, para o qual eles se mudarão. Helena, contudo, detesta esse bairro, um pouco "judeu" demais para seu gosto. Alguns anos depois, eles chegarão às proximidades do Central Park, o que corresponde melhor à ideia que ela faz de sua nova posição.

Edward cismou em comprar uma casa de campo. De tanto procurar, ele acabou encontrando o lugar sonhado. Era uma mansão Tudor, situada em Greenwich, em Connecticut, a apenas uma hora de carro de Nova York. Por si só o endereço é um encanto: *Old Indian Chase.* Chega-se à casa, batizada de "Tall Trees", por uma via margeada por forsítias douradas. Três belos caminhos sombreados levam a um lago a um nível abaixo.

Naquele canto verdejante, a natureza se parece com a Normandia, recortada por vales, que Helena aprecia por sua calma e por seu clima. O lugar é ideal para as crianças, que moram lá durante a semana com o preceptor John O'Neal, enquanto os pais trabalham em Nova York. Não pediram a opinião de Roy ou de Horace, mas, por sorte, eles logo se sentem muito felizes em Greenwich. Navegam no lago, constroem castelos de areia na praia de Long Island Sound, aprendem a nadar no oceano, acampam, brincam nos bosques. Eles se dão bem com John, que lhes serve ao mesmo tempo de pai e de mãe, auxiliado por um esquadrão de babás, as "mulheres gentis", como Helena as apelida.

Uma das raras fotos de família mostra a mãe e os filhos na praia, no verão de 1918. Os dois meninos estão contentes e sorriem para a câmera. Usando uma roupa de banho preta sem mangas e um boné, Helena posa entre os dois filhos. Ela parece pensativa, muito longe do divertimento dos filhos. Sem dúvida está pensando nos negócios. Não existem muitos documentos nos quais toda a família esteja reunida. Talvez as oportunidades sejam muito raras.

O encanto confortável e despretensioso da mansão convém perfeitamente a Helena. Ela se sente tão bem nela que a manterá até o fim da vida, embora volte lá com regularidade apenas depois da guerra. A decorou rusticamente, mantendo o gosto pela mistura de estilos e de épocas, imitação e do verdadeiro, do belo e do bizarro, misturando uma coleção de patos de madeira com opalinas preciosas, móveis rústicos com quadros de mestres.

Às sextas-feiras à noite, Edward suplica inutilmente para irem encontrar os meninos; ela finge que não ouve. Ainda não terminou o trabalho, argumenta; tem de ficar em Nova York; chegará no sábado de manhã, ou talvez, à tarde, depois de ter passado pela fábrica de Long Island, já em construção. Somente dois diazinhos, ele insiste; afinal, não é muita coisa. Faça isso por seus filhos, pelo menos; eles precisam de você, não a viram a semana toda.

Helena negocia, concilia, consegue trabalhar no sábado em troca do domingo de folga. Ela faz o possível para não fazer nada nesse dia. Levanta-se cedo, dá telefonemas, escreve cartas, surpreende as crianças que brincam com o tutor. Eles, porém, estão muito ocupados, construindo uma cabana no jardim para lhe dar um pouco de atenção. Ficar sem fazer nada a enerva. Então, ela arruma os armários, separa as roupas, muda os móveis e os objetos de lugar.

Depois do almoço, Edward e Helena ficam no jardim. Prometeu descansar um pouco; manterá a palavra. O veranico amarelou os bordos e os carvalhos, o calor do mês de setembro é tão intenso quanto o do verão. Deitado numa espreguiçadeira, vestindo uma camisa de manga, chapéu de palha na cabeça, Edward se concentra na leitura de uma edição antiga. Vindos da floresta próxima, ouvem-se os risos agudos das crianças que acabam de fazer a cabana, e a voz máscula do tutor.

Helena está sentada numa espreguiçadeira, à sombra de um carvalho. Numa mesa baixa, a seus pés, estão os jornais femininos, um jarro de laranjada fresca e dois copos.

O verão foi tão quente, e o sol tão forte que ela logo pensou em cremes protetores para o rosto e o corpo. Edward escreveu textos publicitários. Foi uma ideia verdadeiramente genial de sua parte; é a primeira vez que um fabricante de cosméticos utiliza a ciência para justificar as qualidades dos produtos de beleza. "Quero evitar os problemas causados pelo sol nas peles sensíveis. O sol se compõe de raios de diferentes cores, entre os quais os ultravioleta (...). O novo preparado de Madame criará uma barreira contra esses raios, impedindo a formação de manchas e o escurecimento da pele (...)."

Isso lhe oferece de imediato o aval científico que ninguém além dela possui em sua profissão. Ela fica satisfeita com as palavras empregadas, mas talvez fosse necessário refinar o estilo das frases, ser mais preciso e, sem dúvida, mais direto na abordagem. Se vira várias vezes para o marido para discutir a questão, mas Edward adormeceu, com o livro no colo. Ela pega a *Vogue,* a folheia, novamente a larga, abaixa as pálpebras. Imediatamente os números dançam na sua mente. Quantas clientes vieram nessa semana? Quantos tratamentos? E qual foi o montante dos negócios? Em seguida, seu pensamento se evade de todo. Ali, ela está em Melbourne, em Londres, em Paris. Está em outro lugar, em todas as cidades americanas nas quais logo vai se instalar.

Então pensa na rival, de quem basta o nome para enfurecê-la. Elizabeth Arden acrescentou à sua linha principal uma série de produtos adstringentes e cremes. Seu desenvolvimento parece frenético: Ardena Orange Skin Food, Ardena Astringent Cream, Ardena Anti-Wrinkle Cream. Como resposta, Helena criou produtos de maquiagem, um desmaquilante, o "Creme pasteurizado", e seu incontestável best-seller, o *Water Lily Cleansing Cream,* descrito como um "creme rejuvenescedor de luxo". Seu creme *Valaze* original se transformou, nos Estados Unidos, num "renovador de células da pele".

A atividade das duas concorrentes é paralela. Quando as publicidades que Madame publica afirmam que ela é "a maior especialista viva em beleza", as de Arden insistem no fato de que "dedicou a vida a estudar sua especialidade na América, em Paris, Londres e Berlim". Quando

Arden organiza cursos de ginástica em seus salões, Rubinstein faz o mesmo.

— *We never met*, nunca nos encontramos — replica Helena num tom seco, quando lhe perguntam o que pensa da Outra...

Por dentro, está furiosa. Já se viu alguém mais gói do que essa falsa loura que se deixa fotografar com seus cães e seus cavalos? Sua clientela se parece com ela? Não é motivo para não querer conquistá-la.

A moeda tem outro lado.

Helena e Edward se afastam um pouco mais cada dia. Ela se concentra nos negócios, ele frequenta Greenwich Village cuja fauna intelectual e artística é gêmea da de Montparnasse. Em alguns aspectos é muitas vezes a mesma, pois a guerra expatriou inúmeros artistas parisienses. Duchamp, Matisse, Picabia à frente, ali se instalaram, atraídos pela descontração do lugar. Porque o bairro deseja ser o *point* dos boêmios chiques, o lugar de reunião da vanguarda.

Ali se encontram poetas, feministas, escritores engajados, anarquistas. Todos os radicais da cidade saíram do Centro, para escapar da frieza dos arranha-céus e do puritanismo do ambiente, seguindo o exemplo de Mark Twain, Henry James ou Edgar Poe no final do século precedente. Os aldeões de Greenwich celebram o amor livre, a homossexualidade, a ausência de tabus e de códigos morais, e condenam a ordem burguesa. Eles vivem em comunidades que dão as costas à Igreja.

Uma das figuras incontornáveis é Mabel Dodge, filha de um banqueiro e divorciada de um rico arquiteto. No número 23 da Quinta Avenida, ela mantém o salão mais célebre de toda a história dos Estados Unidos. Todas as quartas-feiras à noite, ela mistura mendigos e milionários, artistas e mundanos, filósofos e reformadores, Peggy Guggenheim e Emma Goldman, Leo Stein e Djuna Barnes, num ambiente de liberdade sexual e de drogas ilícitas, especialmente maconha e cocaína. Suas festas desenfreadas querem reproduzir aquelas oferecidas na Rive Gauche parisiense.

Adepta do amor livre, Mabel, arquétipo da "New Woman", a nova mulher, multiplica as aventuras com os dois sexos. John Reed, jornalista e militante comunista, integra a lista de seus amantes. Seu dinheiro serve para financiar *The Masses*, um jornal literário de extrema esquerda, bem como numerosas associações feministas. Em outro jornal, sindicalista, ela mantém uma coluna que populariza o freudismo. Em 1916, muda-se para Taos, no Novo México, com seu terceiro marido, afirmando, sem dúvida, que o bairro está mudando. Nada de novo nisso. Desde o surgimento do Village, seus habitantes repetem e continuarão a repetir mais de um século depois: "Greenwich Village não é mais o que era."

Edward Titus se sente muito mais à vontade no meio dos intelectuais do que nos salões de sua mulher, ainda que os produtos de beleza lhe permitam ganhar a vida. No Lafayette, no Reggio, no Breevort, nos cafés da moda, ele encontra com alívio seus amigos, Eugene O'Neill, Man Ray, Dada, Leo Stein, o escritor E. E. Cummings que se engaja com Dos Passos e Hemingway quando os Estados Unidos entra em guerra.

Todo esse pequeno mundo se diverte loucamente com brincadeiras dignas de colegiais. Em janeiro de 1917, Marcel Duchamp, John Sloan e outros quatro do Village, completamente bêbados, sobem ao alto do arco de Washington Square e declaram Greenwich Village "República Livre e Independente",[14] soltando balões sobre a cidade.

A vida de fato começa às quatro horas da tarde. Frequentemente, Edward só retorna ao amanhecer. Ou então ele convida os amigos para a sua casa. Helena não gosta de todos eles, mas ela escuta as conversas com a mesma atenção interessada que tinha em Londres e Paris. Além do mais, essas noitadas são excelentes para promovê-la. Basta convidar alguns jornalistas e, no dia seguinte, toda a imprensa cita seus jantares nos quais, graças a Edward, a fina flor dos artistas falidos e do capitalismo nova-iorquino se mistura.

Incorrigível Edward. Ele não consegue deixar de enganá-la. Ele arruma desculpas sem dificuldade argumentando que, tal como as crianças, sofre com as ausências dela. As "mulheres gentis" que se sucedem na casa de campo são jovens e quase sempre encantadoras. Inevitavelmente, Edward sucumbe ao charme de uma delas, uma australiana com a qual ele parte para Chicago, para passar alguns dias agradáveis.

Sempre vigilante, porém, quando se trata de seu marido, Helena suspeita de sua ausência e contrata um detetive particular para vigiá-lo. O relatório é implacável: o casal ilegítimo se hospedou no mesmo hotel, com nome falso. Ferida, ela hesita em acreditar na nova infidelidade. Mas quando o detetive exibe fotos e recibos não há mais dúvidas sobre a traição.

Helena está duplamente triste. Dois meses antes, naquele hotel de Chicago, ela se reconciliara com Edward depois de uma briga ainda mais violenta que as anteriores. Eles tiveram uma noite de amor como há muito não acontecia. Tranquilizada, feliz, tinha dormido em seus braços. Teriam um recomeço — pensou ingenuamente.

Outra vez a raiva a dominou. O enorme colar de rubis que ela se deu de presente imediatamente não conseguiu consolá-la. Agora era demais, não deve se deixar humilhar mais. Eles têm de se separar. Durante alguns dias se cala, refletindo sobre a estratégia a adotar.

Edward anuncia que ele deseja passar o Natal com ela e as crianças. Ela se enraivece de novo. Esquecendo qualquer tática, lhe envia pelo correio o relatório do detetive. Arrasado por ter sido seguido e apanhado, Edward se zanga e a partir daí se recusa a falar com ela.

Vem bem a calhar; Helena não tem mais nada a lhe dizer. Ela pede a separação dos bens e compra a parte australiana dele. Magnânima, manda estabelecer um acordo financeiro sobre o restante dos bens.

No entanto, eles não se divorciam, pelo menos, não ainda. Ela não consegue; aliás, ele também não.

Rubinstein pega a estrada

A guerra, que atingiu o auge na Europa, não é a primeira preocupação de Helena Rubinstein. Passo a passo ela prossegue sua expansão americana. Depois de Nova York, abriu seus salões em Boston, Filadélfia, San Francisco. Contratou equipes para tomar conta de cada um deles, dedicando-se a estruturar seu negócio. A elaboração, a fabricação e o condicionamento dos produtos acontecem na fábrica de Long Island finalmente pronta. A estratégia de marketing se constrói em seus escritórios nova-iorquinos. Até a venda nos institutos, cada fase é cuidadosamente pensada. Os Estados Unidos fizeram dela a presidente de uma multinacional que não para de crescer.

Nos Estados Unidos, não existe controle legal da publicidade. Para lançar um produto, basta ter em mãos uma fórmula, capital e imaginação.[1] O rigor de Madame, que faz com que verifique se as matérias-primas que utiliza não são tóxicas, e controle os resultados obtidos, obriga a maioria de seus adversários a imitá-la. A ciência da qual ela é a primeira a reivindicar é também um dos mais importantes trunfos. Para solidificar essa imagem, ela posa de jaleco em seus laboratórios, ao lado dos químicos, e martela seu conceito: *A Ciência a serviço da Beleza.* A partir daí, todos os concorrentes competem com propagandas pseudocientíficas e chegam a oferecer provas de sua eficácia. "Meus princípios estimularam a concorrência e a obrigaram a revisar seus métodos. Isso me fez justiça, envergonhando os exploradores da credulidade feminina", escreve.[2] Nada disso, porém lhe basta; ela quer expandir mais. Manka tem de vir ao seu encontro. Helena a espera, impaciente. Abrir salões em cada cidade dos Estados Unidos é uma atitude muito arriscada, muito onerosa também. Ela vai ter de adotar uma tática de venda diferente.

Ela hesita, contudo. Deve abrir mão de sua regra de ouro de nunca vender seus produtos fora de seus institutos de beleza? É o momento de democratizar a marca? Formadas por ela, suas vendedoras demonstradoras têm competência para aconselhar as clientes e verificar se suas compras estão de acordo com suas necessidades. Nenhuma de suas linhas, cuidados da pele e dos cabelos, maquiagem, perfumaria, deve ser utilizada ao acaso. Lançar Helena Rubinstein no *mass market*, mesmo que de alta qualidade, corre o risco de desvalorizá-la.

Por outro lado, ela não pode mais ignorar a demanda dos revendedores. Os diretores das grandes lojas, como a City of Paris, em San Francisco, o Marshall's Field, em Chicago, ou o Bullock's, em Los Angeles, insistem em fazer parte de seus fornecedores. Nas cidades de menor importância e nos subúrbios urbanizados, as farmácias e as marcas de beleza procuram-na.

As secretárias, as telefonistas, as enfermeiras, as esposas no lar dos executivos que emergem numa sociedade na qual a classe média representa mais de 5 milhões de pessoas, querem ser tratadas como os ricos, mesmo que a renda não lhes permita frequentar salões de beleza tão luxuosos quanto os seus. Uma nova classe de ociosas, ávidas de lazeres, emergiu. Elas ocupam o dia percorrendo as lojas, os salões de massagem, de cabeleireiro, as matinês dos espetáculos teatrais. As ativas, as *urban career women* — mulheres profissionais urbanas —, não ficam a dever nessa pesquisa ávida por beleza e prazeres. Umas e outras exigem sua parte de sonho.

A conquista da América não diz mais respeito apenas à elite. Agora, é preciso se dirigir ao maior número. Madame, que começa a compreender, logo fará disso um dever. Aceitar as propostas dos revendedores? Que seja. Mas ela impõe condições. A formação das clientes segundo seus princípios de vida saudável é importante demais para ser negligenciada, é o que afirmará a durabilidade de sua marca, e o que a manterá no futuro. Todo o pessoal deve ser instruído nesse sentido.

Ela abre uma escola de beleza em Nova York, na qual as futuras vendedoras, treinadas durante seis meses, poderão ter acesso ao seu saber. O curso custa de 250 a 500 dólares, mas o diploma é uma dádiva para um considerável número de jovens mulheres desejosas de exercer uma função.

Helena Rubinstein não inventa a prática de esteticista, que já existia, mas confere a ela uma situação, uma estrutura e, sem dúvida, o reconhecimento daquilo que daí em diante será uma verdadeira profissão. "Desde que iniciei, sonhei com a formação profissional feita com seriedade, com a instrução especializada do pessoal da beleza, com a aprendizagem legitimada por diplomas de mestrado."[3]

A fim de aprimorar cada detalhe, essa perfeccionista quer verificar pessoalmente os lugares nos quais as lojas varejistas se situam, suas dimensões, sua clientela, sua confiabilidade. Os usos dos meios de distribuição poderiam lhe permitir passar por atacadista para vender seus produtos, mas isso não a satisfaz. Ela faz questão de encontrar os depositários, de manter contato com eles, a fim de vigiar suas relações com a clientela particular.

Helena apela a Edward, com quem se reconciliou bem oportunamente, para cuidar das crianças durante os meses em que ela estiver fora. Assim que Manka chega a Nova York, no início do ano de 1917, depois de ter atravessado a Europa em guerra, está tudo pronto para a grande partida. As duas irmãs tomam o trem, arrastando atrás de si camareiras, demonstradoras, assistentes e um monte de bagagens.

Esse "Great Rubinstein Road Tour" é tão eficiente quanto impressionante. Viajando por trilhos ou por estradas, quando a via férrea não existe, um dia em Atlanta, no outro, em Kansas City, Helena e Manka se sentem como duas atrizes em turnê.

Seus dias não contam nunca menos de 18 horas. Todas as noites elas dormem num hotel diferente ou numa cabine do Pullman, sem tempo para desfazer as malas. "Acho que nunca trabalhei tanto na minha vida, eu que, contudo, nunca fiquei sem trabalhar em momento algum", escreve Helena.[4] Manka, que descobre os Estados Unidos como a irmã mais velha dois anos antes havia feito, se extasia diante das paisagens vistas através das janelas do vagão. Há brigas, acessos de riso, raiva, crises de nervos, cansaço, cumplicidade também, e sempre a sensação de ser uma pioneira, o que agrada tanto a Helena.

A viagem delas é ao mesmo tempo estimulante e exaustiva, mas, sobretudo, muito eficaz. Cidade após cidade as Rubinstein estendem sua malha. A linha *Valaze*, a mais básica, será vendida por uma rede de agentes comerciais nas farmácias dos subúrbios um pouco chiques. Os cremes mais preciosos da marca, como o *Water Lily Cleasing Cream*, são reservados às lojas de primeira grandeza e aos *department stores* de maior prestígio.

Durante o dia, as irmãs Rubinstein apresentam os cuidados de beleza e dão consultas particulares às clientes. Quando a noite chega, elas treinam as vendedoras para se tornarem demonstradoras qualificadas. Helena insiste para que os patrões delas as encaminhem para a escola de esteticistas de Nova York, financiando-lhes o curso. Ela própria oferece os uniformes e os mostruários com as cores da marca. Essas técnicas de venda e de marketing são revolucionárias para a época. Helena Rubinstein pode se gabar com razão de tê-las criado. "O ofício de demonstradora, hoje conhecido no mundo todo, é de fato invenção minha. Tenho especial orgulho disso."[5]

Manka e ela adotam como princípio vestir-se com a mesma elegância que as parisienses. É preciso fazer valer o dinheiro das clientes e impressionar a imprensa que acompanha seus deslocamentos com particular interesse. Em Boston, observa o jornal local: "Madame Rubinstein usava um vestido vermelho-tomate e oito fileiras de pérolas negras. Oitocentas mulheres estavam encantadas com o curso sobre como cuidar da pele e se maquiar para sair."

Seu sotaque europeu, sua elegância francesa intrigam muito mais o público do que tudo o que ela possa contar. Diferentemente de quando, nos salões mundanos, ficava taciturna, Helena fala sem parar. Como um pregador diante de seu rebanho, ela divulga sem se cansar suas certezas profundas sobre a higiene, o cuidado e a hidratação da pele, a ginástica facial, os regimes alimentares, as massagens, o exercício físico. "A beleza não é nada sem a manutenção do corpo", ela martela como um mantra. Seu carisma cativa, suas promessas parecem convincentes.

As mulheres que se aproximam dela por curiosidade e se mostram zombeteiras ou céticas, ainda acreditam, em sua maioria, nas virtudes de um simples *cold cream*. Outras nem mesmo conhecem seu uso. Elas a escutam, no entanto, com atenção, deixam-se facilmente convencer e sempre partem com um saquinho cheio de produtos que devem ajudá-las a conservar — ou recuperar — a juventude. Além de suas substâncias reais ou supostas, esses preciosos elixires contêm o tanto de paixão que Madame Rubinstein neles colocou. Sua eficácia é também consequência da fé insuflada por sua criadora.

Nas noites de sexta-feira, se não está muito distante de Nova York, Helena toma um trem e percorre quilômetros para passar 24 horas com a família. Parte novamente no fim da tarde de domingo. "Hoje, eu entendo que uma '*week-end mother*', mãe de final de semana, não basta para as crianças", dirá ela no fim da vida à jornalista inglesa Jean Lorimer. "Dei aos meus filhos todo conforto e dinheiro que um ser humano pode receber, mas será que lhes dei bastante de mim mesma? Creio que não. Gostaria de viver trezentos anos para pôr tudo em ordem na minha vida."[6]

Iniciada na Austrália, melhorada na Europa, aprimorada nos Estados Unidos, a técnica Rubinstein é infalível. Quando Helena finalmente voltar para Nova York, ao final de uma turnê de alguns meses que dá muitos frutos, Manka a substituirá. Durante anos, ela continuará a percorrer o país de leste a oeste e de norte a sul, para formar as revendedoras e suas equipes. Nos anos 1930, Mala, a filha da irmã Regina, a substituirá.

Elizabeth Arden tem por que se preocupar. Em dois ou três anos, Madame vai se tornar uma celebridade em toda a América. Suas clientes agora podem escolher: obter os produtos por correspondência ou comprá-los nas grandes lojas e laboratórios dos farmacêuticos. Todas adoram o khôl oriental, utilizado desde Cleópatra, e que ela trouxe de volta para a moda. Elas apreciam as cores sutis de sua linha de maquiagem, que ela descreve — tecendo a metáfora com a arte que ela venera — como "obras-primas da cosmética".

Embora continue inspirando-se nas atrizes de teatro, as estrelas do cinema mudo que entusiasma os americanos também são para ela fonte de ideias preciosas, tanto para o marketing quanto para a criação de novos produtos. As redatoras de moda entrevistam Mary Pickford, Lilian Gish ou Gloria Swanson sobre o modo de se vestirem ou sobre suas receitas de beleza. As atrizes fazem mais para a adoção da maquiagem do que qualquer movimento feminista. Helena as contrata, uma após outra, para promover a marca.

Símbolo sexual antes da hora, Theda Bara, que atua e posa seminua, provoca especial admiração do público. Com ou sem razão, a estrela acha que seu olhar não é valorizado pelas câmeras como mereceria. Ela procura Helena para valorizá-lo. Inspirada por sua beleza, Madame cria a linha *Vamp* especialmente para ela, em homenagem ao papel de vampira no filme mudo *The Fool There Was*.

O efeito produzido é tão espetacular que a palavra *vamp* passa para a linguagem popular. Todos os jornais falam a respeito. As clientes pedem a mesma maquiagem. "A confusão feita em torno disso tudo", Madame acha graça, "não foi nada, porém, comparado com o escândalo produzido no dia em que Theda Bara exibiu as unhas dos pés... pintadas de vermelho!" Ainda falta muito para que as mulheres possam fazer o que quiserem com seu corpo.

No trabalho, a exigente Helena Rubinstein provoca ao mesmo tempo amor e temor. Ela exige que seu pessoal trabalhe tão duro quanto ela e exige o melhor dele. Eles devem estar presentes depois das horas regulamentares, tarde da noite se for preciso, devem passar os fins de semana em alerta. Seu caráter se endureceu, responsabilidades crescentes a obrigam a não deixar passar nada. Sua personalidade, como a de todos os gênios, apresenta múltiplas facetas. Ela pode se mostrar caprichosa, impulsiva, tirânica, mas também astuciosa, cheia de humor e generosa.

Ela própria nunca dá atenção a si mesma, contudo, teria alguns motivos para se queixar. Sofre de enxaqueca crônica e de má circulação sanguínea. Em Nova York, espera o fim da guerra para encontrar-se, em Wiesbaden, com o doutor Kapp, cujas loções e os tratamentos conseguem aliviá-la bastante. A doença a enraivece; é como que perda de tempo, sobretudo quando são os outros que sofrem. Quando uma vendedora, uma secretária, uma preparadora ficam de cama, ela lhes telefona imediatamente, apesar do horror que tem de esbanjar dinheiro com telefonemas, e depois de pedir notícias, lhes recomenda passar creme hidratante no rosto "para não perder tempo".

Tem pavor de conceder um aumento. Para recompensar os "bons empregados", ela, às vezes, oferece um bônus, sem recibo. Prefere oferecer objetos, quadros, joias ou móveis, de segunda categoria. Apesar de todos os seus defeitos, seu pessoal a venera. Seu carisma é irresistível e além disso, ela faz tanto pelas mulheres.

Em novembro de 1918, a guerra finalmente termina. Helena está impaciente para voltar à Europa, mas, antes de tudo, é preciso colocar em ordem seus negócios americanos. No início da primavera seguinte, ela volta à França sozinha, deixando seus salões, sua fábrica, a vigilância de sua rede de revendedores nas mãos de seus diretores.

Um pouco contra a vontade, Edward passa o verão com as crianças em Greenwich. Ele também tem pressa de voltar à França. Sente falta de Paris; muitos amigos seus já estão lá. Mais do que tudo, ele deseja se afastar do universo Rubinstein para viver suas verdadeiras paixões: a leitura e a escrita. Voltar a ser jornalista, abrir uma livraria em Montparnasse e, talvez, uma editora são os únicos sonhos que o absorvem.

Como os beligerantes, o casal assinou um armistício. Separados de fato, Helena e Edward ainda estão juntos aos olhos do mundo e, sobretudo, da mídia. Eles formam uma família unida, até segunda ordem.

Paris é uma festa

A Conferência de Paz, organizada pelos países vencedores, foi inaugurada no início de 1919, no quai d'Orsay. Enquanto as quatro potências redesenham o mapa da Europa, Paris oscila entre a tristeza e a euforia. Helena não reconhece mais sua cidade. Soldados desocupados se arrastam pelos bulevares, sombras pálidas em uniformes manchados de sangue e de lama. Nas esquinas das artérias mais frequentadas, civis amputados mendigam alguns tostões para sobreviver. A capital exibe feridas mal cicatrizadas, vitrais de Notre-Dame substituídos por papel amarelo, crateras de bombas nas Tuileries, calçadas privadas de seus castanheiros, derrubados para servir de lenha. Faltou de tudo, lenha, carvão, leite, pão, gás, e a escassez ainda se faz sentir.[1]

Chorando, a França faz o levantamento de suas perdas. Um milhão e meio de mortos, 4 milhões de inválidos, o preço a pagar é muito pesado. Mas essa guerra é a *der des ders*, a última das últimas, pelo menos, todos esperam. "Tem-se a impressão de que as ruas nunca mais vão se esvaziar, e que de um amanhecer a outro, de uma ponta a outra de Paris, veremos se comprimir durante anos esse mundo alegre, colorido, cordial e entusiasta", escreve Maurice Sachs depois do desfile do 14 de julho que se segue ao armistício. Ele acrescenta: "Nunca mais veremos semelhante espetáculo porque não haverá mais guerra."[2]

Naquele dia, Paul Poiret reata com sua tradição festiva e dá um grande baile para celebrar a vitória. Muitos outros virão durante os anos do pós-guerra quando as pessoas querem sobretudo se divertir. Do faubourg Saint-Germain, que começa a entreabrir seus pesados portões para mostrar aos mortais como vivem os deuses — uma democratização que não agrada aos esnobes — até Montparnasse que desabrocha, Paris domina. Os balés suecos se tornam tão concorridos quanto os balés russos. Os bailes suntuosos de Etienne de Beaumont, os bailes de Bullier, os bailes das Quat'zarts, os da Casa Watteau, estão entre os mais notáveis.

Tudo é pretexto para regozijo; são incontáveis os concertos, as revistas sobre plumas e paetês, as orquestras que suingam. O ar rumoreja com notas mais suaves aos ouvidos que o som do canhão. A bateria substituiu as bombas, o trompete faz esquecer o grito lancinante das sirenes de alerta. O jazz vindo de Nova Orleans marca o ritmo das noites parisienses. No final de 1917, antecipando a moda, Jean Cocteau e Eric Satie organizaram um concerto no Vieux Colombier, *Rhapsodie nègre* de Francis Poulenc, tocada por soldados negros.

À surda melancolia, ao sentimento de culpa por estar vivo e inteiro, se sobrepõe um frenesi sem igual. "Uma explosão de forças vivas preenche o mundo", segundo Fernand Léger. Em lugar algum a exaltação dos Anos Loucos é mais palpável do que no ambiente parisiense. Parecia que todo o talento e toda a sensibilidade artística do planeta tinham marcado encontro ali: Gertrude Stein, Djuna Barnes, Ernest Hemingway, James Joyce, Picasso, Chagall, Pascin, Dos Passos, Sinclair Lewis, Kisling, Miró, Foujita, Man Ray, Marcoussis, Prokofiev, Stravinski, Brancusi que prefere jogar golfe a frequentar cafés. Muitos já moravam na capital antes da guerra.

Helena exulta; tudo o que é novo a encanta. E Paris é uma efervescência de ideias onde, assim que lançadas, todas as invenções se materializam. A rádio, cujas primeiras tentativas foram transmitidas da torre Eiffel, a coqueteleira, as pistas de patinação sobre rodas, os dancings, o gramofone, o 5CV — primeiro carro popular, criado por André Citroën —, o cinema, inicialmente mudo, com suas estrelas importadas dos Estados Unidos.

A América está na moda, aliás, e os americanos desembarcam pela segunda vez. Os soldados que combateram na França retornam, seduzidos pela doçura de viver, a alimentação, as mulheres bonitas, a leveza do ambiente sem tabus. O dólar alto e o franco baixo permitem que se viva regiamente. Os ricos vieram depois, Scott e Zelda Fitzgerald à frente.

O álcool jorra aos borbotões, ao passo que, nos Estados Unidos, a proibição exige que se beba escondido. Para Samuel Putnam, escritor e amigo de Edward Titus, a história dessa geração não é apenas a da Europa, mas "também parte da memória cultural e social americana".[3]

Se a capital é o centro do mundo, Montparnasse, "pequena província de Paris que diverte como uma viagem ao estrangeiro",[4] é seu umbigo. Artistas e boêmios, marchands e turistas atraídos pela fama do lugar perambulam no quadrilátero sagrado delimitado por La Coupole, La Rotonde, Le Dôme, o Café du Parnasse, La Closerie des Lilas, Le Dingo, Le Jockey, Chez Rosalie. O jazz, o foxtrote, o charleston, o one-step, marcam o ritmo das noites e dos dancings nos quais se misturam pintores e costureirinhas, aristocratas e prostitutas. Os músicos americanos são parte integrante da paisagem parisiense, como os garçons italianos e os motoristas de táxi russos.

Jean Cocteau, que reina numa tribo intelectual, é o "Senhor mil volts" da época, tão elétrico quanto uma estrela do rock.[5] Todos os sábados, o escritor convida os amigos para a rue d'Anjou, na qual ele vive com a mãe. Mais tarde, o pequeno bando vai ao Gaya, um bar situado na rue Duphot, no qual o pianista Jean Wiener toca. Depois, em 1921, o grupo se instala no cabaré do *Bœuf sur le toit,* assim batizado por causa de um balé pantomima de Cocteau, com partitura de Darius Milhaud e cenário de Raoul Dufy.

Paredes decoradas com telas de Picabia e fotografias de Man Ray, um grande piano de cauda no qual Clément Doucet e Jean Wiener tocam jazz acompanhados por uma orquestra negra, um ambiente elétrico no qual os pássaros noturnos vêm pousar desde o crepúsculo, e nunca voam antes do alvorecer. O *Bœuf sur le toit* é *the place to be* — o lugar certo —, um lugar caloroso, ritmado, exótico, no qual se encontra o público dos balés russos. Duke Ellington, Louis Armstrong tocam ali.

Mulheres bonitas se relacionam com escritores, músicos, pintores, publicitários, homens de negócios, poetas. Ali as pessoas se embriagam de glória e de álcool.[6] "Todo mundo encontra todo mundo no Bœuf", afirma Cocteau, promovido a mestre de cerimônia, tanto que um jornal belga lançou a fórmula: "Um cocktail, vários Cocteau." Misia, com quem Helena se encontrou rapidamente, lhe contou todos os movimentos daquela Paris artística engraçada, mundana, Dada, os surrealistas, os ditos espirituosos que brotam com a rapidez do relâmpago, os novos amores e as separações. Nova York eletriza Helena, é certo, mas só em Paris as pessoas se divertem tanto.

Antes de tudo, é ainda e sempre o trabalho que a motiva e obceca. No barco que a levou de volta à Europa, ela leu um anúncio publicado num jornal francês, datado de várias semanas. Havia um local à venda, 126, rue Faubourg-Saint-Honoré, a alguns metros de seu salão de beleza. Ela estava pensando em expandir. Um telegrama para a irmã Paulina permitiu-lhe informar-se melhor. Ao chegar a Paris, a transação foi logo concluída.

Sem tardar, inicia os trabalhos de modernização e pede ao velho amigo Paul Poiret para cuidar da decoração interior. Com a ajuda de seu ateliê Martine, o costureiro imagina um mostruário voluptuoso, com o toque orientalista inspirado nos balés russos, matizado com a modernidade da época. O novo salão é a quintessência do estilo art déco, com poltronas club e seus pufes de veludo inspirados em Chareau e Ruhlmann. Helena expõe quadros, esculturas, estátuas negras. Suas coleções ficaram espalhadas durante sua ausência, mas graças à obstinação, ela pôde recuperar grande parte delas, às vezes, recomprando-as. "Mas foi um prazer", comenta.

Na França, como nos Estados Unidos, as mulheres mudaram. A guerra lhes deu responsabilidades semelhantes às dos homens. Elas cuidaram dos feridos, conduziram carros militares, dirigiram empresas, substituíram os ausentes na fábrica, na fazenda. E agora, como voltar comportadamente para casa? Elas se emancipam; a cada dia dominam um pouco mais a situação. Os grandes cursos ainda lhes são proibidos, as universidades as recebem moderadamente, mas um diploma não é mais motivo de espanto, um emprego não é mais uma desonra. Até mesmo as esposas trabalham. Elas são datilógrafas, professoras primárias, vendedoras, moças dos Correios, e também doutoras, advogadas, professoras de faculdades. Elas querem tudo: independência financeira, igualdade, liberdade, o fim das convenções e dos tabus como prega a máxima da moda: "*É ruim porque é bom, é bom porque é ruim.*"

Elas saem, fumam, se maquiam, dirigem, expõem a sexualidade, se disfarçam de homem ou encurtam as saias, se requebram nos night clubs até o esgotamento, dissertam sobre a *libido* e invocam Sigmund

Freud, cuja *Introdução à psicanálise*, publicada em 1916, em Viena, marcou as mentes. Está tudo de cabeça para baixo. As pessoas se casam por amor, o flerte é permitido, o companheirismo com os homens também, as divorciadas não são mais banidas da sociedade, as cortesãs se escondem na frente do palco.

Os novos ícones são as *flappers* americanas, atraentes e provocadoras, que substituíram a *Gibson girl*. O nome vem do hábito que adquiriram de desfazer o laço dos calçados de chuva que fazem *flip flap* quando elas caminham. Altas e magras, só braços e pernas, tiram de moda as curvas e as roupas folgadas do século precedente. As palavras "linhas", "reto", "simples", se atropelam nos livros de moda.[7]

A aparência acompanha esse movimento de base. A mulher moderna não tem mais formas, porém, dá a impressão de ter crescido.[8] Em dez anos, o peso ideal, de acordo com o *Jardin des Modes* e a novíssima *Vogue* francesa, diminui dez quilos. Persegue-se o pneuzinho, a celulite. Para se manterem magras, as coquetes se prestam a todas as torturas. Nutricionistas, pílulas, massagens, cirurgia, cocaína. É a droga da moda, a do "dois coelhos com uma cajadada só", que corta o apetite e ajuda a aguentar horas nas pistas dos dancings.

As jovens liberadas adotam o rímel, o batom, o blush. Arden, Rubinstein, Guerlain criam retículas, bolsas no mais puro estilo art déco, e maravilhosas caixas de pó e tubos de batom que parecem joias. A maquiagem se torna o emblema dessas atrevidas que retocam os olhos e pintam a boca em público como provocação e também porque um intenso sentimento de liberdade as anima. O perfume é o apanágio das mulheres emancipadas. Chanel triunfa com seu número 5.

Em Nova York, Helena admirou um dos primeiros modelos da costureira no *Harper's Bazaar*. Um vestido camisa, sem modelagem, sem cintura, que deixa aparecer o pescoço. Ela elogiou a audácia do traje, descrita pela redatora como o *Chanel charming dress*, o encantador vestido Chanel, está tirando Poiret da moda e, com ele, a extravagância. Ela impõe o negro, as linhas puras, as silhuetas fluidas, o jérsei. Cria para as mulheres ativas, que precisam sentir-se à vontade com o corpo. Na rue Cambon, as clientes compram magreza. Todas elas copiam os cabelos agora curtos de Coco, sacrificados em 1917 no altar da modernidade. Por quê? "Porque eles me aborreciam."[9]

A moda das cabeças pequenas faz furor nos dois lados do Atlântico. Scott Fitzgerald, retratista das *flappers,* escreveu uma novela sobre o fenômeno: *Bernice bobs her hair*, Berenice corta os cabelos. Inutilmente, Colette se zanga numa de suas crônicas publicadas no *Le Matin:* "Cabelos, ó suaves cabelos femininos, que moda imbecil cortou vocês";[10] os salões de cabeleireiros não esvaziam; uma em cada três mulheres exige o crânio de adolescente. Poiret fica furioso diante dessa onda de menininhos, "telegrafistas mal alimentados!", ele explode. O costureiro se engana, a androginia é uma tendência pesada. Três anos depois, Victor Margueritte vende mais de um milhão de exemplares de seu romance *La Garçonne*, que se tornou mais do que um estilo, um substantivo comum.

Muito tempo antes, Helena tinha antecipado a moda do culto ao corpo, agora um verdadeiro maremoto. Em seu instituto parisiense, ela criou um curso de ginástica. Em Nova York, contrata o professor de balé Mikhail Mordkin para ensinar a *Rubinstein Rythmique.*

As mulheres se entregam ao esporte — tênis, golfe, bicicleta, natação —, exercitam-se ao ar livre e se desnudam como Joséphine Baker na *Revue Nègre.* No cinema, no teatro, nas revistas, nas praias de Deauville, do Touquet ou de Nice, elas mostram as pernas, os seios, as nádegas. As primeiras naturistas aparecem. Chanel, ela novamente, lança a moda do bronzeamento, deixando-se fotografar no iate do duque de Wellington e, pouco depois, em Deauville, com o rosto bronzeado. A tez dourada se torna um critério de beleza, de saúde. O Trem Azul leva as elegantes para a Côte d'Azur.

Helena, que continua sentindo verdadeira aversão pelo sol, completa sua gama de produtos protetores contra os ultravioleta. Os cuidados corporais se desenvolvem: esfoliação, depilação, beleza das pernas e dos pés. Eles não a surpreendem, pois há muito tempo estão no programa de seus institutos de beleza.

Esses progressos têm seus avessos: a culpa, sempre ela, que corrói as mulheres desde a origem dos tempos, agora se desloca para a silhueta e para o rosto. "Ser bela depende unicamente de sua vontade", martelam as revistas femininas. A fotografia de moda, que aos poucos se profissionaliza e substitui as ilustrações, lhes sugere a imagem de uma mulher cujo corpo liso e sem defeitos é retocado nos lugares certos, e cujas marcas na pele são apagadas.[11]

Helena Rubinstein tem sua parte de responsabilidade na busca da perfeição física, ela que não para de ensinar. "É preciso sempre ajudar a natureza", repete. Cabe às mulheres esculpir o ventre, as coxas, tonificar os braços, enrijecer os músculos com massagens, regimes apropriados e, evidentemente, cuidar da pele. Já que a sociedade exige que sejam jovens e atraentes, elas devem se esforçar ainda e sempre. A beleza é um esporte de combate; é preciso lutar para merecê-la.

Será que elas querem isso? É evidente. "Se você puder me mostrar apenas uma a quem isso não interesse, então eu lamento dizer, mas ela está errada", Madame dispara diante de Allison Gray, jornalista do *American Magazine*, numa longa entrevista.[12] O culto da eterna juventude não acabará tão cedo. O que há de pior para um rosto é a flacidez, sinal de que uma mulher envelheceu. Na entrevista, Madame se refere longamente à cirurgia estética da qual ela é uma defensora obstinada. Uma adepta também? Não se sabe. Ela tem menos coragem e menos tempo quando se trata de cuidar de si mesma. Mas a transformação dos rostos continua a fasciná-la.

A guerra fez as técnicas progredirem. Para corrigir os *Gueules Cassées*, os cirurgiões implantaram pele nos rostos dos grandes queimados, substituíram os ossos do rosto pelos do quadril ou pelos dos membros inferiores. Com frequência existem falhas, por vezes perda, de qualquer modo, o progresso é imenso. A cirurgiã Suzanne Noël, com quem Helena manteve contato, cuidou de tantos feridos, em muitos casos gravemente desfigurados, que passou a se dedicar à cirurgia plástica, cujos métodos aperfeiçoou. Ela pratica o lifting, a reconstrução de abdomes e de coxas, opera seios, ventre, nariz e queixo.

Mais feminista que nunca, pensa que sua especialidade tem um papel a representar na emancipação das mulheres e que ela deve conduzi-las à felicidade. O que não difere muito da opinião da própria Helena sobre a beleza. "No século XX, a amazona substituiu a odalisca. Os cuidados de beleza e os tratamentos em institutos não satisfazem apenas à vaidade, mas têm a necessidade vital de atender a um novo dever social."[13]

Nos Estados Unidos, o doutor Harold Gillies, que operou mais de 2 mil feridos no rosto por ocasião da batalha do Somme, publicou um livro sobre a cirurgia plástica do rosto. A partir de então ele se dedica aos liftings, muito procurados por lá. As americanas evoluídas não temem mais apelar para o bisturi, mas as francesas ainda hesitam. Elas detestam o que provoca dor; preferem de longe a suavidade.

Em Nova York como em Paris, só se fala do célebre doutor Voronoff, inventor de um soro rejuvenescedor à base de glândulas de macacos. O doutor Kapp o experimentou em Viena e em Berlim. Madame se gaba de ter estudado suas propriedades com eles. "Eu mesma constatei seus efeitos", ela explica mais uma vez a Allison Gray, jornalista do *American Magazine.*[14] "E posso lhe dizer que funciona! Te digo que não para todos; são necessárias mais experiências, mas é muito eficaz. Além disso, as mulheres o escolhem muito! Quando os jornais falaram dessa descoberta, eu recebi 60 mil cartas me perguntando onde o soro poderia ser encontrado..."

Madame não desiste. A beleza deve ser sempre um assunto de mulher, de todas, sem exceção, qualquer que seja sua idade ou condição. Mesmo quando têm um casamento feliz e pensam que seus maridos as amam "exatamente como elas são", se enganam! Helena é sempre dura com essas preguiçosas. É dura também com aquelas que gastam fortunas com roupas suntuosas e descuidam das precauções elementares com o rosto. "O pior é, sem dúvida, o dinheiro gasto com maquiagem. Não sou contra um pouco de blush ou de pó. Mas a maioria dos produtos que elas se aplicam generosamente é desastrosa para a beleza natural da pele."

A longa entrevista do *American Magazine* aborda todas os casos: as peles secas, as peles gordurosas, a acne, a necessidade de limpar as impurezas com loção, porque água e sabão não bastam. Madame reafirma a vontade de se dirigir ao maior número de mulheres, embora conte entre sua clientela com atrizes, mulheres da sociedade e cabeças coroadas: "Para mim, é tão importante ajudar um ser humano a se tornar belo quanto esculpir uma bela estátua ou pintar um belo quadro. As obras de arte não se encontram todos os dias na rua, elas não se sentam à mesa à sua frente."

Na casa dos Titus, estão todos dispersos. Roy e Horace foram mandados para o colégio interno perto de Nova York. Eles se encontram com os pais durante as férias escolares, especialmente com o pai, que faz questão de supervisionar a educação deles. Na maior parte do tempo, contudo, ficam em Greenwich aos cuidados do tutor e de uma tribo de tias, tios, primos, babás e baby-sitters. Aos 9 e 12 anos não é a vida com que as crianças sonham. Com certeza eles sofrem com isso, mas não têm escolha.

Uma foto os mostra com a mãe diante da casa de Greenwich, reformada pelo arquiteto modernista Schindler, decorador de seu salão de Los Angeles. Madame está usando um vestido-túnica bordado, um modelo de Poiret; os meninos usam camisas com mangas arregaçadas e calças brancas; os cabelos estão cuidadosamente penteados para trás, como os dos rapazes de boa família a quem nada falta, exceto um lar caloroso. Horace e ela estão bem abraçados, como acontece sempre que posam juntos. Roy está mais afastado e mais distante, como sempre. Essa única foto fala mais do que longos discursos sobre as relações entre os meninos e a mãe...

Edward voltou à França em 1919, alguns meses depois da volta de sua mulher. Enquanto continua trabalhando para a marca, ele colabora na revista *This Quarter* publicada pelo poeta americano Ernst Walsh e sua companheira Ethel Moorhead, e, em seguida, a partir de 1922, na *Transatlantic Review,* criada por Ford Maddox Fox, que tem o jovem Ernest Hemingway como assistente.

As relações dos Titus são sempre caóticas, suas brigas são as mesmas dos dois lados do Atlântico. Helena censura o marido por infidelidades e pelo dinheiro que ela lhe dá, embora ele continue seu assalariado. Edward a estimula a trabalhar menos para cuidar da família. Como de hábito, só faz o que lhe dá na telha e leva adiante a expansão na Europa e nos Estados Unidos.

Sua vida agora acontece entre dois continentes. Depois da abertura de um salão, ela passa algumas semanas em um de seus spas preferidos, na Suíça, na Alemanha, nos quais tenta curar suas enxaquecas e os problemas circulatórios. Ou então, cedendo à paixão por viagens, pega um navio para um país ainda desconhecido. O Oriente tem sua preferência. Em 1921, parte para a Tunísia com o pintor Jean Lurçat, seu mentor artístico do momento. Numa foto, aparece montada num camelo. Não está mais confiante do que sobre sua montaria australiana...

Ela continua, porém, obcecada pelo marido, por quem ainda está apaixonada. Seu ciúme não diminuiu, longe disso. Toda mulher que se aproxima dele é, forçosamente, uma rival. Infelizmente para ela, agressividade, nervosismo e perpétuas recriminações não colaboram para a paz do casal. Apesar do esforço que faz para se destruir, o casal continua, entretanto, unido. Ela quer investir em Paris e compra, no número 216 do boulevard Raspail, um belo imóvel moderno com fachada geométrica, iluminada por grandes *bow-windows*. Foi Edward que o encontrou, com seu faro habitual. Possuidor de um gosto infalível, ainda é o mais precioso conselheiro de sua mulher. Ele sabe reconhecer a qualidade sob todas as suas formas, e ela respeita esse dom.

Ele a ajuda a criar uma holding que adquire bens imóveis num mercado em plena expansão. Como ele fala francês fluentemente, é ele quem conversa com os advogados, relê e aprova contratos. Ele lhe sugere montar um teatro e um cinema no térreo do imóvel. Ele pensa apresentar ali recitais de poesia e peças modernas. Também gostaria de instalar estúdios para alugar aos amigos, e assim criar uma colônia de artistas em torno deles.

O casal reserva para si o apartamento duplex do 5º andar. O arquiteto Bruno Elkuken e o pintor Louis Marcoussis, encarregados da restauração e da decoração, querem ali concentrar o estilo art déco. Ambos são poloneses: não é a primeira vez que Helena emprega compatriotas. O que quer que faça, aonde quer que vá, seu país natal permanece como que um pano de fundo em sua mente.

Ela também adquire o moinho de Breuil, em Combs-la-Ville, na Normandia, que se torna sua casa de campo francesa, assim como a de Greenwich é sua casinha de campo americana. Posteriormente, ela comprará o prédio do "Jockey Club", a boate situada na esquina da rue Campagne-Première, na qual vão parar, tarde da noite, artistas e modelos, escritores e musas, em torno de garrafas de gim e de absinto. Seu proprietário, Hilaire Hiler, amigo de Edward, é uma das figuras incontornáveis de Montparnasse.

Finalmente, sempre a conselho do marido, ela compra um imóvel no número 52 da rue du Faubourg-Saint-Honoré, no qual, mais tarde, instalará seu terceiro salão e seus escritórios.

Edward acabou achando o que procurava para si mesmo. Um local minúsculo situado no coração do bairro, no número 4 da rue Delambre. Ele o transforma numa livraria com uma tabuleta esotérica: *At the*

Sign of the Black Mannikin [No rastro do manequim negro]. O logotipo, desenhado por Witold Gordon, diretor artístico de Rubinstein, representa uma silhueta negra e andrógina que, empunhando um livro numa das mãos e, na outra, uma espada, está de pé sobre uma serpente. A livraria vende edições raras, manuscritos antigos, desenhos e fotos. A fama da bibliofilia de Edward se espalha. "Titus vende seus livros somente àqueles que os amam ainda mais do que ele", explica um dos amigos jornalistas. É Helena quem paga o empréstimo.

No bairro não faltam amantes dos livros, livrarias e editoras. Em 1919, a compatriota de Edward, a americana Sylvia Beach, abriu na rue Dupuytren, a Shakespeare and Company, uma livraria de língua inglesa, que é também uma biblioteca de empréstimo. Posteriormente, ela se instalou no número 12 da rue de l'Odéon, diante da livraria de sua amiga Adrienne Monnier, "La Maison des Amis des Livres", frequentada pelo *Tout-Paris* literário que batizou essa parte do bairro como *Odéonie*.

Ernest Hemingway, entre outros,[15] descobriu a loja de Sylvia Beach ao chegar a Paris com Hadley, sua jovem mulher. Ele sempre sai de lá com um estoque de livros emprestados, mesmo quando ele não tem mais um centavo para comer. James Joyce pede que sua correspondência seja enviada para lá, desde que Sylvia Beach publicou a primeira edição de *Ulisses*, em 1922. Ela será a editora de um único livro, caso ímpar na história da edição. "Não sei como fazem os editores que publicam mais de um livro", escreve ela à sua irmã Holly.[16]

Seguindo o exemplo de Sylvia Beach, de Caresse e Harry Crosby, que fundam a Black Sun Press em 1927 e publicam D. H. Lawrence, Erza Pound ou Kay Boyle, Edward Titus decide se tornar ele também editor, tanto mais que seus estoques de livros antigos começam a se esgotar. Ele funda uma pequena editora na livraria. A tipografia se situa na rue Delambre, alguns números adiante. Ele publica traduções de escritores e poetas eruditos anglo-saxões, ilustradas por Man Ray ou Jean Cocteau. Durante seus sete anos de existência, Black Mannikin vai publicar 25 títulos, em edições limitadas. As escolhas são ecléticas, sempre rigorosas e corajosas. Paul Valéry e Charles Baudelaire encabeçam suas transcrições inglesas.

Esse fino letrado traduz e manda traduzir em duas línguas. Ele edita o romance de Ludwig Lewishon, *O destino de Mr. Crump*, vendido por subscrição. Todos os editores americanos o recusaram, protestando contra a provocação e o escândalo. Dedicado ao inferno do casal, assunto que Edward conhece perfeitamente, o livro foi recebido por Freud como uma "obra-prima incomparável". O dinheiro, contudo, não entra, e sua mulher finge que não ouve quando ele lhe pede mais.

Em 1928, quando Edward decide comprar a revista *This Quarter* de Ethel Moorhead que lamenta a perda de Alfred Walsh levado dois anos antes pela tuberculose, Helena se recusa a financiar o que chama de "capricho", exatamente quando ele quer publicar Breton, Beckett, Hemingway, Lawrence...

— Você só gosta da minha conta bancária — ela o ataca.

No final, porém, ela paga. Mais uma vez ele aceita o desaforo, embora esse tenha sido difícil de engolir.

Edward convenceu suas relações prestigiosas, Colette, Marie-Laure de Noilles, Louise de Vilmorin, a escrever textos para a marca. Helena é menos deslumbrada que o marido pela convivência com esses ícones. Ela os convida alternadamente para almoçar para lhes pedir "boas ideias". Louise de Vilmorin lhe sugere chamar o perfume que ela quer criar de *Five o'clock,* em conformidade com a moda do franglês que então arrasa na França.

— Eu lhe dei algumas centenas de francos como pagamento — Helena conta, depois. — A pobre moça é tão extravagante! Sempre quebrada...[17]

Edward pretende aplicar à sua revista os princípios de marketing que ele emprega para promover Helena Rubinstein. Ele mantém regularmente uma crônica, cria prêmios literários que confere a jovens poetas americanos ou ingleses e estimula os jornais a falarem deles. Ele promove a tradução de Goethe, Rimbaud, Rilke, Herman Hess, publica Natalie Barney, Gertrude Stein, D. H. Lawrence, Aldous Huxley, Paul Valéry, Ernest Hemingway, Samuel Becket. Ele se associa a Samuel Putnam, autor e tradutor americano que trabalha com Sylvia Beach. Mas o desentendimento logo acontece: Putnam acha Titus pretensioso. Os dois homens discordam particularmente sobre seus respectivos gostos.

Sem dúvida Edward tem defeitos, mas seu amor pela literatura é real e profundo. Ele não consegue, entretanto, pagar os artistas, e continua a pedir dinheiro à mulher. Helena não compreende por que ele os admira tanto. "Eu não tinha tempo de ler os livros deles. Para mim, eram *meshuggeh*, eu sempre tinha de lhes oferecer suas refeições", declara ela ao secretário Patrick O'Higgins.[18]

Ela parece, contudo, muito orgulhosa por Edward ter construído seu "pequeno teatro americano" no prédio do boulevard Raspail. Com certo humor, conta que a polícia teve de intervir porque os vizinhos reclamavam do barulho. Além disso, algumas peças eram subversivas. "Foi meu primeiro encontro com a lei enquanto revolucionária",[19] recorda. O último também, sem dúvida.

Anos mais tarde, ela ainda não tinha percebido que perigo o governo decidiu encontrar naquelas inocentes representações. O conjunto não lhe devia agradar, concluiu. Condenado a fechar, o teatro é transformado em cinema, com o nome de Studio Raspail. Edward ali projeta os filmes do amigo Man Ray.

Como sua mulher, Edward quer tudo, embora não deseje obrigatoriamente as mesmas coisas. Ele gostaria de conciliar o inconciliável, a boemia e o conforto, a família e a liberdade, o salário e o risco, a publicidade e a literatura, a literatura vanguardista e a literatura clássica, o individualismo e o grupo. Inclassificável, ele fez muitos inimigos em Montparnasse, particularmente os leitores do *The Quarter* que detestam as edições luxuosas de seus livros e parecem esquecer que ninguém lê a revista deles a não ser eles mesmos. Se tivesse seus próprios meios, ele teria adorado ser um mecenas.

Edward William Titus é sobretudo um ser de paradoxos. A mil léguas do poeta maldito, seu estilo é antes de tudo o do dândi, e ele o cultiva com cuidado, no sentido próprio e no figurado. Sempre alinhado, com monóculo, gravata, bengala e chapéu, ele frequenta a nata da aristocracia e se recusa a misturar-se com a multidão, pratica o esnobismo com virtuose, frequenta todos os gênios, falsos ou verdadeiros que se arrastam pela Rive Gauche.

Essa vida livre lhe convém. Ele não suporta mais o luxo, os motoristas, a vida de ostentação de sua mulher, embora seja muito cômodo usurfruir dela, e aspira à tranquilidade. Ele gostaria de fundir-se com Montparnasse, suas ruas, os cafés, as livrarias como um frequentador do bairro.

Aos olhos de muitos ele permanece, porém, o marido da "rica senhora Rubinstein", o que o torna sempre suspeito. Aliás, Helena o atrapalha quando, cheia de joias, maquiada, usando peles e chapéus caríssimos, aparece de carro e motorista para cair na gandaia na Rive Gauche. Ela insiste em acompanhá-lo ao Dôme ou ao Dingo, quartel-general dos americanos de Paris. Lá, o obriga a pagar a conta para todos, quando o costume exige que cada um pague a sua parte. Edward fica constrangido com esse desequilíbrio que o transforma em intruso, justo ele que desejava tanto ser considerado um deles.

Como de hábito, Helena age como nobre senhora rica e generosa, convencida de que é o que esperam dela. Apesar da ligeira corpulência que se instala, ela parece ter menos que seus 55 anos. Atingiu, contudo, a idade frágil em que uma mulher tem de admitir que a beleza se vai pouco a pouco, que o desejo dos homens é fugaz, e que, para durar, o amor deve se transformar em cumplicidade. Porque ela não teve sua cota de belas lembranças com Titus, ainda espera o que ele se recusa a lhe dar.

Essa vã espera é seu desespero e tormento. Em alguns momentos, seus corpos se aproximam, cada vez mais raramente, porém. Logo no dia seguinte, as brigas continuam. Ambos se abrem escrevendo. Helena conservou o hábito de escrever tudo.

Suas cartas para Edward são chorosas, sarcásticas ou severas, conforme o humor do momento. Frustrada, insatisfeita com a relação deles, mas incapaz de transformá-la, ela conta os golpes como uma esposa ferida, devolve-os com suas armas, quase sempre desleais como a retenção do talão de cheques. Ela é poder financeiro e nunca deixa de lembrar a ele.

Edward é mais comedido, mais lúcido, muitas vezes melancólico. Em seus momentos de depressão, ele lhe envia poemas nos quais lamenta as ausências dela, que são tão difíceis para ele quanto para os filhos. "Jantei sozinho em casa, esta noite, a mesa estava tão fria, e meu coração tão estranho."[20]

Frequentemente ele se mostra tortuoso e, por vezes, até mesmo cruel. À humilhação de sempre ter de pedir dinheiro, ele responde pela culpabilização ou pela chantagem afetiva. Mas a ladainha é a mesma: nem com você, nem sem você.

Na versão açucarada de Helena por ela mesma, porém, tudo é felicidade e harmonia na vida de casal e na social. "Meu marido e eu nos vemos cinco vezes no ano; somos um casal moderno", ela explica a uma jornalista do *New Yorker*.[21] A honestidade a obrigará a admitir posteriormente que, se as coisas ficaram ruins entre eles, foi exatamente por causa de suas ausências.

A amiga dos artistas

"No dia em que fomos à casa de pessoas que não conhecíamos, ficamos na obrigação de aceitar o convite de grandes fornecedores, mas fornecedores, mesmo assim. Ora, antes da guerra nem mesmo os cumprimentávamos. Mademoiselle Chanel foi a primeira costureira aceita."[1] Em Paris, mesmo que não agrade aos esnobes, Coco Chanel é há muito tempo um ícone social. Madame ainda não chegou lá. Mas ela gosta de receber.

Graças a Edward, aos autores que ele publica, aos jovens artistas de quem ela compra os quadros, a quem paga jantares, suas festas são concorridas e bem-sucedidas. Seus convidados apreciam sua cozinha, sempre farta, e seu gosto refinado pelas artes da mesa. "Eu tinha várias baixelas de porcelana e as misturava para criar um efeito visual. Cada mesa tinha uma cor, que eu compunha em diferentes nuances",[2] ela se recorda.

Quando de uma viagem a Viena, no início do casamento, Edward e ela encomendaram uma baixela de prata desenhada por Joseph Hoffman para a casa Fledermaus. Todas as peças são gravadas no meio com um T, a inicial de Titus.[3] O conjunto é muito mais do que um serviço de mesa, é uma verdadeira obra de arte que o casal, em perfeita osmose — ele aconselha, ela compra —, escolheu para suas recepções. Logo a aluna ultrapassará o mestre; ela não precisará mais dele para afirmar seu gosto.

D. H. Lawrence e sua mulher, Frida, fazem parte do primeiro círculo de frequentadores de suas festas. Barbudo, magro, febril, o escritor é extremamente reservado.

— Ele não queria se juntar aos outros, de tão tímido que era — Madame recorda. — Ele começou a falar comigo quando compreendeu que eu também era tímida.

Tímida, Helena? Tudo depende de seu humor. Quando ela fica sabendo que o escritor publicou uma novela intitulada *The Sun* na revista de seu marido, ela encontra coragem para lhe dizer que não concorda com ele. Com eloquência, lhe explica que o sol é o pior inimigo das mulheres. Ele resseca a pele, ele a mancha, descolore, acelera a formação de rugas. Lawrence fica bastante aborrecido.

— Se eu soubesse — ele suspira —, teria rasgado meu texto ou escrito uma crítica feroz contra seus danos.[4]

O escritor é um homenzinho "*distante, tranquilo, sonhador*". A primeira vez que ela o recebe em casa, seu silêncio a assusta. Sua calma impressiona a todos. Um pouco preocupada, ela lhe pergunta se ele se sente mal.

— Não, senhora. É saudades de casa.

Eloquente, falante, o jovem Ernest Hemingway tem opinião sobre tudo. Helena o acha bonito, viril, com olhos de um negro profundo, lábios grossos, e a linha dos cabelos castanhos começando alta na testa. Às vezes ele parece infantil, falando sobre si mesmo — a esse respeito, ele é inesgotável — e sobre mulheres — ele é, no entanto, casado com a linda Hadley Richardson, a primeira de suas quatro esposas oficiais. Mas é "*impossível não amá-lo*", ela escreve. Pelo menos na versão oficial, a de sua autobiografia sempre politicamente correta. As palavras que ela usará com Patrick O'Higgins para descrever o escritor são um pouco diferentes:[5]

— As mulheres eram loucas por ele, eu não. Era um falastrão que gostava de se mostrar.

James Joyce aprecia as longas conversas que giram em torno da literatura. Ele oferece à anfitriã escrever textos publicitários para ela. Ele empregará o estilo usado em *Ulisses*. As mulheres ficarão tão perplexas — ele acrescenta — que correrão para comprar os produtos Rubinstein.

Como sempre, Helena apresentará ao secretário uma imagem dele completamente diferente.[6]

— Joyce? Ele cheirava mal... Tinha a vista ruim e comia como um passarinho.

Em seus jantares, encontra-se também Gabrielle Chanel que pode ser igualmente dura, especialmente com as mulheres. Seu *Numéro 5* perfuma o rastro de todas as parisienses de ylang-ylang e jasmim. Helena, que a conheceu na casa de Misia Sert antes da guerra, gosta de usar suas criações. Ela aparece em fotos, exibindo os tailleurs pretos ou cinza que mesclam elegância e praticidade, o sonho de uma mulher ativa e rica.

Um dia, durante uma sessão de prova de roupas, quando estavam as duas a sós, Helena ousou perguntar a Coco por que ela nunca se casou, se todos aqueles homens a bajulavam. E o duque de Westminster que a venerava...

— O quê? — Chanel reagiu. — Desse jeito eu me tornaria a duquesa número 3? Sem chance! Eu sou Mademoiselle Chanel e sempre serei... Do mesmo modo que você será sempre Madame. Esses são os nossos verdadeiros títulos.

A costureira chorou muito a perda de seu amante Boy Capel, morto num acidente de carro num sinistro mês de dezembro de 1919. Depois disso, ela tornou pública a relação que teve com o grão-duque Dimitri, 11 anos mais novo, em seguida, com o poeta Pierre Reverdy, com o duque de Westminster e alguns outros.

Anos depois, quando as duas mulheres atingiram a idade das lembranças e dos arrependimentos, elas se reencontram na casa de Diana Vreeland, que ainda não é diretora da *Vogue* americana. Coco Chanel, de volta do Havaí, faz escala em Nova York. Diana Vreeland a convida para jantar. No meio da refeição, a costureira pede à anfitriã que convide a "maravilhosa" Helena, um "esplendor de judia polonesa".

Um esplendor! Diana Vreeland concede e telefona para Madame, convidando-a para depois do jantar.[7] É verão, Chanel usa um tailleur branco cuja saia cobre os joelhos e um chemisier branco de renda. Uma gardênia está vaidosamente presa aos cabelos curtos. Helena está usando um longo mantô de seda rosa vivo, cortado como um vestido chinês de gola alta.

Elas se isolam num quarto e ali ficam de pé, uma diante da outra. Vão falar durante horas, esquecidas do lugar, da hora e da anfitriã. De vez em quando, Diana Vreeland, preocupada ("Pensei que elas tivessem feito algum pacto de suicídio..."), abre a porta para verificar se está tudo bem, depois a fecha sem ruído. As duas mulheres não se mexeram. Dois gênios face a face. "Nunca estive diante de duas personalidades tão fortes", lembra-se Diana Vreeland que, contudo, entende de monstros sagrados.

"Embora tenham encontrado na vida homens que as ajudaram, deviam sua riqueza exclusivamente a si mesmas", escreve,[8] relatando a cena. Adiante, ela se pergunta se aquelas duas foram felizes. Depois, conclui de modo engraçado que a felicidade "é boa para aquelas generais. Acho que elas foram felizes", acrescenta, "quando governavam, quando estavam no centro, quando controlavam tudo. Aqueles duas mulheres reinavam sobre impérios".

A conversa ganha um tom íntimo, as duas mulheres lembram os grandes amores de suas vidas. Coco lança então sobre Helena um de seus famosos olhares oblíquos e agudos e lhe pergunta se ela teve amantes.

— Nunca tive tempo ou vontade — responde Helena, contrariada.

— Você teve sorte — replica Chanel de imediato.

É impossível saber se ela está brincando ou falando sério. Helena balança a cabeça sem responder. A conversa logo termina. Ambas se despedem da anfitriã, agradecendo a excelente noite.

Muito tempo depois, Helena reconsidera a cena e o estranho diálogo.

— Sorte? — resmunga. — Não tenho tanta certeza.

No final da vida, Madame se perguntou se, com menos rigidez, as coisas teriam sido diferentes em seu casamento. Ela nunca enganou Edward, mas também nunca admitiu o menor desvio. Deveria ter sido mais maleável, menos intransigente? "Na época, ele foi o único homem que eu tinha beijado. Talvez eu o tivesse compreendido melhor se tivesse sido diferente."[9] Mas as pessoas não se reconstroem, sobretudo ela.

A arte está mais do que nunca presente em sua vida. Em Paris, ela pechincha no mercado de pulgas ou nos antiquários. Christian Dior, que então possui uma pequena galeria na rue de la Boétie, orienta suas escolhas. Eles ataram uma verdadeira amizade que dura até a morte de Madame. Quando Dior abrir sua casa de costura, ela estará na primeira fila, e ali permanecerá em todos os desfiles.

Compra sempre muito; às vezes, demais, como é seu hábito, sempre privilegiando a quantidade em detrimento da qualidade. Antes da guerra, ela já comprou uma quantidade impressionante de quadros, Sisley, Degas, Monet, oito Renoir. Assim que volta a Paris, sua compulsão volta a dominá-la. Seu gosto pessoal a atrai sempre para a vanguarda. Ao final de alguns anos, ela possui obras de todos os pintores e escultores importantes, Bonnard, Brancusi, Braque, Miró, Pascin, Kisling, Picasso, Helleu, Marie Laurencin, Modigliani, Maillol, Juan Gris, Von Dongen, Dufy, Léger, Picasso.

Ela faz amizade com artistas, convida-os para a sua casa, conhece marchands, mecenas. Foi recebida em casa de Gertrude Stein. Ela se lembra de um apartamento "cheio de quadros pendurados por toda parte, nas paredes, nas portas, na cozinha e no banheiro". Apesar de sua vida muito ocupada, sempre consegue uma ou duas horas livres para ir a Montparnasse ou Montmartre, visitar ateliês. Nas galerias, encomenda tudo o que lhe agrada. Ela pendura as obras nos institutos de beleza, o que não se faz.

No início dos anos 1950, Pierre Bergé, então com 19 anos, visita com frequência o amigo Bernard Buffet, cujo ateliê se encontra no pátio do salão de Helena Rubinstein, no Faubourg Saint-Honoré. Na vitrine, ele nota uma escultura de Brancusi. Para o jovem autodidata que ele era então, foi um duplo choque do qual ele ainda se lembra.

— Descobri Brancusi, de quem eu ignorava até o nome, e, ao mesmo tempo, aprendi que se podia expor uma obra daquela qualidade na vitrine de um instituto de beleza. Mais tarde, quando Yves Saint-Laurent abriu sua primeira loja, na rue du Faubourg Saint-Honoré, a alguns metros do salão de Helena Rubinstein, colocamos na vitrine dois enormes vasos de Durant, que tínhamos acabado de adquirir.[10] Inconscientemente, sem dúvida, eu fui influenciado por ela.

Helena não sabe resistir a uma bela obra. Tanto que, frequentemente, esquece o que comprou. "Tenho tantos quadros", afirma, "que não sei mais onde pendurá-los". Mesmo com tantas casas... Às vezes, ela os deixa em armários. Assim é que Patrick O'Higgins encontra quantidades de quadros de valor inestimável, não repertoriados e confusamente segurados.

Numa tarde, em Greenwich, uma grande tela de Max Ernst, pendurada no corredor, chamou sua atenção.

— Ela me custou apenas 200 dólares — lhe revela Madame.

Em outra ocasião, no apartamento de Park Avenue, em Nova York, ambos fazem incríveis descobertas nos armários. O'Higgins mostra sete desenhos de Juan Gris enfiados numa caixa de roupas, um Picasso do período cubista e um conjunto de litografias de Matisse, o artista preferido de Helena, que servem para cobrir lençóis usados. Perplexo, O'Higgins a interroga. Ela esboça um gesto vago com a mão, ergue os ombros e responde que eles são falsos.

— O lote é um de meus "pequenos erros".

Dessa vez ela se enganou: são originais.

Madame convida a sua casa todos os jovens artistas que admira. Marc Chagall tem olhos cintilantes e um capacho louro como cabeleira. Depois de alguns copos de vinho, ele canta em russo ou se lança em longas histórias engraçadas em ídiche. Sua mente é viva, seu humor tão mordaz que Helena o convoca regularmente. Graças a ele, as noites são um sucesso.

Ele chega em companhia de Braque ou outros pintores amigos dele. Foi ele que lhe apresentou Louis Marcoussis. Este a leva para visitar os ateliês de pintores e se torna um de seus melhores conselheiros. Mas nem sempre aceita seus conselhos; assim, perde algumas obras-primas, ou então compra telas de segunda categoria ou até mesmo falsas. O que não a impede de ser fatalista. Cada uma das peças que ela possui foi comprada de um artista de quem se lembra com afeto. O valor sentimental delas é ainda maior do que o valor de mercado. "Gosto delas tanto quanto de meus Rouault ou de meus Picasso", diz.

Marcoussis lamenta esses erros. Se ela o tivesse escutado mais vezes, sua coleção seria muito mais interessante. Assim, um Picasso que ofereceram por 6 mil francos, e que ela recusou, vale dez vezes mais alguns anos depois. Concorda, mas confia principalmente em seu instinto. Seu objetivo não é a especulação. "Sempre que eu adquiri uma coisa acreditando ter feito um negócio, eu me enganei", escreverá. "Mas quando comprei porque eu conhecia o artista, ou para estimulá-lo porque admirava seu talento, sempre escolhi bem."[11]

O favorito ainda é Matisse. Entre seus quadros preferidos estão também *Les Baigneuses* de Renoir, *Automne* de Roger de la Fresnaye, *Un portrait de femme* de Van Dongen. E um estudo de *Demoiselles d'Avignon* de Picasso, oferecido por uma cliente cujo rosto marcado pela acne ela curou.

A jovem mulher deixou o desenho com a porteira, com um bilhete preso ao jornal que o embrulhava: "Obrigada por minha bonita pele."

Helena tenta reencontrá-la, mas ela desapareceu para sempre.

Sua paixão por coleções se tornou obsessiva. Com a ajuda da moda e da especulação, o preço de suas peças de arte africana, adquiridas graças ao faro de Jacob Epstein, chegou às alturas. Agora, todos querem comprar uma. De tanto comprar novas estátuas ela aprendeu aos poucos a gostar de sua "intensidade expressiva".

Charles Ratton, um marchand de arte parisiense, lhe vendeu a *Bangwa Queen*, uma de suas mais belas peças, de todas a preferida. A estatueta camaronense, que data da metade do século precedente, representa uma princesa ou uma sacerdotisa. Edward empresta a estátua a Man Ray que fica louco por ela. Ele a fotografa com Ady, ex-modelo de Poiret. A coleção de Madame é tão famosa que o diretor do *Met,* de Nova York, deseja comprá-la. Ela recusa, mas não deixa de se sentir lisonjeada.

Para ela, a decoração está intimamente ligada à arte. Desde cedo, soube o que queria. Para seus salões e para suas casas, contratou os melhores. Em 1913, no Salão dos Artistas decoradores, ela admirou os painéis de laca da irlandesa Eileen Gray que agora está estabelecida no número 140 da rue du Faubourg Saint-Honoré, a alguns metros de seu salão.

Madame não resiste à tentação de empurrar a porta da galeria para examinar um tapete ou um móvel. A artista é controversa, mas Helena a aprecia, tanto quanto o minúsculo Jean-Michel Frank de olhos de veludo, adulado por Charles e Marie de Noailles, cujo palacete da place des Etats-Unis ele decorou, ou melhor, "desmobiliou". Igualmente situada no Faubourg Saint-Honoré, sua loja, "Frank et Chanaux", não esvazia. Helena Rubinstein é uma das visitantes que vão até o artista como a "um confessionário".

Frank detesta o supérfluo, o brocado, os detalhes inúteis. Ele prefere salas vazias e claras, o minimalismo, a palha marfim com a qual ele forra as paredes de seu apartamento. "O rapaz é encantador; é uma pena que tenha sido assaltado", diz Cocteau ao sair da casa dele.[12] O decorador trabalha com os marceneiros dos Ateliers de la Ruche, que fabricam os móveis de Chareau, de Ruhlmann ou de André Groult que Helena compra ou manda copiar para mobiliar seus apartamentos e salões.

Tão impressionante quanto suas obras de arte, o guarda-roupa inclui peças assinadas por Caroline Reboux, Elsa Schiaparelli de quem ela é uma das primeiras clientes, Molyneux, Poiret, Lanvin, Lucien Lelong. Ela acumula acessórios, chapéus, estolas, peles, cintos e, é claro, joias, verdadeiras e falsas.

Acontece, porém, de errar por falta de gosto. Assim é que os pijamas e as calças largas de Chanel, sublimes numa silhueta longilínea, não lhe assentam muito bem. Helena, que prega insistentemente a dieta, o exercício e as massagens, não adota seus rígidos princípios, segundo o famoso provérbio que diz que santo de casa não faz milagre.

— Do jeito que eu trabalho — se defende —, não posso deixar de comer...

Ela continua se maquiando pouco, mas nunca se esquece de usar um batom escuro, e oculta os cabelos brancos com uma tintura asa de corvo, nem sempre bem aplicada. Com quase 60 anos, ela se recusa a envelhecer. Aliás, sua energia o impede.

No alto: Helena Rubinstein em sua juventude na Polônia. Nascida em 1872, ela era a mais velha de oito filhas. Aparece no centro, a mãe, Augusta Rubinstein, está à direita. Ela está cercada por três irmãs mais novas.
À direita: sem dúvida nos anos 1905, na primeira permanência em Paris. Ela usa um vestido do costureiro inglês Worth, "seu primeiro vestido de noite". Durante toda a sua vida ela se vestiu nos grandes estilistas: Doucet, Poiret, Chanel, Balenciaga, Schiaparelli, Saint Laurent...

À esquerda: Madame nos anos 1930. A paixão pelas joias grandes e pelas pérolas a fazia misturar enfeites verdadeiros e falsos. Em 1941, a coleção foi avaliada em mais de um milhão de dólares. "As joias são as melhores amigas das mulheres, elas acrescentam a nota certa à personalidade e à feminilidade", ela escreveu.

No centro: com seus dois filhos, Roy (à esquerda) e Horace Titus, ela posa na frente de sua casa de campo de Greenwich, no Connecticut.

Embaixo: em 1920, ladeada por duas irmãs: à esquerda, Manka, e, à direita, Stella.

No alto, à esquerda: Edward Titus, seu primeiro marido, jornalista americano de origem polonesa, bibliófilo, livreiro, editor. Ele a ajudou a construir sua imagem.
À direita: a paixão pelas viagens, sobretudo de navio, fazia com que ela passasse metade do ano no mar. Com o filho Roy, o pintor Ladislas Megyes e o compositor Nicolas Nabokov.
Embaixo, à direita: com seu segundo marido, o príncipe georgiano Artchil Gourielli-Tchkonia, vinte anos mais novo que ela, com quem se casou em 1938, ano do divórcio com Edward Titus.
À esquerda: ela posa numa de suas roupas preferidas, criada por Edward Molyneux.

À direita: com a sobrinha Mala Rubinstein Silson, filha de sua irmã Regina Kolin. Ela a trouxe para Paris para lhe ensinar a profissão, em seguida, ela a nomeou diretora do salão de Nova York. Ambas com vestidos Chanel posam com duas máscaras cerimoniais provenientes da célebre coleção de Arte Primitiva que Helena Rubinstein iniciou em 1908, inspirada pelo pintor Jacob Epstein.
No centro: a fundadora da "Ciência da Beleza" coloca acima de tudo a hidratação do rosto e a higiene. Exigente, ela atualizava regularmente seus conhecimentos sobre a pele junto aos maiores cientistas, e preparava e testava seus produtos nos laboratórios de suas fábricas de Saint-Cloud e de Long Island.

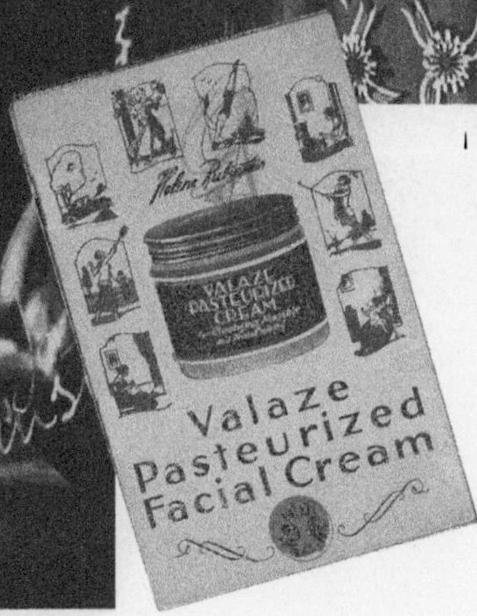

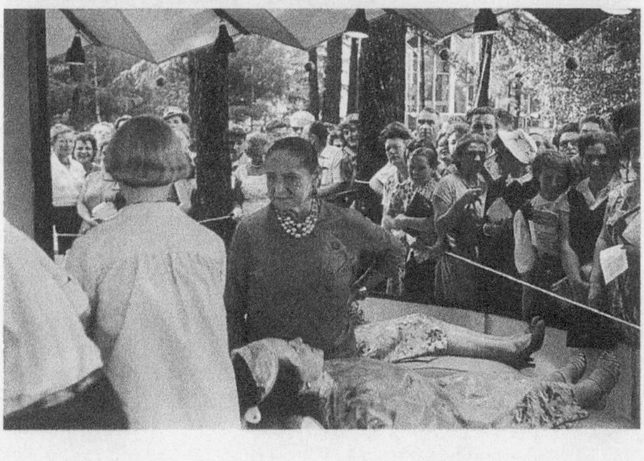

À direita: Valaze, seu primeiro creme, criação de um químico húngaro, foi batizado, em 1902, data da abertura do primeiro salão em Melbourne, na Austrália.
Embaixo: em 1959, aos 87 anos, convidada pelo Departamento de Estado para representar os cosméticos americanos na feira de Moscou, ela ensina a beleza às russas.

No alto, à direita: ela sempre confiou a decoração de seus salões de beleza, em Paris, Londres, Nova York, aos maiores designers e artistas da época. Seu terceiro salão nova-iorquino, situado no número 715 da Quinta Avenida, abriu em 1936. O arquiteto Harold Sterner foi encarregado da decoração. O afresco do corredor é assinado por Giorgio de Chirico; o banquinho, por Jean Michel Frank. No segundo andar (no centro), os mármores são de Elie Nedelman; o tapete, de Fernand Léger; os abajures, de Jean Michel Frank, e os desenhos, de Modigliani.
Embaixo: o terraço de seu apartamento no número 24 no quai de Béthune, em Paris, na île Saint-Louis, comprado em 1934 de José Maria Sert, marido de Missia Sert. Em 1937, o prêmio Helena Rubinstein de Arte Moderna foi dado ao escultor Henri Laurens. Entre os membros do júri, Henri Matisse, ao lado de Helena Rubinstein, Marie Cuttoli, Georges Braque, Paul Eluard, Fernand Léger, Louis Marcoussis.

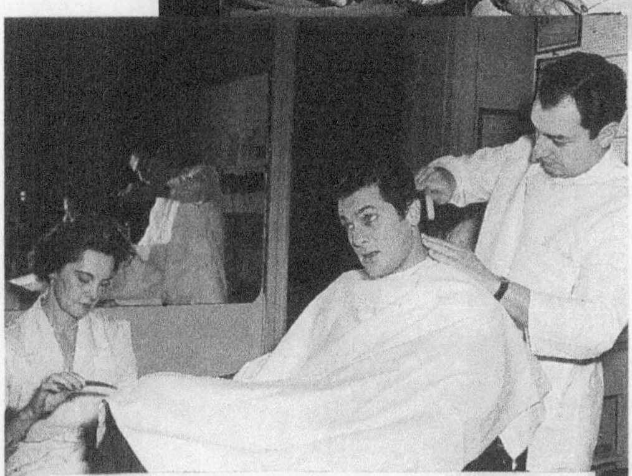

No alto: Salvador Dalí, que ela conheceu em Nova York em 1941, realizou seu retrato no ano seguinte, em esfinge, bem como um tríptico mural para a sala de jantar de seu triplex na Park Avenue.
No centro: nos anos 1950, com Eleanor Roosevelt a quem ela ajudou em sua luta contra o câncer. Durante a guerra, ela tinha preparado kits de camuflagem para os soldados, a pedido do presidente Franklin Roosevelt.
Embaixo: Tony Curtis era adepto do salão de beleza masculino Gourielli, inaugurado no início dos anos 1950, no local da Casa Gourielli, aberta dez anos antes. Desde o início dos anos 1940, ela ali vendia produtos de beleza que ela criou para os homens, com o nome do segundo marido. Ela estava muito à frente de seu tempo: o salão fechará pouco tempo depois.

No alto: em 1955, com Pablo Picasso que se recusará a pintá-la, mas desenhará quarenta croquis dela.
No centro: com o pintor Kess Van Dongen, em 1958. Ela comprava muitas telas nos ateliês de artistas. “Talvez eu não tenha a qualidade, mas tenho a quantidade”, dizia, lembrando sua impressionante coleção de quadros.
Embaixo: com Elizabeth Taylor. Desde quando começou na Austrália, Helena Rubinstein maquiava as artistas e contratava atrizes para elogiar seus produtos nas publicidades.

No alto: a colecionadora obstinada foi pintada por uma vintena de artistas. Jacques Dufy, Marie Laurencin, Christian Bérard, Paul Tchelitchew, Jacques Helleu, Graham Sutherland... Atualmente, os quadros se encontram na Fundação Helena Rubinstein, em Nova York.
Embaixo: sua coleção de Arte Primitiva era tão famosa – tinha como preciosidade a *Bangwa Queen*, frequentemente fotografada por Man Ray – que o MoMA a pediu emprestado em 1935 para uma grande exposição itinerante da qual ela participou.

E a beleza se tornou uma indústria

Viajar. "É o segundo nome da senhora Rubinstein", afirma um artigo do *New York Post.*[1] É também um dos passatempos preferidos de Helena que sempre diz que as semanas passadas no mar, nesses palácios flutuantes, "são os únicos momentos em que ela pode descansar". Ela se deixa fotografar antes da partida, apoiada na amurada de um transatlântico ou na ponte, em companhia dos filhos, do marido ou de alguns amigos, o compositor Nicolas Nabokov, o designer húngaro Ladislas Medgyes que decorou alguns de seus institutos de beleza americanos.

Desde a primeira travessia que decidiu o curso de sua vida, o transatlântico faz parte do universo de Rubinstein do mesmo modo que grandes joias, seu coque apertado, seu sotaque polonês. A bordo, se entrega a algumas distrações: coquetéis, jantares, bridge. Esse jogo, que pratica desde a Austrália, se tornou a distração da moda. Ou então, sozinha em sua cabine de luxo, se entrega à sua febre epistolar, e assim que desembarca, envia as cartas aos familiares e gerentes. Mas, sobretudo, se dá o prazer de acordar tarde, fazer longas sestas, porque dormir faz parte da viagem. De costume, suas noites raramente ultrapassam cinco horas.

Ela prefere as travessias transatlânticas. Todas as vezes que, da ponte de um navio, avista a estátua da Liberdade se delinear no horizonte, experimenta a mesma excitação sentida quando de sua primeira chegada. Nova York combina com seu temperamento combativo. Aqui, não se faz pouco caso dos negócios; as pessoas não perdem tempo com discussões inúteis; o negócio é um esporte nacional. Desde o início dos anos 1920, a economia está em plena expansão. A sociedade de consumo começou com toda a força. Compra-se tudo, inventa-se tudo, joga-se tudo fora, substitui-se tudo: rádios, plástico, tecidos sintéticos, refrigeradores, isqueiros, automóveis, telefones, Kleenex e Kotex, desodorantes, cremes depilatórios... Essas invenções são *fun*.

Aliás, tudo é *fun* na América durante esses "roaring twenties" — os loucos anos 1920. Até mesmo a proibição que não impede as pessoas de se divertirem, muito pelo contrário, apesar da crise financeira do pós-guerra. A 18ª emenda decretada pelo Congresso, sob a dupla pressão dos lobbys dos pastores que querem moralizar a sociedade, e dos movimentos feministas que desejam lutar contra a violência conjugal, proibiu a venda de bebidas alcoólicas. Seria, contudo, necessário mais para que os americanos parassem de beber.

Em Nova York, e no país todo, milhares de bares clandestinos ou "*speakeasies*", escondem em seus subsolos passagens secretas para a fuga, caso a polícia organize uma batida. A Máfia se desenvolve; é a época dos *Untouchables,* os *Intocáveis*. As batalhas entre os homens de Al Capone e os agentes do Tesouro, conduzidas por Elliot Ness em Chicago, são manchetes nos jornais.

Nos clubes noturnos, dança-se despreocupadamente o charleston e foxtrote. Suinga-se ao som de Duke Ellington e Count Basie, aplaudem-se *Rhapsody in Blue*, de George Gershwin, e Fred Astaire na Broadway. No rádio, ouve-se o jazz que vem de Nova Orleans. Al Jolson é a estrela do *Cantor de jazz*, primeiro filme falado. Charlie Chaplin fez o público rir e chorar com *O Garoto*.

Clara Bow, a estrela do filme *It*, é o ídolo das moças que copiam seus cabelos frisados, suas sobrancelhas arqueadas, a boca em formato de coração, desenhada com um batom vivo. Seu talento é, sem dúvida, discutível, mas ela possui vivacidade, exuberância, em resumo, um magnetismo animal que explica a atração que sentem por ela. Imitando-a, surgem as *it girls*, mais para sexy do que talentosas. Theda Bara e Louise Brooks têm direito a esse título. Surgem os concursos de beleza; a primeira Miss América é eleita em 1921.

A publicidade, que progride com rapidez, gera lucros surpreendentes e permite à imprensa desenvolver-se. Os cosméticos ocupam o quinto lugar nos anúncios na mídia, o segundo em *Town and Country, Harper's Bazaar* ou *Vogue*. Em 1929, 20% das páginas e dos encartes publicitários dos jornais enaltecem os produtos de beleza. Ponds, Arden ou Rubinstein gastam entre 20 e 60 mil dólares por mês para garantir a promoção de suas respectivas marcas. O retorno do investimento é enorme: as lojas femininas criam modas e correntes e, sobretudo, influenciam as consumidoras.[2]

As americanas, que dedicam em média 300 dólares por ano para cultivar a beleza, podem escolher entre centenas de pós diferentes e o mesmo número de batons. No início dos anos 1930, elas investem quase 700 milhões de dólares anuais nas seções de cosméticos das grandes lojas, nos salões de cabeleireiro e de massagem, e nos institutos. A beleza, que é ao mesmo tempo um prazer, uma necessidade de seduzir e a afirmação da liberdade das mulheres, também está se colocando como uma aposta econômica e financeira. "As mulheres estabeleceram relação entre a utilização dos cosméticos e a emergência de sua própria modernidade."[3] Belas e rebeldes, em resumo.

A industrialização da beleza nasceu e, com ela, sua democratização. Mesmo que não seja a única responsável por essa mudança radical, Helena Rubinstein contribuiu muito para ela. Suas duas fábricas de Saint-Cloud e de Long Island produzem mais de setenta linhas, das quais as mais recentes são os cremes emagrecedores para o corpo, os "*Reducing preparations*", lançados em 1923.

A principal rival não fica atrás. Auxiliada por Thomas Lewis, marido e gerente, e por sua irmã, Gladys, que dirige a seção francesa e o salão de Paris, Elizabeth Arden preparou o terreno nos Estados Unidos e na Europa e, como Madame, possui fábricas próprias. Além dos luxuosos institutos, Arden mantém representação nas prestigiosas grandes lojas tais como Bonwit Teller, Macy's ou Neiman Marcus em Nova York, e vende em Detroit, Washington, Filadélfia, San Francisco, Los Angeles. Sua gama compreende 75 produtos dos quais os mais vendidos são o *Orange Skin Food* e o *Venitian Bleaching Cream.*

As duas mulheres têm de considerar os concorrentes que exigem sua parte desse apetitoso bolo: o francês René Coty, Guerlain, Roger et Gallet, Bourjois, que abriram caminho nos Estados Unidos no início do século, ou os gigantes populares tais como Ponds. Sem falar das marcas antigas ou nascentes, sustentadas por um mercado em plena expansão, os Carl Weeks, Noxema, Maybelline, Barbara Gould ou Max Factor.

A verdadeira competição acontece, porém, entre as duas mulheres, lado a lado, como gente grande. Elas se detestam e estão sempre à espreita do que a outra realiza. Seus métodos de marketing se parecem. Elas convidam as consumidoras a lhes escrever para contar seus problemas de pele e lhes respondem pessoalmente, dando conselhos adaptados a cada uma delas. Madame, que verifica com atenção toda a correspondência que recebe, sabe reconhecer imediatamente os recursos financeiros da cliente.

— O papel de carta é comum — observa. — Ela não tem dinheiro. Vou lhe prescrever apenas dois cuidados, não o tratamento completo.

Porque somente a clientela difere: Elizabeth Arden continua a privilegiar os ricos, enquanto Helena Rubinstein se interessa cada vez mais pela *middle class*. Há material: nos anos 1920, a quarta parte das americanas de mais de 16 anos trabalha.

O sucesso delas, contudo, é uma exceção numa indústria dominada pelos homens, que compreenderam bem os riscos econômicos. A era do artesanato acabou definitivamente. Os salões de beleza isolados e as pequenas marcas criadas por mulheres quase que desapareceram, substituídos pelas grandes lojas e farmácias. Dorothy Gray, Edna Albert, Peggy Sage ou Kathleen Mary Quinlan tiveram seu momento de glória, venderam suas companhias. Raras são as que ainda as dirigem.

Num setor inventado pelas mulheres e destinado às mulheres, a divisão do trabalho continua sexuada do modo mais clássico. Aos homens a propriedade da empresa, os postos de direção, de enquadramento, de decisão. Às mulheres, sempre brancas e com frequência diplomadas, os empregos no marketing, na publicidade, no jornalismo, na beleza, na venda. Nas mais importantes agências de publicidade, as estrelas femininas da profissão — porque, afinal, existem algumas — escrevem sobre as campanhas nacionais, enquanto as mais medíocres, empregadas pelas filiais locais, colocam a massa cinzenta a serviço das grandes lojas e das pequenas firmas. Célebres ou anônimas, elas são as correias de transmissão entre o empresário e as clientes.[4]

A agência J. Walter Thompson, criada no final do século precedente, construiu sua reputação apoiando-se nas mulheres, tanto clientes quanto redatoras. Além disso, estas foram militantes políticas que lutaram com as sufragistas pelo direito de voto. Seus textos, que se dirigem às consumidoras em tom intimista, dão sempre o "ponto de vista da mulher". Tornou-se uma regra de ouro na profissão cujos princípios estipulam que "para se dirigir às mulheres, devemos conhecer seus hábitos, seus modos de raciocinar, seus preconceitos". E ainda: "As mulheres fazem suas próprias associações de ideias e possuem hábitos dos quais os homens estão totalmente distantes."[5]

Essas redatoras, que são mulheres inteligentes, cultas, politizadas e adiante de sua época não ignoram o lado artificial de sua prosa. Por isso, elas jamais questionam o modo, definitivamente estabelecido, de relacionar as mulheres com os clichês de seu sexo. De tanto empregar o mesmo vocabulário codificado, criaram uma linguagem comum, inteligível até mesmo para aquelas que não têm recursos para frequentar salões tão prestigiosos quanto os de Elizabeth Arden ou Helena Rubinstein. Assim, todas as mulheres podem manter-se informadas sobre as últimas tendências da moda e da beleza. Esse modo de agir, uniforme, alimenta os piores estereótipos.

Madame, que sempre se apresentou como uma empresária de sucesso, partilha essa opinião redutora. Ela pensa que somente as mulheres podem compreender e traduzir os desejos de suas semelhantes, e, para ilustrar suas ideias ela chama a atenção para o interesse que elas têm em abraçar as carreiras da beleza. É toda a ambição que deseja que tenham.

De resto, ela tem como ponto de honra empregar um pessoal quase que exclusivamente feminino, do qual se sente muito próxima. Com frequência, na hora do almoço, convida as secretárias da empresa, suas "meninas", para levarem o almoço ao seu escritório, para fazê-las testar os novos produtos...

A opinião delas é importante. Reflexões, sugestões, críticas farão a marca evoluir. Madame as interroga e percebe o que lhes agrada ou o que rejeitam.

Seu apoio incondicional não a leva a nomear uma direção feminina. Em sua empresa, mulher alguma está à frente de uma fábrica, de uma equipe de marketing ou de um departamento financeiro. O posto mais alto a que chegam é a gerência dos salões. A divisão do trabalho continua calcada no esquema masculino em vigor, simplesmente porque ela se sente mais segura quando um homem está no comando.

Essa falta de confiança não poupa nem as irmãs, que ela põe para trabalhar em equipe com um empregado da firma. A aparente coesão da irmandade encanta, porém, os jornalistas. Madame não deixa de fazer declarações a esse respeito porque a saga das irmãs Rubinstein — todas de cabelo escuro, todas bonitas, todas polonesas — agrada enormemente.

Aliás, o *family dream team* continua crescendo. Ceska está em Londres, Manka percorre corajosamente os Estados Unidos, Stella, que fez cursos em Chicago, logo vai substituir Pauline em Paris. Rosa está na Argentina, Erna se instalou nos Estados Unidos. Apenas Regina ficou na Cracóvia com o marido, Moïse Kolin. Em breve, três de seus quatro filhos também trabalharão para a ilustre tia.

Helena manda vir da Polônia todos os que querem vir. Ela paga a passagem, hospeda-os, estimula-os, apoia-os financeiramente e os emprega em um ou outro de seus salões. Mas ela continua o único comandante a bordo. Soberana.

A Imperadora da beleza, como a batizou Jean Cocteau.

Em 1928, ela passa o salão de Nova York para o número 8 da East 57th Street, na altura da Quinta Avenida. O imóvel, que pertencera a Collis Huntington, o construtor do *Southern Pacific Railways,* é majestoso, como queria. Ela visitou dezenas e dezenas de lugares, mas nenhum lhe agradou. Depois de ter visto aquele, ela quer assinar o contrato imediatamente. O agente imobiliário, surpreso, pergunta:

— Por que a senhora decidiu tão rápido, depois de ter recusado tantas vezes?

— Gosto da escada — responde.

Ela adora ficar de pé no degrau mais alto do salão para dominar o espaço. As más línguas dizem que esse gosto pelos pontos culminantes lhe vem da pequenez de seu tamanho.

— É a escada mais bonita que já vi — responde. — Agora eu tenho de tornar este edifício digno de sua beleza.[6]

Ela conserva a escada, mas refaz todo o resto. A fachada é restaurada pelo arquiteto Benjamin Whinston, e o interior é entregue à habilidade de Paul Frankl, que desenha grande parte do mobiliário, assistido por Donald Deskey, o designer na moda.

O piso é de linóleo, novidade na época, e recoberto de tapetes comprados na Maison Myrbor, em Paris. Alguns se devem aos croquis de Louis Marcoussis. Os apliques nas paredes levam a assinatura de Ruhlmann; os desenhos, de Fernand Léger. A renovação de outro salão, o de Chicago, também recebe a aprovação dos jornalistas. A revista *Good Furniture* o descreve como: "O melhor exemplo da arte moderna em decoração, aplicado a um estabelecimento comercial."[7] Depois da inauguração, Madame tem, como sempre, uma depressão nervosa e tem de repousar num sanatório. Ela sempre espera esse momento e o busca. As semanas de repouso "pós-parto" fazem parte de sua agenda.

As relações de Madame com a imprensa permanecem excelentes. *Time* descreve uma visita à fábrica de Long Island destinada "aos céticos que não acreditam na composição natural de seus produtos". Lá, a perder de vista, veem-se fileiras de nenúfares semidesabrochados, à espera da plenitude para colaborar com sua essência na fabricação de cremes, pós e batons. Centenas de tubos cheios de pepinos estão ao lado de inúmeros feixes de salsa italiana, de caixas de ovos, de manteiga, de cremes, de caixotes de toranjas e de uma variedade de outras frutas e legumes. "Madame Rubinstein tem justo orgulho de seus produtos, notáveis pelos princípios ativos, que fazem a pele estremecer de prazer."[8]

Em 1928, ela consegue a legitimação do *New Yorker*:[9] quatro páginas assinadas por Jo Swerling são dedicadas à glória "da mulher sem país". Especialmente para a entrevista usou todas as suas mais belas joias. "It's 'gude' for publicity", diz em seu estranho sotaque, uma mistura de inglês, polonês, francês e alemão.

O artigo conta a história de seu sucesso: "A empresa emprega 3 mil pessoas no mundo todo, sem contar as que são contratadas pelos 5 mil representantes que trabalham para ela. Existem cidades nos Estados Unidos com um distribuidor Rubinstein, mas sem uma agência Ford."

Suas pequenas manias foram cuidadosamente examinadas: as longas cartas com as quais todos os dias ela bombardeia a maioria de seus empregados, escritas na parte de trás dos menus para evitar desperdício, ou a estranha amnésia que a atinge quando tem de se lembrar dos sobrenomes. Alguns fazem parte há anos de sua equipe, mas continua a apelidá-los de "O gordo", ou "A surda", ou "Nariz de papagaio". Alguns pensam que essa ligeira deficiência é simplesmente um fingimento para desestabilizar o interlocutor, porque ela se mantém imbatível na exatidão dos menores detalhes. Percebe o menor objeto fora de lugar no salão.

O jornalista relata divertidamente seus defeitos e qualidades, por vezes contraditórios. Madame é um paradoxo vivo e demonstra, simultaneamente, uma frugalidade que beira a avareza, e uma extravagância que vai além da prodigalidade. "Ela pode não comprar nada durante um ano, usar o mesmo chapéu, depois, de repente, gastar quantias enormes durante três dias consecutivos de compras alucinadas. Em seus guarda-roupas de Paris e de Londres, são muitas as vestimentas que nunca usa."

Suas viagens são longamente descritas. "Ela passa um quarto do ano percorrendo o mundo de carro, trem, transatlântico, acompanhada da camareira francesa e do cozinheiro alemão, que a conhecem melhor que ninguém, sem dúvida melhor que seu próprio marido." O que, vista a frequência das relações deles, não é muito difícil... "Titus é conhecido na Europa como um dos primeiros tradutores da poesia francesa, polonesa e italiana para o inglês. Seus manuscritos de Poe e de Whitman dão inveja aos colecionadores."

Com sua consumada arte da propaganda, Helena põe sua vida em cena. Em matéria de comunicação, tudo é calculado, as mentiras habilmente compostas, a imagem refinada com cuidado. Ela sempre se deixa fotografar ou pintar em casa, vestida com elegância, coberta com seus mais belos enfeites, cercada de objetos que comprovam seu gosto firme. Outros retratos a mostram em seus institutos de beleza e nas fábricas, usando um jaleco branco. Os fotógrafos e pintores têm a possibilidade de trapacear, de tornar o físico mais esbelto, o rosto sempre jovem. Ela exige retoques.

Uma foto tirada por Cecil Beaton, em que posa diante de uma estátua clássica de mármore branco de Elie Nadelman, mostra o antes e o depois, o rosto tal como foi capturado pela objetiva, e as correções, que ela mesma pediu, anotadas ou sublinhadas com tinta preta: espessar os cabelos, remodelar o ombro, retirar as rugas dos braços e do rosto. O resultado é, evidentemente, espetacular. Com isso ela ganha dez anos, sem cirurgia ou massagens elétricas e peelings.

Magia da técnica...

O pote de creme contra o pote de ferro

Henry, Emmanuel e Meyer Lehman são três irmãos, três associados, três *self-made men* imigrados, que são especialidade da América. Originários de uma família judia alemã cuja prosperidade provém do comércio do pai, Abraham Lehman, um negociante de gado, partiram, um após o outro, para fazer fortuna além-mar.

Eles poderiam ter se contentado em fazer frutificar o empreendimento paterno, mas, no meado do século XIX, o muito católico principado da Baviera editou leis contra os judeus. Somente um dos filhos homens de uma mesma família tem o direito de se casar e trabalhar no lugar no qual nasceu. Os outros devem partir. Assim, deixando o irmão mais velho, Seligman, assumir a continuidade, os três rapazes vão tentar a sorte na América, do mesmo modo que um grande número de jovens europeus naquela época.

Henry, o mais velho dos três, com 21 anos em 1844, foi o primeiro a embarcar para o Novo Mundo. No Sul, floresce o cultivo do algodão, no qual os escravos negros trabalham arduamente. Pode-se ganhar muito dinheiro negociando com os plantadores. No Alabama, uma numerosa parentela precedeu o jovem Henry e, como é comum entre os imigrantes, uns ajudam os outros. Um primo lhe credita um estoque de mercadorias destinadas aos fazendeiros. Henry se torna vendedor ambulante.

Para muitos ambiciosos, esse ofício duro, ingrato, no qual é preciso esfalfar-se sem poupar sacrifício ou tempo, conduzir a carroça cheia de mercadorias pelos menores atalhos, no verão, sob um clima tórrido, no inverno, aguentando chuva, neve e tempestade, é a melhor das aprendizagens, a "Harvard do *self-made man*".[1]

Ao final de um ano, aproveitando o "boom" do algodão, Henry Lehman pagou suas dívidas e ganhou um pouco de dinheiro. Ele abre um bazar em Montgomery, uma grande povoação do Alabama ligada a Atlanta pela estrada de ferro e a Nova Orleans pelo rio. Nessa loja, frequentada especialmente pelos plantadores, ele vende um pouco de tudo, conservas, roupas, utensílios de cozinha. Trabalha sem se queixar e mora em cima da loja, para não ter de pagar aluguel.

Seu irmão mais novo, Emmanuel, desembarca em 1847, três anos depois. Foram necessários mais dois anos de trabalho intenso para que os dois irmãos abrissem uma nova loja, maior que a anterior, cuja razão social era "H. Lehman & Bros", apresentando a mesma mercadoria, mas agora em maior escala: de grãos a camisas, de adubo a calçados. Os fazendeiros, muitas vezes sem dinheiro, têm o hábito de trocar os fardos de algodão por mantimentos e sementes.

Quando Meyer se junta a eles, em1850, a loja de Montgomery muda de nome e se torna Lehman Brothers. Os três irmãos continuam a fazer trocas, mas agora também emprestam dinheiro aos plantadores e estendem suas atividades ao ramo imobiliário. Depois da morte de Henry, levado pela febre amarela em 1855, Meyer e Emmanuel continuam no ramo das finanças. Os dois se completam maravilhosamente. O mais jovem, o mais aventureiro, também, sabe ganhar dinheiro, enquanto o outro, mais comedido, cuida para que eles não o percam. Em pouco tempo se especializam na venda do algodão. Em 1858, decidem abrir uma sucursal em Nova York. Após a guerra de Secessão, transferem todos os negócios para a cidade, onde se encontra a Bolsa mais importante do país.

Cotada desde 1887, a empresa deles tem agora ramificações na Europa e no Japão. No início do século XX, Lehman Brothers é não apenas a maior empresa especializada em algodão e reconhecida como tal, mas também comercializa matérias-primas, açúcar, grão, café e petróleo.

Quando Meyer falece, em 1897, dez anos antes do irmão, a firma passa para as mãos da segunda geração dos Lehman: Meyer H. e Philip, os filhos de Henry e de Emmanuel, e depois os de Meyer: Sigmund, Arthur e Herbert. Até 1924, mesmo sendo descendente direto, ninguém pode trabalhar na firma se não se chamar Lehman. O que exclui os descendentes das irmãs e de suas filhas.

Lehman Brothers se torna, então, um banco de investimentos. Os primos investem nos primeiros *department stores*, Sears, Macy's, Woolworth, nos cigarros Philip Morris, nas fábricas de tecidos e de roupas. Durante algum tempo, eles são sócios de Goldman Sachs, até se tornarem seus rivais. Quase todos os negócios em que decidem investir dinheiro pertencem a judeus. Ao se instalar em Nova York, os irmãos Lehman se chocaram imediatamente com o antissemitismo que reina na alta burguesia *wasp*, enquanto sua origem europeia lhes tinha reservado a melhor das acolhidas no Alabama. Remetendo-os ao judaísmo, apesar da riqueza que se tornou considerável, os americanos da boa sociedade se esforçam para erguer barreiras entre os judeus, e eles vão reduzir suas pretensões.[2]

Já que eles não são recebidos na sociedade, agrupam-se entre si, como fazem outras famílias judias abastadas. O sentimento comum a todas é a necessidade de criar seus próprios círculos, associações, country clubes, mais do que penetrar nos espaços nos quais não são desejadas.[3] Seus filhos são criados no mundo — os meninos estudam nas mais prestigiosas universidades da Ivy League —, mas todos os Lehman, meninos e meninas, casam-se com outros judeus. Grandes filantropos, por dever e por princípio, orientam sua caridade e doações para a comunidade judaica. Fundam o hospital Montefiore no Bronx, financiam o Monte Sinai, e fazem parte, entre outros, do conselho administrativo da grande sinagoga de Nova York, o templo Emanuel situado na Quinta Avenida.

Os homens de Lehman não sabem nada de beleza feminina. Seu universo de trabalho não pode ser mais masculino. Mas eles têm mulheres, irmãs, filhas, sobrinhas que utilizam produtos de beleza e, sobretudo, têm faro. Como homens de negócio experientes, perceberam a amplitude que o mercado de cosméticos tomou e os lucros que se podem auferir com ele.

Informaram-se. No meio, tudo aponta para Helena Rubinstein como marca saudável, que produz muito dinheiro. Eles estudaram seus balanços. No ano precedente, o volume bruto de negócios foi de 2 milhões de dólares e o lucro, de 960 mil dólares.[4] A Empresa foi criada por uma judia de origem polonesa; corresponde exatamente aos critérios deles. Não é possível hesitar: é preciso comprar, cotá-la na Bolsa, e inundar o mercado com os produtos Rubinstein, conservando sua imagem de glamour.

Os advogados deles não botaram fé, mas os Lehman não abrem mão. Eles fazem uma oferta e esperam. Madame gosta de dinheiro, sempre gostou. Como poderia resistir a tal soma, sobretudo quando ela lhe é oferecida em dinheiro vivo? Os Lehman não regatearam: eles lhe oferecem 7,3 milhões de dólares da época, quer dizer, 80 milhões de euros atuais. Madame já recebeu ofertas de compra, mas nunca tão altas. Contam que três anos antes, o representante de uma firma francesa lhe fez uma oferta de compra de sua empresa. A quantia oferecida era enorme. Ela recusou com uma alfinetada. "Não podemos fazer negócio; o senhor pensa em francos, e eu, em libras."[5]

Com os Lehman, porém, o papo é outro. Há o que pensar. Aliás, está pensado. Ela aceita. Afinal, venderá apenas a empresa americana, ou seja, 75% das suas cotas. Vai manter as fábricas bem como os negócios europeus e australianos. Os Lehman, que se comprometem a não despedir ninguém, pedem-lhe que continue a representar a marca. Seu papel é definido por contrato: ela conservará o título honorífico de presidente, aparecerá nas galas beneficentes e nas reuniões sociais e também continuará a criar produtos. Em compensação, deixará que eles dirijam o negócio como quiserem.

No dia 11 de dezembro de 1928, ela conclui a venda, a qual conseguiu manter em segredo, com seus homens de negócios. Era rica. Tornou-se milionária.

— Não vendi de coração leve, mas minha vida privada vale mais do que tudo — declarou à imprensa. — Desejo voltar à França e viver com meu marido que ali reside.

É o que afirma também em sua autobiografia. "Vendi para salvar meu casamento. Não havia alternativa. Foi um verdadeiro sacrifício porque, para mim, meus negócios sempre significaram mais do que dinheiro." O mérito é todo dela, o que é mesmo muito tocante.

Seria mesmo verdade? Talvez Edward tenha algo a ver com essa decisão, mas ele não foi o único. Aliás, ela ainda não comunicou a ele. Se espera o momento propício para lhe contar a verdade, é porque não tem certeza de que a notícia lhe agradará. Em resumo, ela não tem muitas ilusões sobre seu casamento. Na última vez em que voltou a Paris, eles homologaram a separação de corpos.

* * *

Entre eles, o jogo de gato e rato continua mais forte. Ele pede dinheiro para a casa, ela nega. Ele briga, exige; ela permanece inflexível. Ou então, depois de conseguir enfurecê-lo, ela dá o dinheiro a conta-gotas. Eles continuam se correspondendo, mas suas cartas, agora, são amargas. "Ajudar-me seria proveitoso tanto para a sua fama quanto para a minha", ele lhe diz. "O que eu tenho a ver com a sua glória?", responde abruptamente. "Sempre o apoiei e, por meu intermédio, você obteve um bocado de coisas." "Você não precisa me insultar", ele continua, "mas você se recusa a seguir as regras. Não é preciso dormir juntos para estar juntos".[6]

É seu ponto de vista, cínico e masculino. Não o de Helena. Suas brigas se agravam. Edward fica furioso quando descobre que a mulher encarregou Paul Ostotowicz, o marido da irmã Stella, agora à frente de um instituto de beleza parisiense, de cuidar de seus negócios imobiliários. O cunhado, que pensa que seu momento de glória chegou — gerenciar os negócios da rica Helena é uma promoção social —, lhe pede contas dos empréstimos da livraria da rue Delambre. Edward se sente traído, humilhado, e não compreende por que sua mulher deixa que isso aconteça.

Nova troca de cartas, novos mal-entendidos. Cada um deles se sente vitimizado pelo outro. Helena se queixa de ter trabalhado sempre muito para garantir o bem-estar de sua família, sem obter a consideração que ela estima merecer. Teve apenas responsabilidades e trabalho, enquanto seu marido reservou para si a melhor parte. "Você me procura quando precisa de ajuda e corre para procurar o prazer em outro lado."[7] Ele responde, acusando-a de sempre humilhá-lo. O diálogo de surdos não se resolve.

Horace, que estuda em Cambridge, sofre um acidente de carro, o primeiro de uma longa série. As relações entre Helena e os filhos continuam complexas, iguais, se não piores do que as que ela mantém com o pai deles. Ela dá e depois toma. O que não a impede de se mostrar possessiva e preocupada, especialmente quando se trata do filho mais novo.

Edward e ela fazem uma trégua para ter notícias do filho e lhe demonstrar a preocupação deles. A pausa, contudo, é de curta duração. Edward manda mais uma granada. "A única compensação que encontro nesse acidente é que, pela primeira vez, com a sua assinatura, você reconhece que a paternidade tem algum direito..."[8]

Ele ainda não sabe que a mulher abriu sua empresa americana. Ela não ousa lhe contar. Ele fica sabendo primeiramente por boatos, em seguida, pela imprensa, porque o segredo foi rapidamente ventilado. Ferido com aquele silêncio, ele lhe dirige amargas censuras. Eles se zangam mais uma vez. Ele passa o Natal sozinho em Paris ao passo que ela parte para a Austrália com os filhos.

Seus negócios, no entanto, se acertam. Em poucos meses ele arranja algumas boas edições que lhe rendem dinheiro e uma crescente notoriedade. Assim, em 1929, ano em que compra *This Quarter*, ele publica o romance de D. H. Lawrence, *O amante de Lady Chatterley*, reprodução da edição original editada em Florença no ano precedente. Edward Titus sabe que assume riscos, pois o livro provocou escândalo. Sylvia Beach recusou-se a publicá-lo, julgando-o erótico demais. Ela não quer se lançar nesse tipo de literatura; ocupar-se com James Joyce lhe basta amplamente. Então pôs em contato o autor e o editor.

É um sucesso. "Há muitos anos um livro não fazia tanto sucesso quanto *O amante de Lady Chatterley*. Nossa! Só se fala nisso..."[9] O sucesso ajuda a zerar as dívidas do Black Mannikin. Tuberculoso, Lawrence não poderá aproveitá-lo. Ele morre no ano seguinte, no sul da França, onde foi repousar com Frieda, sua esposa. Edward Titus foi um dos raros a assistir ao seu enterro.

Outro best-seller se anuncia, e é fenomenal. Edward publica as *Mémoires de Kiki de Montparnasse* em inglês, um ano depois de sua publicação na França. Prefaciado por Hemingway, traduzido por Samuel Putnam, o livro é ilustrado por Man Ray, então amante de Kiki.

Tendo nascido Alice Prin, de pai desconhecido, e crescido na sarjeta, Kiki é a própria alegria, zombaria e graça, e uma das figuras favoritas do Montparnasse boêmio. Insolente, lindinha, a tez pálida e o cabelo preto-azulado, ela ganha a vida como modelo. Antes de se tornar célebre, foi padeira e prostituta. Depois, desembarcou em Montparnasse onde Soutine, que gosta de mulheres bonitas, logo reparou nela. Perdeu a virgindade com um pintor polonês, Maurice Mendjizky, posou para os amigos dele, Kisling e Foujita. Este pintou um *Nu Couché* de Kiki e o enviou ao Salão de Outono. A tela foi um sucesso de crítica e de público. Kiki também posou para Modigliani e Derain. No bairro, é um ícone.

No auge da fama, Edward se reconcilia com Helena. Boa jogadora, ela fica sinceramente feliz com o sucesso do marido e lhe escreve de Nova York para cumprimentá-lo.

Nos Estados Unidos, a Bolsa é o último jogo da moda. As mulheres especulam tanto quanto os homens. Quando os Lehman Brothers, assim que decidiram, levaram a companhia Rubinstein para o mercado de ações, elas compraram 80% das ações. Por um estranho paradoxo, semelhante aos vividos por muitas pequenas empresas de beleza que abriram seu capital, Helena Rubinstein, que foi criada e desenvolvida por uma mulher, que repousa numa especialização e numa experiência de mulher, cujo pessoal é quase que inteiramente feminino, e cujo capital é majoritariamente possuído por mulheres, é agora dirigida por banqueiros que ignoram tudo do ofício.

Os Lehman quiseram conciliar glamour e mercado de massa, sem compreender que os dois são incompatíveis. Para tanto, eles inundaram o mercado com produtos a preços baixos. No início, Madame, que contudo sempre desconfiou da distribuição maciça, ficou vagamente seduzida pela ideia, mas logo compreendeu que era impossível. As mulheres não querem obter barato o que podem comprar muito caro. E as ricas se recusam a utilizar os mesmos produtos que as pobres.

É preciso escolher entre as duas estratégias. Ora, os Lehman não têm capacidade para isso. Eles conhecem de cor os meandros da Bolsa, mas ignoram completamente as necessidades de uma clientela feminina, sobretudo sua ambivalência. A vida desses homens cinza se desenrola em preto e branco, entre suas colunas de números e curvas estatísticas, entre a austeridade de Wall Street e a das casas nobres. O que sabem eles da cor, da leveza, do lado não codificável do sonho?

Outro problema os perturba: como livrar-se de Helena, que começa a lhes complicar a vida? Apesar do contrato que ela assinou, com todas as cláusulas que estipulam que não deve interferir na venda, ela não pretende ficar em silêncio, tampouco inativa. Liquidar seus produtos nos armazéns e nas farmácias significa, a longo prazo, destruir a marca. Ela não aceita isso.

A empresa é sua filha, sua coisa. Durante trinta anos, para vencer, trabalhou duramente, muitas vezes abdicando de sua vida pessoal. Todo esse esforço para quê? Para que esses *idlers*, esses idiotas, destruam em cinco minutos a obra de uma vida e vendam seus produtos em qualquer lugar, no meio de ervilhas e produtos de limpeza? Ela morre de raiva, até ficar doente.

Sua cólera é atiçada por cartas indignadas que lhe enviam os gerentes das maiores lojas e os proprietários das perfumarias que a distribuem. Todos se queixam do modo pelo qual aqueles homens de negócio desvalorizam os produtos Rubinstein. Nessas condições, eles se recusam a continuar a colaborar.

Helena bombardeia os Lehman com cartas ameaçadoras que eles jogam no lixo sem ler. Seus agentes financeiros, então, lhe fornecem a lista das acionistas. Ela escreve pessoalmente a cada uma delas. Em suas cartas, denuncia os métodos de gerência dos novos proprietários e as aconselha a lhes escrever, queixando-se. Os Lehman recebem cartas de todos os lados. Eles ainda terão muita dificuldade pela frente. Madame pretende recuperar seu negócio, recomprando as ações, uma a uma se assim for preciso.

Ela escreve, telefona, sente-se pronta a percorrer os Estados Unidos de leste a oeste e de norte a sul, para reconstituir seu estoque.

A quebra de 24 de outubro de 1929 ficou na história e nas memórias como a "Quinta-feira negra". Naquele dia, a bolha especulativa, iniciada em 1927 na Bolsa de Nova York e ampliada com a alta das compras de ação a crédito, explode subitamente.

O crescimento da indústria que sustentou todo o decênio dá sinais de esgotamento. Os capitais agora vão para Wall Street, em vez de serem investidos na economia real. Nesse circuito infernal, a cotação das ações sobe mais rapidamente que os lucros das empresas, que aumentam mais que a produção e mais que os salários também. Entre março e setembro, o índice das ações aumenta em 120%. Todos aconselham a vender. O que acontece maciçamente, no dia 24 de outubro.

A reação é de pânico em Wall Street e em todas as praças do mundo que caem uma após outra como dominós. Nos Estados Unidos, o valor virtual dos títulos perde 72 milhões de dólares. Entre os grandes perdedores figuram J. P. Morgan, os Vanderbilt, os Rockfeller. As ações da General Motors, US Steel, General Electric, Goldman Sachs caem, as de Lehman Brothers também e, com elas, as de Helena Rubinstein que de 70, passam a valer 20 dólares.

Para Madame, é uma catástrofe. Ela tenta de algum modo resistir, mas é muito difícil. Dolorosamente atingida naquilo que tem de mais precioso, perde o sono, ainda mais que nada está bem em sua vida: nem a saúde, nem as relações com o marido. Como se sabe, porém, ela é sempre melhor na adversidade. Durante uma de suas numerosas noites de insônia, elabora um plano. Suas ações caíram ainda mais: pronta a reagir, manda que seus agentes financeiros recomprem tudo o que puderem. Os pequenos investidores ficam bem felizes em recuperar um pouco de dinheiro revendendo-as antes que elas percam todo o valor.

Voltando a ser acionista majoritária, em parte graças ao dinheiro líquido dos Lehman, Madame se encontra em situação de superioridade em relação a eles. Ela os obriga a lhe revender o restante do capital. A compra total lhe custa 1,5 milhão de dólares, ou seja, uma ninharia comparada ao que vai ganhar com o negócio: ela embolsa líquidos 5,8 milhões de dólares de lucros. Bingo. Os Lehman têm de se submeter. Loucos de raiva, eles espalham que a senhora Rubinstein é "financeiramente iletrada".

Na verdade, Madame é um gênio. Os Lehman Brothers, esses *mensch* dos negócios, deveriam ter desconfiado da pequena empresária que eles subestimaram, confiantes demais na sua força e seguros demais de sua masculinidade. É a primeira vez que o pedestal deles é abalado. E pior, por uma mulher. Compreende-se que se sintam humilhados. Oitenta anos depois, a retomada da fábula do pote de creme contra o pote de ferro ainda é motivo de alegria.

Mais tarde, outros a acusam de ter perpetrado o delito de "uso indevido de informação privilegiada". Os Lehman espalharam esse boato para se vingar? É difícil acreditar que Madame soubesse de um *crash* da Bolsa que surpreendeu todo o planeta. Digamos que ela teve a intuição e, sobretudo, a sorte, essa insolente sorte que sempre a acompanhou.

Muitas vezes, é com uma jogada de pôquer do destino que se constroem fortunas. Em dois anos, Madame se tornou uma das mulheres mais ricas da América.

* * *

Durante todo o tempo que duraram essas longas transações, ela pensou naufragar. Teve medo de não conseguir recomprar ações suficientes para colocar os Lehman contra a parede. Jamais aceitaria uma derrota. Como tudo deve permanecer em segredo, ela se volta para a única pessoa no mundo que pode tranquilizá-la.

Edward.

A resposta é muito diferente da que ela imaginava.

"Minha querida, é apenas dinheiro. A vida passa depressa. Você tem dois filhos magníficos de quem você não desfruta, um marido que a ama sinceramente apesar dos erros dele. Desejo que você vença, mas se você perder, não é tão grave. O que conta é a nossa família."[10]

A hora da escolha chegou. Duas possibilidades se oferecem: o trabalho ou a família. Por um lado, está cansada de levar uma vida de nômade, como ela escreveu repetidas vezes ao marido. Deseja parar e viver num só lugar, em vez de passar como um meteoro por todas as casas sublimes, dispendiosamente decoradas, que pouco habita. Ela deseja uma vida regrada, necessária ao seu equilíbrio; já não suporta mais "fazer piquenique". Aliás, ninguém compreende o que a faz correr assim, a começar pelos filhos.

Ela decide rápido, porém. "Nasci para trabalhar", repetiu com frequência. Hoje, mais do que nunca esse refrão se confirma. No momento em que quase perdeu tudo, é preciso que reconstrua tudo. Ela se volta para os Estados Unidos, para grande decepção de Edward que, ingenuamente, pensou que ela ficaria em Paris para morar com ele, num duplex do boulevard Raspail.

Ele também necessita de estabilidade. Ele não suporta mais o clima de guerra permanente, as brigas, as mesquinharias recíprocas. Ele não aguenta mais ter sempre de lhe pedir dinheiro, sonha com relações pacificadas, mas sem ter de lhe oferecer amor carnal. Ele sonha com um companheirismo indulgente e cúmplice. Mas Helena recusa essa relação com ele. Ele é a única paixão de sua vida; ela não quer se contentar com migalhas.

O casal ainda viverá sobressaltos, como um moribundo a quem a vida oferece raros momentos de alívio antes do fim anunciado.

Quanto a Madame, ela engole a tristeza, e volta para Nova York onde está impaciente por retomar os negócios.

O deslumbrante luto da felicidade

Sob as janelas de seu escritório situado na 57th Street, quase esquina com a Quinta Avenida, acima do instituto de beleza, Helena ouve subir o clamor em ondas cada vez mais fortes. A multidão de manifestantes que cresce a cada minuto protesta contra as demissões, a fome, o alto custo de vida. A cólera das 35 mil pessoas que desfilam pelas ruas de Nova York é palpável até mesmo no ambiente discreto do salão, nas cabines de cuidados, em torno das mesas de massagens, ali onde tudo devia ser volúpia e quietude.

A Grande Depressão atingiu profundamente a América e o mundo; nem mesmo as clientes privilegiadas podem ignorá-la. Esse turbilhão financeiro que enriqueceu Helena Rubinstein, e lhe permitiu não demitir, tornou-se uma crise econômica sem precedente que deixou milhares de empresários e de assalariados na rua.

A paisagem urbana mudou. A miséria, que se esgueirou até os bairros ricos, deixa na cidade inteira um sabor mesclado de amargura e desespero... Filas intermináveis de desempregados esperam diante do restaurante popular, os desabrigados dormem em caixas de papelão sobre o asfalto, mulheres com bebês ainda no seio, o rosto encovado de cansaço e vergonha, pedem alguns centavos para sobreviver. São incontáveis os bancos fechados, as lojas falidas, famílias inteiras atiradas à rua, os suicídios. As donas de casa cujos maridos perderam o emprego procuram qualquer trabalho para pôr comida na mesa. Elas são acusadas de roubar o trabalho dos homens. Algumas chegam a tirar a aliança: a contratação de mulheres casadas ainda é proibida nos 26 estados americanos.

Num país devastado, Helena ainda é uma das mulheres mais ricas e destacadas. Ela tem tudo: sucesso, dinheiro, honrarias. Tudo, com exceção do amor. O mínimo que se pode dizer é que sente falta de Edward. Então, se agita, trabalha em dobro, estimula a equipe a melhorar ainda mais, sempre mais.

— Mexam-se! Tenham imaginação! A concorrência nos esmaga! As mulheres têm um orçamento reduzido! É preciso atraí-las para nós por meio da publicidade, tirar até o último níquel de seus bolsos, imaginar novas embalagens, redecorar nossos estandes nas grandes lojas. E então, estão esperando o quê? Mexam-se, ora essa!

Porque não existe nada melhor do que a ação para estimulá-la, ela se lança novamente numa grande turnê pelos Estados Unidos para garantir a promoção de seu primeiro livro, *The Art of Feminine Beauty*, A arte da beleza feminina. Ela encarregou um *ghost writer* de escrevê-lo, um *nègre*, mas todas as ideias são dela. Os dois primeiros capítulos são dedicados à narração de sua vida. Ela a embeleza do melhor modo possível, sobretudo os anos poloneses e os primeiros tempos na Austrália. É assim que as mentiras e as omissões se consolidaram.

Essencialmente, o livro trata de beleza. Nesse campo, Madame não trapaceia. Ela se encontra em seu elemento e, acima de tudo, é visionária. "Tenho certeza de que, um dia, uma mulher de 50 anos poderá facilmente passar por uma mulher de 30, e uma mulher de 70 anos poderá afirmar estar numa vigorosa maturidade."

Ao longo dos capítulos ela recomenda as gomagens, os banhos com óleos essenciais que nunca devem ser quentes demais, as fricções do couro cabeludo, os cuidados especiais com o pescoço, as mãos, os pés, a proteção redobrada contra o sol que "faz perder cinco anos". Seus conselhos são cheios de bom senso. "É preciso fazer vinte minutos de exercícios por dia, usar luvas sempre que estiver ao ar livre, nutrir o rosto com um bom creme."[1]

Naqueles tempos difíceis, mais do que nunca as mulheres precisam da futilidade. Elas compram o livro, leem, oferecem de presente, compram novamente. Helena dá entrevistas por toda parte. Em setembro de 1930, ela está em Boston com secretários, publicitários e toneladas de bagagens, como se partisse por dois anos. Ela nunca soube viajar com pouca coisa; aliás, para fazer o quê? Tem de se trocar várias vezes por dia se quiser impressionar a imprensa.

Por intermédio da jornalista Grace Davidson, o *Boston Post* lhe dedica um longo artigo. A foto que o ilustra mostra Madame divinamente vestida por Poiret. Ela ostenta várias fileiras de pérolas negras ao redor do pescoço roliço.

— De quanto é a sua fortuna? — pergunta a jornalista.

— Vinte milhões de dólares — responde Helena prontamente.

Ela deu o primeiro número que lhe veio à cabeça. Se é verdade ou não, não tem importância alguma. Quanto mais ela revelar sua fortuna, mais será respeitada. Fiel ao seu hábito, embeleza, aumenta. Descreve Edward como milionário editor e marchand de arte, e enumera as propriedades deles: mansão em Mayfair, apartamento em Paris, casa de campo em Greenwich. Por esporte, acrescenta um castelo em Viena e uma vila na Itália. Quem terá a curiosidade de verificar? Dinheiro chama dinheiro. Poderia ser Helena a ter inventado esse ditado.

— Em sua opinião, qual é o primeiro dever das mulheres? — pergunta ainda Grace Davidson.

— Permanecer jovens! Todas nós devemos poder viver vidas arriscadas, viajar, trabalhar duro, ganhar dinheiro e gastá-lo, ter filhos e amar apaixonadamente.

Em relação aos últimos pontos, nem sempre cumpriu o contrato. Do mesmo modo que antes, ela não cuida dos filhos, agora rapazes. Quanto à paixão...

Em Paris, acontece uma última tentativa de reconciliação com Edward, algum tempo após sua turnê promocional. Quando ele foi buscá-la no Havre, surpreende-se ao vê-la desembarcar acompanhada da sua camareira e da nova melhor amiga, a jornalista Grace Davidson, que ela quase não larga desde o esplendoroso sucesso do artigo do *Boston Post*.

Helena, que só deseja uma coisa na vida, reatar com o marido, entrou em pânico no último momento, ao imaginar reencontrar-se com ele face a face. A estratégia, sua segunda natureza nos negócios, a abandona assim que se trata de Edward. Ela age ao contrário do que é necessário fazer para reconquistá-lo. Ou talvez acredite que agora todo esforço é inútil?

Então ela convenceu a jovem e tímida Grace a acompanhá-la, e lhe ofereceu a passagem. Muito educado, ou muito esperto para fazer a menor reflexão diante de uma jornalista, Edward não diz uma palavra durante toda a viagem de carro até Paris. É pouco dizer que ele emburrou.

Ele também não quer se divorciar. Namorador, mulherengo, por vezes cruel por afirmar sua superioridade de macho diante de uma mulher que financeiramente o esmaga: ele é tudo isso ao mesmo tempo. Mas, no fundo, ele conserva o sonho de uma família unida. Além do mais, uma separação não solucionaria suas finanças, mesmo que ele tenha de suplicar cada centavo que sua mulher lhe concede.

Miss Davidson janta com o casal no La Coupole e fica com eles até o último copo no Select. No dia seguinte, ela os honra novamente com sua presença. Não compreendeu seu papel, meio figurante, meio vela, e acha esses encontros "estranhos" e "tensos",[2] mas reconhece o charme louco de Edward.

O único momento em que Helena parece se descontrair durante esses poucos dias foi durante um encontro social para o qual os Titus são convidados. Ela encontra o escultor Constantin Brancusi, de quem acaba de comprar uma de suas melhores peças, *La Négresse blanche*. Eles conversam longamente. Brancusi lhe faz muitos elogios. Finalmente Madame recupera o sorriso.

Ela conhece o escultor há muito tempo. Eles são contemporâneos. Constantin Brancusi, nascido na Romênia em 1876, chegou a Paris no início do século XX para estudar Belas-Artes. Helena aprecia suas esculturas em mármore ou bronze, que se aproximam da arte abstrata. Ela já lhe comprou uma pertencente à série *Oiseaux dans l'espace*. Ambos partilham a mesma paixão pelas artes primitivas. Eles falam de Nova York onde o artista esteve em 1926: ele queria erigir uma Coluna sem fim no meio do Central Park.

— É melhor do que esses *schnorrers*, esses pés-rapados, que Edward adora frequentar! — diz a uma Grace perplexa.[3]

Nem sempre é fácil compreender Madame.

Ela volta com frequência a Paris, sozinha e sempre deprimida. Todas as vezes, o abismo entre Edward e ela parece se aprofundar ainda mais. Vulnerável, por estar triste, cercada por um grupo de cortesãos e de fofoqueiros, Helena acredita em tudo o que espalham a respeito do marido.

— Como? — sussurra sua compatriota, a condessa Tamara de Lempicka, de quem ela acaba de comprar uma tela. — Você não conhece a atual amante de seu marido?

Paris é cruel. A artista polonesa se refere a Anaïs Nin. A jovem mulher que, na ocasião, vive em Louveciennes com o primeiro marido, o barão Hugh Parker Guiler, e contatou Edward porque pretende escrever um livro sobre D. H. Lawrence, que ela admira. Ela procura um editor. Edward leu algumas páginas de seu ensaio *An Unprofessional Study* (Um ensaio não profissional) e a estimulou a continuar.

Será que eles tiveram uma aventura? Helena não pode provar. Mas, tendo posto essa ideia na cabeça, se agarra a ela. Acusa o marido de enganá-la com "aquela lésbica alemã". O erro seria cômico se Helena não estivesse tão enraivecida: nascida em Neuilly-sur-Seine, Anaïs Nin é de origem francesa, cubana e dinamarquesa pelo lado da mãe. Madame ameaça o marido de divórcio, dessa vez, definitivamente.

Edward negou inutilmente; ela não acredita, não acredita mais nele, não quer mais acreditar nele. Para se vingar, lhe retira a gerência de sua holding imobiliária e a entrega ao cunhado Paul, marido de sua irmã Stella. Belo golpe. Os dois homens se detestam. Edward poderia matar aquele pretensioso. Pior ainda, ela manda destruir o Jockey Club, o cabaré preferido do marido em Paris, para ali construir um edifício de apartamentos. Edward tem dificuldade em digerir esse último golpe. Aliás, ele não se gaba sobre isso com os amigos de Montparnasse.

Suas relações se deterioram um pouco mais. Edward edita Anaïs Nin no ano seguinte. Será a última publicação do Black Mannikin. Helena decidiu se divorciar para sempre — o que ela fará em 1938 — e, principalmente, não sustentar Edward, sua editora e sua revista.

Ela não quer mais morar no boulevard Raspail apesar da decoração bem executada do apartamento em estilo art déco de que gosta. É deslumbrante sem ser escandaloso. Ela oferece o usufruto à irmã Stella e ao seu marido. As obras nos outros estúdios que Edward sonhava realizar para reunir uma colônia de artistas em torno deles não terminaram. Não importa. Eles serão alugados nas condições em que estão, tanto mais que ele não se entende com Bruno Elkulken que está encarregado de reformá-los.

Jojo Sert, ex-marido de Misia, propõe, então, que Madame compre o imóvel que lhe pertence. Trata-se do palácio de Vasselin, situado no número 24, quai de Béthune, na île Saint-Louis. Misia fez papel de intermediário. Os advogados se encarregam das negociações, que se anunciam longas, para desalojar os ocupantes. De fato, serão necessários quase três anos.

Fim de uma época, fim de um ciclo: a partir de agora os Titus se veem cada vez menos.

— O casamento deles se rompeu apenas por causa de dinheiro — é o que dirá, nos anos 1950, Eugénie Metz, empregada da casa, a Patrick O'Higgins. Ela e o marido Gaston tomam conta, durante o ano, do apartamento que Madame mandou preparar para si no último andar do quai de Béthune. O casal entrou a serviço dos Titus no início dos anos 1920, para cuidar das crianças.

Patrick O'Higgins acaba de ser contratado como secretário de Madame, e ele não conhece toda a sua história. Eugénie lhe explicou as relações complicadas que uniam seus patrões quando ele foi pela primeira vez de visita a Paris, com sua patroa.

— Madame lhe dará outras explicações — acrescenta Eugénie —, ela lhe dirá que o senhor tinha amantes. Era verdade, mas o que é que ele podia fazer? Não lhe concedia um minuto. Só Deus sabe como ela encontrou tempo para ter dois filhos![4]

Desesperada com o fracasso evidente de seu casamento, Helena retoma as viagens. Em Viena, ela é derrubada por uma crise de apendicite. A operação é acompanhada de uma histerectomia. Ela passa um longo período de convalescência em Londres, na casa de Ceska. Lá, toma conhecimento de duas notícias que a abatem ainda mais. Seu pai morre na Cracóvia em meados de 1931. Madame, que detesta enterros, manda suas irmãs assistir a ele em seu lugar. Uma semana depois, é sua mãe que falece. Gitel não sobreviveu sem o marido.

Arrasada por um remorso cuja força ela não imaginou, Helena cai em depressão. De cama e sozinha, no auge do desespero, se deixa levar pela culpa e pela nostalgia, dois sentimentos que habitualmente não a sobrecarregam. Imagens esquecidas voltam para assombrá-la. Pensa em Kazimierz, em Melbourne, em Londres, nos dias felizes com Edward. Se culpa por nunca mais ter revisto os pais. Entregue à dor, esquece as queixas que tinha deles.

Aliás, esquece tudo, a raiva, o rancor, as repetidas traições de Edward; esquece também quem ela é, o que realizou, conquistou, e como seu nome, em todos os cantos do globo, é sinônimo de beleza, glamour, riqueza. Quebrada, aniquilada, ela é apenas um montinho de tristeza, deitada entre lençóis de cetim. Parecia tão pouco com ela que todos se preocupam, a família, os empregados, os médicos. Exige os filhos perto de si e os toma por testemunhas.

— Nunca pude ficar tranquilamente com seu pai uma semana inteira. Nenhuma mulher no mundo sofreu tanto quanto eu!

Recomendam-lhe repouso, montanhas suíças. Ela se submete, sem reclamar muito. Ela se conhece, sabe quando seu corpo e sua mente precisam parar. Lá, recupera um pouco as forças e volta a Paris. As brigas com o marido recomeçam ainda mais intensamente, sinal de que recuperou a saúde. Então volta à Nova York e retoma corajosamente o trabalho. Imediatamente, ela contrata um novo diretor de vendas, Harry Johnston, porque ouviu falar de sua capacidade de gerenciamento. Ela lhe oferece um salário enorme para reestruturar a empresa.

— Quanto mais se trabalha, mais se é feliz, menos se tem tempo de pensar besteiras! — repete.

Ela sempre teve certeza disso, mas repete essa frase incessantemente, como um mantra. Se atordoa com projetos para afastar Edward do pensamento. O dinheiro dos Lehman, sempre bem-vindo, lhe permite reformar o imóvel adquirido em 1927 no número 52 da rue du Faubourg Saint-Honoré. Quer incluir ali seus escritórios e o salão de beleza.

Também realiza uma nova adaptação para o salão de Grafton Street, em Londres. Sempre na vanguarda todas as vezes que se trata de contratar novos talentos, ela chama um arquiteto muito controverso, Erno Goldfinger e seu sócio Andras Szivessy. Alguns anos antes, Edward e ela encomendaram-lhes os projetos para a reforma do boulevard Raspail e da livraria da rue Delambre, bem como esboços para a mobília de vidro do salão de beleza de Paris. No fim, somente o de Grafton Street terá a assinatura dos dois criadores.[5]

Judeu húngaro, Goldfinger, que estudou na Suíça e posteriormente na escola de Belas Artes de Paris, tem duas ideias fixas. Ele acha que o interior do salão deve contrastar com sua fachada georgiana clássica, e que sua decoração deve dar as costas ao estilo art déco, do qual todos usam e abusam. Depois de muita hesitação da parte de Helena, que não gosta muito do primeiro projeto que ele lhe apresenta, e que às vezes se opõe categoricamente ao que ela julga nitidamente feio, ou grotesco — por exemplo, os letreiros luminosos de que ele gosta especialmente —, a reforma finalmente acontece. O resultado é hibrido, mas espetacular. As paredes são inteiramente recobertas de espelhos negros e metalizados, os tapetes, riscados de cinza.

Helena detesta; é moderno demais, até mesmo para ela, e excêntrico demais, também. Ela se recusa a pagar os honorários de Goldfinger. Eles brigam, porém, mais tarde, ele reconhecerá seus méritos. "A senhora Rubinstein é uma mulher interessante que me convidou para jantar no Ritz e preparou refeições para mim em seu apartamento acima do salão de Grafton Street"[6] — ele escreve. Apesar das dúvidas de Helena, o salão obtém um grande sucesso desde a abertura. A reputação de Goldfinger cresce e, consequentemente, o renome de Madame que, como a imprensa explica, se supera tanto na "decoração de interiores quanto na de exteriores".

Em Paris, a crise marcou o fim de Montparnasse. Os americanos, pelo menos os artistas, estão quebrados demais para permanecer ali. Assim é que eles voltam para casa. Ernest Hemingway se instala em Kay West. Sylvia Beach, que ficou na rue de l'Odéon, tenta manter sua livraria. Para apoiá-la, os amigos lançam uma subscrição para a qual Helena é convidada. Ela dá alguns dólares.

Os turistas correm em massa para os lugares sagrados, tentando ver Scott Fitzgerald no Select, Pascin, na Rotonde, ou Kiki leiloando seus desenhos. O *business* substitui o autêntico, Montparnasse perde a alma.

O ano de 1932 também vê a publicação do último número de *This Quarter*, dedicado ao surrealismo. No editorial, Edward Titus conta a história da influência desse movimento que ele viu nascer, e do qual ele conhece bem todos os protagonistas. Salvador Dali, Paul Eluard, Marx Ernest, René Crevel, Tristan Tzara, Samuel Beckett, Duchamp e Max Ernest são os colaboradores. André Breton é redator chefe desse número especial que marca o final de uma época.

Edward põe a chave debaixo da porta do número 4 da rue Delambre e se muda para Cagnes-sur-Mer, onde uma colônia de artistas vai se estabelecer. Ele leva consigo sua lendária biblioteca. Continua a pedir dinheiro à mulher que cede, ou não, conforme seu humor.

Ela poderia, contudo, conceder todos os seus pedidos, até mesmo os absurdos. Sua fortuna é considerável, e ele contribuiu grandemente para ela.

Vida em família

Durante os meses que se seguiram ao rompimento com Edward, Helena teria gostado de encontrar nos filhos um pouco de consolo. Evidentemente, ela apenas colhe o que plantou, pois nenhum deles responde às suas expectativas. Sem dúvida eles sofrem com a separação dos pais. Horace, que se entende bem com o pai, vai com frequência a Cagnes. Roy se afasta de Edward, mas nem por isso se aproxima da mãe.

Dos dois, ele é o mais frágil e o mais dócil. Diplomado por Oxford, na Inglaterra, depois de ter estudado em Princeton, ele foi recebido em Harvard. A despeito das universidades prestigiosas, nas quais suas notas foram medíocres, ele não gosta muito dos estudos que seguiu para agradar aos pais e, sobretudo, à mãe. Teria preferido ganhar a vida com a música, arte em que ele brilha, como o irmão.

Desde que nasceu, Roy sempre fez de tudo para ganhar um sorriso, uma aprovação, um sinal que mostrasse que *Mother* — como Horace e ele chamam a mãe — se interessa por ele, mas, na maioria das vezes, fracassa. Ele tem a impressão de que a decepciona continuamente. Ela não aceita nada do que ele realiza, ele não corresponde às suas expectativas. As relações entre eles são tensas, quase sempre difíceis. Ele a teme e a evita, suplicando seu apoio, ele tem medo de suas cóleras e de seu desprezo. Por sua vez, ela não se mostra carinhosa. Não se trata de falta de amor, longe disso. Os filhos são importantes para ela, e ela pode ser carinhosa com eles. No final da vida, na hora da prestação de contas, se mostrará muito arrependida por não lhes ter dedicado mais tempo. Na verdade, não sabe amá-los, ou melhor, ela simplesmente não sabe amar.

Sua história com Edward padeceu dessa inaptidão. A relação com os filhos não será melhor.

Roy sofre com o frustrado primeiro encontro deles, o dia de seu nascimento. Ela o ignorou porque ele contrariava seus planos. Mais tarde, ela tentou recuperar o tempo perdido, cobriu-o de presentes, de dinheiro, ofereceu-lhe conforto e luxo, deu-lhe, como ao irmão caçula, a melhor educação possível. Desde a mais tenra idade, nada faltou a Roy, salvo o essencial, o olhar acolhedor e, sobretudo, encorajador da mãe. Ele se fez sem ela. Ele tentou lhe dar razão, embora não seja fácil ser o filho rejeitado.

Roy sempre terá dificuldade para encontrar seu equilíbrio. Na empresa, na qual ele se empregou como todos os membros da família, mantém-se cuidadosamente afastado. Sua vida privada vai ser um fracasso. Ele se casa três vezes, tem apenas uma filha, Helena, nascida em 1958. Ele se conforma em ser infeliz até encontrar Niuta Grodzius, uma americana nascida na Lituânia, que a morte de seus sucessivos maridos — Benno Slesin e Bernard Miller — deixou sozinha, com duas crianças adolescentes, Louis e Susan. Niuta será para ele a mãe que ele não teve, a enfermeira e a consoladora, aquela que saberá cuidar de suas feridas e ajudá-lo a enfrentar seu alcoolismo.

Depois do casamento — o quarto, para ele —, em 1960, Roy vai morar no apartamento da mulher, situado na Park Avenue, levando consigo duas maletas.

— Ele não possuía nada — recorda Susan Slesin, a filha de Niuta, que dedicou uma bonita obra a respeito da visão artística de Helena Rubinstein, *Over the Top*.[1] Roy não queria dever nada à mãe.

Mais rebelde que seu irmão mais velho, mais instável, também, Horace abandonou Cambridge depois de seu acidente de carro. Ele quer ser um artista, um pintor, escrever, ou fazer as duas coisas.

— Como o pai e o avô, ele prefere os romances aos livros de contabilidade! — lamenta-se Helena.

Horace se obstina. Sem dúvida ele recebeu como prêmio o caráter teimoso de sua mãe. Com 22 anos, publicou uma novela numa revista inglesa e recebeu em troca 3 guinéus. Edward tem orgulho do filho, tão pouco conformista que, evidentemente, se destina a seguir seus passos. *Mother*, porém, torce o nariz.

Essa atração familiar pela literatura a irrita; ela não suporta que também Horace tenha herdado a maldição dos sonhadores. Gostaria de a qualquer custo trazê-lo, como o irmão, para "*o business*". Durante as férias escolares, ela os obriga a estagiar na fábrica de Long Island. Depois de seu primeiro ano em Oxford, Roy passou dois meses no salão de Grafton Street.

Horace se dobra diante das ordens maternas, mas apenas quando não tem nada melhor a fazer, ou se se encontra em perigosa situação financeira, e precisa absolutamente de dinheiro para se safar. Desestruturado, mas brilhante, ele acumula besteiras, sem dúvida para chamar a atenção da mãe: dívidas de jogo, falências, acidentes de carro. Ela lhe desculpa tudo; ele recomeça com mais intensidade. Ele decide ser pintor, parte para o Taiti, volta ao fim de alguns meses, se inscreve numa escola de arte, abandona-a, como sempre.

No início dos anos 1930, ele se casa com Evelyn Schmitka, uma jovem mulher terna e despreocupada, nascida em Woodstock. Com seu sentido inato dos apelidos, Helena a batizou de "a filha do açougueiro", a profissão do pai dela. Horace terá dois filhos com ela: uma menina, Toby e um menino, Barry. Ele se divorciará muito pouco tempo depois do nascimento do segundo. Os netos de Helena pouco se lembram da avó, que, afinal, eles veem muito raramente, embora, em sua autobiografia, ela fale como se encontrasse com eles todos os dias.[2]

No fundo, Helena lamenta não ter tido uma filha a quem transmitir a profissão. Suas irmãs são o que são, ao mesmo tempo presentes e mantidas à distância. Ela as maltrata, e elas tentam enfrentá-la ao seu próprio modo, sem nem sempre conseguir, porque, admirando e temendo a mais velha, elas a invejam, o que complica as relações entre elas. Não melhoram com a idade. Assim é que um violento conflito vai opor Helena e Manka. Cansada de percorrer a América para levar a boa palavra aos revendedores, esta decidiu deixar a empresa, vendendo suas cotas.

A irmã se enraivece e a chama de ingrata. Manka, no entanto, resiste e gradualmente se retira. Madame procura substituí-la por um membro da família: ela sempre agiu assim, estruturando seu negócio como a "máfia polonesa", conforme a indelicada afirmação de Elizabeth Arden. A comparação será retomada mais tarde por Boris Forter, o gerente que ela contratará em 1937 para dirigir o salão de Londres. Forter vai além e fala de uma "família mafiosa inferior".[3] Mas, por vários motivos, seu ressentimento pessoal é forte contra Madame.

Na Cracóvia, ainda vive Regina Rubinstein, a última das irmãs que ficou na Polônia. Regina teve quatro filhos, Jacques, Oscar, Rachel e Mala. Esta, desde a mais tenra infância é fascinada pelo sucesso da tia, que faz parte da lenda familiar. Sua infância inteira foi embalada pelas narrativas de sua prodigiosa história.

Por volta dos 12 anos, Mala, que desenvolve uma acne persistente, escreve a Helena. Esta lhe oferece conselhos por cartas. A correspondência delas continua depois da cura da jovem, que leva uma vida feliz na Cracóvia, cercada pelos pais e pelos amigos, e nem pensa em deixar a Polônia. Quando pensa no futuro, se vê mãe de uma família numerosa, ou poeta, e por que não as duas coisas? Dotada de tudo, ela já publicou vários ensaios literários no jornal do liceu.

Madame continua pedindo regularmente notícias dela. Por cartas, Mala conta os estudos, a aprendizagem do tênis, que sua tia encoraja de longe. Durante suas numerosas viagens, Helena nunca se esquece de mandar cartões-postais à sobrinha que sonha com todos os países pelos quais ela passou.

— Suas fotografias decoravam as paredes de nossa casa na Cracóvia — conta Mala. — Eu ficava maravilhada com sua vida de glamour. Ela era minha heroína.[4] Apesar da vida tão cheia, ela separava um tempo para pedir notícias nossas.

Quando a jovem termina os estudos, Helena convida-a a ir a Paris. O primeiro reflexo de Mala é correr para comprar roupas novas para estar à altura dela. Ela sabe que Helena já realizara essa saída da Cracóvia anos atrás. É outra das lendas que correm a seu respeito. A partir daí todos se gabam de ter financiado parte de sua passagem de navio. Não adianta a viagem ser mais fácil para ela do que foi para a tia; ela tem a impressão de sentir, com 40 anos de distância, a mesma mistura de excitação e medo.

Todos consideram Mala Kolin a mais bonita e a mulher mais distinta da família. Uma massa de espessos cabelos castanhos emoldura seu rosto fino, o sorriso largo e os olhos que transbordam encantam todos os que dela se aproximam. Além disso, ela é gentil, atenta, sempre à escuta. Orgulhosa da jovem sobrinha, Helena se dá ao trabalho de lhe dedicar um tempo, o que nunca fez com os filhos. Ela lhe mostra os museus, as galerias, leva-a aos ateliês de Braque e de Van Dongen, às Folies Bergères para admirar Josephine Baker, ao cinema, no qual Raimu triunfa em *Marius* de Marcel Pagnol. Ela a convida para jantar no Ritz, no Café de la Paix e, atravessando o Sena, no la Coupole onde ainda se encontram alguns pintores. Mala fica deslumbrada com essa vida cuja riqueza e atração ela pressentia.

Quando volta, a Cracóvia lhe parece acanhada, provinciana. Ela se aborrece e só pensa em ir embora. Madame acaba de recrutar dois de seus irmãos. Oscar, o mais velho, como químico chefe da fábrica de Saint-Cloud, e Jacques, para supervisionar a de Toronto. Ela oferece a Mala contratá-la também.

No início dos anos 1930, a jovem mulher que desembarca em Paris, agora para ali viver, está cheia de esperança diante da ideia de começar uma nova existência perto de uma tia adulta. Com certeza ela não espera trabalhar tanto. "Duas pessoas vivem numa só", ela escreve. "Na intimidade, tia Helena, afetuosa e atenciosa, e, no trabalho, a senhora Rubinstein, que não tinha nada a ver com a primeira."[5]

Helena começa a educá-la imediatamente. Em lugar da vida parisiense palpitante que ela sonhava levar, a jovem é mandada para Viena e para Berlim, durante seis meses. Lá, estuda dermatologia, tratamentos faciais e, particularmente, as massagens. Ao retornar, sua formação ainda é reduzida, mas, pelo menos, agora sabe em que consiste o ofício.

Inicialmente, ela trabalha no salão do Faubourg Saint-Honoré, em seguida na fábrica, nos escritórios e nas outras lojas nas quais os produtos Rubinstein são vendidos. Não há mais lazer, nem fim de semana, nem saídas. Madame é inflexível, o ofício deve render. "O preço foi alto, mas as lições que eu obtive me marcaram para sempre."[6]

Para que ela continue os estudos, Helena a envia como representante dos produtos Rubinstein aos cantos mais afastados da França.

— Se você quer aprender — lhe diz — só existe uma palavra mágica: escute.

É mais ou menos a lição de Gitel, que, por sua vez, ela lhe transmite.

— Eu escutei — recorda-se Mala. — Só fiz isso.

Nas cidades e nas aldeias do interior da França, as mulheres que não sabem muito sobre cosméticos — a publicidade ainda não chegou lá — mostram-se céticas diante do ensinamento. Convencê-las é um desafio. Mala compreendeu o quanto a abordagem personalizada é necessária. É preciso compreender o que cada uma deseja, "escutando", como sua tia lhe aconselhou.

A jovem mulher, que fala fluentemente cinco línguas é, em seguida, enviada à Suíça, depois à Alemanha, e a todas as fábricas Rubinstein na Europa. Ela aprende a ensinar as técnicas de massagens faciais e de manipulação de músculos, os cuidados com a pele, as estreitas relações entre os regimes e o exercício físico. Finalmente, ela é promovida: é nomeada diretora do salão de Paris. A pedido da tia, ela muda o nome Kolin para Rubinstein.

Severa com a sobrinha, Helena não lhe permite o menor deslize. Durante uma festa dada na embaixada da Inglaterra, Mala se lança num debate animado com um diplomata. A conversa não é o menor de seus atrativos. Seu interlocutor parece estar sob encanto até o momento em que Helena literalmente avança para a sobrinha. Ela rapidamente lhe murmura, de passagem, antes de prosseguir caminho até o outro lado da sala, semelhante a um carro de combate partindo para a batalha:

— Finja que você é um pouco mais burra!

Inutilmente Mala tentou; ela não sabe parecer "burra". Quando para de trabalhar, ela nada, joga tênis, esculpe, escreve poesia, lê Colette, Virginia Woolf. Com o novo círculo de amigos parisienses, ela frequenta assiduamente os museus, as galerias, vai ao teatro assistir às peças de Giraudoux e de Pagnol.

Sua vida em Paris lhe agrada, ela a considera realizada, tanto mais que conheceu o primo Victor, o filho de John Silberfeld, o tio de Melbourne que imigrara para Anvers. Victor mudou o nome para Silson. Os dois jovens se apreciam, se reveem, se apaixonam.

Helena então escolhe esse momento para mandar a sobrinha para os Estados Unidos. Mala fica arrasada diante da ideia de abandonar tudo, mas, na verdade, não tem escolha. Como dizer não à tia terrível? "Meu sentido da aventura foi mais forte", escreverá ela, puro clichê.

No mês de janeiro de 1934, Mala, com exatamente 30 anos, desembarca em Nova York. Como Helena antes dela, fica deslumbrada com a chegada em navio. Coberta de neve, a cidade lhe lembra a Cracóvia. Foi-lhe reservado um quarto no Hotel Pierre. E todas as manhãs, de sua janela, ela pode admirar o branco relvado do Central Park. Gostaria muito de ficar, mas tem de substituir Manka e viajar, como ela, através do país. Helena logo se junta e a acompanha por um tempo, para o primeiro contato "coast to coast", de costa a costa.

Em toda a América, as pessoas trabalham dia e noite para tentar sair da crise. O dinheiro é pouco, cada despesa é calculada minuciosamente. Fora das grandes cidades, as mulheres ficam muito isoladas, elas não têm ideia do mundo que as cerca. A televisão ainda não existe; apenas o rádio e algumas revistas as unem ao exterior. Mala se dirige às fazendeiras que só conhecem água e sabão preto, às donas de casa que usam *cold-cream*, a burguesas para quem a maquiagem é de extremo mau gosto, a jovens funcionárias, ávidas de novidades.

Também nesse caso é necessário iniciar cada uma na cultura da beleza, usando uma linguagem inteligível a todas. "Em alguns lugares", Mala recorda, "eu me sentia como uma ave rara olhada através dos binóculos de ornitólogos curiosos."[7]

Apesar da quantidade enorme de trabalho e dos horários sempre irregulares, ela se habitua à vida americana. O namorado vai ao seu encontro porque Helena o contratou. Eles conseguem se ver e até mesmo se casar a despeito de seus horários que nem sempre coincidem. Imediatamente após a cerimônia, contudo, Mala parte sozinha em viagem de núpcias. Ela não pode agir de outro modo porque se encontra bem no meio de uma turnê de demonstração. Ela acrescentará Silson, o nome do marido, ao seu, mas será sempre Mala Rubinstein.

Ao final de dois anos intermináveis, mas essenciais para seu conhecimento do ofício, ela consegue a direção do novo salão de Nova York. Madame pode finalmente se sentir satisfeita com sua aluna, que se tornou tão perfeccionista quanto ela. "Jamais percam de vista", ela escreve dirigindo-se às mulheres, "agora e sempre, que quando se trata de sua aparência, 'bem' nunca é o bastante. O objetivo deve ser melhorar, e vocês só devem se sentir satisfeitas quando tiverem alcançado o 'melhor'."[8]

Entre as duas mulheres formou-se um vínculo intenso. Mesmo que Helena nunca tenha dito nada, oficialmente, Mala, que lhe é muito dedicada, é de fato sua herdeira de coração e de espírito. Ela não tem igual no ensino da beleza. "Mesmo com a mão trêmula", diz, "uma mulher sempre saberá se maquiar".

Madame é cheia de atenções para com Mala.

— Você trabalha demais — ela lhe diz com frequência —, venha para Greenwich descansar comigo.

Mala, que tem sua vida, amigos e, acima de tudo, seu marido, a acompanha, num sábado à noite, até a casa de Connecticut. Mas logo às sete horas da manhã de domingo, Helena bate à porta.

— Mala, você ainda está dormindo? Como é possível? Acorde, eu tive uma ideia...

E, no entanto, embora a adore, ela nunca a parabeniza. Em sua boca, os elogios são raros, e Mala, apesar de todo o seu talento, não é exceção à regra. A maior homenagem que a tia lhe prestou foi esta única frase:

— Mala, com você, eu nunca fico chateada.

Outra vez, ao final de uma demonstração, Helena vai até ela e lhe diz bruscamente:

— Você me ensina muito, sabe?

Somente no final da vida Madame abaixa a guarda. Dois dias antes de sua morte, respondendo à entrevista de um jornalista, lhe diz:

— Pergunte a Mala, ela sabe mais do que eu sobre tudo.

Mala, que assiste à entrevista, se preocupa. Essa frase gentil não é comum na boca da tia. Ao voltar para casa, conta ao marido seu mau pressentimento.

— Tem alguma coisa errada, é a primeira vez que ela me elogia.[9]

Sempre jovem!

As mulheres enlouqueceram? Elas pintam os cabelos de louro platinado como Jean Harlow, copiam o ondulado de Marlene Dietrich, o corte reto de Greta Garbo, decalcam suas silhuetas a partir da postura andrógina de Katharine Hepburn. Todas essas estrelas fazem sucesso nas telas do cinema falado. *Glamour*, de um lado, e *natural*, de outro, são as duas facetas de uma mesma indústria cuja palavra de ordem é "vender a qualquer preço".

O que atrapalha: para lutar contra a recessão, a administração Roosevelt decidiu taxar os produtos de luxo. Milhões de americanas que compram batom, pó, esmalte de unhas ficam furiosas. Os economistas inventam a *lipstick theory*, cujo teorema Elizabeth Arden foi a primeira a enunciar. Em tempos de crise, o consumo de produtos de beleza cresce, pois as mulheres que não podem comprar um vestido novo, dirigem seu frenesi de consumo para um tubo de batom. As consumidoras não querem desistir da sedução. Simplesmente, seus prazeres se tornam menos visíveis, mais modestos.

Na hora do almoço, na Macy's, ou na Saks, veem-se bandos de jovens mulheres tomando de assalto os estandes do primeiro piso, destinados aos cuidados de beleza e à maquiagem. Elas engolem rapidamente um sanduíche ou uma salada, aproveitam o intervalo para experimentar pós e rímel. Antes de sair, consultaram suas revistas, mais especificamente as páginas que editam as regras do bom e do mau gosto. "É divertido maquiar os olhos à noite, mas, durante o dia, é inaceitável", ou então: "Pede-se que as menores de 18 anos se abstenham de qualquer maquiagem."[1]

Os artigos transbordam de regras como essas às quais todas se sentem na obrigação de obedecer para seguir a tendência. A publicidade abusa da linguagem da psicologia, agora na moda. Evocam-se as neuroses, a autoestima, o complexo de inferioridade ou o subconsciente para vender o menor creme, o menor batom. Uma massagem facial não resulta apenas numa pele bonita, mas "num novo ponto de vista sobre a existência".[2]

Ainda muito sentida com o rompimento com Edward, Helena pensa nos meios de "construir uma fortaleza contra o tempo". Já nos anos 1910, ela tinha lançado o primeiro creme *Valaze* com hormônios. Desejando ir mais longe, combater com mais força ainda, ela investe dinheiro em pesquisa.

Ela não foi a primeira a pensar nisso. Gayelord Hauser é há muito um fervoroso adepto deles para as mulheres que chegaram "à segunda metade da vida", como ele as batiza pudicamente. Esse nutricionista de origem alemã imigrou no início do século para os Estados Unidos onde se tornou a febre das estrelas de Hollywood, sempre em busca de um novo regime. É evidente que ele se refere às mulheres na menopausa, para as quais não existe nenhum mercado específico, e das quais se fala veladamente, como se estivessem em estado terminal. Por sua vez, Elizabeth Arden também procura a fórmula adequada. Ela tem coragem de testar suas experiências no próprio rosto. O resultado não tarda: a pele se enche de espinhas, o que provoca a alegria de Madame quando fica sabendo disso.

Depois de longos meses de tentativas, Helena lança o creme Hormone Twin Youthifier que deve ser aplicado tanto de dia como à noite para rejuvenescer as células da pele. Durante os anos seguintes, ela vai imaginar outros produtos com hormônios destinados ao rosto, pescoço, colo e mãos. Para produzir cada um desses cremes, são necessários três anos de ajustes. O mais célebre será o Ultraféminine, primeiro produto de beleza aprovado pela Food and Drug Administration (FDA), o que é uma verdadeira vitória.

Porque o lançamento de um creme no mercado americano se tornou muito mais difícil que anteriormente. Agora, a Food and Drug Administration — a vigilância sanitária — controla tudo, até mesmo os cosméticos que até então ela havia negligenciado. É a consequência da expansão do mercado. Criam-se associações para lutar contra as promessas falaciosas dos anunciantes e dos publicitários ou contra os perigos de determinados produtos. Uma tintura para os cílios desfigurou algumas consumidoras, e uma delas perdeu a visão. A partir daí as clientes são alvo de todas as vigilâncias.

A American Medical Association — o conselho de medicina — forma uma comissão para examinar os termos a serem banidos... Algumas expressões como *allergy free* — não provoca alergia — não podem mais ser empregadas sem comprovação. Os fabricantes devem acrescentar a lista dos componentes nas embalagens, ou apresentá-la mediante simples pedido das clientes. Apoiada por Eleanor Roosevelt, uma associação de consumidores cria um lobby para mudar a lei. No início, nem Helena Rubinstein nem Elizabeth Arden se importaram, mas estavam erradas.

Esses grupos que recorrem a tudo para serem ouvidos pelos políticos e pelo público vão alcançar seus objetivos. Foi preciso esperar até 1938, contudo, para que uma lei fosse finalmente votada, mas sob a pressão dos lobbys, seu conteúdo foi grandemente suavizado. O FDA dá uma definição dos cosméticos, mas ele só poderá regulamentá-los depois de serem lançados no mercado.

As regras da publicidade, no entanto, tornaram-se um pouco mais rígidas. O importante é que os fabricantes são obrigados a mudar algumas denominações. Chanel, Yardley, Bourjois, Elizabeth Arden, Helena Rubinstein terão de obedecer à nova lei. Nada prova — declara o FDA — que o Youthifier Cream retarde os danos da idade. Foi necessário, também, mudar o nome do creme histórico Valaze Skin Food, porque, para o órgão governamental, "alimento para a pele" também não quer dizer nada.

Para ajudá-la a redefinir sua política de marketing, Helena contratou Sara Fox, recentemente diplomada pela universidade. A jovem mulher, que rapidamente se torna seu braço direito, demonstra capacidade para dar nome aos novos produtos.

— *What to do?* O que fazer? — pergunta Helena, desanimada com a decisão da administração.

É sua expressão preferida quando não sabe mais como agir. Pronta para replicar, Sara Fox sugere chamá-lo de Wake Up cream, creme Despertar. Helena se apropria da ideia. "*Clever*" (brilhante), apenas comenta. Descobertas como essa lhe permitem contornar as dificuldades que encontra.

Além de Sara Fox, Helena contratou Harold Weill, que ela chama de "jovem advogado", bem como Jérome Levander, rebatizado de "contador". Todas as manhãs, ela se reúne com eles bem cedo em sua casa. Em seguida, passa uma meia hora ao telefone com seus agentes financeiros para controlar a movimentação de suas ações. Os Lehman lhe transmitiram o vírus da Bolsa. Em 1936, ela recapitalizou sua empresa e se manteve majoritária, com 52% das ações.

No ano seguinte, ela contrata Boris Kougoulsky que, ao chegar aos Estados Unidos, mudou o nome para Forter. Kougoulsky-Forter é um judeu russo originário da rica burguesia moscovita, ex-oficial do Exército Branco. Depois de ter emigrado para Paris, esse personagem pitoresco, de caráter forte, inteligente, falador, descontraído, seguro de si, embarcou para Nova York onde exerceu numerosas profissões. Entre outras coisas, foi diretor-geral da Germaine Monteil. Quando ele é despedido, Helena o chama e vai diretamente ao ponto.[3]

— Eu soube de você por intermédio de Germaine Monteil. Está procurando emprego?

— Sim — ele concordou, de modo algum intimidado pela atitude autoritária dela.

— Acabo de encontrar a pessoa certa para o trabalho que eu lhe destinava. A propósito, não gosto de sua gravata.

O tom azul muito francês de sua gravata, escolhida com cuidado para a entrevista, agrada muito a Boris. Homem bonito, preocupado com a aparência, ele usa roupas imaculadas, janta no Ritz, esquia em Saint-Moritz, e toma sol em Cannes, no verão. Boris sempre gastou mais do que ganhava; ele necessita terrivelmente do emprego.

Ele se mantém, portanto, imperturbável e a deixa prosseguir.

— Mas eu tenho outra ideia... Vou enviá-lo à Inglaterra. Não há ninguém lá, e o negócio é florescente.

Ela mente, como sempre. Sua irmã Ceska dirige o salão e os negócios de Londres. Quando Boris Forter desembarca com sua mulher Marisa e o filho adolescente, ele tem de mostrar toda a sua diplomacia para se entender com Ceska que não deseja abdicar da menor parcela de poder. Forter descobre também que o montante de 200 mil libras por ano do negócio, sobre o qual Madame lhe prometeu uma participação de 2% está longe de ser exato. Em 1937, as vendas mal chegam a 48 mil libras por ano.[4]

Ele fica furioso, mas não tem escolha. Então, ele elabora um plano de ataque para resistir. Precisa de algumas semanas para ganhar a confiança de Ceska que, sem dúvida, se apaixona por ele. Decidido a manter um modo de vida que lhe permite continuar a aparecer no ambiente da beleza, frequentado pelos ricos e esnobes, enquanto sustenta a mulher e o filho, ele vai fraudar as contas.

Ele convence Ceska a participar de seus arranjos, oferecendo-lhe três quartos de seus ganhos fraudulentos. Boris Forter chega a dizer numa entrevista com seu filho Christian Wolmar, no fim da vida, que Madame acabou tomando conhecimento de seus arranjos: não declarar recebimento de dinheiro vivo, revender sem abatimento mercadorias de segunda linha, falsificar notas e contas. E que ela fechava os olhos para as negociatas deles, porque também ganhava com isso.[5] O que, apesar de suas afirmações, jamais foi comprovado.

Para Helena, a vida continua, sem Edward, de um continente para o outro. Em sua ausência, as casas são mantidas como se ela fosse chegar naquele momento. Quando ela as habita, por alguns dias, ou por alguns meses, os rituais permanecem imutáveis. Ela encomenda flores frescas todos os dias, verifica os livros de contabilidade, vigia tudo o que entra ou sai de suas cozinhas, até mesmo os sanduíches para seus convidados. Sua fama de anfitriã está estabelecida em Paris, Londres e Nova York.

Ela faz o melhor possível para que suas festas, muito concorridas, em que mistura o lançamento de produtos com as obrigações sociais, sejam as mais calorosas possíveis.

— A imaginação é o segredo de uma festa bem-sucedida — diz.

Assim é que ela oferece seus famosos jantares cor-de-rosa, nos quais tudo, da entrada à sobremesa, tem a mesma cor, do salmão a framboesa, passando pelo laranja-claro dos lagostins e o fúcsia de um feixe de rabanetes. Ou então, ela introduz a dança das cadeiras. Entre dois pratos, os homens devem mudar de lugar para que as mulheres não fiquem entediadas. Ela convida seus hóspedes para "harem parties", cuja decoração e vestimentas lembram a ostentação do Oriente. Copiou essa ideia do amigo Poiret.

— Quando Madame recebe — conta a revista americana *Mademoiselle* —,[6] ela o faz com o mesmo entusiasmo de uma dona de casa comum servindo aos convidados um simples bolo de gengibre. Quando lhe oferece, de modo adorável, uma bandeja de canapés de agrião, você não pode deixar de se sentir lisonjeado.

O artigo de *Mademoiselle* é pelo menos o milionésimo a descrever a vida de Madame sob todos os seus aspectos. É provável que as leitoras do mundo inteiro nunca se cansem de descobrir os menores segredos de seu ícone.

"Ela deve atravessar o Atlântico pelo menos oito vezes por ano para verificar se os milhares de empregados estão em seus postos. O fato de que tanta gente dependa dela assusta-a e a obriga a ficar atrelada à sua tarefa. Alguns estão ao seu serviço desde o início."[7]

A revista, contudo, se cala sobre seus defeitos, dureza, exigência em relação aos empregados, mentiras, tudo o que torna tão difícil, até mesmo impossível, o trabalho sob suas ordens. A jornalista quer ver nela apenas uma mulher que soube manter a simplicidade apesar de todo o dinheiro. O que também não é verdade. Helena Rubinstein possui muitas facetas. Ela diz ser muito ocupada para aproveitar os tratamentos de beleza que seus institutos oferecem. Na verdade, ela, que prega insistentemente o exercício físico e as massagens, nunca pratica esporte algum e detesta se deixar apalpar. Mas ela respeita sua pele e cuida dela. Se maquia sozinha, em seu banheiro, sob a luz natural, nunca se esquece de aplicar cremes, ou base, antes de sair de casa.

Ela se interessa especialmente por sua relação com os jornalistas. Eles apreciam os "presentinhos", seus modos bruscos os encantam, a glória que a cerca desde sua "vitória" sobre os Lehman Brothers. Seu sucesso fenomenal impressiona ainda mais que ela tem sempre uma boa história para lhes contar, um novo produto revolucionário a lhes apresentar, o que vai tornar o artigo mais engraçado para o leitor.

Madame é muito ligada a Janet Flanner, representante do *New Yorker* em Paris, que durante quase trinta anos vai assinar crônicas admiráveis sobre sua vida na capital. Nos Estados Unidos, suas revistas preferidas continuam sendo *Vogue* e *Harper's Bazaar*. Edna Chase, redatora-chefe da primeira, entrou para ela no início do século e chamou a atenção de Condé Nast quando este comprou a revista, dirigindo-a até 1952. Ela é mais próxima, porém, de Elizabeth Arden do que de Helena Rubinstein, embora as duas mulheres, pelo menos uma vez por ano, sejam homenageadas pelas reportagens publicadas em sua revista.

A verdadeira amiga de Madame, no pequeno círculo da imprensa feminina, é Carmel Snow que, depois de ter começado na *Vogue,* vai para a *Harper's Bazaar*. Sua pequena e leve estatura não a impede de ser uma bola de pura energia, cujo pensamento rápido quer saber tudo a respeito das últimas tendências da moda, tanto em Nova York como em Paris, e as analisa com a rapidez do raio. Quando ela chega à capital francesa para as coleções, faz com que as outras jornalistas de moda pareçam insignificantes.

Carmel Snow, que se gaba de ter criado uma revista para as mulheres "elegantes de espírito elegante", trabalha com todos os grandes artistas da época. Ela apoiou Cocteau, Truman Capote, Cecil Beaton, Christian Bérard e Man Ray, que assinaram as primeiras fotos de modelos na praia para *Vogue,* Cristobal Balenciaga e Christian Dior, quando iniciaram.

Sua capacidade de caça talentos é infalível para descobrir o dançarino, o escritor, o talento em formação, e falar a respeito antes que ele se torne célebre. Ela contrata Diana Vreeland como redatora-chefe de moda, depois de tê-la visto dançando no meio de uma sala apinhada de gente; ela contrata seu diretor artístico, Alexis Brodovitch, depois de uma simples olhada em seus desenhos. Madame, que deturpa todos os nomes, chama-a, afetuosamente, de "Caramel".

Em Paris, a correspondente da *Bazzar* é Marie-Louise Bousquet, de quem Helena também se torna muito próxima. Viva, rápida, pontuando as frases com um humor fustigante, Bousquet é uma figura do *Tout-Paris*. Confidente de todos os que precisam de sua luz, ela oferece algumas frases, apoio, entusiasmo, conselhos. Durante muitos anos, ela mantém um salão em seu apartamento que dá para a praça do Palais-Bourbon, no qual artistas, escritores, atores, músicos se misturam aos mundanos. Casada com Jacques Bousquet, um homem de letras sem dinheiro, que sofre de uma artrite crônica que o prende literalmente à sua poltrona, ela não deixa de ser, por seu encanto e vivacidade, a anfitriã mais em voga da sociedade parisiense que se atordoa em festas e prazeres.

Embora a situação seja sombria para a classe média que sofre com a crise, as parisienses da alta sociedade rivalizam em inteligência, cultura e elegância. As inspiradoras são Marie-Laure de Noailles, benfeitora das artes e das letras, a princesa Nathalie Paley, esposa do costureiro Lelong e grande amor de Cocteau, que deslumbra e fascina todos os que se aproximam dela por causa de seus cabelos louros e sua silhueta delgada, e Baba de Faucigny-Lucinge, que lança as modas. Essas três inseparáveis são a mundanidade. Com outras mulheres notáveis, elas formam o grupo "das senhoras de *Vogue*", frequentemente fotografadas pela revista que não se cansa de fazê-las posar com as roupas que exibem nos inúmeros bailes dos anos 1930, cada um mais luxuoso que o outro. A festa da primavera de Etienne de Beaumont, a festa oriental de Daisy Fellowes, o baile das Valsas de Nicky de Gunzburg, o baile de Alice no País das Maravilhas, no qual a jornalista Elsa Maxwell e Christian Bérard aparecem juntos, vestidos como Humpty e Dumpty de *Alice no País das Maravilhas*.

Madame continua fiel a Chanel e a Poiret, e adota Schiaparelli assim que a bela italiana surge no mundo da costura. Schiap começou a fabricar suéteres enfeitados com desenhos, estampas com motivos africanos, âncoras marinhas. Seguiram-se os jérseis com estampa de esqueleto em *trompe-l'œil* e os tecidos estampados com lagostas. Em 1934, ela se instalou no número 21 da Place Vendôme e acompanhou o nascimento do "prêt-à-porter". Léonor Fini desenhou o vidro de seu perfume, Shocking, inspirando-se nas curvas de Mae West.

Muito influenciada pelos surrealistas, Schiap trabalha com Christian Bérard, Kies, Van Dongen, Salvador Dalí. Cocteau desenha frases poéticas para os bordados de seus vestidos de noite. Louis Aragon e Elsa Triolet concebem para ela um colar com comprimidos de aspirina. Todas as estrelas americanas e francesas, de Katharine Hepburn a Merle Oberon, de Michèle Morgan a Simone Simon, frequentam sua casa de costura.

Elsa Schiaparelli inventa o conceito de *feia bonita* que acentua a discordância dos traços mais do que sua harmonia, a atitude mais distinta do que graciosa. Helena, que privilegia a beleza viva, flutuante, e afirma que ela não falta em rosto algum, nem mesmo no mais feio, concorda.

— Qualquer mulher inteligente pode ser pelo menos atraente — repete com frequência. — O grau vai depender dela.

O costureiro inglês Edward Molyneux também tem a preferência de Madame, bem como Madeleine Vionnet da qual ela acompanha com interesse os vestidos sublimes, cortados em três dimensões. Madame também descobre Cristobal Balenciaga que vai ser um de seus costureiros favoritos. Espanhol de voz suave, cabelos e olhos de um negro profundo que fazem seu rosto parecer ainda mais pálido, é o filho talentoso de um pescador da costa basca.

Ele abre sua primeira casa em 1919, em San Sebastien, e 15 anos depois, em Madri e em Barcelona. A guerra civil o exila na França, e o número 10 da avenue George V se torna seu endereço em Paris, conhecido de todas as mulheres refinadas. Elas adoram aquelas roupas que as embelezam sem as deformar. Com seu faro habitual, Carmel Snow o descobre. Seu sucesso é quase que imediato. Madame compra às dezenas seus vestidos túnica bordados com os quais muitas vezes ela posa para os fotógrafos.

Mais do que nunca, admira a moda parisiense que readotou o espartilho de volta na forma de cinta para achatar o ventre. Em meados dos anos 1930, os joelhos não estão mais à mostra. A *hemline theory* se tornou a correspondente da *lipstick theory:* quando a economia está em crise, as bainhas descem. Durante o dia, as mulheres usam tailleurs ou vestidinhos que vão até o meio da perna e, à noite, vestidos longos e colantes, muitas vezes decotados nas costas. As formas femininas são reabilitadas, o classicismo também. É o fim das roupas frívolas e do tipo menininho aprovado nos anos 1920.

Na metade da década, campeãs de tênis como Suzanne Lenglen e, especialmente, as férias pagas, fazem com que essa nova tendência um pouco rígida evolua. Os shorts aparecem, as pernas impecáveis estão novamente à mostra. A tendência é o ar livre, o nu, a ginástica. A boa aparência é obrigatória, assim como o bronzeado durante o ano todo. Helena Rubinstein lança em 1932 os banhos de luz para fazer melanina. Em 1936, anos das férias pagas na França, ela inventa o creme *Côte d'Azur*, primeiro autobronzeador resistente à água.

Dá-se importância aos acessórios: joias verdadeiras e falsas, bordados, enfeites e, aos chapéus, toucas e chapéus-sino que Helena tem aos montes. Todas as suas roupas são cuidadosamente classificadas. As que datam de antes de 1914, vestidos, peles, sapatos de bater, a base de seu guarda-roupa, em resumo, estão em Nova York. Ela possui centenas de pares de sapatos na medida de seus pés minúsculos, e a mesma quantidade comprada em loja, para o dia a dia.

Suas joias, verdadeiras e falsas, são jogadas de qualquer jeito em caixas de papelão que vêm de Bergdof Goodman. Ela as esconde nas gavetas, sob as roupas, ou debaixo da cama. Sara Fox, que há algum tempo observa o modo despreocupado que ela tem de remexer nas caixas para pegar, ao acaso, diamantes, topázios ou rubis, que usará naquele dia, lhe diz que não é um modo muito seguro de guardá-los.

Madame balança a cabeça em sinal de impotência; alguns detalhes práticos a confundem. Mas Sara Fox volta à carga com um cofre fechado à chave, munido de gavetas, no qual ela arruma as joias pelas cores, pelas formas e por ordem alfabética, o D para diamantes, o R para rubi... Madame fica encantada e adota o sistema.

Mas logo se cansa de classificar suas joias, e, além disso, nunca se lembra da combinação, anotada dentro de uma gaveta, num armário fechado à chave, no banheiro, onde ela guardou o cofre.

Nenhuma das pessoas à sua volta se arrisca a ir atrás dela quando ela abre o armário que contém, no mínimo, mais de um milhão de dólares em pedras e pérolas.

Cheiro de pó de arroz

Aquela enorme porta vermelha que a desafia deixa Madame furiosa, como um touro que vê um pano vermelho ser agitado diante de si. Elizabeth Arden acaba de abrir um luxuoso instituto de beleza na Quinta Avenida, esquina com a 55th Street. Um porteiro engalanado guarda-lhe a entrada como em todos os prédios residenciais do Upper East Side. No hall, destaca-se uma imensa tela de Georgia O'Keefe, a artista americana preferida de Arden.

Todas as vezes que Helena Rubinstein passa de carro diante daquele salão, fica furiosa. Ela jamais entrou ali, mas as almas caridosas o descreveram minuciosamente; além disso, os jornais, que gostam tanto de miss Arden quanto de Madame, lhe dedicaram numerosos artigos. Ela viu fotos na *Vogue* ou na *Fortune*, conhece de cor a coloração das cortinas e das poltronas do salão de ginástica em cetim verde e rosa, as paredes verde-jade, os lustres de cristal, os móveis que decoram os cinco andares. Essa "elegância", escreve a *Fortune*, "impregna a atmosfera rarefeita e os ângulos pastel do salão".[1] Seu próprio instituto não suporta mais a confrontação.

Madame explode, ainda mais que a revista decidiu fazer uma comparação entre as duas rivais, na qual ela fica em desvantagem. A clientela Arden pertence à elite do bom gosto e da riqueza, das debutantes e das herdeiras que buscam seus serviços. Opostamente, os salões de Rubinstein, que há muito tempo foi a primeira no campo, "não são mais tão chiques quanto o foram, embora o negócio tenha, provavelmente, continuado o maior da categoria".[2]

Aprofundando a ferida, *Life* escreveu que "Elizabeth Arden é o único espinho no pé de Madame".[3] Meu Deus, como essas duas se detestam, embora sejam obrigadas a viver lado a lado. Elas frequentam as mesmas festas, assistem às mesmas premières, jantam nos mesmos restaurantes. Com poucos dias de intervalo, elas lançam os mesmos produtos, compostos com os mesmos ingredientes, fazem amizade com os mesmos jornalistas e se ignoram com a mesma soberba quando se encontram por acaso, enquanto se observam com o canto do olho.

Como *Fortune* anuncia, Arden tem, porém, uma imagem um pouco mais "chique", que ela cultiva com cuidado. Seus cavalos adorados, os "queridinhos", em breve vão motivar a criação de um de seus maiores best-sellers, o milagroso Creme de Oito Horas, inicialmente destinado a tratar das articulações deles. Ela criou um hospital-fazenda de saúde batizada de Maine Chance, a partir do nome de um de seus melhores trotadores, no qual ela inicia os clientes que ali se hospedam — e que pagam um preço alto — no esporte e na dietética. Finalmente, seus produtos são famosos pelo refinamento do acondicionamento e das embalagens.

— As mulheres compram Rubinstein para si mesmas, e Arden para oferecer de presente — observa Madame, sem saber se deve lamentar ou se alegrar por isso.

É sem dúvida a segunda hipótese: suas margens de lucro continuam importantes já que ela não se arruína com empacotamento... Ela se consola como pode e ainda acrescenta: "Com suas embalagens e meus produtos, poderíamos reinar sobre o mundo." A rivalidade entre elas, conhecida de todos, nem sempre é comentada de modo sadio. No mesmo artigo de *Fortune*, o jornalista ultrapassa a linha das críticas aceitáveis. Ele caçoa da aparência "empacotada" de Madame, de sua tez "bronzeada" e de seu vício por roupas "exóticas". Edward também é alvo desses comentários duvidosos que o descrevem como um "*bouquiniste*", vendedor de livros velhos e usados em tendas, instalado ao longo dos cais parisienses.[4] Por que não Shylock, já que se chegou a esse ponto? A demonstração de tanto desprezo denota um antissemitismo sempre latente nesse meio de Nova York.[5]

Madame não dá atenção. É especialmente a porta vermelha que a enerva. Ela sabe, contudo, que o princípio do salão de beleza está ultrapassado, ele está reservado à elite. A maioria de suas clientes, oriundas da classe média, agora prefere comprar os produtos a varejo. Nos Estados Unidos, todos os seus institutos perdem dinheiro. Mas para conservar a imagem da marca, um belo endereço é indispensável, e ela deve superar "A Outra". Além disso, sua estrela de estrangeira rica empalideceu um pouco. Não há nada de concreto, mas ela sente uma vibração no ar. A moda parisiense, a arte parisiense, em resumo, tudo o que vem de Paris, de repente, se tornou "corruptor".

Alguns dizem que a corrente modernista representada pelos costureiros e artistas franceses "feminizou" a arte europeia, enquanto a arte americana permaneceu "viril".[6] São apenas elucubrações que cheiram mal e que repercutem, alguns anos depois, na Alemanha, mas tudo bem. A crise centrou os americanos nos valores reacionários e xenófobos. Os salões Rubinstein — ricamente decorados, símbolos de uma modernidade cosmopolita — ficam fora de moda e são contestados.

É preciso reagir. Por sua vez, ela compra um prédio no número 715 da Quinta Avenida. O arquiteto Harold Sterner se encarrega das obras da fachada na qual ela manda gravar seu nome em letras minúsculas, inspirando-se na tipografia utilizada pelo escritor e.e.cummings, amigo de Edward. É uma discreta homenagem ao marido.

Sua volta ao primeiro plano da cena americana da beleza vai ser grandiosa. Decorado em estilo barroco por Ladislas Medgyes e Martine Kane, o salão é, antes de tudo, uma excelente máquina publicitária. Mas é também uma joia de arquitetura e decoração modernista. Seus três andares suplantam em esplendor e em refinamento tudo o que ela construiu até então.

As paredes forradas com papel pintado azul metálico recebem as telas de Chirico, desenhos de Modigliani, murais de Pallavicini. Obras de Nadelman e de Malvina Hoffman, jovem escultora americana, vizinham com móveis de Jean-Michel Frank e tapetes de Miró. Madame manda expor algumas de suas mais belas peças africanas nas vitrines, boa parte de sua coleção de casas de bonecas, bem como seu retrato por Paul Tchelitchew, que o artista recobriu de cequins, o retrato pintado por Marie Laurencin elogiado pelos críticos de arte americanos.

No segundo andar, a biblioteca contém livros raros, todos tratando da beleza. Os escritórios da empresa estão no quarto andar. É o mais suntuoso de todos os seus salões, o mais luxuoso, o mais bem realizado e, sem dúvida, o mais americano, já que ela procurou alguns artistas apreciados em Nova York. Os jornais não podem descrevê-lo sem lhe associar a palavra "*swank*", que significa "impressiona".

Helena inaugura o famoso "Day of beauty", o Dia de beleza: é a cereja do bolo. "Venha passar um dia de beleza", anunciam os cartazes publicitários. "Todos os nossos especialistas cuidarão de você." E, de fato, eles são numerosos, os quinoterapeutas, as massagistas, os técnicos em nutrição e dietética, os médicos, os cabeleireiros, os maquiadores, as esteticistas, as manicures, que trabalham incansavelmente para amassar, esculpir, cobrir com creme, apertar. A mulher que chega às oito horas da manhã fica até a noite nas mãos desse exército do bem-estar, que pode transformar em sereia qualquer matrona do subúrbio.

A cliente se submete inicialmente a um interrogatório cerrado: peso, altura, doenças, hábitos alimentares, rituais de cuidados. E assim lhe é apresentado o programa sob medida desse dia inesquecível. Em seguida, vêm a ginástica facial sob a direção de um especialista vienense, as massagens, o banho de leite ou de ervas, a esfoliação do corpo, a massagem com o novo creme Body Firming Lotion, os tratamentos eletrônicos, alguns com "parafina atomizada" para a circulação do sangue e a eliminação da celulite, as duchas com óleo firmador, os banhos de luz para bronzeamento. E o fino de todas as inovações de Madame, a famosa mesa *San O Thermo*, que derrete a gordura localizada enquanto rejuvenesce as células da pele.

Depois de um almoço dietético no restaurante, composto de legumes, peixes grelhados, frutas frescas, o percurso da combatente prossegue à tarde, com os cuidados do rosto, uma massagem do couro cabeludo, um corte de cabelos na última moda de Paris, uma manicure e uma pedicure no *boudoir* com baixos-relevos de mármore assinados por Malvina Hoffman. Finalmente, é o momento da lição de maquiagem, num ambiente que simula a luz do dia.

Esse luxo tem um preço: entre 35 e 150 dólares. Mas as clientes ficam encantadas, receberam o que pagaram. Algumas, contudo, exigem um pequeno extra. Elas se aproximam da recepcionista muito elegante que as acompanha até a caixa, levando suas compras.

— Diga — sussurram —, parece que Madame Rubinstein manda fabricar um creme reservado apenas ao seu uso.

A jovem mulher inclina gravemente a cabeça.

— É verdade. Se Madame Rubinstein não o comercializa, é porque seu custo é muito elevado. É constrangedor vender um creme por esse preço.

— Por mim tudo bem! Estou pronta para pagar. Afirmaram-me que ele é formidável.

— Nesse caso, se a senhora insiste...

E a cliente se vai, satisfeita, com um creme de 50 dólares.

Decididamente, Madame nunca estará tranquila. Assim que o salão é inaugurado com muita publicidade, outros inimigos além de Arden apareceram em campo, bem decididos a pegar uma parte do bolo. Assim, aquele Charles Revson, o criador da Revlon, cuja fome de poder só se compara aos seus maus modos. Madame, que manifesta o mais profundo desprezo por ele, chama-o de *That man* ou de *That nail man*, aquele homem ou o homem unha.

Sua história se parece com a de milhares de outros imigrantes europeus e judeus que construíram grande parte dos Estados Unidos. Ele nasceu em 1906, em Montreal, no Quebec, embora sempre tenha dito que nasceu em Boston, mais elegante a seus olhos. Foi criado em Manchester no estado de New Hampshire onde sua família — mistura de judeus russos, lituanos austro-húngaros e alemães — se instalou depois de seu nascimento.

Seus pais, ambos operários — o pai trabalha numa fábrica de cigarros —, criam com dificuldade os três filhos. A mãe morre jovem e, então, tios e tias cuidam dos meninos. Charles Revson, que completou os estudos secundários, começa imediatamente a trabalhar depois da escola. Inicialmente, é vendedor de roupas, em seguida, progride numa pequena firma de cosméticos. No dia em que a direção lhe recusa uma promoção, ele pede as contas, decidido a vencer sozinho. Com o irmão Martin e um químico, Charles Lachman, ele monta um pequeno negócio de produtos de beleza em Nova York, com apenas 300 dólares de fundo de comércio. Aos 25 anos, começa ruidosamente, lançando um batom e, especialmente, uma linha de esmalte de unhas cuja durabilidade encanta as clientes.

Diana Vreeland lhe forneceu indiretamente a fórmula.[7] Convidada por Flame d'Erlanger para ir a Veneza, a *socialite*, que ainda não é diretora da *Vogue*, lá encontra um grupo de mundanos talentosos dentre os quais o decorador Christian Bérard, com um de seus amigos, manicure profissional. Esse Perrera fez de sua paixão seu ofício: ele é louco por mãos de mulheres bonitas, do mesmo modo que outros transformam os pés em fetiche.

Uma de suas clientes é a milionária Barbara Hutton, que tem "as mãos mais bonitas do mundo", e sobre as quais ele pode falar durante horas. Ele trabalha com instrumentos de ouro oferecidos por Ena, a rainha da Espanha. O importante é que ele utiliza um esmalte que seca instantaneamente, deixando as unhas duras como pedra. Não há nada de que Christian Bérard mais goste do que observar Perrera laquear as unhas das mulheres, como um artista que pinta um quadro.

Perrera dá dois vidros de seu esmalte mágico a Diana Vreeland que os leva para Nova York. Mas os vidros acabam e Vreeland fica tão aborrecida que sua jovem manicure lhe sugere mandar analisá-lo e reproduzir por seu namorado. Diana Vreeland aceita com muito gosto. Por curiosidade, ela lhe pergunta o nome dele.

— Charles Revson — responde a moça, inocentemente.

Revson já possui uma grande paleta de cores, mas seus esmaltes levam muito tempo para secar e lascam imediatamente. Ele copia o esmalte milagroso de Perrera e se torna, assim, o "rei do esmalte de unhas".[8] Em 1935, ele manda publicar uma publicidade no *New Yorker*, na qual uma jovem nova-iorquina da melhor sociedade mostra as belas mãos finas, manicuradas em vermelho por ele. O dinheiro gasto nessa publicidade corresponde ao seu orçamento de campanha anual. Ele logo compreendeu como atrair as multidões.

Max Factor e Germaine Monteil se posicionaram, por sua vez, no mercado. O primeiro, já há algum tempo, interessou-se pela indústria do cinema. Foi ele quem, desde o início do cinema mudo, maquiou as estrelas para a tela e para a cidade em seu salão de beleza do Hollywood Boulevard. Ele também inventou o termo *make up* para designar maquiagem. Jean Harlow, Claudette Colbert, Bette Davis, Joan Crawford, Judy Garland estão entre as clientes mais assíduas desse imigrado judeu polonês cujo nome verdadeiro é Maximilian Faktorowizc. Quando morre, em 1938, seus filhos, irmãos e netos asseguram a continuidade e não param de inovar.

A francesa Germaine Monteil, emigrada para os Estados Unidos nos anos 1920, começou a carreira como estilista de moda antes de abrir, em 1936, sua própria firma de cosméticos e perfumes... Elizabeth Arden e Helena Rubinstein não temem nem uns nem outros, porque têm certeza de sua supremacia. Elas pensam apenas em criar dificuldade uma para a outra, em vez de fazer frente ao inimigo comum.

Mas os novos filhotes mostram os dentes. Na guerrinha da beleza, que exala um cheiro de pó de arroz, todos os golpes baixos são permitidos.

Em resposta à abertura do salão de Helena Rubinstein, que vence em matéria de luxo todos que se pode imaginar, Elizabeth Arden atrai Harry Johnson, o diretor-geral de sua rival, oferecendo-lhe um contrato fabuloso. Não contente de deixar Madame, o traidor leva consigo 11 membros da equipe.

What to do? É esse o problema. Dessa vez, Madame está desorientada. Cansada também de lutar para continuar sendo a melhor. O desespero a domina porque o ataque de sua adversária de sempre a desestabilizou e ela não sabe mais como se recuperar. Para impedi-la de afundar mais uma vez, os médicos lhe aconselham uma estada em Zurique, na clínica Bircher-Benner.

Não é um lugar comum como aqueles em que Helena tinha o hábito de descansar quando a depressão espreita em consequência de trabalho e de noites insones. Sua característica é o regime elaborado pelo doutor Bircher-Benner. Anos à frente de todos, ele inventou o conceito de "*healthy food*". Ele alimenta seus pacientes com produtos orgânicos antes de o termo existir, sem adição de pesticidas ou de produtos químicos. "Lá", diz ela, "encontrei centenas de homens e mulheres, enviados por seus médicos, que comiam raízes e legumes, avelãs e cereais completos, sob o olhar atento do doutor Bircher-Benner".[9]

Este coloca Helena no regime "matéria viva": cereais, frutas e legumes crus e repouso. Em dois meses ela recupera a forma e perde alguns quilos. O bastante para que, de volta a Nova York, todos achem sua tez fresca, a silhueta fluida. Seus amigos lhe juram que rejuvenesceu e lhe perguntam qual o segredo.

Madame se sente, sobretudo, cheia de energia, pronta a se lançar novamente à batalha. Ela exibe os cardápios do médico suíço no restaurante de seu salão da Quinta Avenida. As clientes afluem. Demais, sem dúvida, porque Madame, pouco familiarizada com o ofício de dona de restaurante, gasta quantias enormes na aventura. Seus preços são baixos demais, se vê obrigada a fechar.

Não perdeu tudo, porém. Fiel aos princípios do regime Bircher-Benner, ela publica *Food for Beauty*, um tratado de dietética no qual ela dá receitas de pratos leves, molhos sem gordura, e apresenta cardápios hipocalóricos, com base em raízes, legumes crus ou secos, grãos, cereais. "Vocês se perguntam", escreve, "por que uma mulher que se interessa pela beleza da pele publica um livro sobre os regimes? Porque acredito firmemente que a alimentação é tão importante para a pele quanto os cuidados ou um creme".[10] O livro lhe rende muito dinheiro, o que a consola um pouco de suas perdas.

Rapidamente, contudo, ela voltou ao regime de salmão, bagel de cream cheese, asas de frango, que adora. E o peso vem junto. Ela está muito nervosa, muito impaciente, muito esfomeada para seguir os bons conselhos que vive dando aos outros.

Incansável, ela multiplica os canteiros de obras. Depois da restauração do número 52 da rue du Faubourg Saint-Honoré, finalmente pode cuidar do palacete no número 24, quai de Béthune, cujos ocupantes partiram afinal. As repetidas inundações do Sena minaram as fundações do imóvel de cinco andares construído em 1641 por Le Vau, o arquiteto de Luís XIV. Pelo menos é o que declara diante dos protestos dos ribeirinhos e dos jornais, depois de sua demolição. Ela conservou apenas o impressionante portal em madeira esculpida por Le Hongre.

— Eu o comprei pelo preço de uma canção, mas me custou uma ópera para reformá-lo — diz sempre. — Ele me custou alguns anos e um bocado de dinheiro dos Lehman Brothers.

Misia Sert lhe apresentou Louis Süe, o arquiteto que remodelou o palacete de Aguesseau, comprado por Poiret. Madame lhe dá carta branca. A Secretaria de Obras aceita seu projeto de renovação realizada por um engenheiro da Ponts et Chaussées (Secretaria de Obras Públicas).

Süe repete a distribuição clássica dos palacetes parisienses e adapta o apartamento particular de Helena no último andar, em três partes. Uma passarela de vidro liga duas delas. No monumental vão da escada, um bronze de Brancusi, *L'Oiseau dans l'Espace,* está colocado diante de uma janela que dá para a igreja de Saint-Louis-en-l'Ile. É o primeiro edifício moderno nessa parte de Paris, que habitualmente privilegia a feitura clássica. Ele foi e ainda é muito controverso, mas seu estilo, contudo, não destoa das outras fachadas históricas.

No telhado, o gigantesco terraço, no qual trezentas pessoas podem se sentir à vontade, contém fontes, inúmeras árvores e plantas em vasos e um chafariz em níveis "maior que uma piscina de Hollywood". Madame não se cansa da paisagem que engloba a torre Eiffel, a cúpula do Sacré-Cœur, a flecha de Notre-Dame.

— Eu tenho a vista mais encantadora de Paris — ela repete.

Também possui um dos apartamentos mais surpreendentes da capital. Louis Marcoussis trabalha com Louis Süe: ela os encarregou de comprar móveis, mas faz questão de supervisionar pessoalmente a decoração interior.

Não há duas peças semelhantes naquela confusão de luxo na qual se encontra a quintessência da arte e do mobiliário, verdadeiro percurso acelerado da história do estilo. É ao mesmo tempo "too much" — a expressão favorita de Helena, e também a que melhor a identifica — e harmonioso.

No hall Napoleão III, ocupado por estátuas gregas antigas, se destaca uma tela de Roger de la Fresnaye e um retrato de Helena, pintado por Christian Bérard. É uma de suas telas preferidas: ele a representa com Horace ainda criança. Os dois estão vestidos de claro; ela usa um vestido branco com casinhas de abelha, um xale pousado sobre os ombros, e abraça o filho. É um retrato terno, no qual Bérard captou o amor de uma mãe pelo filho, em contradição com a personalidade pública do modelo. Outros retratos dela, assinados Dufy, Von Pantz, Edward Lintott, juntaram-se à sua coleção.

As salas se sucedem, dando a impressão de um espaço gigantesco. O grande salão em forma de rotunda, com as paredes realçadas por colunas dóricas de mármore, as janelas que dão para o Sena, é o cômodo mais espetacular. A cor predominante é o verde-esmeralda; as cadeiras são da época Luís XIV, e as mesas, em estilo Regência. Nas paredes, Louis Marcoussis pintou um enorme painel no qual reproduziu as nuances das tapeçarias de Picasso e de Miró.

A biblioteca, o salão, o hall estão repletos de obras-primas africanas e oceânicas. Na sala de jantar, o papel pintado provém dos ateliês lioneses, os móveis são assinados por Biedermeier. Nas paredes, estão pendurados Modigliani, Picasso. Os móveis Carlos X de seu quarto, de longe seu cômodo preferido, pertenceram à princesa Mathilde. Cama e poltrona são forradas de cetim dourado, bordadas com pérolas. Helena as comprou de Misia.

— De todos os meus apartamentos, esse é o meu preferido — diz ela —, o lugar no qual me sinto muito bem.

Louis Süe obtém o prêmio da melhor construção em 1937 em razão das inovações técnicas do imóvel: elevador interno, aquecimento no teto. Os jornais, porém, caçoaram do "encantador *pied-à-terre* de cinquenta cômodos de Madame Rubinstein que o senhor Süe encheu de banheiras de ouro, de telefones de platina, de numerosos Picasso de todos os períodos e de todos os tamanhos". É um pouco exagerado, mas não totalmente: embora não se veja ouro nos banheiros, em compensação, muito dinheiro foi investido no empreendimento.

Quando o apartamento fica pronto, Helena encomenda à fotógrafa Dora Maar, musa e amante de Pablo Picasso, uma série de fotos dos cômodos da casa e cinco retratos dela mesma.

Madame trabalha durante anos para a decoração do quai de Béthune e frequentemente faz mudanças ou melhoramentos. Seu gosto pela acumulação não conhece limite algum. "As pessoas ficam surpresas por eu ter encontrado tempo para reunir importantes e preciosas coleções", ela explica. "Surpreendem-se também por eu ter procurado e mandado procurar durante toda a minha vida objetos e quadros, ora de uma primitiva candura, ora de difícil acesso, que eu tenha instalado e decorado casas nas quais eu não tinha tempo de ficar. Essa relação me parece evidente: é a força do sentido estético a serviço da felicidade."[11]

Sua fama de amante de arte é tão estabelecida — "uma Hearst em escala feminina" — que em 1935 o Moma a convida para expor suas estatuetas negras. Em 1930, ela havia novamente adquirido um "vagão inteiro" delas, comprado de um colecionador judeu alemão sem dinheiro, que dera um jeito de fugir de seu país. Dezessete de suas mais belas peças estão expostas em Nova York com as de Henri Matisse e Paul Guillaume. Sessenta e cinco colecionadores apresentaram seus tesouros na maior exposição de Arte Primitiva que aconteceu nos Estados Unidos.

A moda alcançou todas as camadas da sociedade. "Atualmente", observa com ironia a revista *Time*,[12] "uma ou duas máscaras africanas são tão indispensáveis no apartamento de um jovem moderno apaixonado por parisianismo quanto pijamas e uma garrafa de Porto". Em seguida, Madame circula pelo país com obras-primas e dá conferências para explicar sua paixão.

Marie Cuttoli se tornou uma de suas conselheiras titulares em arte, como antes dela foram Edward Titus, Jacob Epstein, Misia Sert ou Louis Marcoussis. Essa grande colecionadora vive na rue de Babylone, num apartamento museu que, posteriormente, Yves Saint-Laurent comprará. Ela atualizou a tapeçaria de acordo com o gosto em voga e pediu aos maiores artistas da época, Picasso, Léger, Le Corbusier e Jean Lurçat para lhe desenharem modelos originais que ela vende em sua loja parisiense, Myrbor. Fiel aos seus hábitos, Helena compra-os em quantidades.

Quando faz bom tempo, o terraço é pretexto para muitas festas nas quais se encontra o *Tout-Paris*. Em 1938, Madame cria um prêmio de arte Moderna Marie Cuttoli. O primeiro premiado é o escultor cubista Henri Laurens, a quem as duas mulheres entregam solenemente um cheque de 25 mil francos.

Uma foto imortaliza o acontecimento: os membros do júri, Henri Matisse, Georges Braque, Fernand Léger, Louis Marcoussis, Paul Éluard, Jean Cassou posam ao redor de Marie e de Helena. O prêmio não se repetirá no ano seguinte por causa da guerra. Mas, enquanto isso, o terraço ainda assistirá a brilhantes festas, como Madame gosta de oferecer.

Princesa Gourielli

Podemos viver sem um homem ao nosso lado? Madame se habituou a isso, mesmo que sem querer. Para enganar a solidão, ela prescreve a si mesma suas receitas mais comprovadas: atordoa-se de trabalho ainda mais do que de costume, viaja e se entrega ao bridge com paixão. Em Paris, as festas acontecem na casa da condessa Marie-Blanche de Polignac, filha de Jeanne Lanvin, uma personalidade tão mundana quanto a mãe é reservada. A condessa recebe regularmente em sua casa, rue Barbey-de-Jouy, no 17º distrito, e mistura seus convidados célebres com aristocratas russos, emigrados na França depois da Revolução de outubro, que ganham a vida alugando seus talentos de jogadores de bridge para a elite parisiense.

Naquela noite de 1935, o parceiro de Helena é um belo quadragenário, alto, magro, com traços tipicamente eslavos, malares salientes, olhos puxados. O príncipe Artchil Gourielli-Tchkonia é um *bon-vivant*, gozador, caloroso, muito descontraído. Ela passa ótimos momentos com ele. Tão empenhado quanto ela em ganhar, ele a faz rir durante toda a partida. Há muito tempo ela não se divertia tanto. Ela ri, mesmo quando ele ousa implicar com seus defeitos de má jogadora e com sua raiva quando perdeu alguns francos.

Terá ele de fato sangue azul? Não importa! Qualquer um que possua alguns carneiros na Georgia pode ser chamado de príncipe em Paris. Os emigrados russos fingidamente nobres existem ali em quantidade, quase tanto quanto seus compatriotas motoristas de táxi...

O príncipe conhece bem o país por ter passado sua juventude nele. Depois, entrou para a Academia Militar em Moscou e, em seguida, lutou em Riga, durante a Revolução. Seu pai era um famoso crítico literário, e a linhagem Gourielli remonta ao século XIII. Verdade ou mentira, o título impressiona Helena que se imagina muito bem como princesa. Ela não tem, contudo, intenção de se casar novamente.

— Para que é que um marido me serviria? — pergunta ela quando os amigos abordam o assunto.

Ela se esquece de lhes dizer que se apaixonou pelo príncipe.

— É sempre útil, nem que seja para chamar um táxi — responde um dos membros do pequeno grupo que a cerca e que insiste para que ela refaça sua vida.

Helena, que deve passar algumas semanas em Paris, fez o possível para jogar bridge com frequência. Como que por acaso, o príncipe é sempre seu parceiro. Além disso, ela mesma organiza uma partida no apartamento do quai de Béthune. E convida Artchil.

Cerimoniosamente, percorre com ele o apartamento, mostra-lhe as coleções de arte africana e oceânica, as antiguidades gregas, os bronzes de Brancusi, os espelhos venezianos, o grande salão com suas colunas dóricas e suas tapeçarias d'Aubusson, a escada criada por Louis Süe, cuja rampa de ferro forjado se enrola em torno de barras circulares, o salão de música com o imenso piano de cauda, os quadros de Bonnard, os móveis e tapetes Napoleão III comprados de Madeleine Castaing.

Mesmo que esse excesso de luxo o tenha deslumbrado ou incomodado, Artchil não diz nada. Sua aristocrática educação o leva a se mostrar discreto. Helena o arrasta para o terraço para que ele admire a vista de Paris. O céu está limpo, a lua os envolve com um brilho acolhedor. Ela se sente bem com aquele homem, mais novo 23 anos, é verdade, mas tão tranquilizador quanto Edward. E, sobretudo, tão mais divertido. A todo momento, Artchil demonstra um humor imbatível que a relaxa.

Com ele, não é necessário esforço para parecer culta, nem é necessário quebrar a cabeça para encontrar um assunto para conversa inteligente. Tudo parece fluido, natural, fácil. Ele tem uma visão positiva da vida, com a superficialidade encantadora dos *bons-vivants* para quem cada dia deve ser uma festa. Helena necessita desesperadamente de se sentir confiante. Existem muitas obrigações, muito peso em sua vida cotidiana.

— Helena — diz Artchil, repentinamente sério, depois de ter se divertido a noite toda —, você me daria a honra de jantar comigo amanhã à noite?

— Amanhã à noite? Impossível! Volto para Nova York...

Artchil toma-lhe a mão e a mantém entre as suas. Ele o faz com simplicidade e gentileza, sem pôr nisso nada além de uma afetuosa cumplicidade. Helena fica agradecida por ele não apelar para a sedução. O contato das peles é muito mais agradável, porém. Então é para isso que um homem, um marido, pode servir? Para ainda se sentir uma mulher? Mesmo na sua idade?

— Qual é o seu restaurante preferido, lá? — continua Artchil, imperturbável.

— O Colony.

É o point nova-iorquino dos *rich and famous*, o lugar no qual é preciso ser visto.

— Anotado. Marquemos encontro desde já. Eu lhe telefono.

Artchil sorri como se estivesse brincando. Durante alguns segundos, Helena se pergunta se é o caso. Com mais de 60 anos, ela tem um olhar de menina perdida que procura uma prova de confiança. Quando eles se despedem, ele roça sua palma com os lábios. Ela não consegue deixar de estremecer, chamando-se interiormente de idiota.

Assim que chega a Nova York, é novamente sugada pelo turbilhão dos negócios e da mundanidade. Ela o esquece. Não o suficiente, contudo: seu coração bate mais forte quando sua secretária lhe pergunta, uma manhã, se aceita receber um telefonema da parte de um príncipe...

— Helena? É Artchil. Você não se esqueceu de nosso encontro, eu espero. Estou em Nova York. Reservei uma mesa no Colony para esta noite.

Ele a pede em casamento de acordo com as regras.

À antiga.

Para dar um tempo a si mesma para responder, ela exige comprovação de sua linhagem. Ele lhe mostra o *Almanaque de Gotha*, no qual mandou inserir uma página dedicada à família, dando todas as indicações de sua genealogia. Ela fica tranquila: embora sem dinheiro, Artchil é nobre. O que importa se sua carteira está vazia? Ela tem bastante dinheiro para os dois...

Eles se veem muito durante os três anos após o encontro, jogando bridge, viajando. Assim, tem tempo para estudá-lo. Ele nunca a decepciona, ao contrário. É o companheiro ideal para uma mulher como ela. Ele conhece o mundo inteiro, os ricos, os poderosos, os intitulados, as estrelas de Hollywood. Por toda parte ele é recebido com o mesmo entusiasmo. Suas cadernetas de endereço combinadas constituem a mais formidável rede de *jet setters* da época.

Eles se casam três anos após terem se conhecido, em junho de 1938, em Baltimore. No dia 14 de julho, dão uma festa no cais de Baltimore para celebrar suas núpcias. Helena e Artchil convidaram todas as pessoas importantes de Paris. A recepção é suntuosa, como sempre.

Encantada por se tornar a princesa Gourielli-Tchkonia, ela passa a exigir que a chamem assim, pois o título a relaxa e faz com que esqueça sua vida de mulher de negócios. Além disso, ele impressiona a todos, tanto em Paris quanto em Nova York, e enfurece a muito esnobe Elizabeth Arden, o que indiretamente agrada Helena.

Artchil tem 43 anos, Helena, 66. Mas ela possui tanta energia quanto uma quadragenária. Eles terão um casamento feliz, construído sobre uma amizade e uma estima recíprocas. "Era um homem simples, que tinha gostos, modos e o humor de um camponês a quem a sorte tivesse sorrido",[1] escreve Patrick O'Higgins.

O casal, como resultado de um acordo, adota imediatamente quartos separados. Artchil, embora tenha casos, é sempre muito discreto e demonstra respeito pela mulher:

— Helena é uma rica e muito hábil dona de casa judia — diz ele.

Frequentemente, durante o jantar, ela o repreende gentil, mas firmemente.

— Artchie, não beba demais; Artchie, não diga bobagens!

Toda a família Rubinstein adotou o recém-chegado como um membro efetivo. "Era sempre tão mais divertido quando ele estava presente às reuniões de família", recorda Diane Moss, filha de Oscar Kolin, sobrinha-neta de Madame.[2] "Ele era muito bonito, com seus cabelos prateados, sua piteira negra. Ele usava um anel com seu brasão gravado."

O consenso é tão raro que é preciso ressaltá-lo: na casa dos Rubinstein, todos vivem em guerra. Horace não suporta o irmão Roy, nem Oscar Kolin seu primo, o irmão de Mala. Roy não se entende com o pai, Edward. Helena, que adora Oscar e Mala, põe os filhos contra o sobrinho na empresa. Ela também se entende muito moderadamente com as irmãs. Contrariamente a qualquer expectativa, Roy e Horace, encantados com Artchil, aprovam o casamento da mãe. Tanto mais que a felicidade a suaviza um pouco.

O casal realiza sua viagem de núpcias, de navio, ao redor do mundo. Sara Fox, encarregada da publicidade e da imprensa, os acompanha. Madame não quer perder nenhuma oportunidade de se promover.

Ela quer muito que seu novo marido visite a Austrália. Mostra-lhe os institutos de beleza de Melbourne e de Sydney, leva-o a alguns lugares que frequentou. Nem todos, porém: ela omite seu início na Elizabeth Street e seus anos de escravidão em Coleraine.

O *Smith Weekly* publica uma grande entrevista com o casal: "O príncipe e a não tão pobre."[3] Dois jornalistas são especialmente enviados pela redação. "Nós os encontramos em sua suíte do hotel em Sydney, e fomos recebidos, não num *boudoir*, mas num cômodo no qual se ouve o ruído de uma máquina de escrever, que se mescla às vozes de uma encarregada de publicidade e de uma secretária e ao vaivém de telegrafistas. É o escritório temporário da Grande Mulher de Negócios."

Os australianos têm muito orgulho de sua heroína. Especialmente quando Madame apresenta os números: tendo partido de um simples creme por alguns centavos, a firma Rubinstein dá trabalho para 3 mil empregados no mundo inteiro, na maioria mulheres, e anuncia um negócio no valor de 2 milhões de dólares.

"Mas o dinheiro não me interessa", diz ela. O que não é o menor dos paradoxos, observam os jornalistas. Assim, apesar da centena de produtos Rubinstein listados, Madame utiliza apenas um único creme de dia, o que "basta perfeitamente". Artchil, visto como um "tímido" pelos interlocutores, é, na opinião dela, "um homem vaidoso", que utiliza alguns de seus produtos.

— É comum — ela explica. — Muitos homens um tanto "especiais" compram meus batons e meus pós.

Artchil se contenta com cremes hidratantes. Muito calmo, enquanto sua esposa é agitada, ele gostaria muito que ela se aposentasse. Artchil é o homem do *carpe diem*, um gozador, um epicurista.

— Poderíamos comprar um rancho na Austrália, criar cavalos — ele sonha em voz alta diante dos dois jornalistas.

— É claro que não! — replica prontamente Helena. — É verdade que eu já trabalhei trezentos anos. Mas ainda posso enfrentar outros trezentos...

Antes de desembarcar na Austrália, Helena e Artchil passaram por Los Angeles. Em poucos dias, Madame participou de quatro programas de rádio, deu uma festa para duzentas pessoas e ainda teve tempo de visitar os estúdios em Hollywood. De volta aos Estados Unidos, o casal se oferece uma nova escala na Califórnia. Madame dá mais entrevistas à imprensa. Inesgotável a respeito de seu assunto favorito, o estudo do clima sob todas as latitudes e sua influência sobre a beleza das mulheres, ela se lança em eruditas comparações.[4] "As nova-iorquinas pensam que têm a pele seca! Não é nada comparado à das australianas, extenuadas pelo sol ardente e pelo vento, que resseca e lhe destrói a vitalidade. Elas precisam de máscaras e de banhos de óleos, de cuidados. As nova-iorquinas sofrem com o aquecimento a vapor nos apartamentos. Pessoalmente, eu me recuso a acendê-lo em meu quarto! Em Hollywood, o clima não é muito ruim, mas as mulheres devem se proteger do sol. Em minha opinião, as inglesas são beneficiadas pelo melhor clima."

Essa "senhora cheia de energia" tem também algo a dizer sobre as artistas na moda: Colette Colbert maquia muito bem os olhos; Norma Shearer tem uma pele bonita; e Barbara Stanwyck, um rosto oval encantador. Aliás, ela tem opinião sobre tudo.

Madame voltou satisfeitíssima de sua viagem de núpcias. Quando suas equipes passam por ela nos corredores dos escritórios nova-iorquinos, não solta nenhuma de suas habituais reflexões, meio azedas, meio sarcásticas, sobre as roupas, a atitude, a maquiagem, os penteados das empregadas. Ela também não fica enfurecida. Ela se limita a sorrir. Artchil a teria transformado a esse ponto?

Mas essa tranquilidade não é somente obra do príncipe. Ela trama em silêncio uma vingança. No ano anterior, Elizabeth Arden lhe "roubou" um gerente e com ele 11 membros de sua equipe. De tanto pensar, Madame descobriu como contra-atacar. Cinco anos antes, sua rival se divorciara do marido Tommy Lewis, que era também o diretor geral da empresa. Quando o casal se separou, ela mandou seus advogados incluírem no processo uma cláusula de não concorrência para impedir Lewis de trabalhar nos cosméticos durante alguns anos. Mas em 1939, ele se encontra livre de qualquer compromisso com a ex-esposa.

Madame, que espreitava esse momento, contrata-o com um salário elevado, 50 mil dólares por anos. A cólera de Arden vale amplamente o investimento, ainda mais que ela tem outros motivos de raiva: despediu Henry Johnson, o ex-gerente de Rubinstein, que não a contentava mais. Quatro anos depois, terá sua pequena revanche sobre Madame, ao se casar, ela também, com um príncipe russo.

Helena não se preocupa, seus negócios estão em pleno desenvolvimento. Na feira de Nova York, durante um balé aquático intitulado *Aquacade*, ela apresentou o primeiro rímel resistente à agua, cuja engenhosidade se deve às suas equipes vienenses. Comercializado no ano seguinte, ele se tornará um dos best-sellers da marca.

Seu casamento com Artchil coincidiu — com poucas semanas de diferença — com o de Edward, que se apaixonou por Erica de Meuronurech, jovem suíça de 20 anos. Ele tem 48 a mais que ela.

Ele a conheceu na casa do amigo Jacob Epstein, em Londres. Encantadora, loura, com olhos de um azul Delft, herdeira de uma linhagem de banqueiros berneses, o que não é nada mau, a jovem acaba de chegar à capital inglesa para ali completar os estudos. Os pais a deixaram partir sozinha com a condição de que ela se hospedasse na casa do cônsul da Suíça, e de sua esposa, que eles esperam que sirvam de acompanhante para a filha.

No dia seguinte de sua chegada, o diplomata pede a Erica para acompanhá-lo à casa de Jacob Epstein, substituindo sua esposa que não se sente bem. Naquele dia, o pintor recebe pessoas importantes, notadamente Winston Churchill, cujo retrato ele realizou, e que chega atrasado, quando todos já estão à mesa.[5]

Erica é colocada entre Edward e Horace Titus. O primeiro finalmente conseguiu o divórcio em fevereiro de 1938. O segundo, que tem apenas 26 anos, é também divorciado e pai de duas crianças pequenas.

A lógica exigiria que Erica e ele se encantassem um pelo outro. Mas ela só tem olhos e ouvidos para Edward, cuja conversa e erudição a transportam. Ele também tem uma queda por ela.

Edward faz uma viagem a Berna onde reside a família Meuronurech. Segundo a interessada, seus pais aceitam sem piscar que a filha se case com um homem que poderia ser seu avô...

— Edward Titus era um cavalheiro que os impressionou favoravelmente.[6]

Certamente, os Meuronurech ajudam o casal a viver. Edward já está instalado em Cagnes-sur-Mer, e Erica o acompanha. Ela se dá bem com os rapazes, ambos mais velhos que ela, sobretudo Horace, o mais próximo do pai. O casal não terá filhos. Provavelmente, Edward está muito velho para se lançar de novo na aventura da paternidade.

Dois anos antes de sua morte, em 1951, sempre anticonformista, ele força Erica a se divorciar e a se casar novamente com George Friedman, um de seus amigos próximos, mais de acordo com a idade dela. Sem dúvida, ele quer deixá-la protegida. Mais tarde, Erica terá uma filha única, Barbara, nascida em meados dos anos 1950.

Em Paris, a estação mundana do ano de 1939 é uma das mais fecundas do decênio em bailes, festas, coquetéis, *garden-parties*, uma das mais alegres, também. Os boatos de guerra não impedem a alta sociedade de se divertir; ao contrário, é como se todos tivessem a sensação de dançar sobre um vulcão. A moda é rica, brilhante, de uma sedução e de um luxo "que lembram os exageros da corte de França, exatamente quando retumbava a Revolução de 1789".[7]

O *Tout-Paris* não sabe mais o que inventar. O baile da floresta, do desenhista André Durst, em sua casa de campo de Mortefontaine, é o mais aclamado. Cada um dos convidados se disfarçou de habitante da floresta, plantas, animais, sátiros ou druidas: Laure de Gramont está fantasiada de leopardo, Christian Bérard, de leão. Chanel, fantasiada de si mesma, convida para dançar Schiaparelli, bela árvore surrealista. Um momento de pânico foi presenciado quando, empurrada sem querer, ou não, por sua cavalheira na direção dos candelabros acesos, a costureira italiana pega fogo. Os dançarinos abafam as chamas com jatos de sifão de água. A história se espalha pela cidade. Durante uma semana só se fala do incidente do baile.

Em março, Helena oferece uma festa em sua casa do quai de Béthune em homenagem a Henri Sauguet, autor do libreto da ópera *A Cartuxa de Parma,* de Stendhal. Ela pediu à escritora Madeleine Le Chevrel — "uma das pessoas mais sensatas de Paris e que por isso congrega pessoas muito inteligentes e sensíveis", de acordo com Maurice Sachas — para se encarregar dos convites. "Todas as duquesas maníacas por música que existem em Paris, os acadêmicos de salão e as vedetes do palco e da tela se reúnem para partilhar uma hecatombe de franguinhas de Bresse, patinhos rouenenses, pintinhos novos que os lacaios enfeitados da cabeça aos pés traziam em bandejas de ouro e de prata dourada",[8] conta o jornalista Pierre Laurier.

A condessa de Polignac e a duquesa d'Harcourt, a princesa Baba de Faucigny-Lucinge e a marquesa da Moussaye, a duquesa d'Ayen, Jean Cocteau, Natalie Paley, Daisy Fellowes, Arletty, François Mauriac, Jacqueline Delibac, o conde de Beaumont, Eric Satie, Christian Bérard e muitos outros passeiam pelo terraço, admirando os afrescos dos banheiros e os espelhos do jardim de inverno. "Quem entra, quem sai, não importa, desde que o serviço seja bom",[9] grita Artchil, para quem quiser escutá-lo.

Entre recepções, viagens e trabalho duro, Helena achou tempo para comprar um soberbo apartamento em Nova York, no número 895, Park Avenue, pertinho de seu salão de beleza. Ela contrata Donald Deskey, o designer das *beautiful people* de Nova York para decorá-lo.

Ele aplica um estilo minimalista, sem floreios, com predominância do amarelo, do verde e do branco. Cortinas de celofane cobrem as janelas e as paredes do segundo andar, criando assim reflexos furta-cor. Naturalmente, os bronzes de Nadelman e os quadros da Escola de Paris ali encontram seu lugar. Um pouco depois, Helena, cansada do chique radical e sem concessões de Deskey, pede que Louis Süe acrescente um pouco de cintilação. O apartamento adquire então um ar barroco, mais de acordo com suas preferências. Ao mobiliário depurado de Jean Michel Frank, Süe acrescenta drapejados cor-de-rosa, espelhos venezianos, estátuas negras.

Helena manda arrumar ali uma suíte particular para Artchil. O príncipe raramente se levanta antes do meio-dia. Ele passa as tardes planejando partidas de bridge e jantares gastronômicos. Helena, que trabalha até tarde, prefere passar as noites em casa, se não for obrigada a sair.

— Isso não a incomoda? — pergunta-lhe uma de suas amigas.

— Nem um pouco! Com Artchil, tenho todas as vantagens do casamento. Ele é mundano, é verdade, mas entende que nem sempre eu também quero ser. E quando volta, ele me põe a par de todas as fofocas.

Ela acrescenta que o marido a ajuda em seus negócios, dando-lhe preciosos conselhos. Ela o escuta sempre? Na verdade, o papel dele é, antes de tudo, relaxá-la. Quando ele nota seu cansaço, ele diz, como que por acaso, que ouviu falar de um marchand que está vendendo uma interessante coleção de porcelanas ou de móveis antigos. Ou então, ele lhe conta que encontrou um jovem artista promissor. Ela não resiste à vontade de ir com ele à galeria ou ao ateliê. Esses momentos preciosos reforçam os laços entre eles.

Eles escolhem ter uma vida agradável, seis meses em Nova York e Greenwich, e seis meses em Paris, no moinho de Combs-la-Ville, embora, na opinião do marido, que coloca a arte de viver acima de tudo, Helena trabalhe demais.

O casal está em Paris quando, no dia 1º de setembro de 1939, a Alemanha invade a Polônia. No dia 3, a guerra é declarada. Durante todo o verão, a tensão aumenta. Os franceses esperaram a ofensiva, ao mesmo tempo ansiosos e céticos. "Os alemães não ousariam atacar o exército francês, o melhor do mundo", repetiam eles, tentando convencer a si mesmos. A partir do anúncio da declaração, todos os táxis e ônibus foram requisitados para transportar as tropas. As ruas estão apinhadas de soldados mobilizados; alguns deles usam os velhos uniformes que datam da guerra anterior.

Em meados de setembro, Paris se esvaziou de sua população masculina abaixo de 60 anos. "Era impossível encontrar um médico, um dentista, um açougueiro, um advogado. Foi o êxodo masculino em massa."[10] Dez milhões de pessoas se amontoam em direção ao sul, numa fuga desordenada que joga nas estradas da França homens, mulheres, crianças, animais, veículos motorizados e carrinhos de mão.

Depois da mobilização, a vida retoma seu curso normal, com poucas exceções. Durante a noite, o blackout é decretado. As ruas, esvaziadas de carros, se enchem de cidadãos que pedalam a toda a velocidade. Schiaparelli desenha roupas para ciclistas, casacos de camuflagem com grandes bolsos, saias longas drapeadas, com calções para serem usados por baixo. Ela parte para Nova York onde permanecerá até o fim da guerra. Molyneux e Piguet criam roupas para os ataques aéreos. Madame Grès imagina uma coleção subversiva em azul, branco e vermelho; Chanel fecha sua casa de costura e a reabrirá apenas em 1954.

Vestir-se se torna uma verdadeira corrida de obstáculos. A alta-costura, os ateliês de confecção estão ameaçados, os têxteis, racionados, do mesmo modo que os calçados. As mulheres recorrem a tesouros de invenção e de astúcia para continuar sedutoras. Em breve, a beleza, a elegância e a postura delas serão um desafio para o ocupante. Numa França em guerra, a moda se torna uma atitude de sobrevivência, uma forma de resistência, uma provocação à adversidade.

Como em 1914, as mulheres da alta sociedade se engajam. A maioria se torna ajudante de enfermagem. Outras são requisitadas para dirigir ônibus, táxis, trens de metrô e os caminhões que evacuam as populações. Os teatros estão fechados, o baile Tabarin é transformado em sopa popular para os atores necessitados. Outra sopa, para os intelectuais, é organizada pelas senhoras Giraudoux e Bourdet, pela condessa de Polignac e por Marie-Louise Bousquet.

Os parisienses continuam, porém, a se distrair.

No Natal, toda a sociedade chique que não fugiu da capital vai a Megève. Bettina Ballard, correspondente da *Vogue* americana em Paris, descreve esse momento surrealista nas páginas de sua revista.[11] Na volta, a palavra *desagradável* está em todas as bocas. Num artigo do *Figaro*, publicado em janeiro de 1940, Roland Dorgelès lança a expressão "*drole de guerre*" (guerra esquisita). É uma nova forma de conflito no qual nada acontece, cada um dos beligerantes, firmes em suas posições nos dois lados da linha Maginot.

Helena e Artchil partem no último instante, em maio de 1940, quando os alemães, depois do avanço vitorioso, chegam às portas de Paris. Eles compraram duas passagens de ida para Nova York no *USS Manhattan*. Helena não enfrentou o fato de que, pela segunda vez em sua vida, a guerra seria declarada entre a França e a Alemanha, e que seria obrigada a fugir novamente. Ela acreditou no impossível e partiu apenas quando se tornou evidente que não poderia agir de modo diferente.

Todavia, ela se precaveu. Desde alguns anos, a ascensão ao poder de Hitler na Alemanha, as medidas antissemitas, a Noite de Cristal, nunca deixaram de preocupá-la. Antes mesmo que a Polônia fosse invadida, quis pôr a família a salvo, na Argentina, em Londres, em Nova York. Alguns, infelizmente, ficaram na Cracóvia. Ela também repatriou por navio uma grande quantidade de obras de arte. Mas a maior parte de suas coleções ficou na França.

Os Gourielli deixam para trás o apartamento do quai de Béthune, o moinho de Combs-la-Ville e todas as propriedades compradas em Paris, que Helena transferiu para os advogados para evitar o confisco. O quai de Béthune é requisitado pela Gestapo. Helena pensou poder escapar dessa ocupação alugando o apartamento à condessa Johanna de Knech. Mas seis meses depois esta vai para Nova York, encontra por acaso Charles Revson e se apaixona. Eles se casam rapidamente. Compreende-se por que Madame não quis renovar o contrato deles.[12]

A guerra vista de Nova York

A princesa Gourielli-Tchkonia abre os olhos. Ela começa espreguiçando-se, em seguida, verifica a hora no pequeno relógio de pêndulo colocado em sua mesinha de cabeceira — 6h30, como todas as manhãs —, e se senta, apoiando as costas nos travesseiros. Então, tal como uma criada de teatro, uma camareira aparece, trazendo uma bandeja de prata na qual se destaca uma toranja. Ela a pousa sobre os lençóis de cetim creme, murmura "Bom dia, princesa" e abre as pesadas cortinas que escurecem o cômodo.

O sol daquele mês de julho de 1941 que entra pelas janelas ilumina os tapetes antigos, as paredes repletas de quadros do imponente quarto de sua casa de campo. A princesa Gourielli come sua fruta em algumas mordidas, lê a correspondência, faz uma leitura em diagonal do *New York Times*, esquadrinha cuidadosamente a seção de variedades e os índices da Bolsa. A camareira volta com um café da manhã um pouco mais resistente, uma xícara de café preto e uma torrada de pão integral.

Essa frugalidade imposta decepciona Madame que parece esquecer que ela mesma compõe seus cardápios. Infelizmente, porém, ser sóbria é uma necessidade, não uma escolha. Em duas semanas de almoços e jantares profissionais, ela ganhou alguns quilos perdidos com tanta dificuldade durante mais uma estada em Zurique, na clínica do doutor Bircher-Benner, na qual ela se submeteu, como de hábito, a uma dieta draconiana composta de raízes, legumes crus e cereais.

Seu livro *Food for Beauty* continua a ser vendido. As leitoras apreciam seus conselhos dietéticos e as receitas leves de cozinha que ela atualizou. Ela própria, contudo, está sempre com fome e, além disso, notou que se tornava cada vez mais difícil emagrecer na sua idade. Impiedosa para com as outras mulheres, é relaxada consigo mesma. Em poucos dias, cansada de ter de se privar, sem dúvida abandonará o regime para, mais tarde, recomeçar outro.

Depois de ter comido sua fatia de pão até a última migalha, a princesa se levanta, veste um penhoar de seda marfim sobre uma camisola combinando, e entra no banheiro cujas prateleiras estão repletas de produtos e frascos. Os grandes espelhos venezianos refletem sua imagem. Ela entra na banheira que transborda de espuma Apple Blossom, um produto derivado de seu último perfume. Imersa nas bolhas mornas, ela pensa em seu dia.

As reuniões vão se suceder de hora em hora: condicionamento, marketing, visita à fábrica de Long Island, conversa com os químicos, volta ao escritório, novamente reuniões, telegramas para a Austrália, para a Argentina, para Boris Forter, em Londres. Desde que este chegou à Inglaterra, quatro anos antes, o volume dos negócios duplicou, mas, infelizmente, a guerra freou essa expansão. Assim como em muitos países, o governo inglês requisitou todos os estoques de metal para abastecer as fábricas de armamento, o que dificulta a fabricação de tubos de batom. Foi preciso pensar nos produtos de substituição, trocar metal por madeira, e por embalagens de papel, ou, de acordo com o antigo método que comprovou sua eficácia, acondicionar o batom em pequenos potes.

Por outro lado, o governo instaurou uma política de cotas que limita a venda de produtos, o que fez recuar o volume de negócios. Para contornar as restrições, Boris teve a genial ideia de comprar as cotas das empresas destruídas ou fechadas, bem como seus estoques de embalagens, porque também falta papel e papelão. Mas as coisas quase deram errado: Boris foi indiciado por uma história sinistra de cotas falsificadas. Graças ao seu papo que divertiu o juiz, felizmente foi libertado, mas isso custou mais de 3 mil libras! Boris afirma que vai indo, mas, evidentemente, a situação o estressa. E os bombardeios incessantes sobre Londres não ajudam a acalmá-lo.

Felizmente, ele teve a presença de espírito de enviar Ceska aos Estados Unidos, fazendo-a embarcar no *Washington*, o último navio a deixar a Inglaterra exatamente após o início das hostilidades. Viúva recente e depressiva, ela jamais teria suportado aquele ambiente de guerra.[1] Agora, ela vive em Nova York, para onde levou seu sofrimento, mas, pelo menos, está em segurança...

Na água espumosa, Madame sente o estômago roncar; percebe que ainda tem fome. Agarra a campainha vigorosamente, pressiona-a com força e pede à camareira, que aparece num piscar de olhos, para lhe trazer um pãozinho com manteiga e mel, e, de passagem, apagar as luzes inutilmente acesas.

Todos esbanjam tão facilmente hoje em dia... Quando ela está em Greenwich e que tem um pouco de tempo, no sábado, a própria princesa vai à feira. E sempre na hora do fechamento, quando os comerciantes começam a embalar; assim é melhor para pechinchar.

As pessoas dizem que ela é avarenta porque acha tudo "muito caro!" Elas caçoam de suas manias de gente do interior: nos jantares, não suporta que os convidados deixem comida no prato. Não se incomoda em ajudá-los e ignora com superioridade os boatos. Que riam! Eles nada sabem da pobreza. Ela, sim. Por nada no mundo gostaria de experimentá-la novamente, mesmo que seja pequeno o risco de que a situação se repita.

Como todas as manhãs, ela levará para o escritório sua habitual *lunch bag,* o saquinho de papel marrom que a cozinheira guarneceu com asas de frango assado e uma maçã. Ela irá à recepção dada pelos Rockfeller em benefício da fundação deles que ajuda os exilados europeus? Artchil irá, com certeza. O querido senhor não perde uma oportunidade de se divertir. Àquela hora ele deve estar dormindo a sono solto em seu quarto, no apartamento deles de Nova York. Sem dúvida, ele voltou tarde, na véspera. Helena preferiu ir para "Tall Trees", sua casa de Greenwich, diretamente depois da visita à fábrica. Aquele lugar a revigora; ela gosta do jardim, dos bosques que o cercam, embora raramente tenha a oportunidade de aproveitar a natureza.

Sempre pensativa, sai do banho, seca-se com uma toalha marcada com um E e um T, as iniciais de Edward — ainda lhe restam dezenas delas, todas novas, bem como blusas bordadas com HRT, que ela ainda usa —, passa no corpo um creme hidratante, depois uma nuvem de pó Apple Blossom, e examina o rosto no espelho de prata, com o brasão do príncipe Gourielli impresso.

Ela tem quase 70 anos; o tempo não foi muito cruel para ela. Artchil pode ser um quarto de século mais novo que ela, mas ela não parece sua mãe. O querido senhor parece mais velho porque bebe muito. Ela não para de aconselhar-lhe a moderação, mas esses russos, poloneses, georgianos são todos iguais, intoxicados pelo álcool que estraga os dentes e a pele. Os homens poderiam ser tão mais bonitos se pelo menos se esforçassem.

Aliás, isso lhe deu a ideia de se interessar seriamente pelos cuidados de beleza masculina, o que nunca foi feito. Durante uma reunião de marketing, Thomas Lewis, o ex-marido de Elizabeth Arden, lhe sugeriu criar uma linha de cosméticos masculinos. Ela fez bem em contratar aquele lá, embora seu salário seja exorbitante.

Com seu faro habitual, Madame, que já tinha pensado vagamente a respeito, imediatamente adotou a ideia de Lewis. Ela notou que, muitas vezes, as mulheres compravam ao mesmo tempo dois potes de creme hidratante, o segundo destinado aos maridos. O mercado dos produtos de beleza para homens ainda não foi cultivado, cabe a ela fazê-lo prosperar. Em seguida, refletindo na velocidade do som, como de costume, ela foi mais longe, e imaginou criar uma loja para vender esses produtos. A adaptação da Gourielli Apothecary, situada na 53th Street, na esquina do edifício Rubinstein, está, aliás, quase concluída.

Suas equipes preparam as embalagens de um cinza refinado, ornadas com o brasão Gourielli. Os cremes serão acondicionados em potes, à antiga, como os que se viam no início do século nas lojas de boticários. Talvez ela tenha querido prestar uma homenagem ao velho Henderson de Sandford. Aliás, Madame contratou um farmacêutico que oferecerá conselhos aos clientes e às suas esposas: elas também terão seus produtos Gourielli.

Horace, que criou sua própria agência de publicidade, mas trabalha principalmente para a marca, achou o conceito tão genial que, todos os dias, bombardeia a mãe com bilhetes que tratam de marketing. Horace é quase sempre entusiasmado, o que, por um lado, é uma boa qualidade, mas às vezes também é muito cansativo... Apenas Artchil não parece empolgado diante da ideia de ter de trabalhar: se ela criou esse negócio, é também para que ele se ocupe, em vez de passar os dias sem nada fazer de construtivo.

Seiscentos e quarenta e um produtos Rubinstein são distribuídos nos salões de beleza e nos pontos de venda do mundo todo. O número é vertiginoso. Do ponto de vista de Madame, há muitos, demais. Ela própria não utiliza a metade da quarta parte. A partir de agora ela reforça um pouco mais a maquiagem: uma base Aquacade, um pó Town and Country, rímel negro à prova d'água, sombra para as pálpebras azul-verde, batom, que também lhe serve de blush.

Ela se dirige ao seu closet, de dimensões menos imponentes que os de Nova York e Paris, mas entulhado de roupas caras. Depois de uma rápida verificação, escolhe um modelo bordado de Schiaparelli e chama a camareira para ajudá-la a vestir-se. Calçada com escarpins de saltos vertiginosos, remexe atrás de uma pilha de roupas e pega uma caixinha cheia de joias. Suas peças mais preciosas estão em Nova York, mas ela guarda algumas em Greenwich.

Escolhe um colar de esmeraldas que pertenceu à imperatriz Catarina da Rússia, grandes brincos de diamante, uma pulseira de pérolas e um par de pesados anéis nos quais cintilam rubis, presente de um marajá extremamente grato pelos cuidados oferecidos à sua mulher, no início dos anos 1920.

Assim adornada, a princesa pega o pão com mel, posto em um prato, come-o rapidamente e sai. Parada no patamar, entre os dois cavalos de carrossel que guardam o pórtico de sua casa, ela espera o velho Pierce Arrow conduzido pelo jardineiro, marido de sua camareira. Prontamente entra nele. Cinquenta minutos depois, o carro a deixa diante de seu edifício na Quinta Avenida, um pequeno edifício branco e sóbrio. O porteiro abre a porta e a cumprimenta, sorrindo. A princesa lhe sorri de volta e penetra no saguão num passo marcial.[2]

Aquela manhã do verão de 1941 é muito comum na vida de Madame. O dia se desenrola sem surpresas: trabalho, trabalho e mais trabalho. A semana é entremeada de saídas, de coquetéis, de vernissages, de jantares mundanos ou de caridade, que ajudam os europeus em guerra, ou os soldados no front. Ela supervisiona, organiza, recrimina, responde às perguntas dos jornalistas, se deixa fotografar em casa. *Life* acaba de lhe dedicar um close-up de sete páginas.

Percebe-se, por muitos sinais, que os Estados Unidos se preparam para o conflito. A foto que ilustra a capa desse mesmo número da *Life*, publicado em 21 de julho, é a do comandante em chefe das Forças Armadas britânicas em Cingapura. Entre uma reportagem sobre como passar bronzeador na praia, fotos de Fiorello La Guardia, o prefeito de Nova York, assistindo a uma partida de beisebol com o filho, e o artigo sobre Madame, a revista trata abundantemente do front europeu. Por exemplo, as fotos atrozes de bebês ingleses queimados pelos bombardeios do Blitzkrieg, ou a pesquisa detalhada sobre a ocupação da Islândia pela frota americana na previsão de combates iminentes.

Alguns meses depois, em 7 de dezembro de 1941, os japoneses atacam de surpresa a frota americana na base de Pearl Harbor, no arquipélago do Havaí, levando, logo no dia seguinte, o presidente Roosevelt a anunciar a entrada de seu país no conflito mundial.

As notícias da Europa acabam com seu entusiasmo, começando pelas da Polônia. Hertzel e Gitel Rubinstein tiveram a sorte de morrer antes da invasão de seu país pelos alemães. A maioria dos membros da família Rubinstein e Silberfeld conseguiu emigrar para a Austrália, para a Europa e para os Estados Unidos. Mas todas as semanas Madame recebe cartas de parentes, amigos, conhecidos, presos no meio da tormenta, na Polônia ou em outros lugares, suplicando-lhe que os ajude a emigrar.

Na Cracóvia, ainda moram Regina, a irmã de Helena, e Moïse Kolin, seu marido. Helena não via a irmã mais nova havia muito tempo. Mas elas sempre mantiveram contato por carta, e Mala lhe dá sempre notícias. Agora, é difícil compreender o que está acontecendo. Tudo o que sabe é que ainda restam por lá alguns tios e tias e primos-irmãos. Helena não conhece todos eles. Alguns ainda eram crianças quando ela partiu; outros ainda não eram nascidos. Mas para ela a família é sagrada, e seu destino a preocupa. Fala frequentemente sobre isso com Mala, que não dorme mais de tanto pensar nos pais.

Felizmente, Henry, o irmão mais velho de Mala, está protegido em Toronto, com sua família. Oscar, seu outro irmão, ainda se encontra na França. Capturado pelos alemães quando lutava com o Exército francês em Dunquerque, ele conseguiu escapar e se juntar à Resistência. Agora está não se sabe onde com os Maquis. A mulher e as duas filhas, Jacqueline e Diane, inicialmente refugiadas no sul da França, acabam de chegar a Nova York sãs e salvas. Helena as ajudou a achar um apartamento. Aliás, ela tenta ajudar todos os judeus poloneses que conseguiram chegar a Nova York, apesar das dificuldades para obterem um visto, conseguindo-lhes emprego e moradia.

O Exército alemão ocupou a Cracóvia na primeira semana de setembro de 1939. As perseguições contra os judeus, que começaram imediatamente, se intensificaram quando os alemães fizeram da cidade a capital do governo-geral da Polônia. Em maio de 1940, parte dos 60 mil habitantes judeus foi expulsa para o interior. Um ano depois, 15 mil refugiados juntaram-se a eles.

Um gueto foi criado no sul da cidade, em Podgorze, onde Edward Titus nasceu. Quase 20 mil pessoas são presas atrás de uma cerca de arame farpado que, em alguns pontos, dá lugar a um alto muro de pedra. Os nazistas instalaram ali várias fábricas e sujeitaram os judeus ao trabalho. Do lado de fora da cerca, outras fábricas e alguns canteiros empregam essa mão de obra escrava.

Desde 1924, a política americana de acolhimento aos imigrantes é cada vez mais restritiva. Preocupado com a opinião pouco favorável aos judeus, Roosevelt recusa-se a aumentar as cotas. Não há muito o que fazer, salvo rezar aos deuses do céu para que a guerra acabe o mais rápido possível. O que não está em pauta no momento. As notícias não são boas do lado dos Aliados. Os alemães tomaram a dianteira, ajudados por outros membros da Tríplice Aliança, a Itália e o Japão. Em Londres, o salão de Grafton Street foi em parte destruído após um bombardeio. Boris Forter teve a sorte de escapar. Ele conseguiu salvar os arquivos, as máquinas de escrever, uma boa quantidade de produtos de beleza e transportou tudo para um pequeno imóvel que Helena possui em Berkeley Square.

Porque deseja aliviar a angústia e não pode mais viajar para outro lugar, Helena realizou um cruzeiro pela América Latina, em dezembro de 1940. Artchil a acompanhou, bem como Sara Fox, a diretora de marketing. Como de costume, ela se entregou a fazer compras desenfreadamente. No México, Diego Rivera e Frida Kahlo a iniciaram na Arte Primitiva. Ela fez amizade com o casal e comprou quadros deles. Também deu início a uma coleção de retratos de crianças. Gostou tanto do México e de seus pintores que vai fazer de tudo para voltar lá com frequência, pelo menos uma vez por ano.

Em Buenos Aires, onde já possui um salão, comprou um imóvel; no Rio, abriu um novo instituto. Na Argentina, comprou joias, objetos preciosos e dezenas de vasilhas de prata utilizadas pelos gaúchos. Ao voltar para Nova York, ela manda copiá-las e as põe à venda em seus salões. O lucro destinou-se à Cruz Vermelha polonesa que ela apoia ativamente, bem como um bom número de obras de caridade.

Assim é que ela aproveitou a abertura da loja Gourielli para organizar uma exposição de duas semanas dedicada a pintores americanos e mexicanos, em benefício do esforço de guerra da China. Na noite da inauguração, ela ofereceu uma recepção em homenagem à senhora Chiang Kai-shek.

Na primavera de 1942, o segundo andar do salão da Quinta Avenida se transformou em galeria, The Helena Rubinstein New Art Center, cujos lucros vão para a Cruz Vermelha. Por 25 cents, os visitantes podem admirar um panorama histórico de pinturas e esculturas modernistas, algumas pertencentes a Madame, e outras emprestadas pela galeria de Peggy Guggenheim. "Evidentemente, organizar uma exposição com fins beneficentes no espaço do salão tem também a vantagem de atrair potenciais consumidores."[3] Ainda e sempre seu senso do marketing ligado ao seu amor pela arte.

Edward e Erica Titus desembarcaram em Nova York em julho de 1940, pouco depois da volta de Helena e Artchil. Imediatamente Edward passou a frequentar o ambiente dos numerosos intelectuais e artistas europeus que atravessaram o Atlântico.

Em março de 1941, um navio da Companhia dos Transportes marítimos, o *Capitaine Paul Lemerle*, levantou âncora em Marselha, com 350 passageiros a bordo. Entre eles se encontravam André Breton, sua mulher e sua filha Aube, Claude Lévi-Strauss e Victor Serge, o companheiro de Lenine. Breton e sua família se instalaram no Village, onde o escritor reconstituiu seu grupo surrealista. Max Ernst, fugido do campo de concentração da aldeia Des Milles, chegou quatro meses depois com Peggy Guggenheim e seu ex-marido Laurence Vail.

Durante os anos de guerra, Nova York se tornou a nova capital das artes e das letras francesas. Antoine de Saint-Exupéry, André Maurois convivem com Jules Romains e Aimé Césaire, Denis de Rougemont, Pierre Lazareff, responsável pelo escritório francês de *Voice of America,* A voz da América, e sua esposa Hélène, jornalista do *Harper's Bazaar* e do *New York Times.*

No dia 3 de março de 1942, uma exposição, Artistas no Exílio, reuniu Breton, Chagall, Ernst, Léger, Masson, Matta, Mondrian, Tanguay, Ozenfant, e Zadkine. Marcel Duchamp, que chegou um pouco depois, expõe em outubro do mesmo ano, na nova galeria que Peggy Guggenheim inaugurou no alto de um edifício da 52th Street. A festa é oferecida em benefício da Cruz Vermelha. Os Gourielli-Tchkonia ali encontram sem dúvida os Titus, mas Helena e Edward não têm muito mais a dizer um ao outro.

Madame acaba de conhecer Salvador Dalí, outra figura da nova boemia nova-iorquina. Ele era um dos amigos de Titus, em Paris. Lançado pelo galerista Julien Lévy, que expôs seus *Relógios Flácidos* em Nova York, nos anos 1930, o pintor voltou em 1941, como todo mundo. Dois anos depois, ele pinta dois retratos dos Gourielli. Um representa Helena que avança, como uma figura de proa, por entre rochedos sobre um mar esmeralda; o outro, Artchil, usando uniforme de oficial russo. O segundo quadro é nitidamente menos bem executado. Dalí, contudo, afirma que o quadro que representa Helena lançou-o na carreira. Helena os pendurou em seu novo apartamento, situado no número 625, Park Avenue, na esquina com a 69th Street.

Há muito desejava mudar-se. Acabou encontrando um lugar a seu gosto, um triplex de 36 cômodos, afastado algumas ruas do edifício Rubinstein. "Eu me apaixonei por um castelo nos ares", escreve ao filho Roy.

Um pouco antes da assinatura do contrato, o agente imobiliário chamou-a, extremamente envergonhado.

— Senhora Rubinstein, lamento muito, mas os coproprietários são categóricos. Eles não querem judeus no edifício.

Helena não é ingênua. Desde sua primeira visita aos Estados Unidos, em 1915, ela constatou o antissemitismo fazendo estragos na América, especialmente nas classes mais abastadas da burguesia branca. Já na época não pôde instalar seu primeiro salão no edifício que havia escolhido, pois os proprietários se recusavam a vender a judeus. Mas ela ainda não era poderosa o bastante para enfrentá-los, e foi obrigada a ir encontrar outro lugar.

Madame não ignora que alguns bairros residenciais são tácita ou explicitamente proibidos aos judeus, bem como colégios, universidades particulares; numerosos country clubes da alta sociedade também os recusam. Em Atlantic City, uma praia é reservada aos brancos, a segunda aos judeus e a terceira aos afro-americanos. Algumas pessoas não se constrangem em declarar suas opiniões extremistas. Como o aviador Charles Lindbergh, que passou um tempo na Alemanha, antes da guerra, e que, como aliado incondicional do regime nazista, repete o tempo todo, no rádio e nos jornais que os judeus põem os Estados Unidos em grande risco em razão de sua poderosa influência nas mídias, em Hollywood e no governo.

Henry Ford, magnata do automóvel, é também um antissemita doentio, condecorado pelo governo alemão com a ordem nazista da Águia. Desde o fim da Primeira Guerra Mundial, em seus discursos e escritos, Ford vomita horrores sobre os judeus, a ponto de, ameaçado de boicote em 1927, ser obrigado a pedir desculpas. O que não o impediu de recomeçar. De fato, desde o início da guerra, na Europa, o antissemitismo americano cresceu em todas as camadas da sociedade...[4]

Madame sempre se manteve afastada de todas essas polêmicas. Apesar de um sobrenome que pisca como um letreiro, e que, desde o início, ela se recusou a mudar, não se sente particularmente judia. Desde sua partida de Kazimierz, sua antipatia pelos judeus ortodoxos não diminuiu. Detesta tudo o que parece "too Jewish", judeu demais. A religião a aborrece, só vai a uma sinagoga quando é obrigada, para um casamento ou um bar-mitzvah, por exemplo. Não come casher, não frequenta a comunidade, dá às obras judaicas o mesmo valor que às outras. Com exceção de sua família, seu advogado e alguns executivos, contam-se poucos judeus entre seus três 3 mil empregados.

Mas, diante dessa afronta que a atinge diretamente, Helena se enraivece. Ela não tem mais idade para ouvir semelhantes loucuras.

— Sem judeus? Faça uma oferta, eu compro o imóvel.

Um castelo nos ares

Madame se tornou a proprietária do 625, Park Avenue, um dos endereços mais chiques de Nova York. Do terraço que circunda o apartamento, a vista sobre Manhattan é de perder o fôlego. Contratou o arquiteto Max Weschler com quem se entende às mil maravilhas porque ele está sempre disposto a executar suas mais loucas ideias, e decorou o triplex com sua audácia habitual, misturando opulência, refinamento e anticonformismo.

Entra-se no apartamento pelo andar do meio, e logo a pessoa se encontra numa imensa sala de recepção do tamanho de uma galeria, com piso de mármore branco e preto. Ali está reunida a maior parte das esculturas de Elie Nadelman, ao lado de suas coleções de telas dos mestres, das quais grande parte ela pôde repatriar da França.

Os estilos se justapõem como no número 24 do quai de Béthune. O salão modernista francês é mobiliado com canapés, sofás e poltronas de seda e veludo cujas nuances vão do púrpura ao magenta. Na sala de jantar barroca, com predominância do branco e do dourado, encontra-se, entre outras peças inestimáveis, parte de sua coleção de Primeira Arte. O café é servido na sala dos sonhos, onde também se joga bridge. De dimensões mais reduzidas que as outras, é a sala preferida de Madame: o mobiliário veneziano e o mural tríptico assinado por Salvador Dalí fazem dele, por si só, uma obra de arte.

No primeiro nível se encontram os seis quartos de dormir, inclusive o dela. Todo em acrílico transparente, o mobiliário é espetacular e será frequentemente fotografado, em especial a cama fluorescente, em acrílico. Ela o encontrou no Mercado das Pulgas. Por toda parte, tapeçarias de Rouault coexistem com imensas estátuas tribais da Oceania, vasos de opalina com espelhos trabalhados. Quadros às dezenas, assinados por Braque, Picasso, Miró, Chagall, Derain, Modigliani, Matisse, cobrem as paredes. Um crítico os chamou de "as obras menos importantes dos pintores mais importantes dos séculos XIX e XX". Finalmente, no último andar, ela dispôs um salão de baile e um grande cômodo para guardar as casas de bonecas.

Para apoiar o esforço de guerra, Helena decidiu cultivar legumes no terraço. Batizou o pequeno terreno de "The farm in the sky", a fazenda no céu. Em 1942, ela oferece uma garden-party memorável, em benefício do United States Crop Corps, uma organização de fazendeiros auxiliares e voluntários na Inglaterra. A *New Yorker* faz uma matéria sobre a festa.[1] Servem como bebida um suco de legumes de estranha cor verde, cuja receita Madame preparou, mas seus hóspedes, dentre os quais Salvador Dalí, preferem nitidamente o scotch com soda.

No momento em que vão embora, os dois jornalistas da *New Yorker* dão uma última olhada na anfitriã, que está de pé, sozinha, diante de uma mesa na qual se encontra um prato com quatro batatas arrumadas sob uma cúpula de vidro. "Seu rosto era impenetrável, e nós nos perguntamos se ela se divertia, ou não."

A questão não é se ela se divertia ou não. As recepções mundanas fazem parte de suas obrigações. Os Gourielli dão festas muito concorridas, nas quais o *"Tout-New York"* se aglomera. Alguns dias antes da data marcada, Madame envia aos jornais a lista dos convidados.

"Esta noite, Madame Rubinstein receberá para jantar o barão e a baronesa Gunzbourg, senhora Carmel Snow, senhora Marie-Louise Bousquet, o barão Kurt von Pantz, o duque de Verdura, senhor Brunhoff, senhora Elsa Maxwell, senhor e senhora Pierre Lazareff, senhor e senhora Cole Porter..."

Certamente não é o impressionante Almanaque de Gotha que é possível convidar em Paris, mas Helena se gaba de reunir em Nova York um número respeitável de títulos de nobreza, que sempre adorou, e que mistura, como em toda festa bem-sucedida, com artistas, escritores, jornalistas e mundanos. Seus convidados ficam muito lisonjeados por serem recebidos no "Rubinstein Hilton". Todos falam a respeito em Manhattan.

O mundo dos ricos é feroz, irônico, fustigante, mas é o dela e o de seu marido. Mais do que Helena, Artchil gosta do que brilha, do que cintila, tanto de diamantes como de espíritos. Impedido de ir a Paris, o casal vai com frequência a Los Angeles. Parte do *café-society* de Nova York se mudou para lá. As festas são divertidas: lá se encontram Stravinsky e Aldous Huxley e Flame d'Erlanger que Helena conheceu séculos antes, em Londres, com Edward. A baronesa continuou excêntrica. Seus dois *night-clubs*, em Sunset Trip estão sempre cheios. Ela recebe os clientes, todos seus amigos, de vestido de noite, como uma diva.

Lá, a guerra parece ainda mais distante, mesmo que as más notícias cheguem do teatro de operações no Pacífico. Helena frequenta as estrelas, Gloria Swanson, Joan Crawford, Bette Davis, que são consideradas as mulheres mais belas do mundo. Ela lhes dá conselhos de beleza, desenvolve uma linha de maquiagem especialmente concebida para o filme em cores.

A mais impressionante de todas é sem dúvida alguma Garbo, que eles encontraram diversas vezes, e ainda recentemente, numa festa oferecida por um grande produtor, nas colinas de Hollywood, numa dessas vilas suntuosas das quais somente os milionários do cinema possuem. Naquela noite, a atriz estava, como de costume, sublime, misteriosa, intocável. Ela não pronunciou uma só palavra durante a noite toda; contentou-se em ficar imóvel num canapé, e em receber, com um movimento da cabeça, os cumprimentos dos admiradores.

Sentada diante dela, num canapé gêmeo, Helena também ficou em silêncio. Nenhum dos dois ícones, o da tela e o da beleza, proferiu mais de duas frases durante toda a noite.

Por ocasião da Operação Tocha, na África do Norte, o governo encomendou a Madame produtos para os soldados que lutavam no deserto. As peles queimadas pelo sol precisam ser reidratadas e cuidadas, e os rostos necessitam de camuflagem. Helena e Mala inventaram kits para eles. Washington comprou 60 mil unidades. Todos contêm a indicação HR Inc. na embalagem. A encomenda chegou na hora certa para recuperar as finanças da empresa, bastante abalada, com a economia voltada para o conflito.

Helena Rubinstein foi recebida na Casa Branca. Em sua presença, o presidente Roosevelt contou uma história que a interessou enormemente. Foi a história de uma inglesa retirada dos escombros numa maca. Antes mesmo que lhe dessem um calmante, ela suplicou aos enfermeiros que lhe dessem o batom que estava em sua bolsa.

— A maquiagem é muito importante para o moral das mulheres que trabalham na indústria. É preciso incentivá-las a usar blush — concluiu o presidente.

Ele disse a mesma coisa a Elizabeth Arden, no mesmo lugar, mas não no mesmo momento. Cada uma delas se acredita depositária dos desejos de Roosevelt, e cada uma delas se esforça para redobrar os esforços para inventar e produzir. Dizem que na Alemanha, quando Hitler quis banir a maquiagem, as mulheres simplesmente se recusaram a trabalhar.

A falta de metal não facilita a tarefa. Apenas Charles Revson pensou em estocá-lo. Aquele homem! As mulheres o adoram, mas Helena o detesta tanto quanto detesta Arden. Ela é obrigada a admitir, contudo, que sempre é preciso desafiá-lo. Quando as duas rivais se mostram tímidas, ele provoca. Elas se apresentam românticas, ele se apoia nos *sex-symbols*: "Você pode ser uma bomba sexual!", gritam seus cartazes.

Ele inunda o mercado com cores vibrantes. Sua paleta é infinita, e ele inventa novas cores a cada dia. O mercado é um monstro insaciável, pensa Madame, que foi obrigada a reduzir algumas despesas, em especial com publicidade. Ela também não aumentou o número de empregados, o que lhe valeu uma greve, no final de 1941, na fábrica de Long Island. Nem teria imaginado que isso fosse possível, a palavra não existia em seu vocabulário corrente. Bem no início se recusou a receber os sindicatos, mas, diante da determinação dos empregados, foi obrigada a ceder e teve de aumentar duzentos salários.

Todos os dias ela tem de encarar, refletir, inovar e ainda se perguntar continuamente:

— O que querem as mulheres?

É a pergunta preferida dos publicitários e dos costureiros, dos perfumistas, dos modistas, dos criadores, dos sapateiros, dos peleteiros, dos esteticistas, de toda a gigantesca indústria a serviço da beleza. A resposta é simples: nesses tempos difíceis, as mulheres têm, antes de tudo, sede de pequenos prazeres, de distrações e de sedução. Apesar dos meios reduzidos, elas gastam 517 milhões de dólares em produtos de beleza.

Depois de Apple Blossom, Helena quis criar outro perfume, menos floral, mais sutil. Num belo dia de primavera, quinhentos cestinhos de palha presos pela alça a balões azuis e rosa são mandados para o céu do alto do edifício das lojas Bonwit Teller. Dentro deles há um frasco do perfume Heaven Sent, cujo design se inspira em uma garrafa que Madame comprou no México. Um cartãozinho com as seguintes palavras o acompanha: "Out of the blue for you", "Do céu para você".* As americanas adoraram.

Entre as estrelas de Hollywood, Greta Garbo e Jean Harlow estão sempre no topo. Mas Katharine Hepburn, com camisas arregaçadas, calças largas e sapatos baixos, além de Rosalind Russell, com suas roupas masculinas e voz profunda e grave, são os ídolos das operárias que substituíram os maridos, filhos, irmãos que partiram para o combate.

Uma canção popular pôs em cena *Rosie the Riveter*, Rose a Rebitadora, operária da indústria de armamento. Com os cabelos bem penteados sob um lenço vermelho com bolinhas brancas, os lábios e as unhas pintados, Rosie encarna a salvaguarda da feminilidade no seio de uma atividade viril. "WE CAN DO IT", "Nós podemos", proclamam os cartazes nos quais ela aparece de macacão, o bíceps expandido como o do Popeye.

As americanas não são mais "ladras de empregos"... No espaço de quatro anos, 6 milhões delas trabalham, como exige o dever de patriotas. O governo decidiu que o salário delas seria igual ao dos homens, e os sindicatos apoiaram o princípio. Não se trata de feminismo, nem em sonhos, mas uns e outros temem que com um pagamento muito baixo, os patrões as prefiram aos homens depois da guerra. No início do conflito, 95% delas decidiram parar de trabalhar quando seus homens voltassem do front. Ao término das hostilidades, 80% desejarão continuar. Haverá, certamente, um conflito de interesse entre as aspirações masculinas e femininas: em vez de encorajar as mulheres a se emancipar, a sociedade inteira insistirá em mandá-las de volta ao lar.

Na Europa, a vida se torna cada vez mais difícil, e as mulheres sofrem para permanecer vaidosas. Helena não gosta do que Boris lhe conta sobre Londres. Os produtos de beleza custam caro no mercado negro. Um

---

* Em inglês, *out of the blue* é uma expressão idiomática que significa "do nada", "de forma inesperada". (N. da E.)

guia explicando como a pessoa pode fabricá-los em casa acaba de aparecer. As inglesas tentam, sem muita certeza.

Em Paris, o salão do Faubourg Saint-Honoré foi requisitado. As revistas femininas têm dificuldade em se manter. A edição francesa da *Vogue* foi suspensa. Seu diretor, Michel Brunhoff, refugiou-se no sudoeste da França com a família. *Marie Claire* se mantém de alguma forma, bem como *Le Petit Echo de la Mode*. Algumas casas de costura permaneceram abertas: Lucien Lelong, madame Grès e Balenciaga. Para sobreviver, elas têm de se entregar a uma sutil negociação com os alemães.

Falta tudo, têxtil, maquiagem, calçados, mas a engenhosidade desafia todas as privações. As mulheres aprenderam a refazer as velhas roupas para criar novas, a pintar as pernas para imitar meias, a usar solas de madeira. Os cabelos são cacheados, muitas vezes com permanente; as sobrancelhas, muito depiladas; os lábios, sempre vermelho vivo, como que caçoando da infelicidade. No cinema, Arletty, Gaby Morlay, Edwige Feuillère, Josette Day, Madeleine Robinson mostram rostos puros, quase que opalescentes, como se os horrores da guerra não tivessem ascendência alguma sobre a beleza delas.

Assim que a América entrou no conflito mundial, Roy quis se engajar. Seu perfeito conhecimento de várias línguas europeias, das quais o francês, que ele fala fluentemente, estabeleceu sua designação para o serviço secreto, o Office of Strategic Services. De Washington, onde está, ele escreve à mãe longas cartas queixosas. Com inveja de tudo e de todos, ele a requisita continuamente, pede-lhe dinheiro, quer emprestado seu carro quando está de licença, atormenta-a sem parar para que ela lhe compre uma casa. Além de tudo, ele se queixa do ambiente ruim que reina na empresa.

Oscar Kolin finalmente conseguiu embarcar para os Estados Unidos onde sua família já está em segurança, e recuperou o posto de diretor na empresa. Roy não compreende por que o salário do primo é tão alto. Suas cartas, numa escrita infantil e dirigidas a "Mother dear", mãe querida, são escritas no mesmo tom. "Mantenha o senso de humor", ele conclui, sem dúvida para atenuar o efeito de suas recriminações.

Em suas respostas, Helena atiça o fogo sempre latente entre os membros da família. Ela elogia as qualidades de Oscar e aproveita para mais uma vez comparar os dois irmãos. Horace nunca lhe pede um centavo — diz. Ele pagou sozinho sua casa. Depois de pregar um sermão em Roy, valorizando o mais novo, ela acrescenta um cheque à carta.[2] Mais uma vez humilhado, Roy afoga a raiva no álcool, o que ele faz cada vez mais frequentemente.

Ao contrário do primo e do irmão, Horace não pôde se engajar. Por ter uma saúde frágil, desde criança, ele foi dispensado. Exatamente como Roy, Horace detesta Oscar, e repreende a mãe por favorecê-lo. A verdade é que Oscar Kolin é um sedutor que, em vez de bilhetes, cartas e memorandos com que seus primos bombardeiam Madame, prefere as longas conversas com ela para discutir vendas e marketing.

Sem Roy, Horace se sente muito isolado na empresa, ainda mais que Helena, que vai com frequência ao México, deixa-o face a face com Oscar... Numa carta dirigida à mãe, Horace compara a família deles à da peça de Lilian Hellman, *Little Foxes*, As "Pequenas raposas", que fez sucesso na Broadway e se tornou um filme de sucesso. Ambas, ele afirma, se dilaceram por ambição.

Um psicólogo teria, sem dúvida, se deliciado com as tensas relações entre a mãe e os filhos. Aliás, os dois irmãos tiveram sua cota de divãs, sem conseguir dominar os demônios da infância. Acima de suas cabeças plana o fantasma de Hertzel, o fraco, e a imagem de Edward, que "aborda tudo, sem aprofundar nada", conforme o julgamento de Helena, que ela aplica também a Horace. Felizmente, ela não teve filhos com Artchil.

Outras tristezas, porém, muito mais sérias, vêm enlutar a família. A irmã de Helena, Regina Kolin e seu marido, Moïse Kolin, foram assassinados em Auschwitz, em 1942. Um ano depois, o gueto da Cracóvia é destruído. Milhares de homens, mulheres e crianças judias são deportados, uns para Auschwitz e Birkenau, e outros para Plaszow, no sul da cidade.

Agora se sabe da existência dos campos de extermínio embora muitos tenham dificuldade em acreditar, ou melhor, em aceitar pensar o impensável. Nos Estados Unidos, ninguém está preparado para ouvir a narração de tais ignomínias, nem a administração, que os representantes da comunidade judaica pressionam para provocar a reação do presidente. Para Roosevelt, o principal objetivo continua sendo a destruição do exército alemão. A Câmara dos Deputados se recusa a votar uma lei menos restritiva para a imigração, permitindo aos judeus se refugiarem em solo americano. Embora uma pequena parte da população fique indignada, a maioria dos cidadãos demonstra uma atitude, na melhor das hipóteses, passiva. O afluxo maciço de judeus em solo americano não seria bem-vindo, até mesmo para os próprios judeus que temem a recrudescência do antissemitismo, caso seus semelhantes fossem autorizados a emigrar em massa.[3]

Em novembro de 1943, Franklin Delano Roosevelt é reeleito por pequena maioria. Ainda será preciso esperar alguns meses intermináveis para que os Estados Unidos finalmente criem uma secretaria de auxílio aos refugiados.

Em 1944, Winston Churchill, que está pronto para bombardear as linhas férreas alemãs, consulta Washington. O projeto é bloqueado sem que tenha chegado a Roosevelt, uma afirmação que será contestada posteriormente.

Em janeiro de 1945, os últimos prisioneiros de Plaszow são enviados a Auschwitz para serem mandados para oeste. Os alemães tentam apagar os traços dos crimes cometidos no campo por Amon Goeth e seu bando, ordenando que se abram valas comuns a fim de que os cadáveres ali sejam exumados e queimados.

A guerra termina. Os americanos, ingleses, soviéticos descobrem ossuários abomináveis e condições de detenção desumanas. Milhares de sobreviventes, na maioria judeus provenientes dos campos de extermínio, vagam como fantasmas descarnados pelas estradas do Leste Europeu. Milhões de famílias procuram os desaparecidos e choram seus mortos, como Helena chora os seus: a irmã, o cunhado, os tios, as tias, os primos. A Kazimierz de sua infância está morta, esvaziada de seus habitantes judeus, desaparecidos para sempre.

A filha de um de seus tios paternos, Gizèle — Giza — Goldberg também perdeu o marido e o filho. Sua filha, Lilith, chamada de Litka, com apenas 16 anos, conseguiu passar pela guerra, escondendo-se na Polônia e depois na Hungria. A adolescente deve a vida à inteligência e à aguda capacidade de adaptação. Durante toda a guerra, graças à mãe que falsificara sua identidade, ela se fez passar por polonesa católica e nunca se confundiu nem mesmo nos piores momentos. Mãe e filha se reencontraram no final da guerra.

Da Cracóvia, Giza escreve a Helena, pedindo-lhe ajuda. Elas não têm mais nada, nem casa, nem dinheiro, nem família. Madame paga suas passagens de avião para Paris e as aloja num pequeno apartamento que possui. Litka gosta de estudar e gostaria de fazer vestibular.

— Vestibular? Para fazer o quê? Eu nunca fiz vestibular! — exclama Madame.

Essa simples frase que escapa de seus lábios por inadvertência desfaz a lenda de uma Helena Rubinstein que teria começado a estudar medicina na universidade da Cracóvia. Ela tem outros projetos para suas primas, que ela contrata para o salão de Paris.

Aos 85 anos, em seu apartamento do 15º distrito, Litka Goldberg-Fasse enumera suas lembranças, em meio aos móveis antigos e aos quadros, todos provenientes do quai de Béthune. Ela os comprou depois da morte de Helena. Só lhe restam boas lembranças dos trinta anos durante os quais trabalhou no salão do Faubourg Saint-Honoré. Foi para ela um verdadeiro orgulho.

Litka exibe uma pele soberba e quase sem rugas. De acordo com os bons preceitos Rubinstein, nunca deixou de cuidar dela. Nostálgica, lembra com admiração e ternura a mulher que salvou sua vida.

— Minha mãe contava que seu próprio pai, meu avô, tinha participado da vaquinha da família para comprar a passagem de Helena para a Austrália. Ela era autoritária, é verdade. Ninguém ousava contradizê-la e, muitas vezes, nos assustava. O trabalho vinha antes de tudo. Mas era generosa e atenta aos outros. Gostava particularmente de nós, minha mãe e eu. Graças a ela, nada nos faltou.[4]

Reconstruir mais uma vez

Naquele mês de setembro de 1945, Helena chega a Paris de manhã, exausta da viagem caótica. A travessia do Atlântico no *Liberty*, um navio utilizado para transporte de tropas, não se pareceu em nada com as viagens luxuosas de antes da guerra. A passagem obtida à força, por uma fortuna, lhe deu direito a uma cabine minúscula que ela decidiu dividir com outras cinco mulheres. Artchie não pôde acompanhá-la; era muito difícil conseguir outra passagem, mesmo aumentando o preço. Mas ele prometeu juntar-se assim que possível.

Helena não está apenas esgotada, está corroída pela angústia. Bem que teria necessidade da presença tranquilizadora do príncipe, de seu sorriso, calor, humor, também. Tudo o que viu desde o Havre, através da janela do carro alugado a um preço alto, pois falta gasolina, lhe partiu o coração, como ela mesma disse. A França, que deixara cinco anos antes, é apenas ruína e desolação. O estado do apartamento do quai de Béthune, no qual pediu que a deixassem imediatamente, aumenta ainda mais sua tristeza. O que ela encontra a choca infinitamente. É pior do que o que lhe contaram, e do que imaginara em Nova York.

— Como é que seres humanos, adultos, puderam se comportar assim? — não para de repetir em voz alta, correndo de um lugar para outro, constatando os estragos.

O apartamento foi pilhado e sujado metodicamente, como se o ocupante tivesse tido um prazer meticuloso e doentio em saqueá-lo. Muitas peças do mobiliário: uma cômoda de madrepérola, poltronas Napoleão III, vasos, porcelanas, desapareceram. Marcas escuras nos papéis pintados atestam a falta de quadros. Móveis estão estragados, aqui um encosto, ali queimadura de cigarros num bufê de marchetaria, adiante poltronas cujo veludo frágil está rasgado de ponta a ponta, tanto que deixa à mostra o estofamento e as molas. Uma mesa de jogo Luís XVI foi levada para o terraço e deixada do lado de fora ao sol e sob as intempéries durante várias estações. As tapeçarias d'Aubusson estão salpicadas de centenas de impactos de balas, as paredes da entrada estão crivadas de buracos, uma estátua antiga de Afrodite serviu de alvo para as balas dos soldados. O que mais choca Helena é saber que os nazistas atiraram móveis pela janela exatamente antes de deixar o lugar, num ato final e insensato de destruição.

Mais tarde, quando a vida em Paris tiver retomado seu ritmo normal, ela pedirá a Louis Süe, encarregado da restauração da cobertura, para manter os estragos do hall, a fim de que eles sempre lembrem a ela a ignomínia do ocupante. Enquanto isso, é perfeitamente possível acampar num conforto muito aceitável. Os alemães deixaram lençóis, cobertores, travesseiros. Depois de ter repousado um pouco, Madame faz o levantamento de suas perdas francesas.

A fábrica de Saint-Cloud está destruída, e todas as fórmulas dos cremes e das loções foram roubadas. O moinho de Combs-la-Ville foi meticulosamente demolido, suas pias e os sanitários reduzidos a migalhas, sem dúvida, a martelo. Sente-se que o inimigo dedicou todas as suas energias em quebrar. As contas bancárias foram confiscadas, o dinheiro desapareceu. Os arquivos foram jogados no lixo. Mas as posses materiais não contam, comparadas às pesadas perdas humanas que, à sua volta, todos deploram: 17 mil soldados mortos, 280 mil prisioneiros deportados dos quais 75 mil judeus, dentre os quais numerosas crianças, 150 mil civis fuzilados ou mortos em bombardeios.

Durante as primeiras semanas após sua volta, corre de um lado para outro, procura encontrar amigos, conhecidos, empregados de antes da guerra. Ela vai muitas vezes à Delegacia de Polícia para obter informações, endereços, para tentar compreender por diferentes fontes o que aconteceu com uns e outros.

Alguns morreram, como Louis Marcoussis, cujo desaparecimento a esmaga. Outros perderam tudo. Emmanuel Ameisen, o diretor de vendas, sobrinho do próprio Edward Titus, acaba de voltar para casa, esgotado, mais magro, mas vivo. Em 1940, ele foi aprisionado pelos alemães e mandado para um campo na Pomerânia onde ficou até a chegada do general Patton nos últimos meses da guerra.

Pouco depois, ele se casará com Janina Schanz, uma parenta afastada de Madame: a jovem mulher foi deportada com os pais para Plaszow, depois enviada para Auschwitz, enquanto o pai partia para Mathausen de onde não voltará, e a mãe para Skarzyko. Ela sobreviveu à "marcha da morte" imposta pelos SS para fugir dos russos, e foi libertada pelo Exército Vermelho. Ela conhece Emmanuel Ameisen em Paris, onde o resto da família Schanz se refugiou. Madame vai ajudá-los do melhor modo possível.[1]

Helena revê com alegria seu pessoal do quai de Béthune, Gaston, Eugénie e Marguerite, e os contrata novamente. A cobertura se torna ao mesmo tempo um ponto de encontro e uma cantina. Tenta, bem ou mal, conseguir mantimentos para alimentar todos os que aparecem, em busca de calor e consolo.

Um ano após a Liberação, a situação continua incerta em Paris. Os cartões de racionamento ainda existem para a alimentação e o vestuário. Os civis passam horas intermináveis nas filas de espera, enquanto os ricos continuam a se abastecer no mercado negro. Na maioria dos bairros, a eletricidade é cortada em determinadas horas, bem como o gás e a água. Falta carvão para o aquecimento e para a circulação dos trens, assim como gasolina, para táxis e carros. Os parisienses caminham, ou se deslocam de bicicleta e de metrô, quando ele funciona.

As pessoas, contudo, se mostram pacientes "mais polidas, durante estes tempos conturbados, do que eram durante a prosperidade",[2] observa Janet Flanner, correspondente do *New Yorker*, que mantém, dia após dia, sob o pseudônimo de Gênet, um diário do imediato pós-guerra.

O pequeno milagre em tudo isso é que o telefone não foi cortado. Apesar de sua desconfiança da máquina, Helena conversa com Artchil que, em Hollywood, prossegue com sua vida sorridente de mundano *jet setter*, e com o filho Horace, em Nova York. Ela o chama a Paris assim que as navegações transatlânticas voltam com regularidade, para tentar se aproximar dele e também porque, apesar de tudo, se sente um pouco sozinha.

Ela poderia voltar imediatamente para os Estados Unidos, recuperar um conforto que sua fortuna e seus 72 anos feitos tornam mais do que legítimo. Ninguém a teria condenado. No seu estado-maior, outros, além dela, estariam em condições de arregaçar as mangas e tentar salvar o que ainda poderia ser salvo. Oscar Kolin à frente. Mas ela detesta delegar. Além disso, sua alma de pioneira exige que fique. Pretende reconstruir tudo sozinha, como das outras vezes. A ideia não a assusta, ao contrário, a exalta. Quer mostrar a todos que vale a pena vencer a batalha.

No combate, ela se sente viva, como aquela Paris cujo pulso ainda bate, apesar das restrições e da escassez, apesar das lojas e dos restaurantes ainda fechados. Na ordem das prioridades, é preciso que primeiramente recupere suas posses. Na falta de documentos a apresentar, tem de provar sua identidade e se submeter a intermináveis entrevistas com as autoridades, pelas quais passa com maior ou menor paciência.

Assim que recupera seu salão de beleza, que os alemães tiveram de fechar por causa da escassez de mercadorias, ela se ocupa reorganizando o lugar e, em seguida, dando trabalho aos seus empregados. Pelo menos aos que ainda estão vivos e desejam retornar.

Todas as manhãs ela sai do quai de Béthune e vai a pé até a rue du Faubourg Saint-Honoré, acompanhada de Horace. O caminho é um pouco longo, mas o exercício é excelente — explica a Artchie que, de longe, se preocupa com a saúde dela. Além disso, o passeio é tão bonito, um dos mais agradáveis da capital. Andar ao longo do Sena, passar de uma ponte a outra até o Louvre, bifurcar para pegar a rue de Rivoli, caminhar ao longo do jardin des Tuileries, virar à direita na place de la Concorde em direção à rue Royale, chegar, finalmente, ao Faubourg, é um prazer do qual ela não se cansa.

Helena é feliz em Paris.

Embora ferida, lenta, com falta de tudo, a cidade lhe oferece um bem-estar que Nova York é incapaz de lhe dar. Horace e ela conversam ao longo do caminho. É um quadro familiar enternecedor a mãe e o filho caminhando juntos: ela, minúscula e quadrada, envolvida em peles e usando um chapéu-coco, regulando o passo voluntarioso com as longas passadas daquele rapagão barbudo que tenta segurar-lhe o braço, mas desiste, diante de seu imperceptível retesamento. Ela nunca suportou ser tocada.

A seu lado, porém, ela parece se suavizar, pelo menos por alguns minutos. Sem dúvida, é o ar de Paris, o sol de inverno que matiza a água escura do Sena em mil pequenas pérolas coloridas, a percepção aguda da sorte que tem de estar viva, e seu filho com ela, enquanto tantos outros morreram.

E, contudo, as tristezas, os rancores, as cóleras, os não ditos, todo o cortejo de dores e de incompreensões que desde sempre os perseguem nunca deixaram de envenenar a relação deles. Por agora, o entendimento entre eles é cordial, ambos ocupados em reconstruir. Não há tempo para arrependimentos; aliás, Helena os detesta, do mesmo modo que detesta manifestações de tristeza ou de ternura. Ela tem um coração, como todos, e, como todos, sofre mais do que deveria, porém, é incapaz de mostrar seus sentimentos, de expressar o que sente. As palavras da intimidade não transpõem seus lábios.

Madame pôs-se à procura de perfumes, de lanolina, de tudo o que é necessário para a fabricação dos produtos, já que a fábrica não existe mais. A pouca matéria-prima é racionada. No mercado negro, o óleo de amêndoas doces é negociado a até 800 francos o litro. Ela espera que Artchie, ainda em Hollywood, possa lhe fazer chegar aquilo de que precisa. Mas serão necessárias semanas, às vezes meses, para receber as primeiras encomendas.

Os parisienses sofrem com frieiras. As mulheres da alta sociedade pedem aos viajantes transatlânticos para lhes trazerem vaselina, de Nova York. Todas estão à procura de cremes hidratantes para o rosto e as mãos, de maquiagem também. O batom continua o melhor dos antidepressivos. Sem hesitar, Madame vestiu novamente seu jaleco de químico, arregaçou as mangas e reviveu a benditas horas passadas na *cozinha*. Ela mistura tudo o que lhe cai nas mãos para fabricar cremes, que condiciona e vende ela mesma como nos bons e velhos tempos de Melbourne e Londres. Ela não precisa de artifícios para rejuvenescer; precisa de trabalho, só isso. Incansável Helena. É a primeira a chegar, a última a sair e não poupa esforços. Sua raiva acaba sendo compensada. O salão do Faubourg logo recupera o brilho. Restaurado por Louis Süe, ficará tão bonito como antes, e até mais.

Os jornais de moda ressurgem aos poucos e tentam ajudar as mulheres a ficarem belas, com os meios possíveis. Em novembro de 1945, de volta dos Estados Unidos, Helena Lazareff lançou a revista *Elle*. Desde o primeiro número, os jornalistas explicam às leitoras os princípios do sistema D, de acordo com o princípio do famoso *make do and mend*, "fazer durar e consertar", em vigor na Inglaterra durante os anos de guerra: confeccionar um novo pulôver ou meias com a lã desmanchada, pintar as pernas com unguento ocre para substituir as meias que estão em falta ou custam caríssimo — sem esquecer a linha fina da costura que corre do calcanhar ao alto da coxa —, lavar os cabelos com chás de ervas.

Uma jovem mulher da alta sociedade, filha de embaixador, enfermeira e da Resistência, é contratada para a redação da revista. Trata-se de Edmonde Charles-Roux que, dois anos depois, entra para a *Vogue* na qual é responsável pela seção "Correspondência", antes de se tornar redatora-chefe da revista e impor seu estilo.

É no escritório de Michel Brunhoff, diretor da revista, que Helena e Edmonde se conhecem. O meio século que as separam não as impede de manter durante vinte anos uma forte amizade que resiste ao tempo. Edmonde Charles-Roux recorda, com uma emoção mesclada de admiração, a "mulherzinha inteira, muito polonesa, e muito judia, corajosa, tolerante, de espírito aberto, com uma percepção singular dos seres e das coisas, cujas duas expressões favoritas eram 'alright' e 'too much'".[3]

— Helena Rubinstein me incentivou a escrever — continua. — Havia percebido em mim talento para a escrita e me deu as chaves de uma casinha adjacente ao seu moinho de Combs-la-Ville para que eu pudesse trabalhar tranquilamente. Fui para lá todos os fins de semana durante dois anos. Foi onde eu comecei meu primeiro romance, *Esquecer Palermo*. Ali ela reunia toda a família, Mala, Horace, suas irmãs. Nós nos encontrávamos regularmente sempre que ela ia a Paris. Almoçávamos juntas, eu a acompanhava aos ateliês dos pintores de quem ela gostava, às galerias de quadros. Na época, eu não tinha dinheiro; ela sempre me dava presentes: um colar de pérolas, uma gravata de visom... Sua permanente solicitude me ajudou muito.

No fundo, realmente generosa, pronta para descobrir talentos, para encorajá-los, Helena se mostra, por vezes, ambivalente. Ela reclama de

Oscar que teima em dar dinheiro a todos os refugiados que ele conhece, e que passam pela loja. Contudo, ela trouxe para Paris alguns parentes sobreviventes da *shoah*, o Holocausto, ofereceu-lhes abrigo, comida, trabalho, estudos. Sem dúvida, ela mesma quer escolher a quem ajudar e a quem amar.

A sociedade do pós-guerra continua sem rumo. Os soldados desmobilizados não conseguem mais voltar a viver em harmonia com suas esposas depois dos longos anos de separação. Muitos pedem o divórcio. O casal e a família, contudo, parecem o mais seguro dos casulos. O general de Gaulle lança um chamado vibrante para a reconstrução da França: o *baby-boom* engendra 860 mil crianças entre 1946 e 1950, e o mesmo número durante os dez anos seguintes.

Os homens recuperam os empregos e o trabalho das mulheres declina, como uma impiedosa gangorra. Essa queda vai durar até meados dos anos 1960. A dona de casa, que se tornou um investimento maior para os publicitários, dedica 74 horas semanais para consertar, lavar, passar, limpar.

A imprensa feminina, que defende a conciliação das tarefas domésticas com a elegância, explica como ser uma boa esposa e uma boa mãe, sem perder o estilo. As jovens que saem da escola querem ser secretárias, enfermeiras, professoras. Profissões que todos estimulam porque não ameaçam o poder masculino. Mas as francesas finalmente votam, e já não é sem tempo. Uma determinação de abril de 1944 lhes concedeu o direito de serem cidadãs plenas.

As festas, os bailes à fantasia e de máscaras voltaram. As elegantes, contudo, devem ainda usar o guarda-roupa de antes da guerra. Sob a Ocupação, a moda se tornou uma sutil bricolagem. Com o velho, fez o novo: os vestidos foram cortados em cortinas, lençóis, velhos vestidos, casacos masculinos. Os anos de escassez que se seguem à Liberação exigem mais que nunca tesouros de imaginação. Somente os novos-ricos, que enriqueceram no mercado negro, podem se permitir vestir-se nas casas de costura que não fecharam.

Então, improvisa-se, inventa-se, conserta-se. As mulheres exibem sandálias de plataforma de cortiça, mantôs de carneiro com largas ombreiras comprados três invernos antes. As costureirinhas se enfeitam com enormes turbantes Carlos X, confeccionados por elas mesmas; os jovens intelectuais de ambos os sexos usam roupas de esqui na cidade. Os *zazous*[4] impõem sua estranha aparência. Em Saint-Germain-des-Prés, no Bilboquet, no Tabou, rapazes e moças, em jeans apertados, dançam ritmos importados pelos soldados americanos. E assim a vida continua.

Christian Dior, o protegido de Helena, que aconselhava suas escolhas artísticas quando ele possuía uma loja de arte, antes da guerra, teve de mudar de profissão após a ruína dos pais durante a crise de 1929. Depois de ter tentado publicar alguns desenhos na *Vogue,* estimulado pela vidente da sociedade, a senhora Delahaye, que predisse que ele enriqueceria graças às mulheres, ele se voltou para a costura.

Financiado pelo rei do algodão, Marcel Boussac, seu desfile do mês de fevereiro de 1947, avenue Montaigne, lança o *New Look*, que encomprida as bainhas e dá volume às saias, apesar da escassez de tecidos. Depois dos anos sóbrios de Chanel de antes da guerra, retorna-se à mulher, frufrulhante e sofisticada. É uma verdadeira revolução aclamada no mundo todo.

Madame se encontra na primeira fila com suas amigas Carmel Snow e Marie-Louise Bousquet, sem as quais nenhuma apresentação de moda pode começar. Ela está sentada ao lado de Lady Diana Cooper, a mulher do embaixador inglês na França. Elas se encontraram pela primeira vez em Londres, nos anos 1910. Diana Manners, que ainda não era casada com Duff Cooper, era um membro ativo do grupo The Coterie que Margot Asquith frequentava.

— Minha querida, o que você faz para continuar tão magra nesses 35 anos que eu a conheço? — pergunta Helena, roendo-se de inveja.

— Toranja em fatias. Como e também a aplico no rosto.

Helena balança a cabeça, perplexa. Ela não ignora que os ácidos do cítrico são excelentes drenadores para a pele, mas jamais saberá se é a mesma toranja em compressas no rosto de Lady Cooper que acaba em seu prato...

Juliette Gréco, Boris Vian, Jacques Prévert e outros desconhecidos esfaimados, que sonham com refeições quentes e com a glória, circulam pelas boates e cafés. Albert Camus, editorialista da *Combat*, monta *Calígula*, no teatro Hébertot. Jean-Paul Sartre ensina filosofia no liceu

Henri IV e muitas vezes se encontra com os alunos no Café de Flore. O existencialismo é uma palavra *hype*, desperdiçada por aqueles que não compreendem nada, como aconteceu com o surrealismo antes da guerra.

Em 1947, Elsa Triolet conquista o Prêmio Goncourt com sua coletânea de novelas *Le Premier accroc coûte deux cents francs.*[5] No Café de Flore, Simone de Beauvoir prepara um calhamaço feminista: *O segundo sexo*, publicado em 1949. O livro vai derrubar a capa de proteção que recaiu sobre as mulheres depois do grande sopro de libertação vivido entre as duas guerras.

Madame é muito idosa para se apaixonar por esses combates. Aliás, ela conquistou sua independência sozinha e com meio século de antecedência. No momento, a única batalha que lhe interessa é a reconstrução de seu império europeu. Sempre que pode, realiza uma turnê pelo velho continente e, como na França, o que ela vê a aflige.

Londres sofreu mais do que Paris com a guerra. Os ingleses passavam fome, frio; faltava tudo. Os bombardeios mataram mais de 10 mil pessoas e deixou 1,5 milhão de desabrigados. Até mesmo o palácio de Buckingham foi atingido. A British Library perdeu grande número de obras, o East End, que abriga as principais indústrias da capital, sofreu muito.

Contam a Helena a pergunta que Churchill fazia todas as manhãs ao se levantar, depois de uma noite de bombardeio.

— E Saint-Paul?

A catedral de Londres se tornou o símbolo de uma cidade que continua de pé apesar dos escombros. Depois da destruição do número 24 da Grafton Street, o salão de Madame foi provisoriamente instalado no número 48 do Berkeley Square, mas o lugar não é grande ou chique o suficiente para Londres. Durante a guerra, Boris Forter, que mandou a esposa Marisa e o filho, Claude, em segurança para a França, conheceu Birgit, uma jovem sueca refugiada em Londres. Ela trabalha na embaixada da Noruega e mora no mesmo andar que ele. Apaixonaram-se.

No fim do ano de 1944, Marisa ainda está na França, e o inevitável acontece. Birgit engravida. Boris não sabe o que fazer. Antes mesmo de dar a notícia à mulher, ele escreve a Artchil que, para ele, é mais um amigo do que um patrão: "Encontro-me numa situação delicada; minha vizinha está grávida de mim, e eu penso em pedir o divórcio, mas, antes de agir, gostaria de saber a sua opinião."

A resposta de Artchil é rápida e inequívoca: "Se você quer manter o emprego, não se divorcie de Marisa. Madame será absolutamente contrária e até mesmo inflexível diante de tais ações. Ela não falará diretamente com você, mas o despedirá. O que você fará, então? São tempos difíceis. É melhor ser prudente e esperar antes de agir." Apesar da tristeza de Birgit, Boris decide protelar. Ele pensou: prometeu manter a criança e ela, e se perder o emprego, não poderá cumprir a promessa.

Para salvar as aparências, ele tem a ideia de estabelecer um contrato de casamento fictício com um empregado da embaixada da Noruega, chamado Henryk Wolmar. É provável que Boris tenha pagado a este para que aceitasse o contrato. O casamento acontece no hotel Savoy, no qual Boris e Birgit ocupam durante a noite a suíte nupcial, reservada aos noivos. A criança, chamada de Robert, nasce pouco depois e assume o nome da família do padrasto que volta a Oslo assim que a guerra termina.

Quatro anos depois, nascerá outro menino, Christian; seu nascimento parece ter sido desejado. Marisa está a par. Nem por isso Boris se divorcia, sempre preocupado com a reação da patroa. Parece difícil acreditar que Madame tenha tido uma influência tão determinante na vida de seus empregados. Mas Boris Forter, que está sempre precisando de dinheiro para prover as necessidades de suas duas famílias, se cala, porém. Ele vive com pavor de perder o emprego.[6]

Em Londres, Helena e Artchil finalmente se reencontram.

Juntos, eles percorrem as ruas da capital inglesa, procurando a melhor localização para abrir um novo salão... Ela recorda, muito emocionada, sua primeira chegada a Londres, e não pode deixar de contar a ele.

O príncipe ouviu muitas vezes essa história; ele a leu em incontáveis jornais, ela também faz parte da lenda Rubinstein. Helena sempre acrescenta novos detalhes. De repente, ela interrompe a narrativa e manda o motorista parar. Tira um monte de libras da bolsa de crocodilo, paga, sem se esquecer de pedir o recibo, e desce do táxi quase correndo, arrastando Artchil atrás de si. Ela lhe aponta uma adorável casa do século XVIII, que escapou dos bombardeios. É ali que ela quer estabelecer seu novo salão. Pedidas as informações, a casa, que pertenceu à senhora Willy James, célebre beleza eduardiana que ali recebia o rei, está mesmo para alugar. Situa-se a alguns metros da antiga, no número 3 da Grafton Street.

Helena manda reformar o interior, mas não muda nada na fachada, ladeada de um pórtico à antiga e de uma adorável escada. Ceska, que acaba de voltar de Nova York, cuidará dela, como antes, com Boris Forter.

A turnê de Madame pela Europa a leva à Suíça ("É lá que está o dinheiro"), à Itália, à Espanha, e até mesmo à Alemanha; conforme seu costume, ela quer pensar apenas no futuro. Por toda parte, estabelece e renova salões, constrói fábricas, reforça a distribuição. As clientes europeias desejam que as novas criações Rubinstein sejam importadas dos Estados Unidos. Ela as atende, proclamando a cada lançamento na Europa que o produto vem de lá. E o inverso também.

— Se eles soubessem que as fórmulas, os componentes e as embalagens são as mesmas...

Em cinco anos, cumpriu sua missão. Seu negócio tornou-se o mais próspero da França, mais importante até que o de Elizabeth Arden, graças ao trabalho obstinado e à eficiência do seu diretor, Emmanuel Ameisen.

— Embora os dias tenham apenas 24 horas, eu faço de conta que eles têm 48! — diz ela repetidamente.

A selva cor-de-rosa

Madame acabou voltando para a América. Menos afetado que o velho continente, o país, contudo, chora seus 300 mil soldados mortos para libertar a Europa. A economia de guerra se converteu em produção de bens de consumo, que visam um novo setor, muito promissor, a classe média urbanizada. O Congresso votou uma lei que autoriza a construção em torno das cidades. Surgem, então, aqui e ali, pequenos subúrbios alegres, com residências semelhantes, pequeninos gramados idênticos, cestas de basquete, churrascos e meninos que jogam beisebol e se consideram Joe Di Maggio.

Todos os interiores são desenhados de acordo com o mesmo modelo. No térreo, a cozinha equipada com robôs e aparelhos domésticos de última moda, a sala de estar; em cima os quartos. Essa *modern way of life*, um estilo de vida moderno, cujo modelo vai ser importado mundo afora, sacraliza a volta da dona de casa ao lar. Rosie the Riveter está longe. Até parece que ela nunca existiu. Imediatamente após a guerra, 4 milhões de mulheres perderam o emprego, e a indústria pesada dispensou 2 milhões delas. As que permanecem são secretárias e vendedoras, e não têm esperança alguma de ascender a postos de responsabilidade.

O número de assalariados não para, contudo, de aumentar, mas essa evolução se choca com um *blacklash*, uma volta atrás, estimulada por psicólogos, publicitários, mídias, que proclamam com um toque de triunfo que as mulheres, para a felicidade de todos, retomaram o caminho de casa. Como na França, as emancipadas dos anos 1930, as *flap-*

pers, as boêmias, desapareceram como que por mágica, em benefício das esposas amorosas e das mães de família bem resolvidas.

O *sweet home* se tornou a proteção contra o comunismo e o mal. As pessoas se casam cada vez mais, e cada vez mais cedo, para terem dois ou três filhos por família. As moças da burguesia vão para a universidade com o fim de descolar um bom marido, com uma boa situação. Depois que a aliança está no dedo, elas guardam o vestido de noiva no armário, com os diplomas, e ficam em casa. Aparentemente, parecem aceitar sem queixas esse modelo vitoriano que novamente lhes é imposto.

Mas os consultórios dos psicanalistas não esvaziam, e o consumo do álcool e de ansiolíticos aumenta. Nos subúrbios modelo, com seus filhos bem alimentados e seus maridos *bread winners*, os que põem o pão na mesa, que voltam da cidade grande pelo trem das cinco, elas morrem de tédio a fogo lento. Suas vidas murcham. É *A mulher mistificada* que Betty Friedan descreverá dez anos mais tarde, num panfleto feminista que age como uma bomba.

Em 1953, o relatório Kinsey sobre "O comportamento sexual da mulher" é igualmente explosivo. Ele informa que, da mesma forma que os homens, as mulheres "gostam daquilo". O escândalo enfurece a América conformista e as ligas da virtude. Porque uma *boa* moça não deve fazer sexo. Os 250 mil exemplares vendidos pelo autor, contudo médico e pesquisador, bombam: arrasam com Kinsey. A maioria silenciosa se recusa a acreditar que 62% das mulheres entrevistadas se masturbam, ou que 26% delas enganam os maridos...

O modelo triunfante é o de um ícone frio, como a guerra do mesmo nome. A elegante *Miss* ou *Mrs. Perfect* usa mantô de pele, saltos altos, saia no joelho, perfume forte, unhas longas e pintadas combinando com o batom, um capacete de cabelos laqueados e muitas vezes, com permanente. Ela é casada ou está para se casar.

O bom andamento da economia repousa nos ombros das mulheres. Conta-se com ela para gastar. Todas compram cosméticos. Em 1948, nove entre dez americanas possuem no mínimo um batom; a quarta parte delas, um rímel e um conjunto de sombras para os olhos. Depois da guerra, as vendas de produtos de beleza atingem 13 milhões por ano. Dez anos depois, o número sobe para 34 milhões.

A partir daí, esses produtos são encontrados nos supermercados e nos *malls*, as novas igrejas da América moderna. Ao mesmo tempo, crescem as vendas em domicílio. Em 15 anos, a Avon multiplica por oito o montante de seus negócios. Os publicitários, os *adman*, cujas grandes agências se concentram na Madison Avenue, em Nova York, segmentam o mercado em setores cada vez mais específicos para melhor alcançar os alvos: as donas de casa, as vendedoras, as afro-americanas, as asiáticas etc. Como no início do século, a palavra-chave é a invisibilidade ("Estar maquiada, mas sem que se perceba"), à qual se acrescenta a indelebilidade ("Um batom que se fixe em você, e não nele").[1]

Madame lança um novo pó à base de seda, o *Silk Powder*. Ela deve sua criação à dupla Boris e Ceska que souberam obter a patente que a princesa de Borada — cidade do Estado indiano de Gujarate — tentou desenvolver com um químico. Este inventou um sistema que pulveriza a seda sobre o pó de arroz. O resultado é harmonioso; os rostos assim maquiados parecem cobertos por um halo translúcido.

Por diversos motivos, a princesa se retira do projeto. O químico conhece Forter que imediatamente compreende o ganho financeiro e se interessa por ele. Convencido do sucesso do pó, ele manda testá-lo, e usa toda a força de persuasão de que é capaz para convencer Helena. Chega até mesmo a ir e voltar de Londres a Nova York.

Boris acertou. Criado em 1949, *Silk Powder* se torna um best-seller na Europa. Nos Estados Unidos, o FDA inicialmente o veta, mas o serviço de marketing encontra outro meio para apresentá-lo, e o pó passa a poder ser produzido no mercado americano. Helena, contudo, nunca perde de vista que a maquiagem é apenas um dos múltiplos aspectos de seus negócios. Durante o decênio pós-guerra, ela cria dois cremes, o primeiro cuidado firmador, Contour lift firm, e a primeira emulsão óleo em água, a Lanolin vitamin formula, que contém derivados de lanolina purificada.

É uma inovação: até o momento, os cremes compostos de emulsão de água em óleo — gotículas de água espalhadas numa fase oleosa — davam uma textura hidratante, protetora, mas gordurosa. A emulsão óleo em água — gotículas de óleo espalhadas numa fase aquosa — produz uma substância mais leve.

Um novo programa de beleza nasce. Mala é encarregada de realizá-lo. Trata-se do Five Day Life of Beauty, apresentado em diversas opções, com o objetivo de ensinar os cuidados fundamentais às jovens mulheres ativas, que vêm ao salão à noite, após o trabalho, e aos sábados, durante o dia todo. A pauta varia pouco: exames, cuidados da pele, conselhos sobre maquiagem, receitas de regimes e exercícios físicos. A marca também leva a boa palavra aos hospitais, com a "beauty therapy", a terapia da beleza, que ergue o moral e melhora o físico das doentes. Nessa onda, Mala cria também programas de beleza para as cegas.

A batalha contra os concorrentes continua forte, tanto que o *Time* apelida o mercado de cosméticos de *The Pink Jungle,* a selva cor-de-rosa.[2] Para prejuízo de Helena, Elizabeth Arden rouba seu melhor diretor, Georges Caroll. Seis meses depois, este janta com Horace e pede para ser reintegrado na empresa. As versões diferem. Caroll afirma que pediu demissão porque não suportava mais Elizabeth Arden. Em contrapartida, esta espalha o boato de que Caroll foi despedido porque era incompetente...

De qualquer modo, Madame o aceita de volta com um salário considerável; primeiro, para satisfazer Horace, e em seguida, porque assim ela espera obter informações em primeira mão da sua rival. As duas mulheres não param de se vigiar e, com frequência, inventam os mesmos conceitos ao mesmo tempo. Porque o mercado exige continuamente novidade, elas até reciclam antigos produtos e os rebatizam de acordo com a preferência do momento.

Um dos sucessos de Arden irrita Madame: o perfume *My Love*, para o qual Cocteau desenha a campanha publicitária e as embalagens. Para ela, que conhece e aprecia o escritor, é uma punhalada. Ela vê o caso como uma traição. Algum tempo depois, contam-lhe que Miss Arden sofreu um acidente. Um de seus cavalos cortou-lhe um dedo com uma dentada.

— Como vai o cavalo? — pergunta Madame.

Charles Revson, sempre muito presente na disputa, é também odiado por Helena, a ponto de impedi-la de dormir. Em 1947, ele abriu um salão e instalou os escritórios num enorme edifício situado na Quinta Avenida confiando numa pesquisa que deixa suas concorrentes para trás: 95% das mulheres que utilizam esmaltes possuem pelo menos um vidro de sua marca. Também conquistou o mercado dos cremes, lançando *Eterna 27*, um nome estudado por seus serviços de marketing. Porque 25 é jovem demais, e 30, velha demais...[3]

Oscar tenta em vão acalmar o furor da tia que pensa que o *nailman*, o *homem-unha,* quer destruir tudo, primeiro ela, e "o business" depois.

— Não se preocupe, isso não vai dar certo, não! Em poucos meses, Eterna vai se chamar Efêmera*...

Helena cai na risada, mas dessa vez Oscar está enganado. O creme vai muito bem. Revson não para por aí. Quando Madame lança Ultra-Féminine, ele replica com Ultima. Ela esperneia, mas Revson prossegue em sua irresistível ascensão. Se a qualidade de seus produtos deixa a desejar, seus nomes beiram a genialidade. Numa época em que os *teenagers,* os adolescentes, se tornaram reis, é preciso oferecer-lhes sonhos e humor, aderir ao universo irritadiço deles. Ele inventa Pink Coconut, Frosted Champagne, Taffy ou Pineapple Yum Yum que, imediatamente, atingem o alvo.

O diabo do homem, que tem fama de ser um monstro nos negócios, tem o marketing no sangue. Para lançar um novo batom, compra uma página inteira do *New York Times.* A publicidade mostra um furo, cercado de fumaça, com estas simples palavras: "*Where is the fire?*"

Uma semana depois, o chamejante batom "*Where is the Fire*" está em todos os lábios. Em 1952, Revson lança *Fire and Ice*, cuja campanha de publicidade produz verdadeiro choque. Fotografada por Richard Avedon, a modelo em evidência Dorian Leigh encarna uma mulher com assumido sex-appeal, usando um tubinho prateado, longas unhas vermelhas como garras, e a boca entreaberta, como que se oferecendo. Pode-se dizer que ela flutua no espaço. Na página da direita, 11 perguntas muito íntimas, em forma de teste, permitem às leitoras saber se elas são feitas para *Fire and Ice.*

— Acontece de você dançar descalça? Você sonha secretamente que o próximo homem em sua vida será um psiquiatra? Se houvesse voos turísticos para Marte, você compraria uma passagem?

---

* *Eterna s'appellera Returna,* Eterna vai se chamar Efêmera. Um trocadilho com a semelhança sonora das palavras *eterna* e *returna.* (N. da E.)

As mulheres, que respondem unanimemente ao questionário, têm a impressão de deitar num divã sem desembolsar nada. De fato, essa campanha é de uma rara inteligência. Com uma hipocrisia consumada, miss *Fire and Ice* reconcilia a *sexy girl* — a garota sexy — e a *nice girl* — a garota boazinha —, as duas imagens contraditórias impostas às mulheres. A mensagem é clara: gastar dinheiro e ter prazer com isso não é mais um pecado.

Todos falam de *Fire and Ice*... As ações da Revlon sobem tanto, que Madame compra algumas.

— Se o *nailman* pode me fazer ganhar algum dinheiro, por que me incomodar?

Mas quem menos se espera, aquela que vai fazer sombra, já está no bloco de partida e se prepara, à espera de sua hora.

Josephine Esther Mentzer, mais conhecida como Estée Lauder, nasceu em 1908, no Queens, numa família de judeus húngaros e tchecos. Seu pai, Abraham, possui uma loja de ferragens. Trabalhando para ele, a jovem aprendeu a arte da venda e a importância da embalagem. O tio paterno, John, fabrica cremes de beleza. Ela o observa atentamente quando ele esquenta o forno da cozinha. *Oncle* John lhe ensina aos poucos tudo o que sabe.

No início dos anos 1930, Josephine se casa com Joseph Lauter, originário de judeus austríacos, que se estabeleceu como comerciante de tecidos. A vida conjugal deles é complicada. Eles têm um filho, Leonard, em 1932; divorciam-se, casam-se novamente dez anos depois, têm outro filho, Ronald. Esther Mentzer Lauter, que se tornou Estée Lauder, com um d, continua a vender cremes sob esse nome. Em 1946, ela funda sua pequena empresa familiar.

A aventura tem início com quatro produtos: dois cremes, um óleo de limpeza e uma loção. Seu comércio fica por muito tempo sigiloso. Existem apenas Estée, o marido, os filhos, uma das noras e uma secretária telefonista. Estée é mais bonita do que suas duas principais rivais e, além disso, muito mais jovem. Observando-as, ela compreendeu o supremo poder da imagem e decidiu fabricar a sua. Ela se apresenta pessoalmente nos salões de beleza e nas grandes lojas, seduz as compradoras, entusiasma os clientes com sua tagarelice. Não há nada de novo sob o céu da beleza a não ser ela mesma.

A Saks começa a vender seus produtos. Bergdorf, Goodman e outros virão em seguida. Seu sucesso se deve à qualidade de seus cremes e, sobretudo, às técnicas de marketing inovadoras. Para cada compra, Estée oferece amostras grátis às clientes que adoram aqueles bônus em miniatura. Tão mentirosa quanto Helena e Arden juntas, e tão voluntariosa quanto elas, inventou para si um pedigree de rica herdeira católica — sua mãe é metade católica — criada numa luxuosa casa em Long Island, com cavalariça, motorista e uma babá italiana. A loja de ferragens do pai é rapidamente esquecida.

Charles Revson fica furioso diante de tanto *chutzpah*, topete.

— Seu nome não é Estée, é Esther... do Brooklyn![4]

Ou, mais exatamente, do Queens. Quando em 1953, Lauder lança seu primeiro perfume, Youth Dew, quando Helena batizou um de seus cremes de Skin Dew, seus adversários compreendem que, dali em diante, ela vai enfrentá-lo como gente grande. Forte, envolvente, a fragrância é adorada e detestada, mas, até hoje, não deixa ninguém indiferente.

Arden apelidou Estée Lauder de "a mulher do fim da rua", e a acha terrivelmente vulgar. Madame também a detesta. Lauder, porém, é uma rival de peso; será necessário levá-la em consideração. Do mesmo modo que será preciso compactuar com os espertinhos que se aproveitam da crescente atração pelo músculo e pela magreza, e abrem academias por todo lado na América. Agora, as pessoas suam para melhor aprimorar o corpo.

Há, contudo, algo melhor que o esforço. Slenderella, fundado em 1950 por Larry Mack, oferece perda de peso sem cansaço. Uma máquina faz todo o trabalho no lugar da cliente, sacudida como um chocalho numa mesa de massagem. Quarenta minutos desse tratamento equivalem a uma cavalgada de 10 milhas, afirma a publicidade. Por apenas 2 dólares a seção, as mulheres avançam. No final da década, Larry Mack terá aberto 187 salões por todo o país.

A atração pela perda de peso fácil impulsiona as vendas de Relax-A-Cizor, uma poltrona de massagem que pode ser instalada em casa. Por 200 dólares, podemos massagear o ventre e dissolver a celulite, ouvindo Frank Sinatra ou Elvis Presley no rádio. "Se essa fantástica moda que faz com que nos preocupemos com nossa condição física continuar, em breve vamos nos tornar uma nação de super-homens",[5] constata

Bert Goodrich, presidente do American Health Studios, outra rede de academias.

Para ter todos os trunfos na mão, Madame apelou para David Ogilvy, um inglês imigrado para Nova York, que, em 1948, fundou sua agência na Madison Avenue.[6] Em poucos anos, inventando e estabelecendo as regras da publicidade moderna, se tornou o rei incontestável desses *ad-men* que passaram a ser os mandachuvas nas agências e nas mídias. Cabelos ruivos chamejantes, penetrantes olhos azuis, postura aristocrática, com seus ternos de tweed e a eterna gravata-borboleta, Ogilvy se expressa com afetação, tal um gentleman cujas boas maneiras ele possui.

Todas as tardes, exatamente às cinco, uma jovem mulher lhe serve o chá no escritório. Ele fuma muito: cachimbo, cigarros e grandes charutos, tanto faz; ele é sexy, encantador, esnobe, anda de Rolls com motorista e seduz homens e mulheres por seu carisma, como se fosse uma estrela de cinema. Esse excêntrico considera seu trabalho um show permanente.

Nas festas em que o smoking é obrigatório, ele aparece usando Kilt, para se fazer notar. "É uma espécie de autopublicidade", explica. "Se você não pode se promover, como espera promover os outros?" Parte de seu sucesso provém da força com que deseja. Ele nunca desiste. Suas ideias muito precisas são reforçadas pela concisão de seus slogans. Maníaco por trabalho, pode ficar preso 18 horas por dia no escritório. Incansável, ele começa a trabalhar às sete horas, e continua em casa, à noite, e no final de semana. "O consumidor não é um imbecil; ele é a sua mulher", diz às suas equipes.[7]

Quando ele abre a agência, Helena Rubinstein se encontra entre seus primeiros clientes. "É uma mulher fascinante; tenho a maior admiração por ela", diz, afastando com um gesto o antissemitismo que reina também nos meios da publicidade, e que o chocou terrivelmente quando chegou a Nova York.

Dois viciados em representação, dois monstros da imagem tal como eles, tinham de se conhecer e se apreciar. Madame o contrata para auxiliar Horace cuja pequena agência está encarregada da publicidade da marca, apoiada, internamente, por Sara Fox. Imediatamente Ogilvy se envolve muito mais do que desejaria nas complicadas relações que reinam naquela família. Ele não procura a posição de árbitro, mas forçosamente se encontra entre a mãe e o filho. Pobre Horace. De todos os que cercam Madame ele é o que mais sofre com seu caráter explosivo. Na empresa, seu lugar ainda continua impreciso.

Isso porque depende do bel-prazer de sua mãe. Assim que ela lhe confia uma missão, um posto, privilégios, imediatamente os retira. Ou então, lhe pede sua opinião, e em seguida vai mostrar suas anotações aos gerentes, e não faz nada do que ele lhe sugere. Outras vezes ela deixa que ele desenvolva seus projetos à vontade, mas, secretamente, avisa a direção para frear suas ideias ou pô-las de lado até que outro se aproprie. Ele lhe apresenta campanhas brilhantes que ela considera extravagantes, pois não tem confiança alguma nele. Ela o acha excêntrico, idealista, pouco pragmático.

Com 40 anos completos, Horace é um homem inteligente, visionário também, como Madame, mas se perde como um adolescente instável e impetuoso. Criado pela mãe de modo intermitente, oprimido por seu caráter dominador, se sente eternamente incompreendido.

Com ele, Helena se mostra mais do que nunca possessiva, exigente, versátil, cruel também. Quando ela pronuncia seu nome, é muitas vezes com tristeza, mas também com muito amor.[8] Como sempre, não deixa de acrescentar que ele é "genial e doido", e que seu sentido dos negócios se avizinha de zero. Por sua vez, Horace se queixa de que a mãe respeita apenas os que lhe tomam dinheiro. De fato, ele é mestre na arte de conseguir dinheiro dela. Ela espera sempre que mude, que se torne razoável, mas, infalivelmente, suas conversas se transformam em confronto.

Quando Horace começa a fazer psicananálise, Madame tem uma reação terrível. Ela entrega ao psicólogo os bilhetes angustiados que o filho lhe envia no trabalho. É preciso que se diga em favor dela que Horace acumula catástrofes. No início dos anos 1950, ele tem uma aventura com uma jovem dançarina negra, namorada de um gângster. Este decide chantagear Horace que responde raptando e sequestrando o casal. Apanhado, passa alguns dias na prisão. O caso repercute em Nova York.

— Só Horace poderia ter a ideia estúpida de sequestrar um gângster! — Madame explode.

* * *

E somente Artchil sabe acalmar sua explosiva mulher. Sua personalidade calma é raramente apanhada de surpresa diante das cóleras dela. Ele aproveita sua vida dourada com elegância, vai com frequência a Hollywood onde tem mais amigos ainda do que em Nova York, e acompanha Madame em suas viagens à Europa e à América do Sul.

Quando em uma viagem a Grasse, em que Helena visita as fábricas e os campos de perfumes, o príncipe se apaixona por uma construção de pedra branca no interior e convence a mulher a comprá-la. Como todos os russos brancos, Artchil é louco pela Côte d'Azur e, particularmente, por Cannes, uma importante colônia de seus compatriotas. Helena, que não sabe lhe negar nada, compra a casa. Ela lhe oferece também um iate, que logo revenderá.

Louis Süe é mais uma vez encarregado da reforma. Contrariamente às suas outras casas, Helena quis fazer daquela "Casa Branca" um lugar simples e bucólico, no qual dominam o verde e o branco. Aninhada num pequeno bosque de oliveiras sob as quais cresce a lavanda selvagem, a casa possui um charme irresistível. No declive, cavaram uma piscina de dimensões olímpicas.

Esse pequeno paraíso foi imortalizado por Brassai, mais familiarizado com a Paris noturna do que com residências secundárias. O fotógrafo, que frequenta os mesmos círculos artísticos que Madame, e colabora no *Harper's Bazaar*, sem dúvida correspondeu à encomenda, tanto mais facilmente quanto ele próprio vive ali perto. Suas fotos mostram Madame posando no meio de campos de flores ou entre os ramos de uma oliveira. Nesta última pose, não parece muito à vontade.

Por mais deliciosa que seja a casa, ela fica desabitada a maior parte do tempo, o que a torna triste e austera. "Um hotel de luxo", observa Patrick O'Higgins quando ele a visita pela primeira vez. Falta a confusão habitual de que Madame gosta, as cores quentes que são sua assinatura em decoração, o amontoado de objetos, suas coleções excessivas.

Artchil rapidamente cansou-se do capricho. Ele prefere tomar sol em Palm Beach, na Flórida, ou em Los Angeles, nas propriedades das estrelas. Helena nunca tem tempo de ir lá e, de todo modo, ficar numa espreguiçadeira e fazer a sesta à sombra, embalada pelo canto das cigarras, nunca foi sua ideia de lazer.

Contrariamente à sua vontade, o casal ficou lá apenas cinco ou seis vezes.

— Eu deveria ter chamado aquela casa de Elefante Branco! — ela se queixa sempre. — Custou uma fortuna e não serve para nada...

O último homem de sua vida

Ele é alto, magro, ruivo, de aparência britânica, com aquela leve rigidez na postura que, às vezes, os ex-militares que retornam à vida civil possuem. De origem irlandesa, como seu nome indica, Patrick O'Higgins nasceu em Paris entre as duas guerras. Como ele mesmo afirma, foi criado num "ambiente de docilidade",[1] por pais cosmopolitas, nômades e ricos que o colocaram num colégio interno na Grã-Bretanha, e depois na Suíça, desde a mais tenra idade. Aos 18 anos, ele se engajou no exército canadense, posteriormente foi enviado para a Inglaterra e transferido para a Guarda Irlandesa. Oficial de infantaria, foi gravemente ferido durante a batalha do Reno e passou dois longos anos no hospital.

Desmobilizado, Patrick O'Higgins parte, então, para Nova York. Uma avó americana lhe deixou uma pequena herança, insuficiente, contudo, para que leve a vida que sonha, sem trabalhar. Ele descobre a vida noturna, os artistas de Greenwich Village, mantém relacionamentos e não menos amigos na alta sociedade, da qual ele manipula admiravelmente os códigos de conduta. Quase que naturalmente, é contratado como jornalista pela *Flair*, uma revista lançada por Fleur Cowles, uma das figuras da alta sociedade nova-iorquina, escritora, jornalista, publicitária, pintora e anfitriã lendária.

Seu marido, Gardner Cowles, magnata da imprensa, proprietário, entre outros jornais, de *Look*, investiu muito dinheiro naquela revista cujas contribuições literárias ou artísticas são assinadas por Tennessee Williams, Simone de Beauvoir, Eleanor Roosevelt, Salvador Dalí ou Lucian Freud. Infelizmente, apesar do talento de sua loira diretora, da qual todos são unânimes em elogiar a inteligência, o charme, a cultura, a elegância por detrás dos óculos escuros que ela usa sempre, o jornal vive em um abismo financeiro.

O'Higgins, que não ganha bem a vida, compreende a sorte que é viver em Nova York, num ambiente mundano e bem esclarecido. Aos 26 anos, o jovem fala fluentemente várias línguas, e sua notável educação o ensinou a se "virar na adversidade, a esquiar, a dançar tango e a ser cortês com as damas idosas, especialmente quando elas têm dinheiro".[2]

A sorte o coloca, por acaso, no caminho de Madame, numa bela manhã de inverno. Ele caminha alegremente pela Madison Avenue, para ir à redação de *Flair*, quando seu olhar recai sobre aquela mulher minúscula, envolvida num mantô de pele feito com caudas de visom, um chapéu-coco preto enfiado na cabeça, que mais corre do que caminha nas largas calçadas. Divertido e, ao mesmo tempo, intrigado e curioso por natureza, não pôde deixar de segui-la.

No caminho, Madame cruza com o conde Federico Pallavicini, pintor e decorador italiano, muito apreciado pelo *jet set*, que pôs suas garras e seu talento em alguns apartamentos dela. Naquela época, Pallavicini é diretor artístico de *Flair*. Todos se cumprimentam. Madame aprecia em silêncio a elegância negligente, mas estudada de O'Higgins, seu casaco de tweed usado, sua camisa inglesa e seus sapatos de couro fino. Em seguida, ela gira nos calcanhares e se vai, sem lhe ter dirigido a palavra, na direção de seus escritórios.

O'Higgins fica confuso com a personagem. Foi como se o coelho de *Alice no país das maravilhas* tivesse aparecido de repente bem no meio dos edifícios. Ele se informa com os colegas a respeito de sua identidade. "É a Sarah Bernhardt da beleza",[3] responde Pallavicini, surpreso diante da ignorância do jovem, contudo conhecedor do *jet set* internacional. Mas O'Higgins nunca tinha ouvido falar de Helena Rubinstein. Aliás, o campo dos cosméticos lhe é perfeitamente desconhecido.

Algum tempo depois do primeiro encontro, eles se reveem num coquetel oferecido por Fleur Cowles. No sublime apartamento situado na parte alta da cidade, mobiliado com um bricabraque de móveis antigos e caros, quadros de Renoir, de Kooning e os da dona da casa, se acotovela, como sempre acontece nas festas da anfitriã, uma mistura de nova-iorquinos e de *jet set*, de intelectuais, de magnatas das finanças e de estrelas, Leonard Bernstein, Greta Garbo, Maurice Chevalier, Noël Coward, Gary Grant, os Rockfeller...

Por mais esnobe que seja, O'Higgins nunca tinha visto tantas personalidades e celebridades reunidas num mesmo lugar. Ele está deslumbrado, não sabe mais o que fazer. Seu olhar cruza, então, com o de Helena. Ela está sentada numa poltrona baixa, os pequenos pés mal tocam o chão. Está vestida com um conjunto de brocado magenta, sem dúvida assinado por Balenciaga, e calçada com sapatinhos enfeitados com coroas de ouro. Dez fileiras de rubis lapidados combinando com os brincos bordôs se derramam sobre o peito. Duas esmeraldas brilham em cada mão, e um enorme broche de rubis está preso na blusa.

Alguns anos depois, O'Higgins a descreverá como o retrato vivo de Tseu Hi, a última imperatriz da China. "Ela era ao mesmo tempo assustadora e amável."[4]

Madame, que o intima a aproximar-se dela, o submete a um interrogatório em regra. Sua imensa curiosidade pelos outros não se alterou com a idade; ela gosta da juventude e se alimenta de sua energia. Quando o jovem a informa de que trabalha na *Flair*, ela não pode evitar um erguer de ombros, e lhe prediz que o jornal, extravagante demais, não durará. Ela o convida a visitá-la quando o jornal tiver deixado de sair.

Bem meio século separa Helena Rubinstein de Patrick O'Higgins, mas durante os 15 anos que vão se seguir, eles não vão se separar. E sem segundas intenções, pois O'Higgins é homossexual e não esconde. A estranha relação deles conhecerá altos e muitos baixos, mas, apesar de alguns golpes duros, O'Higgins vai permanecer ao lado de sua excêntrica patroa, atento e fiel. Ela o contratou como secretário, mas ele será também diretor de marketing, babá, faz-tudo e filho espiritual.

Na opinião dos que o conheceram, O'Higgins possuía um humor muito inglês, colorido por uma familiaridade insolente.[5] O olhar que lança sobre Madame é espiritual, irreverente, marcado de ternura, mas nunca isento de unhadas, semelhante a um gatinho brincalhão. As relações deles se parecem com um combate permanente, sem vencedor ou vencido: ela manda, ele obedece, em seguida, ele se revolta. Abrandada, ela volta então para ele, mas para melhor tiranizá-lo.

No fim, a amou sinceramente, e ela também, sem dúvida, embora preferisse que a cortassem em pequenas partes a confessá-lo a quem quer que fosse. A docilidade de um e a energia da outra forjaram entre os dois um laço fora do comum. À medida que O'Higgins descobre a verdadeira história de Madame, ou porque ela mesma a contou quando disposta a confidências, ou porque ele pergunta aos seus conhecidos, sua admiração por ela cresce.

Apesar de se aborrecer com seu autoritarismo e com suas pequenas manias que aumentam à medida que ela envelhece, ele consegue manter o distanciamento, realizando seus menores desejos. É seu trabalho, mas o realiza igualmente com consciência profissional e com empatia pela patroa. Por sua vez, ela aprecia seu tato, disponibilidade, senso de humor, dom para as línguas. Quanto mais o tempo passa, mais o considera quase seu terceiro filho, sem por isso se mostrar maternal, algo que realmente não consegue.

Alguns anos depois do falecimento dela, ele conta a engraçada vida em comum deles num livro cheio de casos.[6] Sua pena é às vezes mergulhada em tinta cáustica, mas nunca se mostra agressivo ou cruel, embora o retrato que traça de Madame às vezes beire à caricatura. Sem dúvida porque, no fim, a relação deles foi marcada por amargura. A extrema velhice aumentou ainda mais o egoísmo de Helena, e O'Higgins tem dificuldade em perdoar-lhe. A morte de Madame o deixará, porém, inconsolável.

Quando ela o contrata, Madame tem quase 80 anos. Ainda vigorosa, toma um cuidado extremo com suas roupas, não usa nem bengala, nem óculos, sobe escadas sem a ajuda de ninguém e trabalha os sete dias da semana. Em Nova York, transformou o último andar de seu tríplex em uma galeria de arte, aberta ao público. Sua primeira exposição apresentou jovens artistas americanos. Essa manifestação é apenas um pretexto a mais para falar de sua marca, e foi efetivamente um sucesso, como sempre. Os jornais se entusiasmam com os quadros apresentados; as revistas de arte pedem para fotografar suas coleções.

A publicidade resultante desse tipo de operação evidentemente agrada aos banqueiros de Madame, que calculam os lucros futuros. As leitoras que penetram no universo de Madame se identificam com ela, mesmo que seus meios financeiros estejam longe de se parecer com os dela. Uma mulher que não tem meios para se oferecer um quadro encontrará compensação na compra de um batom. Todas apreciam que Madame tenha comprado cada uma das obras que compõem sua coleção com o dinheiro ganho graças ao seu trabalho. Para muitas americanas, Helena Rubinstein se tornou o modelo da mulher que conquistou sozinha a independência financeira.

Madame se interessa por tudo: ela frequenta o teatro menos que antes, mas se apaixonou pelo cinema. Vai ao cinema todas as terças-feiras à noite, na maioria das vezes com Sara Fox. Então, dispensa Albert, seu criado filipino, e escolhe um bom faroeste. Prefere os filmes de John Ford, especialmente se John Wayne é o herói. Quando a sessão termina, insiste em ficar para a seguinte. Apesar de sua predileção por noites tranquilas, quando joga bridge com Artchil e alguns membros de sua família, ela ainda aprecia as mundanidades, sobretudo quando os jornalistas da *Vogue,* da *Harper's* ou da *Glamour* estão presentes para entrevistá-la. Frequentemente, oferece almoços ou jantares, quando então chama convidados escolhidos a dedo para visitar sua galeria de arte e admirar suas coleções de quadros.

A primeira refeição para a qual O'Higgins é convidado, exatamente antes que ela o contrate, acontece no triplex da Park Avenue. O jovem fica fascinado com a decoração que considera suntuosa e de vanguarda, com um toque de afetação por causa das misturas anticonformistas de que gosta: o verdadeiro e o falso, o brilho falso e o sóbrio, o caro e o barato. A primeira impressão de O'Higgins é de que o ambiente da vida de Madame parece-se intimamente com ela.

Naquele dia, uma excelente sociedade se encontra em volta da mesa da sala de jantar. Salvador Dalí está entre os convidados, bem como o escritor inglês Sir Osbert Sitwell, sua irmã Lady Edith Sitwell, mulher de letras e poetisa, e David Ogilvy, o publicitário de Madame. Artchil se desculpou. Antes da chegada dos convidados, enquanto comia pequenas salsichas polonesas que ela aprecia como aperitivo, Madame explicou a O'Higgins que seu marido detestava os intelectuais. O jovem também fica sabendo de Horace Titus, que compara a um pastor barbudo.

Durante o almoço, Madame se mostra às vezes muito agitada e muito alegre, sem dúvida para esconder sua total falta de memória para nomes, que se agrava com a idade. Aliás, ela se engana repetidamente. Como de hábito, sua mesa está posta com gosto, numa dessas paletas monocromáticas que construíram sua fama de anfitriã. Da toalha aos copos de opalina, dos buquês aos pratos, o rosa domina, em todas as suas nuances, do fúcsia ao salmão, do pastel ao escarlate. David Ogilvy, sempre provocador, observa que aquela é a cor preferida de Elizabeth Arden.

— Que eu saiba, ela não a tem patenteada.

A princesa serviu legumes frescos que vêm de sua casa de Greenwich, seguidos de uma carreira de pratos, todos rosa, cuja apoteose é uma musse de framboesas. A conversa descosturada passa do francês ao inglês, e O'Higgins tem dificuldade em acompanhá-la. Ele não é o único. Madame também demonstra algumas perdas, mascaradas por sua autoridade. Inicia-se, então, uma discussão apaixonada sobre as derrotas da França. Edith Sitwell proclama orgulhosamente que seus ancestrais ingleses queimaram Joana d'Arc.

Madame não ouviu. Ogilvy lhe repete a frase, fora do contexto.

— Era preciso que alguém o fizesse — responde ela, imperial.

Quando o almoço termina, Helena tenta colocar O'Higgins na agência de Ogilvy. Este recusa gentil, mas firmemente; ele já emprega seis protegidos de Madame. Constrangido, o rapaz agradece e se levanta para despedir-se. Helena o acompanha até o elevador e lhe segura as mãos com muita doçura, sugerindo-lhe manter contato.

— Não se esqueça de que eu sou sua amiga.

Ela também foi fisgada.

Quando *Flair* não é mais publicada, Patrick, que agora batalha no *Harpers's Bazaar* escreve uma carta a Helena, para informá-la do fato. Algum tempo depois, lhe envia uma carta de Paris, pedindo que telefone quando ela voltar a Nova York. Ela mantém a palavra e o contrata como secretário por um "salário de fome", 7 mil dólares por ano, que pechincha duramente.

Para o jovem, esse novo emprego é uma dádiva incrível — pois suas dificuldades financeiras são evidentes —, mas ele tem, antes de tudo, de mostrar seu valor. Inicialmente, fica responsável pela correspondência, um lugar estratégico que, numa empresa, faz os esforçados progredirem, desde que saiam rapidamente dele. Seu escritório, situado ao lado do de Madame, é minúsculo, quase um armário, mas "o novo protegido de Madame", como o *staff*, um pouco ciumento, um pouco desdenhoso, imediatamente o apelida, tem de se contentar com ele.

Ruth Hopkins, a secretária-chefe, lhe dá imediatamente algumas informações sobre a empresa. Ela lhe descreve cada um dos membros da família, começando pelo príncipe, que todos consideram "um cara legal". Oscar Kolin, que se parece com o ator David Niven, é o vice-presidente e o executor das grandes obras. Roy, o presidente do conselho administrativo, nunca põe os pés no escritório, ao contrário do irmão Horace que quer se meter em tudo. Finalmente, existe a bela Mala, doce e brilhante, que dirige o instituto da Quinta Avenida e de que todos gostam.

Quanto à equipe, Harold Weil administra, de seu próprio gabinete de advocacia, todos os negócios de Madame. Jerome Levande é o bode expiatório preferido da patroa, o qual ela enche de nomes agradáveis em ídiche, dentre os quais *nudnik* — idiota — não é o pior. Há também Georges Caroll, diretor de vendas, Amy Blaisdel, encarregada das relações públicas, Sara Fox, diretora da publicidade e do marketing interno, Richard Augenblick, diretor das exportações, um dos preferidos de Madame que o chama de "O Grande Senhor".

Em todas as filiais ao redor do mundo, os empregados brigam, se espionam, se detestam, qualquer que seja seu grau na hierarquia ou na família. Em Paris, Stella, irmã de Helena, e Emmanuel Ameisen, diretor da filial francesa, não se toleram. Em Londres, Ceska Cooper e Boris Forter mal se suportam. Em Nova York, Horace continua detestando Oscar, desde que este foi promovido a vice-presidente executivo, o que o deixou literalmente louco de raiva. Sara Fox não gosta de Richard Augenblick, Jerome Levande não suporta Georges Caroll. Madame mais do que nunca gosta de dividir, manipular, jogar uns contra os outros, como continua fazendo com seus dois filhos e seu sobrinho.

Seus acessos de raiva são lendários e seus esquecimentos também. Todos devem captar imediatamente de quem ela quer falar quando se enfurece por não se lembrar do nome do interessado, o que lhe acontece frequentemente. Um dia, numa crise de raiva, chega a se esquecer do nome de Oscar Kolin.

Patrick O'Higgins aprende, portanto, na prática, a desenrolar o emaranhado cheio de nós das relações de sua patroa com seu *staff* e com sua família. São todos eles os numerosos atores do pequeno teatro da beleza cujo diretor é a velha senhora tirânica e genial. E o mais importante é que ele vai compreender rapidamente que, para a sua patroa, o trabalho vem antes de tudo, substitui facilmente a família, o lazer, o amor.

Inutilmente, ela lhe diz que o dinheiro é uma maldição; graças à sua fortuna, ela controla todos os gestos de suas irmãs, do marido, dos filhos, dos sobrinhos e sobrinhas, dos empregados e, evidentemente, do secretário, esmiúça seus gastos, suas despesas, controla suas menores ações. Não é bom opor-se a ela.

Quando tudo vai muito bem, Madame se aborrece. Ela se esforça para semear a desordem no seio de seu estado-maior e desabrocha no caos assim criado. Ela também causa estragos nos escalões inferiores. Seu menor defeito é pedir que as jovens secretárias recém-contratadas lhe contem o que ocorre nos escritórios.

Estimuladas por Helena que, enquanto lhes acaricia a mão, lança sobre elas um olhar de aço, são obrigadas a contar. Alguns minutos depois, o telefone toca na sala do chefe incriminado, que recebe um sabão.

Madame, sempre de pé ao alvorecer, anuncia sua chegada com o seu característico e sonoro: "Quais são as novidades?" Ela cuida de tudo o tempo todo. Mal se senta no escritório e já convoca as secretárias, todas chamadas de "minha filha", lê a correspondência a ser despachada, anota, sempre manda refazer tudo. Muito agitada, ela exige ver todo mundo, estimula os empregados a trabalhar mais, dá ordens que desfaz duas horas depois, interroga a todos, do boy ao porteiro.

Na parte da manhã sucedem-se as reuniões com os diferentes chefes de serviços. Madame verifica as embalagens, insulta o responsável, caso elas não estejam a seu gosto, ou se as acha caras demais, queixa-se mais do que nunca do desperdício. Quando estão à procura de um nome para um novo produto, raramente se engana. Todos dão uma sugestão, mas é ela quem tem a última palavra.

Para relaxar, chupa o tempo todo balas de menta ou caramelos; tem sempre montes deles nas bolsas e nas gavetas. Se põe os anéis sobre a mesa, é porque vai se enfurecer e embirrar com o interlocutor, que abaixa a cabeça à espera do fim da tempestade. Na hora do intervalo, suas secretárias trocam nomes de novos calmantes.

Ela não é apenas temida. Em Nova York, Paris, Londres, e na maioria das capitais, é também estimada, admirada, respeitada.

— Ela mudou o rosto de todas as mulheres na América, de todas as mulheres do mundo! É uma pioneira, um ser que estimula, uma criadora. Não há mulher no mundo que não seja fascinada por ela! — dizem os jornalistas.

Acontece também de ela ter incríveis acessos de gentileza. Nunca esquece de dar aos jornalistas um presentinho que agrada, joias que usa antes de oferecer, porque, pensa, assim o presente é duplamente apreciado.

Ela também é atenciosa com sua equipe, sobretudo com os empregados mais humildes. Anna, uma jovem recepcionista, convida-a para sua festa de aniversário. Está muito frio, e a neve cai em grandes flocos sobre Nova York. Não é um tempo que leve um diretor a sair. Aliás, quase todos recusaram o convite. O posto da jovem não se situa no alto da hierarquia para que aquelas pessoas tão importantes se dignem a deslocar-se. Naquela noite, Madame está doente, acamada, mas ela vence o cansaço e aparece no meio da festa, enfeitada com suas mais belas joias, no momento em que Anna sopra as suas 25 velas.

Embora o negócio seja agora uma holding, ela teima em dirigi-lo à antiga, ela no alto, e os súditos a seus pés. Mas ela atingiu tal nível de sucesso e de glória, que não se pode deixar de perdoá-la. Em meados dos anos 1950, as americanas gastam 4 milhões de dólares em produtos e cuidados de beleza. Helena Rubinstein Inc., que conta com 26 mil empregados, gera um negócio mundial no valor de 22 milhões de dólares por ano. Seus salões e pontos de venda no estrangeiro valem 12 milhões de dólares em produtos.[7]

Em Manhattan, seu instituto da Quinta Avenida recebe, por ano, 74 mil clientes que podem gastar até 150 dólares por um dia que vai passar se embelezando. Madame possui 52% das ações de 30 milhões de dólares, e a quase totalidade de suas filiais. Ela implantou e desenvolveu sua marca no Canadá, na Itália, na Suíça, na Alemanha, na Espanha, na África do Sul, no Oriente Médio, no México, no Brasil, na Argentina, fechou os salões de Melbourne e de Sydney, mas aumentou a venda. Ela dividiu o negócio australiano em três, em benefício dos filhos e da irmã

Ceska. E, é claro, reclama sempre que pode por causa dos que lucraram com isso.

Os impostos a importunam cada vez mais. Para evitar que ela pague muitas taxas, Horace lhe sugere criar fundações. Já que uma vez só não faz virar um hábito, ela segue os conselhos do filho. As fundações Helena Rubinstein nascem na Inglaterra e em seguida no Extremo Oriente e, finalmente, nos Estados Unidos. Horace gostaria que a fundação americana tratasse das inovações, patrocinasse projetos científicos úteis para a marca, mas sua mãe se interessa antes de tudo pelo aspecto fiscal da coisa. A fundação, contudo, vai possibilitar que ajude mulheres e crianças necessitadas. Ainda hoje é sua principal missão.

Duas novas fábricas Rubinstein surgiram: uma no Canadá, outra em Roslin, Long Island, para substituir a primeira, agora obsoleta. Ela custou 4,5 milhões de dólares e se estende por 3 quilômetros. Inteiramente automatizada, a fábrica deve supostamente triplicar a produção. Uma máquina espetacular é programada para preencher um milhão de garrafas e potes por dia. Enormes bacias de aço misturam os cremes e a *eau de toilette.*

Os escritórios agora se situam no número 655 da Quinta Avenida, pois foi necessário expandi-los. Madame contratou mais vice-diretores, o que, no final das contas, aumenta a hierarquia e se torna contraproducente. A constatação a enfurece, mas não quer abrir mão de nada, nem delegar nada.

Se queixa com Sara Fox, recorda os tempos felizes em que apenas as duas cuidavam do marketing. Os negócios não têm mais nada a ver com o que elas conheceram há quarenta anos. É preciso contratar um gerente de fora da família? Deixar as coisas como estão? São muitas perguntas às quais ela tem dificuldade em responder.

A gestão cotidiana de uma hidra tão gigantesca como a marca Rubinstein, provida de tantas cabeças diferentes, não é simples nem tranquila. A "Imperadora", que mais do que nunca passa o tempo viajando, se sente muitas vezes cansada. Ela rege tudo e todos, como se ainda tivesse 30 anos, mas sua saúde sofre com isso.

Sempre cercada de gente, mas, no fundo, solitária, conta com muito poucos amigos. E, sem dúvida, sofre por causa disso. A morte de Edward Titus, em Cagnes, em 1951, vai transportá-la para trás, para o passado marcado de paixão, de raiva, de ciúme e de dor, que a feriu profundamente. Novamente, não sabe como manifestar o sofrimento e se mostra incapaz de consolar os filhos.

Ela pede a Patrick para cuidar de Horace, que tinha passado uma temporada em Cagnes-sur-Mer, perto do pai, cuja saúde estava cada dia mais vacilante, e levá-lo para sair, "para distraí-lo de sua tristeza".

Ela mesma ficou mais abalada por aquela morte do que pensava. Edward tinha sido a paixão de sua vida, o único homem que tinha amado verdadeiramente; também continuou sendo o pai de seus filhos. Ao saber, porém, da triste notícia, age como de costume: finge não sentir nada e, para recalcar a tristeza, mergulha imediatamente no turbilhão que é sua vida.

A fundadora da ciência da beleza

Vai tudo muito bem com ela? Sem dúvida que não. Com mais de 80 anos Madame se entedia. Ela tem bicho-carpinteiro. Nesse estranho mundo dos anos 1950, em que a guerra da Coreia provoca o risco de um terceiro conflito mundial, só pensa em viajar. Nos Estados Unidos, o senador Joseph McCarthy persegue os vermelhos numa caça às bruxas que torna o país paranoico. Julius e Esther Rosenberg, julgados culpados de ter espionado para a União Soviética, apodrecem em Sing Sing, à espera da morte na cadeira elétrica.

Madame não deseja se prender às más notícias, nem ao clima político incerto. Ela deseja voltar à Europa. O'Higgins quer acompanhá-la? Como o jovem aceita com entusiasmo, ela, então, procura dissuadi-lo de ir. Quando envelheceu, um de seus maiores defeitos, o espírito de contradição elevado ao máximo, piorou ainda mais. Ela não suporta nem que lhe façam oposição, nem que concordem facilmente.

Seu jovem secretário rapidamente percebeu seu funcionamento. Apesar dos comentários meio irônicos, meio sérios da equipe, ele resiste. Todos ao seu redor conhecem as pequenas manias de Madame e caçoam dela pelas costas. Um deles aconselha O'Higgins a apagar as luzes de seu quarto e prestar atenção para não usar demais o elevador do prédio, porque o desperdício de eletricidade, "elétrica", como ela diz, a deixa histérica. O outro o previne para observar os zíperes dos vestidos de sua patroa porque "se eles estão abertos, é porque uma tempestade se prepara".

Apesar de gostar de transatlânticos, Helena, que acompanha seu tempo, agora se desloca de avião. Não é a primeira vez que ela voa, mas fica ansiosa a bordo, vai exagerar um pouco na vodca para se acalmar. Conforme seu hábito, vai partir com uma enormidade de bagagens, às quais é preciso acrescentar uma meia dúzia de bolsas de mão, estourando com pulôveres, livros e jornais. A dupla que ela forma com O'Higgins se parece mais com um casal de imigrantes em fuga, ou com os Irmãos Marx levemente bêbados, do que com uma viagem de negócios da eminente madame Rubinstein acompanhada de seu secretário.

No início dos anos 1950, as viagens duram 14 horas e incluem uma escala obrigatória na Irlanda, no aeroporto de Shannon. Um alegre grupo de religiosas imediatamente a cerca, e Madame dá autógrafos furiosamente. Em compensação, ela recolhe seus endereços e promete enviar-lhes amostras dos produtos. Ela sempre mantém a palavra. É desse modo — tem razão em pensar assim — que pode manter a fidelidade dos clientes à sua marca. Além disso — acrescenta —, uma amostrazinha não vai arruiná-la.

A França, aonde Madame vai ritualmente duas ou três vezes por ano, se recupera lentamente da guerra. As francesas oscilam entre dois estilos, a mamãe e a puta, a mulher do lar e a mulher objeto, à semelhança das atrizes sensuais de seios generosos personificadas nas telas mundiais por Gina Lollobrigida, Sophia Loren, Sylvana Mangano ou Marilyn Monroe.

Mas, de Paris a Marselha, de Tourcoing a Brives-la-Gaillarde, o sex appeal de Brigitte Bardot inflama as multidões. Lançada aos 15 anos por Hélène Lazareff, diretora de *Elle*, que, conforme a lenda, descobriu a mocinha no cais de uma estação de trem e a fotografou para a capa da revista, a jovem atriz está perto de se tornar o símbolo sexual da feminilidade, da liberdade sexual, da revolução de costumes que se prepara.

As modas lançadas por ela vão ser adotadas por todas, suas sapatilhas, seus vestidos em tecido xadrez, sua louridão, seus olhos cercados por um traço de delineador e seu coque chucrute. O mundo todo vai viver de acordo com Saint-Tropez, o pequeno porto de pescadores da Côte d'Azur onde Brigitte possui uma vila, *La Madrague*. A estrela desse microcosmo do *jet set* jamais se apagará.

Nem as francesas são todas Bardot, longe disso. Na vida real, as diplomadas que querem trabalhar procuram ascender às profissões masculinas. Nada está conquistado ainda: as secretárias, as funcionárias, as vendedoras, são muito mais numerosas que as advogadas ou as médicas. Mas elas têm o dever de ser impecáveis da cabeça às unhas dos pés como recomendam as revistas e as publicidades. Os produtos de beleza são menos um luxo e mais uma necessidade, a respeito dos quais é proibido transigir.

Uma pesquisa da revista *Elle*, porém, publicada em 1951, revelou que 37% das mulheres fazem a toalete "completa" apenas uma vez por semana, que 39% lavam os cabelos apenas uma vez por mês, e que a quarta parte delas nunca escova os dentes. "As francesas não são limpas", comenta Françoise Giroud, redatora-chefe, que estimula as leitoras a seguir o exemplo das americanas. Como fazer quando somente duas entre dez moradias são dotadas de banheiro, contra 90% nos Estados Unidos? Dois terços das casas não possuem água corrente, e apenas 10% da população pode comprar máquina de lavar.

É preciso, contudo, se esforçar para ter higiene; o assunto está na ordem do dia. Lançado por L'Oréal, o xampu Dop lidera a ofensiva, utilizando pela primeira vez os ônibus parisienses como suporte. Na mesma época, as mais belas atrizes do mundo, de Grace Kelly a Brigitte Bardot, oferecem sua imagem para o sabonete Lux. Em entrevistas, Helena Rubinstein admite, um pouco ingenuamente, que uma mulher pode cuidar de si "com apenas dois cremes e dez minutos de atenção por dia". Felizmente, para o bom encaminhamento da empresa, suas clientes são mais gastadoras do que racionais. A época assim o quer.

Porque não importa que a vida seja difícil e o poder de compra baixo, o apetite por novidade não tem limites. Como na América, a febre do consumo tomou conta do país: produtos de beleza, scooters, toca-discos, rádio, televisão, automóveis, para os quais é preciso licença para compra, e um ano de espera. O Salão de Artes Domésticas, que reabriu as portas no Grand Palais, tem imenso sucesso de público apesar da exiguidade dos apartamentos não concebidos para acolher os aparelhos apresentados.

Magnetizada pelos Estados Unidos, a França se engaja na via dos "30 gloriosos".[1] Um editorial do *Le Monde*, hostil ao americanismo, afirma que as gomas de mascar poluem o asfalto parisiense, que as meias-calças de náilon das mulheres são vendidas pela firma Du Pont, de Nemours, que as geladeiras foram criadas pela General Motors. *Co-*

ca-Cola, diz indignado o jornal, coloniza a França com suas publicidades vermelhas e chamejantes afixadas por toda parte. Mas o impulso de uma cultura jovem, com a música, os jeans, as t-shirts, o cinema, vai divulgar ainda mais, caso fosse necessário, esse modelo americano. Protestar contra o que vem de além-Atlântico classifica a pessoa na lista dos velhos "schnocks".

O que está longe de ser o caso de Madame, sempre rija, embora sua chegada a Paris corresponda à sua partida desacelerada. Emmanuel Ameisen, o diretor-geral da filial francesa, "o homem mais competente do negócio", conforme ela diz, vai buscá-los em Orly. O fiscal da alfândega insiste em abrir o cofre de joias que Madame conservou preciosamente consigo durante toda a travessia, pousando os pezinhos sobre ele para dormir.

A maleta transborda de rubis, esmeraldas, diamantes, grandes pedras verdadeiras e falsas. A totalidade do conteúdo representa uma verdadeira fortuna. Desconfiado, o fiscal aproxima dos olhos algumas das peças mais bonitas para melhor examiná-las. Todos prendem a respiração.

— Falsa — diz Madame, desdenhosamente.

— Estou vendo — responde o homem, que fecha a maleta e a devolve a ela.

Ele os deixa passar, enquanto, afastando-se, ela murmura: *idler*, idiota.

Gaston, o motorista, os deixou no quai de Béthune no qual os acolhem as empregadas Eugénie e Marguerite; esta, imediatamente leva O'Higgins para um quarto cujo arranjo espartano — uma cela forrada de placas de madeira — destoa do restante do apartamento. É o quarto de Artchil, quando ele está lá. O príncipe tem sua entrada particular; assim, ninguém controla suas idas e vindas. Marguerite lhe enumera as posses da patroa. Seiscentos e vinte e dois "negros" para espanar todos os dias, 62 "pinturas", 18 diferentes serviços de mesa... "Eu sou sua camareira há trinta anos", lhe confidencia. "Eu a vi mudar à medida que seu negócio se expandia."

Marguerite recorda a época de Edward Titus, que ela conheceu bem, já que começou a trabalhar com a família nos anos 1920, para cuidar da casa e dos dois meninos. "Madame era muito ciumenta, e aquela provação a endureceu. Quando eles se separaram, ela pensou apenas no trabalho, e o príncipe não conseguiu mudar nada, apesar de seus esforços."

A camareira, que assistiu à exposição da intimidade, às brigas ocultas, às traições e aos rancores, julga sua patroa com afeto, mas sem indulgência, do mesmo modo que Gaston e Eugénie. Os três se queixam de sua mesquinhez: ela lhes reembolsa apenas a metade das contas, porque está convencida de que eles a roubam. Eles se vingam servindo-lhe muito pouco de um alimento nojento, enquanto comem à farta, na cozinha. É o que O'Higgins, faminto, depois de um jantar reduzido, vai em breve descobrir.

De fato, Madame atribui um orçamento miserável para os empregados manterem a casa, do mesmo modo que dá gorjetas mixurucas aos garçons, vive apagando as luzes, reclama quando os empregados saem do escritório às seis da tarde. Ela repete "*too much*" a respeito do preço de qualquer coisa, seu "*international bon mot*" — seu bordão internacional — como dizem os jornalistas. Ela pode, contudo, gastar 10 mil dólares numa única tarde de compras na Dior e na Hermès, que ela tem o hábito de frequentar. Compra seus sapatos às dúzias, e suas bolsas Kelly em quatro ou cinco exemplares ao mesmo tempo.

Mas permite que muita gente à sua volta sobreviva. Ela oferece diversos trabalhos, por vezes inúteis, a "pobres mulheres", como as chama, viúvas, aposentadas, sobreviventes de guerra. Ainda emprega quatro de suas irmãs. Stella Oscestowitz, a presidente do negócio na França, sempre foi a mais bonita, na opinião de Emmanuel Ameisen que acha que ela possui, mais do que as outras, "a magia das irmãs Rubinstein". Sem dúvida, deve sua coleção de maridos ao seu físico.

Stella deseja se casar pela terceira vez com o conde de Bruchard e exige da mais velha um dote considerável. Helena protesta, esbraveja, mas acaba se dobrando. Os laços entre as duas irmãs são tão tumultuados e difíceis quanto com o restante da família.

Antes da partida deles, Horace descreveu minuciosamente para O'Higgins o que o esperava em Paris, buscando, sem dúvida, assustá-lo. Ele lhe contou que Stella recentemente tinha ameaçado se suicidar, e que o comentário de sua mãe tinha sido impiedoso.

— Ela não se matará. Ela acaba de encomendar quatro vestidos.

Conforme as previsões de Horace, Madame impõe uma vida dura ao secretário. Às seis horas em ponto, todas as manhãs, ela o chama ao telefone, no quarto. O jovem, que passa todas as noites nos prostíbulos homossexuais da capital, está exausto. Assim que tomam o café da manhã, ela o arrasta para a rue du Faubourg Saint-Honoré, na qual irrompe como uma fúria, maltratando o pessoal, começando pela irmã Stella e Emmanuel Ameisen.

O'Higgins se surpreende com o salão, que acha muito pequeno, antiquado e sujo, contrastando com o luxo e o refinamento do instituto de Nova York. Ele conhece Giza Goldberg, que Emmanuel Ameisen lhe apresenta como uma das assalariadas mais importantes do negócio parisiense. Exatamente após a guerra, Madame trouxe-a da Polônia, com a filha Litka. Ameisen lhe apresenta também Sylvia Bedhjet, a assistente parisiense.

Como em Nova York, a porta do escritório fica sempre aberta e todos podem ser convocados a qualquer momento. O ritmo cotidiano de trabalho continua infernal, e O'Higgins logo o compreende. Ele datilografa a correspondência, serve de intérprete ou de porta-voz, assiste às reuniões de marketing. É ele quem encontra o novo lema de Madame: "Helena Rubinstein, a fundadora da Ciência da Beleza", durante um briefing sobre *Deep Cleanser*, o desmaquilante que está sendo aperfeiçoado.

Na ausência de Artchil, Patrick serve de acompanhante para a patroa. O'Higgins fica encantado em conhecer o *Tout-Paris*. Formam um casal engraçado a velha senhora e o jovem com idade de ser seu neto, que tem de se comportar ao mesmo tempo como um membro da família e manter a distância de um empregado. Em um de seus raros momentos de confiança, Madame sugere a Emmanuel Ameisen "dar uma mesada ao rapaz".

Eles vão almoçar na casa de Christian Dior, velho amigo de Madame, depois no *Méditerranée*, place de l'Odéon, um restaurante descoberto por Christian Bérard que o frequenta com Cocteau e Vertès, depois da guerra. A morte do pintor, em 1949, entristeceu Madame. Jean, o dono do restaurante, a cumprimenta com um firme "Princesa!", e a coloca no espaço reservado às celebridades, o que a faz corar de satisfação. O que ela mais gosta é de ser reconhecida. Aliás, uma procissão de celebridades e de anônimos desfila por sua mesa. A memória enfraquecida de Madame não guardou todos os nomes, mas entre duas colheradas de *bouillabaisse* cumprimenta sem fraquejar.

Entre as tarefas de que O'Higgins se incumbe, está a organização de almoços com as redatoras e as diretoras dos jornais femininos mais importantes. Assim é que convida Irène Brin, a representante da *Harper's Bazaar* em Roma e correspondente em Paris de oito jornais italianos. Durante o almoço, que aconteceu no restaurante do hotel de *Castiglione*, rue du Faubourg Saint-Honoré, a *signora* Brin tenta persuadir Madame a passar uma temporada em Roma, onde seu marido, Gasparo del Corso, possui uma galeria de arte.

Madame e a *signora* Brin se reveem logo no dia seguinte em casa de Marie-Louise Bousquet. Desde os anos 1930, a jornalista é uma grande e incontestável figura da vida parisiense. Ela ainda mantém seu salão, "meu corredor", como o chama, todas as quintas-feiras, das 18 às 21 horas, em seu domicílio, place du Palais Bourbon. É o encontro obrigatório da *crème de la crème* e, dizem, a antecâmara da Academia Francesa. Audrey Hepburn, Jean Genet, Jean Cocteau, John Huston, Bernard Buffet, Francis Poulenc, Alice B. Toklas, Henri Cartier-Bresson que conversa com André Malraux, e muitas outras figuras do *jet set* e da *intelligentsia* internacionais, estão lá naquele dia.

Marie-Louise Bousquet se desloca com o auxílio de uma bengala com castão de ouro, que ela usa como um leiloeiro, seu martelo. Entre outros "presentinhos", Helena lhe ofereceu um carro e frequentemente lhe dá dinheiro vivo. "Esses pobres jornalistas não ganham nada", ela explica. Truman Capote assim descreve a anfitriã deles: "De idade indeterminada, a atual cor dos cabelos vermelho-acaju pode criar dúvida, mas a beleza de sua silhueta é indiscutível." A escrita impiedosa do escritor alfineta também suas reuniões: "As bebidas, ali, são detestáveis, as salas com gente em excesso, e não adianta a anfitriã descabelada falar com afetação e semear a discórdia, tudo parece detestável, sim, tudo."

Bousquet apelidou O'Higgins de "Lovair" de Helena Rubinstein. Ela não é a única a imaginar uma relação tão improvável. No pequeno ambiente consanguíneo da moda, da beleza e da imprensa, muitos se interrogam, de tanto ver os dois sempre juntos. Os costumes de Patrick não dão margem, contudo, a nenhuma ambiguidade, mas Madame se preocupa. "O príncipe está com ciúmes, ele se aborrecerá com isso." Mas ela acaba dando de ombros, não liga para o mexerico — diz — e espera que seu secretário faça o mesmo. No fundo, apesar do pudor, ela está, sem dúvida, secretamente encantada com o fato de que as pessoas espalhem tais boatos a seu respeito.

A *signora* Brin não se afasta deles e lhes apresenta o marido, Gasparo del Corso. Na Itália, a arte está em pleno renascimento, explica, eloquente, antes de apresentar seu projeto. Ele pretende pedir a Madame que financie vinte jovens artistas italianos para que eles pintem cenas imaginárias da vida nos Estados Unidos, onde jamais puseram os pés. Uma exposição itinerante de suas obras seria, em seguida, organizada, inicialmente na Europa e, em seguida, na América. A *signora* Brin e seu marido não conseguem convencer Madame a se tornar a mecenas desses artistas.

A vida parisiense continua. Quai de Béthune, um almoço reúne Edmonde Charles-Roux, de *Vogue*, acompanhada de um de seus amigos, um jovem muito magro chamado Hubert de Givenchy, Janet Flanner do *New Yorker*, o barão Elie de Rothschild, André Malraux e uma dezena de outros convivas. Madame serve caviar em talheres de ouro que ela guardou cuidadosamente no cofre de seu banheiro.

"Madame", observa O'Higgins, "era dessas mulheres que, por causa de sua própria falta de conversa, conseguem deixar à vontade as pessoas tímidas".[2]

Malraux, que no início não tinha aberto a boca, acabou quebrando o gelo. Durante mais de meia hora, só se escuta ele. Seu monólogo brilhante aborda todos os assuntos possíveis, da arqueologia à maquiagem, das artes mortuárias da África negra às tribos do Benim, os Dogons, e os Senufos dos quais Madame possui dezenas de estátuas, expostas diante deles, na sala de jantar.

Depois do café, ela os leva para visitar o apartamento e o lendário terraço de onde se pode ver todos os grandes monumentos de Paris. Ela lhes mostra a estátua antiga de Dionísio, que considera um de seus maiores tesouros, e que foi crivada de balas pelo ocupante nazista. Malraux lhe pergunta se retomou seus negócios na Alemanha.

— *Business is business*, negócios são negócios! O dinheiro alemão é um bom dinheiro![3]

Embora membros da família tenham morrido nos campos de concentração, para Madame, o passado é passado. Somente os vivos contam. Ao se despedir, André Malraux se inclina para o barão de Rothschild e murmura:

— Que figura!

— Ela é exatamente como minha bisavó — replica aquele, uma *groisser fardiner*, um grande chefe de família.

Patrick O'Higgins também acompanha sua patroa aos ateliês dos artistas. Sua primeira visita é a Von Dongen, que tem a mesma idade que Madame. Eles se conhecem desde os belos anos em Montparnasse. Grande quantidade de quadros pintados pelo mestre decoram as paredes do estúdio: Mistinguett, as Dolly Sisters, Joséphine Baker, que Helena lembra ter maquiado quando ela iniciou no Casino de Paris. Van Dongen responde de imediato que ele lhe maquiou o bico dos seios...

Helena Rubinstein compra, por 8 mil francos, um quadro que valerá o triplo após a morte do pintor, não sem ter antes ferozmente pechinchado com a jovem senhora Van Dongen que pretende usar o dinheiro na compra de uma casa no Midi, o sul da França. Ao sair, Madame, feliz com a negociação, exulta e pede ao secretário que a lembre de mandar produtos à sua anfitriã que, segundo ela, tem a pele seca. É seu diagnóstico invariável.

Ela gosta de comprar, em qualquer lugar em que se encontre, e arrasta O'Higgins para as grandes lojas, para os supermercados — que afirma que representam o futuro —, para os antiquários. Sem se cansar, ela percorre o perímetro sagrado em torno do salão de beleza, a rue du Faubourg Saint-Honoré, a rue Royale, a rue de Rivoli. Ela procura, remexe, se pergunta como usar uma ou outra de suas descobertas em benefício da marca. Na Cartier, compra uma caixa em ouro canelado contendo dois tubos de batom, de ouro, com safira e rubis. Ela mandará copiá-la no ano seguinte para lançar em Nova York o batom *Nite'n Day*. Ninguém, nem mesmo Cartier, desconfia desse empréstimo.

Ela também passa pelas casas de costura, acompanhada por uma mulher pequenina que a segue como uma sombra e anota mentalmente os novos detalhes, para reproduzir os modelos a preços mais suaves. Balenciaga continua seu preferido, mas Dior, Lanvin, Jacques Fath, Givenchy, Jean Dessès e o jovem Guy Laroche têm a honra de sua presença em seus desfiles. Mais tarde, ela se tornará também cliente de Pierre Cardin, André Courrèges e, é claro, de Yves Saint Laurent, que será o último de seus costureiros prediletos.

Quando Chanel reabre sua casa de costura em 1954, depois de 15 anos de purgatório, Madame assiste à primeira coleção na rue Cambon. Ela se entusiasma pela nova elegância proposta por Mademoiselle, sóbria, como de costume, com seus tailleurs de tweed, inspirados no estilo militar, suas blusas de seda combinando com o forro dos casacos, os sapatos bicolores e as bolsas acolchoadas cuja alça é uma corrente dourada. O tailleur não combina mais com sua silhueta forte, mas ela adota seus acessórios sem hesitar.

Ao deixar a França depois de longa permanência, Madame e O'Higgins vão a Viena. Ela é esperada lá para uma entrevista coletiva. Cinco anos após a guerra a reconstrução não começou, e a maioria das casas está em ruínas por detrás das fachadas ainda de pé.

Essa viagem foi proveitosa. Madame revê a amiga austríaca que inventou o rímel *waterproof*, à prova d'água, lançado em 1939 na Exposição Internacional de Nova York, durante um balé aquático, o Aquacade. A condessa estuda, com Victor Silson, marido de Mala, e alguns técnicos, um novo sistema muito engenhoso.

O *Mascaramatic*, nome encontrado por Sara Fox, é criado alguns anos depois, em 1958. A inovação é de grande importância: o estojo no qual habitualmente as mulheres cospem para umedecer o rímel é substituído por um tubo de aço no qual desliza uma escova, mergulhada numa fórmula fluida. É o fim dos maços compactos que colam os cílios uns nos outros.

No primeiro ano, as vendas oscilam entre 2 e 3 milhões de unidades. Todos os seus concorrentes, a começar por Revlon, continuam a copiá-la. Madame responde, lançando *Long Lash*, o mesmo produto anterior, mas cuja máscara se enriquece com partículas de náilon. As mulheres que o usam têm a impressão de ver os cílios se alongarem; aliás, é o que a publicidade lhes prometerá.

Depois de uma escala em Zurique, onde Helena compra um terreno para ali construir uma fábrica, a viagem os leva à Itália. Apesar de todos os esforços, Madame envelheceu. Ela se sente cansada. Assim que chega a Roma, contrai uma pneumonia da qual quase morreu. Foi salva por um médico italiano que a põe no oxigênio e lhe aplica antibióticos. A rapidez da cura é espetacular. Helena fica tão impressionada com os resultados do novo tratamento, à base de penicilina, que compra 5 mil ações do laboratório que a fabrica.

Em pânico por causa do estado da patroa, antes de sua ressurreição milagrosa, Patrick O'Higgins chamou Horace que, depois do caso de seu rapto frustrado, refugiou-se no sul da França, perto de Cannes, para escrever e pintar. Ele lhe conta que sua mãe está próxima da morte e lhe pede para ir vê-la imediatamente. Horace faz o melhor que pode, mas, quando desembarca, encontra Helena em plena forma, resmungando e xingando ao vê-lo chegar.

No fundo, embora não diga nada, ela está contente que o filho tenha corrido para a sua cabeceira. Ele tem 40 anos completos, mas ela ainda o trata como um menino cujos talentos enumera, despenteando-lhe os cabelos. "É um artista, um literato", diz a todos os que a visitam, como se elogiasse os méritos de um jovem bacharel que se interroga sobre o futuro.

Horace fica em Roma durante a convalescença da mãe. Ele sai muito, frequenta todas as rodas de celebridades e artistas que a cidade comporta, convida mesas inteiras no restaurante e põe todas as despesas na conta da mãe.

Patrick e ele simpatizam um com o outro e atam uma amizade sincera. Eles convencem Helena a associar-se ao projeto de mecenato de que Irène Brin e o marido lhe falaram, em Paris. Em Roma, a *signora* voltou à carga. Bajulação, mesuras, todos os meios servem. Ela vê em Madame — diz — uma protetora das artes do Renascimento, uma Médici moderna. Evidentemente, Madame desfalece de contentamento e diz sim a tudo. Ela não vai se arrepender.

Os melhores pintores italianos dos anos 1950, Enrico d'Assia, Burri, Mirko, Mosca, Fazzini e alguns outros figuram nessa exposição intitulada "Vinte séculos imaginários da vida americana vistos por vinte jovens artistas italianos". Horace e Patrick os escolheram juntos. A exposição tem início em Roma, em 1953, na galeria Obelisco, cujo proprietário é Gasparo del Corso, marido de Irène de Brin. Em seguida, ela é enviada para Nova York, na galeria de pintura particular que Helena instalou no último andar de seu triplex. O lucro é destinado a obras de caridade. Em pouco tempo os quadros são vistos por toda parte, das revistas comuns às revistas de arte mais clássicas. Em seguida, durante dois anos, a exposição viaja pelos Estados Unidos, onde ela tem o mesmo sucesso de público que em Nova York e em Roma. Pelo menos 50 milhões de pessoas admirarão essas telas nos museus, nas vitrines, nas revistas, antes que elas voltem novamente para as paredes do apartamento da Park Avenue.

Condecorada pelo governo italiano com a *Stella della Solidarietà* — Estrela da Solidariedade —, embora diga não saber o que fazer com ela, Madame morre de felicidade. Tendo investido 8 mil dólares, teve um retorno de mais de meio milhão de dólares de publicidade livre. Ela inclui em suas contas "as abomináveis despesas" de seu filho em Roma. Quando morreu, as vinte telas, pintadas por aqueles que se tornaram os melhores artistas italianos dos anos 1950, são avaliadas em mais de 100 mil dólares.

Quando parte de Roma, Madame quer ir à "Casa Branca", sua propriedade situada nas proximidades de Grasse. O médico lhe prescreveu um longo repouso, e ela mesma decidiu que "precisava de ar".

Foi Horace quem dirigiu o Pontiac conversível alugado. Envolvida em suas peles, Madame se sentou ao lado dele. Patrick está atrás, apertado entre as bagagens. No caminho, o trio para a fim de jantar no hotel Welcome, em Villefranche. Lá, a uma mesa, estão Jean Cocteau e Jean Marais, acompanhados de duas mulheres. Uma é a duquesa de Gramont, hospedada na sua propriedade em Aix-en-Provence, de onde ela saiu para ir a esse jantar. A outra é a nova musa de Cocteau, a diáfana e riquíssima Francine Weisweiller, dona de uma propriedade em Saint-Jean-Cap-Ferrat, a vila "Santo Sospir". Casada com um dos herdeiros da Shell, com o qual as relações são mais do que tensas, a senhora Weisweiller pôs à disposição de Jean Cocteau suas limusines, seus empregados, suas propriedades, sua mansão particular da place des Etats-Unis e sua vila da Côte d'Azur. Ela se dedica inteiramente a ele e lhe oferece uma vida confortável e mimada. Eles se tornaram inseparáveis.

Naquela noite, Jean Cocteau cumprimenta pomposamente "A Imperatriz de Bizâncio". Madame e ele não se viam desde a época em que Misia mantinha seu salão. Ela faz dengo, chamando-o languidamente de "Poeta", e convida o pequeno grupo para almoçar todos juntos no dia seguinte. Cocteau aceita, mas ele a convida para a casa da senhora Weisweiller. Durante seus breves encontros, lhe faz muitos elogios, que ela aceita, repreendendo-o, porque é "um bajulador malvado".

Cocteau, porém, foi um dos que melhor a desvendou. Pouco tempo depois, ele falará sobre ela com O'Higgins: "Madame Rubinstein se alimenta das desavenças humanas, particularmente das que inventa. Mas fique atento aos seus silêncios! Quando eles acontecem é porque ela está preparando um ataque!"

Em seu refúgio do sul da França, Horace não se limitou a pintar e a escrever. Cismou de fabricar perfume. Com um casal de amigos americanos, os Scott, ele estabeleceu uma fazenda na qual cultiva jasmim e abriu uma refinaria perto de Grasse. Oscar Kolin enviou uma carta à tia para preveni-la das atividades do primo e avisá-la de que ele gastou muito dinheiro no projeto, o que, evidentemente, deixa Madame enfurecida. As fragrâncias sintéticas custam bem menos — ela explode. Todo mundo, começando por ela mesma, e também Rochas, Lanvin, Guerlain e muitos outros se abastecem com um especialista, o senhor Amic, que cultiva jasmim em escala industrial, reduzindo, assim, os custos de fabricação.

Horace consegue, no entanto, convencer a mãe a ir ver os campos, a alguns quilômetros da Casa Branca. Mas a visita é um fiasco. Madame leva apenas dez minutos para visitar a passo acelerado a casa, as plantações e o laboratório. Ela acha tudo abominável, rebaixa o que lhe mostram, é falsamente polida, em resumo, definitivamente desdenhosa, com os amigos do filho. Horace fica em silêncio diante da afronta.

No caminho de volta, ele continua sem falar. Mas seu rosto pálido diz mais do que qualquer discurso. O trio está adiantado para o almoço em Cap d'Antibes, em casa da senhora Weisweiller. Assim é que, saindo do mutismo, ele sugere tomarem o aperitivo no Réserve, o restaurante mais caro de Beaulieu.

— Está louco? — sua mãe se insurge.

Então, Horace freia bruscamente e se volta para ela. Seu rosto ficou rubro. O'Higgins acha que ele vai passar mal de tão enfurecido. A palavra "louco" foi o estopim. Acima de tudo, Horace está louco de raiva. Explode e trata a mãe de avarenta e de má, critica-a por só pensar no dinheiro, que é seu "deus".

Em seguida, atira as chaves no colo do secretário e sai do carro, batendo a porta, deixando Patrick O'Higgins perplexo, e Madame, trêmula.

Últimos cartuchos

Seu caráter é, certamente, impossível. Suas oscilações de humor, irritabilidade, autoritarismo e tirania se agravaram com a idade. Todos a temem, todos a evitam quando seu furor se desencadeia, todos se queixam quando a tempestade passa, temendo que o raio caia novamente sobre eles. No fundo, porém — e todos sabem disso —, a Helena que os aterroriza também pode se mostrar terna, generosa, tão carente quanto uma criança diante das emoções que ela experimenta. Alternadamente suas múltiplas personalidades aparecem sem que seja possível descobrir qual delas é a verdadeira. Será que ela mesma sabe?

A briga com o filho a faz sofrer muito mais do que deseja confessar. Depois da discussão no carro, Patrick e ela voltaram para a Casa Branca sem uma só palavra. Horace, que agora se recusa a falar com ela, se refugiou na casa de amigos e, assim, Madame encurtou sua permanência em Grasse e voltou para Nova York com seu secretário, um mês antes da data prevista.

Nos corredores da empresa, passa sem dizer uma palavra, o rosto tão sombrio que todos se perguntam o que aconteceu com ela. Parece preocupada, ausente, até; fecha-se no escritório, almoça sozinha, espera em vão uma palavra de arrependimento de Horace, uma carta, um telefonema. Mas nada acontece; ele faz pirraça em sua casa do sul da França. E ela sofre.

O'Higgins tem muito a fazer. Madame fez com que jurasse silêncio, mas como conseguir manter sua promessa quando, um após outro, Oscar Kolin e Artchil Gourielli o convidam para almoçar a fim de ficar sabendo mais? Fiel ao pacto que estabeleceu com sua patroa, o jovem se recusa a informá-los. Tendo se tornado mestre na arte da esquiva, evita as respostas precisas, diz não saber de nada. Somente Roy, erroneamente desprezado pela mãe que o acha "gentil, mas insignificante", compreendeu-a. Imediatamente, ele adivinhou que ela teve um bate-boca com o irmão. E logo o boato corre os escritórios.

Ela acaba contando a briga com o filho, mas, de acordo com seu hábito, dá a cada um uma versão diferente da história. Agora que eles "sabem", ela se permite abrir-se, e o faz sem limites. Todos são convocados, as secretárias, Sara, Mala, Roy, Artchil, o advogado, o contador... Ela lhes conta o incidente a partir de seu próprio ponto de vista e chega até mesmo a falar com Barry e Toby, os dois filhos de Horace, que jamais se interessaram pelas histórias da avó. Ela não pode aceitar que seu filho adorado a tenha acusado de ser uma malvada e uma avarenta. O choque é violento demais, ela não se vê assim. Todas as vezes que pensa nisso, as lágrimas lhe vêm aos olhos.

Mas, como sempre, suas crises de tristeza não duram muito. Ela precisa de uma diversão; assim, resolve se dedicar à restauração da casa Gourielli que vai por água abaixo. Ironia do destino, esse é há muito tempo um dos projetos favoritos de Horace, que se enraiveceu por ver abandonado algo tão bonito. Mas, como das outras vezes, não quis escutá-lo.

Por meio de diferentes sinais, porém, ela acabou compreendendo que uma atualização da loja era essencial para manter o avanço no setor masculino. Em meados dos anos 1950, o mercado da beleza para os homens produz um montante de 150 milhões de dólares. É bastante coisa. Mas Madame não está sozinha na corrida. Na esteira dos produtos Gourielli, Elizabeth Arden lançou uma linha para homens: um *after shave,* um pós-barba, uma água de toalete, um talco, um pó de toalete bem como uma loção hidratante unicamente para a clientela londrina. Ela não pode levar vantagem.

O saldo, contudo, é desastroso: a casa Gourielli perde muito dinheiro. Sem ninguém para cuidar dela — exceto aquelas "pobres mulheres" de quem Helena gosta e que ela coloca onde pode —, a loja, que rapidamente ficou ultrapassada, foi invadida por um bricabraque de baixa qualidade. Depois de séria reflexão, Madame contrata Elinor

MacVickar, uma ex-redatora-chefe de beleza na *Harper's Bazaar*. Ela também decide que seu secretário deve ajudá-la a reerguer o negócio e "servir de cobaia" para testar os diferentes produtos que pretende criar. O'Higgins tem de se tornar o homem de Gourielli, a imagem da casa decadente.

Ela o substitui temporariamente por Gloria O'Connors, uma "jovem da alta sociedade", irmã de uma condessa italiana. Com isso Madame continua fiel à sua estratégia que é posicionar pessoas e depois fazê-las cair antes de reerguê-las novamente. Em torno dela, todos já tiveram, ou terão, a mesma sorte. O'Higgins se aborrece, mas ele preza pelo emprego e tem de se submeter.

Competente, firme, Elinor MacVickar sabe exatamente o que quer. Com a ajuda de Patrick O'Higgins, ela decide transformar o térreo numa elegante loja para homens, uma das primeiras em Nova York. Substitui o rosa, o azul, a vidraria e o kitsch por uma decoração masculina e sóbria: mármore branco, aço, cobre, vidro vão ser os novos materiais. Desconcertada pelo minimalismo da decoração da qual, em outros tempos, ela teria sem dúvida gostado, Madame detesta: ela acha que o lugar se parece com um hospital.

Artchil, que volta das férias de inverno em Palm Beach, se insurge contra a ideia de Mrs. MacVickar que consiste em instalar um salão de cabeleireiro no segundo andar. Ele protesta veementemente. Um príncipe russo não poderia dar seu nome a semelhante projeto. Mas Elinor MacVickar não liga e vai adiante. Ela encomenda o mobiliário e o material necessário para o salão de cabeleireiro, e ainda, as loções, os xampus, as tintas, sem esquecer os cremes para o rosto, fabricados segundo as fórmulas das mulheres. Verdadeira cobaia, O'Higgins tem de experimentar tudo, testar tudo, de tal modo que chega a sonhar com isso. Às vezes, as loções têm um efeito milagroso sobre a pele que ele acha "embelezada"; outras, a experiência falha lamentavelmente: seu rosto fica coberto de espinhas.

Mas, bem no meio dos trabalhos, Madame é repentinamente hospitalizada. Descobrem nela um tumor no pescoço, e ela é operada de urgência. As notícias não rompem a quarentena que a família estabeleceu à sua volta. Horace, que foi logo avisado, volta da França especialmente para ver a mãe, que o perdoa. A cena da reconciliação entre os dois é tocante. Madame se sente imediatamente um pouco melhor. Ela então pede a Patrick O'Higgins que venha visitá-la. Ele a acha bastante envelhecida e frágil.

Sentado à sua cabeceira, lhe descreve o progresso dos trabalhos e, como homem elegante, se estende no relato sobre as roupas que Mrs. MacVickar e ele encomendaram na Itália e na Inglaterra: as caxemiras, as camisas, as meias de malha, os casacos de tweed, os calçados de couro macio. Descreve os salões de cabeleireiro e de massagem, a sauna, e se refere ao telex que eles vão instalar para que os clientes tenham acesso às últimas cotações da Bolsa, enquanto estiverem cortando os cabelos.

Madame o escuta sem responder, com um ar cada vez mais cético, todas as vezes que cita um novo achado. Seu rosto se ilumina apenas quando ele lhe fala dos produtos que testou. Então, ela se levanta um pouco: "É somente com isso", diz, "que Gourielli pode ganhar dinheiro".

A seu pedido, O'Higgins vai vê-la todos os dias, depois que o escritório fecha. Ele passa com ela especialmente os fins de semana. Ela lhe confidencia que os membros de sua família — que, contudo, a cercam com afeição — não têm nada de interessante a lhe contar. Ela se aborrece e, para se distrair, assiste um pouco à televisão. David Ogilvy insiste para que, seguindo o exemplo de Charles Revson, que subvenciona o programa "A pergunta de 64 mil dólares", ela também patrocine um. O canal a havia convidado, antes de se dirigir ao "*nailman*", mas ela não acreditou naquilo e recusou energicamente. O sucesso do programa vai, contudo, fazê-la refletir.

Aos poucos ela se restabelece e retoma o trabalho. A seu pedido, instalam em seu quarto linhas telefônicas suplementares, máquinas de escrever, telex. Suas secretárias se alternam todas as manhã para anotar a correspondência. Todos os dias, Patrick O'Higgins lhe comunica os progressos da casa Gourielli. Ela o nomeia diretor de publicidade: "As pessoas gostam de você", lhe diz. "Para vencer nesse trabalho é preciso ser amado."

O'Higgins leva muito a sério o seu papel, um pouco demais, sem dúvida. Ele entra em contato com todos os jornalistas influentes da cidade. O primeiro artigo aparece no *Herald Tribune*, escrito por Eugenia Sheppard, a célebre jornalista de moda que sempre acompanhou a carreira de Madame. O título é explícito: "Um jovem irlandês prepara o lançamento da nova loja para homens de Helena Rubinstein." Sheppard, que descreve O'Higgins em termos elogiosos, explica também tudo o que se pode encontrar na loja: das navalhas adaptadas ao formato do crânio, passando pelas máscaras de lama de Ischia, que, na verdade, são feitas na fábrica de Long Island. A jornalista compreendeu a formidável inovação que representa esse salão de beleza único em seu gênero, e louva o faro de Madame que entreviu a enorme possibilidade dessa indústria nascente.

O artigo, porém, deixa Helena louca de raiva. Ela não compreende por que o secretário é posto assim em evidência. Em sua ingenuidade e zelo, o jovem esqueceu a principal lição dos encarregados de publicidade: apagar-se diante do cliente. Madame levará anos para perdoar essa asneira.

O'Higgins, porém, conseguiu numerosos artigos e três belas páginas na *Life*. Antes da abertura oficial, os clientes já se amontoam na loja. Quando MacVickar e O'Higgins enviam à Madame a lista detalhada de toda a propaganda gratuita que levou à economia de 800 mil dólares, eles recebem de volta a lista com essas simples palavras anotadas na margem: "Vocês deveriam ter se virado para conseguir um milhão!"

Do seu leito de hospital, Madame dirige a inauguração em seus mínimos detalhes. Ela escolheu a noite de quinta-feira, quando as pessoas elegantes saem. O'Higgins organiza a lista de convidados misturando os gêneros; sua patroa faz cortes tenebrosos nos convites e no bufê. O joguinho não acabou: por detrás dela, O'Higgins torna a convidar as pessoas cujos nomes tinham sido cortados e encomenda mais champanhe e salmão. Rapidamente, a loja fica entupida de celebridades, as irmãs Gabor, Gore Vidal, Truman Capote, Salvador Dalí, e tantos outros. Foi então que Madame, que todos acreditavam estar acamada, faz uma aparição surpresa, usando um vestido novo, cortado como uma blusa de camponês russo, e enfeitada com suas mais belas joias.

Apoiada de cada lado por um médico e uma enfermeira, se mantém, contudo, empinada como uma estátua antiga, firme nas pernas, altiva. Ela avança, rompe a multidão cumprimentando à direita e à esquerda como uma imperadora, apreciando com um balanço da cabeça as homenagens que acabam de lhe conceder, abraça os próximos, surpresos por ela encontrar-se lá e que já criticam o médico por tê-la deixado sair. Ela lhes pede silêncio com um gesto e se dirige a O'Higgins com o sorriso travesso de uma jovem, encantada com sua volta.

Apesar de sua soberba, ela sofre demais, porém, para ficar mais de dez minutos. Ao partir, pede um prato de salmão defumado: a comida do hospital é horrível — diz.

Madame se cura, mas sua lendária energia parece abandoná-la. A nova casa Gourielli teria podido ser um sucesso; aliás, as estrelas de cinema a adoram. Yul Brunner, bem como Tony Curtis são seus clientes mais assíduos. Mas ela não chega a acompanhar o ritmo. Cansada, acaba concordando com a recusa do príncipe em ver seu nome ligado a um salão de cabeleireiro. Ela desiste. Gourielli, que perde mais de 200 mil dólares por ano, acaba fechando. Sem dúvida, estava muito adiante de seu tempo. Madame converte os produtos Gourielli em Rubinstein, porque "uma boa cozinheira deve saber preparar uma refeição com restos", diz a seus químicos.

Ela volta para a Europa com sua nova secretária que a abandona no meio do caminho. Assim que volta, Madame convoca O'Higgins e lhe pede para reocupar seu lugar junto dela. Ele recupera, então, seu minúsculo escritório pertinho do dela, suas atividades comuns, suas viagens, sozinhos. Em novembro de 1955, ambos se encontram em Paris, quai de Béthune. Um telefonema acorda o jovem no meio da noite.

Artchil Gourielli acaba de sucumbir a uma crise cardíaca.

Patrick O'Higgins se encarrega de anunciar a notícia à patroa. Apesar da hora matinal, Madame já está acordada. Ela está sentada na cama, empinada, a bandeja do café da manhã sobre os joelhos. O céu cinzento de novembro dá um ar sinistro ao quarto, fracamente iluminado pelas lâmpadas de cabeceira. Antes mesmo que o secretário abrisse a boca, ela compreendeu. Temor ou premonição, sonhou naquela noite que via o príncipe estendido num caixão forrado de branco. Ela contou o sonho a Marguerite, que tinha ido levar seu café da manhã como todas as manhãs.

Por um momento que parece infinito ao jovem, Madame geme e soluça, enquanto todos se agitam à sua volta para tentar consolá-la um pouco. A morte de Artchil é, para ela, uma perda inimaginável. Durante os 18 anos de vida em comum, amou verdadeiramente o príncipe, de um modo possessivo no início e mais tranquilamente, depois. Eles tiveram uma relação feliz, sem choques, ou quase, o oposto exato de sua relação com Edward Titus.

Artchil era um companheiro precioso, engraçado, atento. Tinha sempre uma palavra para fazer rir, o elogio na ponta da língua. Sabia aproveitar a vida, não se privava de nada, lazeres, jogos, férias, bridge, mundanidades, sem ostentação, tampouco sem pudor, como se isso efetivamente lhe pertencesse. Embora saísse muitas vezes sozinho, tendo desistido de levar sua mulher, sempre obcecada pelos negócios, ele a respeitava infinitamente. "Comparadas a Helena, todas as mulheres são desinteressantes",[1] dizia a quem quisesse escutá-lo. Seus numerosos prazeres necessitavam de dinheiro. Com ele, Helena jamais foi avarenta. De resto, ele jamais abusou de nada.

Quando morreu, Madame se tornou a única herdeira do príncipe, que não tinha família. Quando eles se casaram, ela estabeleceu no contrato que tudo o que lhe desse retornaria para ela, caso ele morresse primeiro. Era uma estranha disposição já que ele era vinte anos mais novo. Madame teve faro, como sempre: ao morrer, Artchil devolveu à viúva o meio milhão de dólares que tinha obtido dela.

Durante dias que parecem semanas, Madame fica prostrada no leito; ela não consegue se levantar e não quer ver ninguém. De Paris, Londres, Nova York, do mundo inteiro, chegam telegramas e cartas, os telefonemas se sucedem. Enviam-lhe flores, depositam cartões de visita. Não responde a nada. Aliás, não quer ir ao funeral. Detesta enterros, que a remetem à sua própria morte. Ao se recusar a enterrar o marido, desafia o destino: sem caixão, sem luto, sem tristeza. A negação, por mais infantil que seja, não impede a dor de se manifestar. Artchil lhe faz falta o tempo todo. Sem ele, se sente perdida. Mesmo quando eles ficavam um tempo sem se ver, não se passava um dia sem que se falassem ao telefone.

Frequentemente se interrompe no meio de uma frase.

— Não é, Artchie...

— Vamos perguntar a Artchie...

Mas a vida tem de ser retomada custe o que custar. É sempre o seu velho reflexo de sobrevivência.

* * *

Depois de longo período de inação, ela decide levar a cabo um antigo projeto pelo qual se interessa muito. Trata-se de um retrato por Pablo Picasso.

O pintor e Madame se conhecem desde o final da Primeira Guerra Mundial, ela o visitou muitas vezes em seu ateliê da rue de la Boétie. O primeiro quadro dele que comprou foi o retrato de Pablo, o filho que o artista teve com a bailarina russa Olga Koklova. Durante os anos que se seguiram, ela adquiriu numerosas obras, dentre as quais a tapeçaria *Femmes,* que ornamenta as paredes do triplex. Seus caminhos se cruzaram por diversas vezes, mas o pintor jamais fez parte do círculo de pintores e artistas que gravitaram em torno do casal Titus durante os anos 1920.

Helena, que já foi pintada pelos grandes Helleu, Dufy, Laurencin, Dalí, Tchelitchew, sonha há algum tempo em acrescentar Picasso à coleção de retratos seus. Inutilmente, porém, ela lhe envia cartas e telegramas, ele finge que não ouve. A amiga que têm em comum, Marie Cuttoli, realizou novas tentativas de aproximação, o que não foi fácil.

Picasso desconfia de Helena? Ele detesta — como várias vezes afirmaram — seu caráter autoritário? Teria ela simplesmente se "esquecido" de oferecer pagamento, conforme outra versão da história? O fato é que jamais responde às suas abordagens. No verão anterior, contudo, depois de dezenas de telefonemas e de cartas, obteve ganho de causa e posou duas vezes.

Depois, envolvida pelas obrigações, ela voltou para Nova York. A morte de Artchil lhe ofereceu um pretexto para retomar as sessões que deveriam distraí-la de sua tristeza. Talvez ela pense que o pincel do artista a tornará imortal, que a fará passar à posteridade. De qualquer modo, e quaisquer que sejam seus motivos, ela quer aquele quadro, e o terá.

No avião que os leva a Nice, Helena explica a Patrick que Marie Cuttoli ajudou Picasso, instalando-o em seu museu de Antibes. Ela supervisionou a tecedura de suas tapeçarias e o auxiliou na fábrica de cerâmicas. Isso significa que ela era muito próxima dele. Em troca de sua mediação junto ao pintor, Helena prometeu à amiga o primeiro apartamento que vagasse, no quai de Béthune, para um de seus conhecidos, um político chamado Georges Pompidou. Ainda não é primeiro-ministro, mas seu talento já é promissor.

Madame impõe sua presença no apartamento minúsculo de três cômodos que sua irmã Stella possui em Cannes, enquanto Patrick vai viver, um pouco contra a sua vontade, num hotel barato. Stella já está separada de seu terceiro marido, o conde de Bruchard, e mora sozinha, ruminando a tristeza. Passa os dias jogando bridge com russos e poloneses que ela convida para partidas organizadas a fim de distrair a irmã durante sua estada em sua casa.

Picasso não tem vontade de receber Madame. Durante alguns dias, os telefonemas com que ela o sobrecarrega não produzem efeito algum. Ele manda um empregado dizer que não está ou, então, ele mesmo atende, disfarçando a voz. A manobra dura alguns dias até o momento em que acaba frustrando suas artimanhas. Seria preciso muito mais que isso para desencorajá-la; ela decide ir à casa dele, acompanhada da irmã e do secretário.

Picasso, que tem 75 anos, possui a mesma inesgotável energia de Madame, mora em "La California", um conjunto de pequenos imóveis e belas vilas construídas no início do século, com a jovem Jacqueline Roque, 45 anos mais nova.

O casal toma o aperitivo com Daniel Kahnweiler, o marchand de quadros, e o ator Gary Cooper, quando Madame brota no jardim, cercada por sua comitiva. Picasso e Helena caem nos braços um do outro. "O diabo", como ela o apelida desde sempre, está usando seu uniforme: uma polo azul-marinho listrada, aberta no pescoço, e um calção de banho. Madame usa uma blusa chamativa e uma saia camponesa e exibe algumas de suas joias espetaculares.

Picasso os convida a participar do piquenique de charcutarias e carnes frias, regado com um bom vinho tinto, o que o trio aceita alegremente. Em seguida, ele os leva para casa num velho Citroën em mau estado, sem nunca mencionar o famoso retrato. Helena torna a insistir, ela o quer de fato. De má vontade, o pintor marca um encontro para o dia seguinte às seis da tarde.

Ela volta na hora marcada com Patrick. Picasso a convida a sentar-se na sala de jantar. Da janela, ela vê o jardim. Debaixo de cada árvore, ou quase, destaca-se uma escultura em bronze maciço. O olhar se perde ao longe, até o Mediterrâneo.

Helena usa uma blusa mexicana muito colorida, que o mestre escolheu para ela entre todas as roupas que ela levou. Na presença dela, desenha em grandes folhas de papel estendidas sobre a mesa. Ninguém na casa pode perturbar o *tête-à-tête* dos dois monstros sagrados. O'Higgins se instalou no terraço com Jacqueline. Ele folheia revistas de cinema, em silêncio. Lá dentro, Picasso e Madame conversam como dois cúmplices.

— Quantos anos você tem? — pergunta, de repente, o pintor.

— Sou mais velha que você — responde no mesmo tom.

Ele sorri e, em seguida, olha demoradamente seu modelo, como se examinasse uma porcelana frágil.

— Você tem orelhas grandes — diz finalmente. — Como as minhas. Os elefantes também têm grandes orelhas. Eles vivem eternamente. E nós também viveremos eternamente!

Ele pousa o lápis, aproxima-se e a examina mais uma vez.

— A distância entre suas orelhas e seus olhos é exatamente a mesma que a minha. Isso quer dizer que você é um gênio, exatamente como eu![2]

Picasso executa ao todo quarenta croquis de Helena. Desenha seu rosto, suas mãos, suas joias, sem dúvida com o objetivo de um dia começar um verdadeiro retrato. Alguns desenhos são duros, cruéis, mesmo, e revelam a mulher velha, autoritária e déspota em que ela se transformou. Outros são mais maliciosos ou mais complexos. Ele se detém muitas vezes em suas mãos, como se elas fossem mais expressivas que seu rosto, e sublinha, com um simples traço, o contraste entre sua vestimenta simples e a extravagância de seus anéis e braceletes. Mas nunca vai além de esboços.

Durante todos os anos que se seguem, Madame lhe pede cem vezes para concluir seu trabalho e transformar o esboço. Ela lhe envia cartas, fotos dela mesma, presentes para ele e para Jacqueline, dentre os quais um grigri africano que possui desde jovem e ao qual ela é mais que tudo apegada. Ela o elogia, suplica-lhe, ameaça-o. Mas de nada adianta. Ele chega a lhe perguntar, um dia, por que ela tem tanta pressa. "Nós dois já vivemos um bocado, mas ainda nos resta um bocado de tempo." Ela, que já passou dos 80 anos, tem noção do que resta.

Ela nunca mais o verá. Segundo John Richardson, crítico de arte e biógrafo do pintor, Picasso tinha a certeza de que morreria antes dela, se terminasse o quadro. O pintor se recusa a dar seus croquis à modelo, mas os mostrou a Richardson que os achou "brilhantes".

Richardson deixa de dizer o que ele próprio pensa daquelas "garras cobertas de diamantes", e do rosto que a apresenta "tão calva e rapinante como uma águia". Ao contrário, ele mente, diz que Picasso a "enobreceu", que fez dela uma águia.

O crítico é um amigo de escola de Patrick O'Higgins. Os dois se encontraram por acaso em Nova York, no início dos anos 1950. Patrick o convidou para um drinque em sua casa. Richardson ficou muito surpreso ao descobrir no apartamento uma colagem de Juan Gris, encontrada algum tempo antes nas caixas de Helena. O'Higgins lhe diz que se trata de uma falsificação que Madame lhe deu e que ele pretende oferecer a um de seu amigos no Natal.

O amigo é, de fato, sortudo, pensa Richardson. A colagem de Gris, absolutamente autêntica, vale, no mínimo, 20 mil dólares da época (mais de 500 mil dólares atuais). O crítico lhe pergunta, então, se não seria mais sensato vendê-lo.

Um encontro é marcado no apartamento de Park Avenue, na presença de Helena. Richardson descobre assim outras "falsificações" de Juan Gris. Com a aprovação de Madame, ele os vende, por um preço excelente, e dá um jeito de incluir o de O'Higgins no negócio. Richardson imediatamente compreendeu como Madame funciona. Ele chega à sua casa com todo o dinheiro vivo que pôde conseguir, em notas pequenas, e lhe propõe comprar um de seus quadros. Mesmo sendo milionária, ela não resiste à sua oferta, ama demais os negócios. Para ela, é quase um jogo. Richardson adquire, assim, um Picasso que Edward havia dado a ela nos anos 1920.

O modo como Richardson descreve em seu livro uma Madame envelhecida como um ícone enfeitado, maquiada demais e com joias demais, é de uma crueldade sem nenhum toque de indulgência pelo personagem.

Por mais cáustico que tenha sido para com sua autoritária patroa, Patrick O'Higgins sempre cobriu suas lembranças com o véu de uma real afeição.

The show must go on

De volta a Nova York, depois dos entreatos de Cannes, Madame lançou-se, de novo, impetuosamente ao trabalho. Em especial, para evitar pensar em Artchil, mas também, sobretudo, porque seus concorrentes diretos, os Arden, Revlon ou Lauder, não lhe davam descanso algum. A batalha para manter a hegemonia, sobre um mercado cujo crescimento aparentemente não vai nunca cessar, é cada vez mais difícil.

Em meados dos anos 1950, as americanas gastam 4 bilhões de dólares com a beleza; cuidar de si própria tornou-se mais do que nunca uma necessidade para as 20 milhões de jovens ativas com que conta o país. O interesse agora recai sobre os olhos, contornados com delineador. As novas beldades têm um olhar expressivo e amendoado: Ingrid Bergman, Elizabeth Taylor, Cyd Charisse, Grace Kelly, Rita Hayworth, Kim Novak e Marilyn Monroe são copiadas da ponta dos cabelos excessivamente laqueados até a ponta dos escarpins vertiginosos.

As revistas que dão a receita do sucesso delas publicam também narrativas sobre o horrível destino de mulheres inconscientes que, tendo atingido a idade canônica dos 40 anos, tornam-se desleixadas e acordam quando os maridos foram embora com uma rival mais jovem e com mais disposição. Por sua vez, Madame não deixou de prevenir essas desmioladas. Em todas as suas entrevistas, ela lembra constantemente que uma esposa nunca deve se esquecer de seduzir o parceiro. É o bê-á-bá do casamento.

Se o índice de divórcios aumenta em proporções assustadoras na América, é certamente a prova de que as mulheres se esquecem dessa regra essencial. "Uma mulher que sai sem batom se sente nua", afirma, por sua vez, Max Factor. "A menos que ela seja fazendeira",[1] acrescenta um tantinho desrespeitoso. Porque, mesmo no interior das planícies do Oriente Médio, as agricultoras veem televisão, leem revistas e vão à farmácia local para comprar batom. As adolescentes que agora dispõem de um forte poder de compra se tornam, a partir dos 12 anos, um exército de consumidoras a ser seduzido.

As quantias em jogo na indústria da beleza são enormes, e numerosos são os setores que dela se alimentam: as agências de publicidade que concebem as campanhas e compram espaço nos suportes publicitários, rádios, jornais. E, certamente, a novíssima mídia que agora tem a preferência dos *admen*: a televisão. Madame, a quem a telinha entediava, acabou deixando-se convencer por David Ogilvy a experimentar. Ela se enfurece especialmente com o sucesso de Charles Revlon. "A pergunta de 64 mil dólares", o programa que ele patrocina, fez o negócio disparar, elevando-se mais do que o de Helena Rubinstein. Ela aceita, pois, patrocinar o show de Imogene Coca e Sid Caesar, um programa simples, mas muito popular.[2]

Exatamente antes dos créditos, um espaço publicitário de um minuto é difundido para a sua glória. Ela é vista empoleirada num trono sob um dossel, com um vestido de cetim branco assinado por Dior, enfeitado com zibelina, algumas fileiras de pérolas em volta do pescoço. Com seu inimitável sotaque, recita sua mensagem.

— Eu, Helena Rubinstein, se me derem dez minutos de seu tempo, farei com que vocês ganhem dez anos de vida.

Todos adoram seu físico. E os espectadores acham sua voz particularmente irresistível. Ela o é, de fato, só que a voz gravada não é a dela, mas a de uma atriz russa. Madame é incapaz de gravar um texto sem tropeçar em todas as palavras; sendo assim, foi necessário usar esse subterfúgio. As mãos cobertas de anéis também não são as suas, mas as da sobrinha Mala, pois, na verdade, ela é muito desajeitada. Somente sua pessoa é real.

Para a sua decepção, o programa não faz as vendas decolarem. Mas, com ele, ela ganha uma aura que jamais tinha conseguido, apesar do renome da marca. O grande público conhecia os produtos, mas ignorava tudo a respeito da mulher. A mítica milionária inabordável, quase um personagem de ficção, é pela primeira vez substituída por aquela pequena senhora repleta de humanidade, que dedicou a vida à beleza.

Com quase 85 anos, ela se torna popular. Nas boates, os cantores a parodiam, e o *New Yorker* publica sua caricatura. Os motoristas de táxi, que finalmente a reconhecem, a cumprimentam com um "Oi, Helena", quando ela entra no carro deles. Eles lhe pedem notícias de sua família, e alguns ousam lhe dirigir palavras carinhosas em ídiche. Leonard Lyons, o mais célebre cronista do país, cuja crônica do *New York Post*, "The Lyons Den", é esperada com fervor por seus leitores seis dias em sete, a apelida de "A rainha Victoria judia".

A televisão, que a impulsiona para uma posição de destaque, faz dela uma figura nacional. Quando o programa é suspenso, ela continua, entretanto, a comprar espaço publicitário, apesar do ceticismo de Ogilvy e de sua família, que não entendem essa nova mania. Mas, dessa vez, Madame aprendeu a lição. Quando ela lança um novo desodorante, compra espaços publicitários antes dos programas de lutas, que ela adora, do mesmo modo que adora os programas de esporte violento. "O suor. Não há meio melhor para vender este tipo de produto", diz, impedindo qualquer tipo de reclamação. Um milhão de unidades vendidas nas farmácias lhe dão razão.

Sua revanche contra Revson é completa quando seu adversário é acusado de fraudar *A pergunta de 64 mil dólares,* e revelar as perguntas antecipadamente aos candidatos para fazê-los ganhar. O caso é um escândalo, mas ninguém pode provar nada. Suas ações sobem ao máximo. Pouco tempo depois, Revson é suspeito de ter instalado microfones nas casas de seus concorrentes para espioná-los, prática na qual a própria Helena não teria jamais pensado.

Mesmo sem o uso de uma técnica sofisticada, a cópia é habitual entre concorrentes. A guerra fria provocou a paranoia da espionagem. James Bond ainda não predomina no cinema, mas os romances do escritor Ian Fleming, dos quais ele é o herói, são todos best-sellers. Os leitores apreciam sua sagacidade e a utilização de engenhocas para obter informações do campo adversário. O campo da beleza não escapa à regra ambiente: basta estar atento e contratar a peso de ouro gerentes ou executivos empregados pela concorrência. As transferências de um grupo para o outro são numerosas. Grace Gilbert, a relações-públicas da

Revlon, é contratada por Rubinstein. Disputam-se diretores, publicitários, na esperança de conhecer segredos de fabricação ou fórmulas raras.

Depois da morte de Artchil, Helena tentou mais uma vez se reaproximar do filho. Inutilmente. Roy, que se casou pela terceira vez, acaba de ter uma filha chamada Helena, que nasce em 1958. Ele ainda dirige a fábrica de Long Island e evita a mãe tanto quanto possível. Horace se afasta do negócio. No ano anterior, bateu num carro ao entrar numa estrada na contramão e feriu os quatro passageiros, todos da mesma família. Acidente em estrada é uma constante para ele, desde que tem a idade de pegar num volante.

Naquele mês de abril de 1958, Madame se encontra novamente em Paris com Patrick O'Higgins quando o horror os atinge. Horace morreu aos 46 anos, vítima de um último acidente.

Estava dirigindo rápido demais, como de costume. Numa ponte de Long Island, seu carro chocou-se contra um pilar. Levado ao hospital, seu estado não inspirava cuidados. Dois dias depois, contudo, sucumbiu a uma crise cardíaca. Horace Titus sempre teve o coração frágil, era seu ponto fraco, no sentido próprio e no figurado.

Patrick O'Higgins é mais uma vez o mensageiro de mau agouro, encarregado de anunciar a triste notícia a Madame. E do mesmo modo que quando Artchil morreu, a mesma cena de pesadelo se reproduz. Desde alguns anos, Madame, diagnosticada com diabetes, é sujeita a frequentes desmaios.

Dessa vez, é a emoção que faz com que ela perca a consciência. Durante dez dias, fica impossibilitada de sair da cama e não quer ver ninguém, exceto os familiares. Os telefonemas, as cartas, os telegramas de solidariedade, os cartões de visita, as braçadas de flores afluem do mundo todo ao quai de Béthune. Pode-se dizer que uma maldição se repete.

Madame permanece prostrada, imóvel, rígida como uma estátua de pedra. Esse segundo choque é para ela muito mais difícil de suportar, e os calmantes não são de nenhuma ajuda. Apesar de suas relações conflituosas, das brigas, da incompreensão mútua, do modo como sempre o denegriu chamando-o de "doido", sempre adorou o filho mais novo.

Gostava de reconhecer nele o charme, as maneiras elegantes e a inteligência brilhante de Edward Titus.

Horace também se parecia muito com a mãe, demais, sem dúvida, para que pudessem se entender. Eles tinham o mesmo caráter impulsivo, entusiasta, por vezes ingênuo. "Horace era o seu preferido", explica um dos amigos, "porque ele estava sempre em dificuldades. Se há alguma coisa de que Madame gosta mais do que o trabalho são as pessoas com problemas".[3]

Em alguns de seus livros, Madame já se entregara a uma introspecção marcada de culpa, uma palavra que raramente lhe vem. "Por vezes acontece de eu me censurar por ter ganhado tanto dinheiro e ter arrastado meus filhos na onda de meus negócios.[4] Horace poderia ter vivido sua aventura pessoal com mais intensidade se ele tivesse de defender, mesmo que à custa da miséria, esse problema da forma, da pintura, da escrita, que é sua necessidade interior", acrescenta.

Em sua autobiografia, ditada um pouco depois, ela lembrará seu luto veladamente: "Se não fosse por minha família, minha equipe e meu trabalho, eu não poderia ter continuado."[5]

É, sem dúvida, tudo o que é capaz de exteriorizar e, para ela, já é muito. De volta a Nova York, se empareda no silêncio e tenta, como de costume, se embrutecer de trabalho, seu único remédio contra o sofrimento. Finge viver como se Horace ainda estivesse presente. Agora, sua porta estará sempre fechada. Passa os dias sem fazer nada, apenas sentada atrás da escrivaninha, remoendo a tristeza, sozinha. Não fala com ninguém. Sua equipe se espanta com seu comportamento glacial. Alguém ousa mesmo comentar com ela.

— Algumas pessoas são destruídas pela tristeza, outras se transformam em blocos de pedra — responde, secamente.

Uma de suas amigas, mais nova que Madame, já que teve um caso com Horace alguns anos antes, vai ao escritório lhe apresentar pêsames. Helena a recebe calmamente, fecha a porta atrás de si e volta a se sentar.

— Agora eu posso chorar — diz com uma vozinha enfraquecida.

E cai no choro.

Naquela tarde, chora muito e longamente. Chora o filho morto, que não soube amar, chora o filho vivo que não a ama. Chora seus mortos queridos, Edward e Artchil, seus pais Hertzel e Gitel, chora a irmã Regina, também chora sua vida que se esvai. A amiga fica ao seu lado, sem uma palavra. De vez em quando, ela segura sua mão para tentar acalmá-la um pouco, mas Helena permanece enclausurada em seus tristes pensamentos. Ao entardecer, ela a leva para casa. Madame sai do carro, vergada pela dor. Ela percorre alguns metros de calçada que a separam da porta do edifício. O porteiro abre a porta e chama o elevador. Diante de seus olhos inchados de lágrimas, ele não ousa lhe dirigir o habitual "Good evening Madame", "Boa noite, Madame".

À porta de casa, enquanto espera que o criado filipino venha recebê-la, ela é apenas uma senhora muito velha e inconsolável que reúne suas forças antes de entrar no belo apartamento, grande demais, vazio demais, silencioso demais, no qual os passos abafados dos empregados conservam um simulacro de vida.

Na América, "*the show must go on*", o show deve continuar.

Foi o que lhe disse a amiga para tentar consolá-la, naquela tarde em que Helena finalmente pôde manifestar sua tristeza. "Você é a matriarca. Cabe a você recuperar-se e nos mostrar o caminho", acrescentou. Então, como um boxeador nocauteado que acaba se levantando exatamente antes que o fatídico gongo soe, Helena decide uma vez mais vencer esse novo golpe do destino. E ela se dedica com todas as forças a buscar o objetivo que estabelecera para si.

Cecil Beaton enviou uma palavra de solidariedade a Patrick O'Higgins que é um dos velhos amigos. Num *PS*, ele informa que Graham Sutherland deseja pintar Madame Rubinstein. O pintor, que está entre os mais célebres artistas da Inglaterra, realizou os retratos de Somerset Maugham e de Winston Churchill, que todos são unânimes em considerar obras-primas. "É uma oportunidade que não se pode perder", insiste o fotógrafo. "Além disso, Sutherland nunca fez o retrato de uma mulher."

Madame aceita a proposta sem hesitar. Ela pensa que esse retrato será uma ótima distração, como as sessões de pose para Picasso o foram quando da morte de Artchil, três anos antes.

Além disso, ela gosta de Londres. Primeiramente, a cidade lhe lembra Edward e seus raros momentos de felicidade conjugal, e os dois filhos que lá nasceram, como todos os verdadeiros londrinos, ao som dos "Bow Bells", os sinos da igreja de Saint-Mary. Em seguida, ela aprecia seu ambiente. Depois de ter cuidado das feridas de guerra e de se ter brilhantemente reconstruída, a capital se tornou um centro de negócios muito ativo. Os estilistas não têm nada a invejar do resto do mundo; a indústria da beleza explode. A inglesa da classe média gasta 8 libras por ano com seus produtos de maquiagem, e as *teen* são consumidoras frenéticas.

A cidade não a decepciona nunca. Reina no ar uma energia palpável, um entusiasmo que não encontra em outro lugar e que a intoxica. Lá ela se sente jovem de novo. "Se ainda tivesse as medidas adequadas, eu compraria minhas roupas em Londres. Provavelmente estou cansada dos intermináveis desfiles parisienses, das sessões de provas e dos preços altos." O *Swinging London* está em formação, Carnaby Street abre suas primeiras lojas excêntricas, *I was Lord Kitchener's valet,* ou *Biba*. Beatles, The Who, Rolling Stones logo se apresentarão no Marquee Club. Muito sensível aos ambientes, Madame, que gosta de tudo de Londres, e chega a pensar em iniciar uma coleção de pintores pop, percebeu que é lá, no coração da velha Inglaterra, que a Europa está se realimentando. E que, pelo menos dessa vez, a América vai seguir seus passos.

Finalmente, Boris Forter, o alegre diretor de seus negócios ingleses, é como sempre o homem certo. Ele sabe tratá-la como ninguém. Como verdadeiro *gentleman* que é, manda um carro com motorista buscá-la no aeroporto, reserva-lhe uma suíte principesca no Claridge, leva-a para jantar nos melhores restaurantes, entrega-lhe pequenos envelopes cheios de dinheiro para suas pequenas despesas. É o dinheiro dela que gasta assim, o dinheiro que ele continua ganhando com suas negociatas com Ceska, mas Madame finge ignorar e se deixa tratar com volúpia, como uma rainha convidada por um governo estrangeiro, que recebe todas as homenagens devidas à sua condição.

Ela pensa seriamente em se instalar em Londres e pede que Boris e Ceska procurem uma moradia para ela. No momento, contudo, apenas o presente lhe interessa. No caso, o retrato monopoliza seus pensamentos. Ela convida Graham Sutherland para encontrar-se com ela no Claridge; é lá que quer posar.

As primeiras sessões duram uma semana. Graham Sutherland e sua mulher Cathy vivem a uma hora de distância de Londres, numa antiga fazenda reformada. Todos os dias, o pintor passa algumas horas na estrada para encontrar-se com Madame em seu hotel. Ao final de oito dias, depois de ter desenhado todos os croquis possíveis do rosto, das mãos e do corpo de Madame, ele decide se conceder uma pausa para refletir e descansar. As idas e vindas o esgotaram. Madame, então, volta para Paris e convida o pintor e sua mulher para irem encontrar-se com ela. Lá ela volta a trabalhar 12 horas por dia para recuperar o tempo perdido.

Na manhã de seu encontro com Sutherland, Madame se olha longamente no espelho do banheiro. Ela detesta a imagem da velha mulher devastada que seu reflexo lhe devolve. Se acha feia, gorda; não se suporta e pensa que o pintor vai desistir de pintar seu retrato. Num gesto desesperado ela, que passou a vida explicando as virtudes da vida saudável e do esporte, dos regimes adequados, e que faz disso sua profissão, engole às pressas umas decocções laxativas que, supostamente, a fariam perder um pouco de peso nas horas seguintes.

Exagerou: em poucos minutos, toma a metade de um vidro de óleo de rícino, algumas pílulas de sene, um grande copo de suco de toranja quente e duas xícaras de café preto muito forte. Evidentemente, os compostos se misturam em seu estômago em jejum, ela fica nauseada, e sua diabetes crônica contribui para o mal-estar. Madame desmaia. Ao cair, seu rosto se choca contra um dos pés de bronze que sustentam a cama.

Quando volta a si, sozinha, não pede ajuda. Volta para o banheiro e mergulha num banho quente cujo calor a reanima. Um pouco repousada, tenta esconder os olhos arroxeados sob uma maquiagem carregada de verde e vermelho, depois, ela põe um vestido Balenciaga ricamente bordado. Com suas grandes joias, o coque e o rosto sarapintado como um índio a caminho da guerra, se parece com "Theda Bara no papel do conde Drácula".[6] Não é a imagem que o mundo todo deveria ter da grande senhora Rubinstein.

Mas Sutherland fica literalmente fascinado. Ele acha sua maquiagem "sensacional". É assim que pretende pintá-la. Aliás, decide não levar em conta todos os croquis que já tinha feito e recomeça do zero. As sessões de pose acontecem todos os dias durante uma semana.

Depois, Madame retorna a Nova York, e o pintor volta para seu ateliê para terminar a obra. Seis meses depois, o retrato é exposto numa galeria londrina de King's Road. Para conhecê-lo, Madame se cercou de Patrick O'Higgins, Boris Forter, de sua irmã Ceska e dos encarregados de publicidade e de relações públicas para a sociedade inglesa Helena Rubinstein. Ela está terrivelmente ansiosa para ver o resultado. Ao chegar, pede para se sentar para contemplar os retratos. Graham Sutherland não apresentou apenas um, mas dois, dos quais um de pé, bem como vários estudos que fez de seu rosto.

No primeiro retrato, o mais conhecido, ela parece uma velha senhora tirânica e altiva, uma "autocrata vingativa". Estranhamente, essa imagem sua, pela qual não esperava, a fascina do mesmo modo que a confunde.

— Será que eu me pareço mesmo com isso? — pergunta ao secretário.

O'Higgins foge da pergunta. Para ele, a semelhança é impressionante. Fiel ao que o modelo é de fato, o pintor soube captar o lado severo e imperioso de sua personalidade. Madame detesta essa representação de si mesma. Ela pensa que esses retratos que fazem com que se pareça com uma feiticeira ("sim, mas riquíssima", comenta Boris Forter à parte) vão ser prejudiciais para o que representa: o comércio da beleza.

Alguns dias depois, os quadros são expostos na Tate Gallery. Madame se recusa a assistir à inauguração. Mais de 100 mil londrinos, contudo, desfilam para admirá-la. Unânimes, os críticos louvam o talento do artista e a coragem do modelo, que aceitou se entregar a um pincel "tão audacioso e tão impiedoso". A rainha e a rainha mãe vão, por sua vez, contemplar as telas, o que impressiona Helena muito mais do que todos os louvores.

Em Nova York, a televisão revelou sua personalidade ao público. Em Londres, seu retrato a lança. Ela fica na moda. Os jornalistas a redescobrem e publicam muitos artigos que traçam a biografia da "Jovem da Cracóvia". O *Sunday Times* lhe propõe até mesmo publicar suas memórias.

Ao término da exposição, Madame recupera a tela e a pendura na galeria de seu apartamento da Park Avenue. Ela não gosta dela, mas todos gostam, tanto seus próximos quanto a mídia. O outro retrato foi comprado por um colecionador, Lorde Beaverbrook para seu museu de New Brunswick no Canadá. Os primeiros esboços de Sutherland encontraram lugar no museu de São Paulo e no palácio presidencial, em Brasília.

Todas essas notícias a fazem mudar de opinião: o retrato não lhe desagrada mais. Mas se nega a admiti-lo.

— Por que, então, você o pendura em casa? — pergunta-lhe um de seus amigos.

— Havia um espaço vazio na parede!

As viagens são o melhor remédio para atenuar seus sofrimentos. Nos poucos sete anos que lhe restam de vida, Madame dá várias vezes a volta ao mundo, arrastando atrás de si Patrick O'Higgins. Esses deslocamentos, por mais compulsivos que sejam, a mantêm viva. "Numa idade em que a maioria das mulheres se balança em suas cadeiras de balanço, Madame Rubinstein pega aviões, navios, carros, riquixá."[7] Ela perturba seus publicitários na Austrália — continua o artigo —, aconselha os diretores das novas fábricas que construiu na França, Itália, Alemanha e África do Sul. Por fim, o incessante fluxo de cartas que recebe e envia em torno do mundo é notado pela jornalista, que se diverte imaginando que os Correios poderiam pensar numa sucursal em seu apartamento de Nova York.

Assim que se encontra no estrangeiro, seu caráter difícil, acentuado pela idade avançada, se modifica agradavelmente. Ela se mostra estoica, fatalista, calorosa e quase amável. Assim é que O'Higgins não precisa ser persuadido para acompanhá-la.

Um périplo de 16 semanas os leva inicialmente a Los Angeles, mais exatamente a Hollywood. Muitos produtores a convidaram diversas vezes para realizar um filme sobre sua vida, mas nenhum projeto foi criado. A ocasião nunca era propícia, nem os atores bons. Além disso, no fundo, teria ela vontade? Não se sabe ao certo. Ela rejeitou várias ofertas, pois, sua vida, por mais romanesca que seja, seria forçosamente traída pela representação no cinema.

Mas, dessa vez, ela confidencia a Louella Parsons, a célebre fofoqueira, que se Merle Oberon aceitasse fazer seu personagem, ela reavaliaria sua opinião. Depois dos sucessos em *O morro dos ventos uivantes*, ou *Désirée*, a bela atriz anglo-indiana casou-se com um riquíssimo industrial americano e se mantém um pouco afastada dos estúdios, preferindo dedicar-se ao marido e aos dois filhos que o casal adotou. Ela recusa a oferta. O filme nunca será realizado. A decepção é assim tão séria? Madame tem outras prioridades, a começar pela descoberta do Japão, que ela ainda não conhece.

Num país no qual a indústria dos cosméticos é tão antiga quanto na Europa e nos Estados Unidos, a conquista do mercado dominado por Shiseido, lançada em 1872 por um farmacêutico da Marinha, e por Kanebo, criada em 1887, é um desafio importante. As duas marcas, que começam lentamente a serem exportadas para fora da ilha, possuem ambas tecnologia de ponta. Outras marcas, tais como Shu Uemura, emergem com sucesso. Mas tudo o que vem do Ocidente fascina os japoneses, e Helena Rubinstein, que tem a oportunidade, decide investir numa conquista que a reanima um pouco.

Ela dá conferências, encontra homens de negócio, investidores, banqueiros, todos homens. Os japoneses não estão habituados a tratar com mulheres, por mais poderosas que elas sejam. Felizmente, o respeito pelas pessoas de idade é mais forte que a misoginia. Para eles, Madame *Lubinstein* é antes de tudo uma *Mama San*. Serão necessários, contudo, quatro anos para que a linha de cosméticos seja lançada e obtenha um sucesso desde então jamais desmentido.

Para relaxar, depois de todas as intermináveis reuniões, Madame e seu secretário vão visitar Kyoto, onde se hospedam no hotel Miyaki. Estão voltando de um passeio pela cidade quando o porteiro lhes avisa que "duas belas damas inglesas vestidas de homem" os esperam no bar. Trata-se de Cecil Beaton e de Truman Capote, que partiram juntos para uma viagem de recreio. O primeiro usa um grande chapéu de palha na cabeça e, sobre os ombros, uma grande quantidade de casacos e lenços sobrepostos, enquanto Capote exibe um boné de racum. Helena não fica absolutamente chocada com a excentricidade deles. Os artistas, os intelectuais têm perfeitamente o direito de se vestirem como quiserem — diz ela a Patrick, rindo.

O quarteto toma chá e troca informações divertidas sobre os lugares turísticos do Extremo Oriente. Foi depois desse encontro memorável que, a partir de uma sugestão de Patrick, Madame tem a ideia de entregar a Cecil Beaton a decoração da galeria de pintura instalada em seu apartamento nova-iorquino. O artista a transforma num jardim de inverno exótico, enfeitado com bambus e móveis de vime. Como acontece muitas vezes, o resultado lhe desagradará; não é rico o bastante para ela...

A viagem prossegue. Em Hong Kong, Madame se entrega às compras de modo frenético. Ela adora a cidade, se entope de comida chinesa, compra quilos de pérolas e quilômetros de seda. Apaixona-se pelas *qipao*, as túnicas chinesas longas e sem mangas, que descobriu como caem bem. Ela manda um pequeno alfaiate fazer uma boa quantidade delas de acordo com suas medidas e as adota para suas festas nova-iorquinas.

Na Austrália, Patrick tem a surpresa de constatar que em Melbourne, Sydney, Adelaide, Perth, sua patroa ainda é tratada como heroína nacional. A acolhida recebida é delirante. Ela se recusa, porém, a voltar a Coleraine. "Eu sentia frio, sentia fome, o lugar era horrível, eu trabalhava vinte horas por dia inclusive aos domingos. Acho que se eu tivesse de recomeçar tudo, preferiria me matar."[8]

Em seguida, eles vão para a Europa. Em Paris, Mademoiselle Chanel convida Madame para acompanhá-la à Suíça onde, diz, "a ensinará a repousar".

— Mas eu não quero aprender a repousar! — protesta.

Assim que chega a Nova York, parte para Israel. Três anos antes, ela visitou a sobrinha, Rachel Shalev, irmã de Mala e de Oscar, que vive com a família no kibutz Neveih Etan, no vale Beit Shean, de frente para a fronteira jordaniana. Madame pediu muitas vezes a Rachel que ficasse com ela nos Estados Unidos, mas a resposta era invariável: apesar das dificuldades pelas quais ela passa ali, apesar da pobreza e da guerra, sua sobrinha ama o país, não tem vontade de deixá-lo. Madame compreendeu o que Rachel queria dizer somente quando, por sua vez, foi lá.

Foi Mala quem a convenceu a ir. A jovem mulher, acompanhada de Victor Silson, seu marido, visitou várias vezes a irmã e ficou entusiasmada com tudo o que viu. Madame sentiu a mesma coisa quando foi lá. O povo israelita a conquistou, com força, energia, coragem. Ela, que gosta dos pioneiros, se reconhece neles. Além disso, o fervor da sobrinha a fortalece.

Ao partir, ela prometeu voltar. Naquele momento, quer encontrar personalidades oficiais. Almoça na casa da senhora Weizman, viúva do primeiro presidente do Estado, que, imediatamente, lhe pede conselhos de beleza. "A senhora tem a pele seca!", é a resposta que invariavelmente dá a todas as mulheres. Depois de certa idade, é difícil se enganar.

O primeiro-ministro David Ben Gourion oferece um jantar em sua homenagem. Madame conhece Golda Meir, então ministra de Relações Exteriores. Durante esse encontro, ela se mantém na defensiva. Não sabe como se comportar com uma mulher que lhe é superior. Madame tem, de fato, a intenção de construir uma fábrica, desde que o jovem Estado, em troca, lhe dedique um museu. Ela pretende doar parte de seus quadros e deseja que seja construído em Tel-Aviv um pavilhão Helena Rubinstein de Arte Contemporânea para recebê-los. Mas ela investe apenas 250 mil dólares no projeto, quando seria preciso muito mais para construir o museu com que sonha.

O pavilhão, que é inaugurado em janeiro de 1959, a decepciona. Ela não gosta da arquitetura, acha que a construção não é suficientemente grandiosa e que não é construído unicamente para a sua glória, já que faz parte de um conjunto de construções. Ressentida, oferece ao museu apenas alguns quadros, mas legará a ele sua coleção de bonecas, que pacientemente reuniu durante meio século, e que inclui uns 20 mil móveis em miniatura e centenas de minúsculas bonecas vestidas com roupas de época. A fábrica israelense ficará pronta três anos depois, em 1962.

No verão desse mesmo ano, 1959, Helena voa para a feira de Moscou com Mala, Ceska, Patrick e uma enfermeira que agora a segue em todos os seus deslocamentos. Ela tem 87 anos, e sua saúde cada vez mais frágil necessita de vigilância constante. Sua última visita à Rússia remonta a 1936, por ocasião do expurgo stalinista.

As relações entre o Leste e o Oeste retomam lentamente. O Departamento de Estado a convidou para representar os cosméticos americanos na feira de Moscou.

Madame continua muito pouco interessada em política — a não ser sua paixão pelo general de Gaulle —, mas, imediatamente, ela compreende as oportunidades oferecidas pela imensidade do mercado. E, acima de tudo, o que a estimula é a possibilidade de ser a primeira num território que em breve seus concorrentes vão disputar. "Era um desafio importante, devíamos mostrar nossos métodos de beleza e de maquiagem a um vasto público de mulheres russas."[9] Ela gasta 100 mil dólares para construir o pavilhão Rubinstein e para imprimir milhares de brochuras explicativas em russo. A feira, situada no Park Sokilniki, é inaugurada pelo vice-presidente americano, Richard Nixon, e pelo primeiro-ministro russo, Nikita Khrushchev, o que significa que o acontecimento é importante.

Apesar da pressão que reina em Moscou, a viagem a apaixonou. Seu pequeno grupo se dispersa em vários hotéis, o que torna as comunicações e os encontros difíceis e cansativos. Mas a excelência da comida — "caviar, borche russo, frango à Kiev e o pão mais fresco e os sorvetes mais cremosos que se possa imaginar...",[10] o que mergulha Helena no seio de suas raízes eslavas — e sobretudo a acolhida entusiasta das mulheres russas eliminam aos poucos todos os seus temores.

Todas as vezes que encontra dificuldade em ser servida no hotel ou no restaurante, ela oferece um batom à funcionária. Essa linguagem universal da beleza aplaina muitos obstáculos. Artchil lhe ensinou algumas frases em russo, e esse pequeno conhecimento a ajuda enormemente. Todas as manhãs, ela chega bem cedo à feira e, ao invés de se sentar com os dignitários na tribuna oficial, permanece no seu estande, encarregando-se pessoalmente da demonstração de seus produtos, auxiliada por Mala, como nos bons velhos tempos de sua juventude na Austrália.

As autoridades ficam chocadas, mas as russas afluem em massa. O estande não esvazia. Todas aquelas mulheres, jovens, velhas, bonitas, feias, privadas há muito de cuidados de beleza, estão ávidas por conselhos, diagnósticos, amostras. Madame compreendeu muito bem e se mata de trabalhar. "Os dignitários políticos, Khrushchev e Nixon, mal tinham olhado para o estande... Eles tinham outras coisas com que se preocupar, mais importantes do que nós. Mas ao observar a multidão que se comprimia à nossa volta, eu pensei: os políticos vão e vêm... mas sempre haverá mulheres!"[11]

Na volta de Moscou, apesar de todo o desgaste, ela parece estar em plena forma. Patrick O'Higgins está esgotado e lhe pergunta, meio intrigado, meio zangado, por que ela faz tanta questão de se agitar assim. O que persegue?

— Em que é que isso ajuda seu negócio a prosperar?

— Ajuda a mim! Eu *sou* o meu negócio. Além disso — acrescenta num sussurro —, isso me ajuda a sobreviver.[12]

Não se pode viver para sempre

Então ela sobrevive.

Duas vezes por ano, acompanhada de uma enfermeira, de um médico e do indispensável O'Higgins, ela volta à Europa. Em Paris, em janeiro e julho, está presente em todas as coleções de alta-costura. Seu interesse pela moda não diminui. Ela assiste ao início de Saint Laurent, rue Spontini, em janeiro de 1962, bem como assistiu ao de Poiret, Chanel, Schiap, Balenciaga, Dior e tantos outros que descobriu e estimulou. Ela compra um tailleur de xantungue, um vestido de musseline, uma túnica bordada, um mantô, que devolve para substituir, alguns dias depois, por um vestido.

Na Fundação Yves Saint Laurent, na qual são cuidadosamente arquivados todos os pedidos desde a fundação da casa de costura, o seu figura entre os primeiros do primeiro caderno. Pierre Bergé conta que as maquiagens do desfile foram fornecidas pela marca. Madame queria assinar com Saint Laurent uma licença de perfumes. Mas sua equipe — ele recorda, sem se lembrar dos motivos — frustra o projeto.

Pierre Bergé, que a conheceu alguns anos antes da criação da casa de costura, na casa de Marie-Louise Bousquet, ainda se lembra dela com admiração: "Ela possuía um olhar de rara inteligência, uma postura aristocrática; era uma lady. Seu dinheiro não tinha cheiro de dinheiro; ela colocava a arte acima de tudo."[1]

Patrick O'Higgins faz com que seja fotografada aonde quer que vá. Mal chega a um lugar público, seja um desfile, um vernissage, uma inauguração, um coquetel, os flashes crepitam, os microfones se aproximam. Com quase 90 anos, que ela jamais confessa ter, esse reconhecimento ainda é importante para ela.

A pedido de Marie Cuttoli e, em seguida, de Marie-Hélène de Rothschild, que figura entre as numerosas relações de Patrick, Madame aluga o primeiro andar do edifício do quai de Béthune para Georges Pompidou. "É um homem político em ascensão", disse-lhe frequentemente sua amiga Marie. Na época, Pompidou, aluno da Escola Normal Superior e professor titular de letras, ex-procurador do Conselho de Estado e ex-diretor-geral do Banco Rothschild, foi chefe de gabinete do general de Gaulle. Alguns meses depois, em abril de 1962, ele será encarregado pelo presidente de compor seu governo. Todos os que o conhecem pressentem que ele está destinado a altíssimas funções.

Quando Georges Pompidou vai à casa de Madame, para testá-lo, ela começa mostrando-lhe suas coleções. Ele parece não possuir nada, mas ela compreende de imediato como sua cultura é vasta. Eles conversam a respeito do preço da compra, porque o imóvel é ricamente decorado, e chegam a 10 milhões de francos.

Os Pompidou são locatários exemplares, distintos, polidos, quase sérios demais para o gosto de Madame. Da pequena sala de jantar de seu apartamento ela tem uma vista do alto de seus quartos e, como uma menina levada, se diverte, vigiando-os. Depois de sua nomeação ao cargo de primeiro-ministro, Georges Pompidou continua morando no quai de Béthune, o que deixa Madame bem orgulhosa.

Todas as manhãs, o carro oficial parte dez para as nove para ir ao Matignon. Um carro de polícia e dois motociclistas abrem caminho. Todas as manhãs, na mesma hora Madame dá um jeito de chamar um táxi. Assim aproveita a passagem aberta pelo cortejo para evitar os sinais vermelhos, a caminho da rue du Faubourg Saint-Honoré. Desse modo, ela economiza no preço da corrida.

Sobreviver é também fazer planos. Seu novo apartamento a eletriza. Boris e Ceska acabaram encontrando para ela um espécime raro, em Londres, numa grande residência edwardiana de dois andares, situada em Knightsbridge. Os arquitetos a desaconselham a comprá-la, mas, como sempre, Madame só faz o que lhe dá na telha. Ela sabe exatamente o que quer.

O decorador na moda é David Hicks, rapaz de 30 anos, muito promissor. Madame, que o conheceu numa recepção dada por Fleur Cowles, imediatamente farejou seu talento. David Hicks possui todos os trunfos para vencer: estudou arte e desenho na Central School de Londres e é casado com Lady Pamela Mountbatten, prima do príncipe Philip. Mas, ao lhe entregar a decoração de seu apartamento, ela vai lhe dar o empurrão necessário para acelerar seu reconhecimento junto ao *jet-set* e aos grandes deste mundo.

Ela o convoca para ir à obra, na qual os operários já estão prontos para quebrar tudo. Para conversarem mais comodamente, eles se refugiam num canto do salão e se sentam numa cadeira. Hicks interroga Madame com precisão. Ele quer saber a cor que ela tem em mente para decorar as paredes. Então chama seu secretário e lhe pede uma tesoura. Em seguida, ela recorta seu vestido Balenciaga de seda púrpura e entrega o pedaço de tecido a Hicks, estupefato.

— É isso o que eu quero!

Nem por isso as relações deles serão sempre simples. Com sua diplomacia britânica, Patrick O'Higgins tem muitas vezes de fazer o papel de *go-between* — servir de intermediário entre eles. Hicks é perfeccionista, e Madame, sempre agitada, se pergunta se fez a escolha certa. Mas, quando os trabalhos finalmente terminam, ela pode se parabenizar.

Pequeno, mas compacto, o apartamento é composto de três quartos e de um salão-sala de jantar. As paredes são forradas de tweed de lã púrpura, o tom que ela desejava. Lá se encontram suas queridas esculturas de Nadelman, suas estatuetas africanas, suas cadeiras vitorianas. Nas paredes, estão penduradas telas de Picasso, Atlan, Clave, Chagall. Em seu quarto, um pequeno retrato do amigo Poiret, pintado por Roger de La Fresnaye.

A imprensa elogia o trabalho do decorador, que baniu, como é seu costume, o luxo vistoso em proveito de um refinamento exigente nos mínimos detalhes. Madame gosta do lugar, com exceção da cozinha, que acha pequena demais.

Quando permanece ali, o que não acontecerá com frequência, por falta de tempo, ela gosta de aproveitar o pequeno terraço, plantado com arbustos floridos, que dá para o Hyde Park. Ao anoitecer, se acomoda numa poltrona e olha o parque, refletindo no tempo que passou e no que lhe resta.

Em Nova York, como em outros lugares, Patrick cuida de tudo. Ele se tornou ao mesmo tempo um assistente, um companheiro, uma enfermeira. Preenche o vazio deixado por Artchil e por Horace. De boa índole, sempre presente e disponível, é continuamente repreendido. As relações não são sempre pacíficas, nem excelentes, particularmente quando se trata de dinheiro. O salário de Patrick, que, com razão, ele julga insuficiente, é uma das causas mais frequentes de disputa entre eles. O jovem tem uma vasta rede de amigos e de relações pelo mundo afora, uma caderneta de endereços composta pela metade dos membros do *jet-set*, do qual sua patroa é a primeira beneficiária.

— Ela vai tentar matá-lo — disse-lhe Cecil Beaton quando o jovem lhe pediu opinião no momento em que começou a trabalhar para Madame. — Torne-se indispensável e peça demissão a cada seis meses: é o único modo de obter dela um salário honesto.[2]

O'Higgins seguiu esse conselho judicioso. De temos em tempos, quando Helena sente que ele está a ponto de rebentar, ela lhe concede um bônus, como se lhe concedesse uma recompensa.

A mãe do rapaz morre de uma embolia em 1962. Patrick era muito apegado a ela, e logo a culpa rivaliza com a tristeza. Ele a procurou o suficiente no final de sua vida? Privilegiou a patroa em detrimento de sua mãe bem-amada? Depois das cerimônias fúnebres, Madame o leva para a Europa sem considerar sua tristeza. Ela tenta aplicar nele o tratamento que lhe serviu muito bem depois da morte de Artchil e de Horace: ela o sobrecarrega de trabalho.

Esgotado, Patrick contrai uma gripe em Paris, onde grassa uma forte epidemia, fica de cama durante alguns dias. Quando a febre passa, Madame o convoca e o cobre de insultos porque a deixou sozinha. Enraivecida, ela o chama de "inútil".

Não é a primeira vez que fala demais. Ela é cada vez mais cruel e injusta com ele, bem como com todos à sua volta. Mas esse "inútil" é a palavra a mais, que ele recebe como uma bofetada. Ferido, não quer mais vê-la e tem uma recaída. Isolando-se por causa do cansaço, mal ficando de pé, tem de ser hospitalizado. Mas, dessa vez, não é uma gripe. Os médicos diagnosticam uma depressão.

Madame não lhe telefona para saber notícias, não lhe envia flores. Ela se empareda no silêncio, como se fosse o culpado. Cada vez mais ferido, e dessa vez determinado a não perdoar, Patrick decide não mais revê-la. Jean Dessès, o costureiro, que gosta de Madame a ponto de, brincando, chamá-la de "minha noiva", lhe é de muita ajuda. Patrick está sem um tostão. Ele lhe oferece uma estadia em La Mamounia, em Marrakesh, para que recupere as forças depois daquele mês que passou no hospital. Patrick O'Higgins envia um bilhete a Madame, avisando-a de que se ausenta, sem, todavia, dizer para onde vai.

O espantoso luxo do hotel, o alimento, a calma, o clima marroquino se unem para que logo recupere a saúde. Ao sair pela primeira vez do quarto depois de ter passado alguns dias dormindo, O'Higgins encontra Nina Midvani, uma princesa georgiana, amiga de longa data de Helena. Ela telegrafa imediatamente a Paris, e conta a Madame sobre a presença de seu secretário no hotel.

Madame, sem dúvida, sente remorsos. A velha mulher solitária, que nunca aprendeu a amar, não tinha entendido que o rapaz lhe faz falta e que ela é verdadeiramente apegada a ele. Foi preciso que de todos os lados, os amigos, seus conhecidos, lhe dissessem isso e que fizessem pressão para mudar de atitude. Mas não é tola. Ela reflete e compreende aos poucos como sua atitude foi ofensiva. Então afoga seu secretário em cartas e mensagens.

Por sua vez, O'Higgins que, mortificado pela ingratidão da patroa, há muito tempo deseja pedir demissão, agora hesita. Ele põe na balança sua vida de servidão, de um lado, e do outro, uma liberdade que oferece o risco de lhe trazer insegurança financeira. Além disso, as cartas que recebe o emocionam. Madame está doente, de cama, sem dúvida vítima também de uma depressão nervosa. Ela se refugiou na casa de Stella, em Cannes.

"Quando me contaram que tinha sido má com você, eu quase caí dura", lhe escreve. "Juro, por sua mãe morta, que seu bem-estar me interessa mais do que o de qualquer um no mundo." Ela acrescenta que não sabe como demonstrar porque, durante toda a sua vida, ela foi sozinha. Não sabe demonstrar seus sentimentos. Num *PS,* explica que gostaria de lhe mandar dinheiro, mas como ele não está lá para abrir o cofre, não pode fazê-lo.[3]

Todos os dias ela lhe envia cartas afetuosas. "Eu o amo como uma mãe, a mãe que você perdeu."

Quando Patrick se sente inteiramente recuperado, volta para Paris e vai ao quai de Béthune. Madame ainda está em Cannes; ela retornará somente no dia seguinte. Os três empregados, Gaston, Eugénie e Marguerite, recebem o rapaz calorosamente.

— Madame estava numa situação terrível sem você — dizem eles. — Ela ama você de verdade; quem mais ela poderia amar? Mas você é jovem, e ela é velha. Cabe a você fazer as pazes.

No dia seguinte, Patrick está no aeroporto para esperar sua patroa. Em sinal de paz, leva um enorme e caro buquê de flores, como ela gosta. Quando ela o vê, seu rosto se ilumina. Pela primeira vez em muito tempo, Madame parece feliz. Mas ergue sua mãozinha enluvada como que para lhe dizer: "Nada de efusões."

Então Patrick engole as palavras de afeto que gostaria de pronunciar. Enquanto a esperava, preparou um pequeno discurso para lhe dizer o que sente em relação a ela, mas se cala. A atitude de Madame não permite derramamentos. Ela nunca se deu bem com as emoções, não sabe se entregar, prefere, como sempre, sair pela tangente. Também não lhe conta nada sobre sua própria depressão nervosa. Eles falam de tudo e de nada, do Marrocos e de Cannes, falam de mil coisas aparentemente insignificantes, mas que, contudo, dizem muito, e selam definitivamente a paz entre eles.

Agora, Madame vai se mostrar mais gentil e mais amorosa, embora sua exigência de todos os instantes permaneça intacta. Ela pergunta por sua saúde, e cuida dele, enquanto ele toma conta dela e se comporta como um filho dedicado. Sem dúvida, desse modo, eles preenchem seus respectivos vazios. Mas não se pode duvidar. Eles são apegados.

Com mais de 90 anos, o cérebro de Helena continua ágil, mas seu corpo não acompanha mais. O diabetes lhe causa mais do que nunca frequentes desmaios. No New York Hospital, sua suíte está sempre pronta. Ela é transportada regularmente ao menor sinal de fraqueza e, durante alguns dias, recebe oxigênio para recuperar um pouco o fôlego que lhe falta. Apesar dos esforços para se manter sempre alerta, é obrigada a diminuir o ritmo.

Diariamente, ela toma uma quantidade impressionante de medicamentos, de tranquilizantes, de antidiabéticos, de controladores de pressão, de diuréticos e também de soníferos, porque não dorme muito mais. Se deita cedo, sempre às dez horas da noite, e se levanta às seis horas da manhã.

Nos últimos anos, contudo, depois do despertar matinal e da leitura integral da correspondência que percorre com vivo interesse "e até mesmo as publicidades!", ela permanece na cama até meio-dia e recebe seu advogado para uma reunião de trabalho todos os dias às sete e meia. Em seguida, convoca seus agentes financeiros. Essas reuniões a estimulam, mas está cada vez mais difícil ir ao escritório.

Então, sempre da cama, ela telefona aos amigos e aos parceiros no mundo todo, espera seus secretários para lhes ditar a correspondência. Nesse momento, O'Higgins chega, em seguida Roy, Oscar ou Mala. Quando finalmente consegue sair da cama, no final da manhã, toma um banho quente, unta o corpo com creme, se obriga a fazer alguns exercícios de ginástica, se maquia. Uma camareira a ajuda a pentear seu eterno coque. "Por vezes, eu gostaria de um penteado menos sério, mais enfeitado, mas nunca tive paciência para tudo o que dizia respeito à minha própria aparência e, além disso, passo os dias tomando decisões, encontrando pessoas, e o tempo passa depressa demais."[4]

Todos os dias, quer ela esteja em Nova York, quer em Paris, Londres ou em outros lugares, ela vai ao escritório, até mesmo aos domingos, e muitas vezes convoca Oscar no final da manhã, para grande aborrecimento de sua família, que o espera inutilmente para o almoço dominical. Uma vez por semana, ela dá uma volta pelas fábricas locais para trabalhar com seus químicos. Sua paixão continuou intacta. Ainda gosta de assistir à elaboração de um novo produto, de uma nova fragrância, untar as mãos e o rosto com um creme que pretende lançar. Trabalhar com sua equipe, ficar atenta aos desejos inconstantes das mulheres não a cansa nunca e, aliás, ela nunca se queixa de fadiga.

Ela ainda tem a mesma dificuldade em se entender com Roy, e briga sem parar com as irmãs, que a estimulam a aproveitar um pouco a vida. Mas não, não quer tirar férias, ela conhece a Itália, e a Espanha, e a Riviera. De que adianta? É tempo perdido, e tempo não tem mais tanto assim. Os negócios são ainda sua única paixão.

* * *

Não se passa um dia sem encontro com jornalistas do mundo todo. Na mídia, Madame é beneficiada por uma verdadeira aura de simpatia. Sua reputação está feita. Sua riqueza, simplicidade, coragem, energia, capacidade de trabalho, seu senso de humor, são motivo da admiração de todos. Ela se tornou um ícone. De resto, os títulos que lhe dizem respeito são explícitos: "Princess of beauty business", "Richest woman of the world", "The most fascinating woman of the beauty business" (Princesa do negócio da beleza, A mulher mais rica do mundo, A mulher mais fascinante do negócio da beleza).

Durante as entrevistas, ela explica incansavelmente seu interesse pelos métodos científicos aplicados à beleza, mostra suas coleções, casas de bonecas, fala de viagens, da moda que ainda a apaixona. Os franceses ainda são seus preferidos, em especial Balenciaga, diz. Mas se interessa também pelos criadores americanos tais como James Galanos ou Norman Nortell.

E para melhor demonstrar o que afirma, ela abre seu closet, mostra as roupas que coleciona desde sempre, Poiret, Worth, Molyneux, Chanel. "Há muito tempo, eu evito o negro e as roupas marcadas na cintura." Ela usa somente túnicas folgadas, fiel, sem dúvida, às que seu amigo Poiret inventou em 1911, chamadas *overall*.

E como é de praxe há mais de meio século, todas partem com produtos Rubinstein. "Em seu retrato, Sutherland mostrou sua majestade e sua força de caráter, mas omitiu a gentileza que faz com que, imediatamente, nos esqueçamos de que ela preside um império que vale milhões de dólares", escreve uma jornalista do *New York Times*.

Um dos traços de seu caráter que mais fascina os jornalistas, além de seu prodigioso dom para os negócios, é sua completa indiferença pelo passado, apesar da idade. De saída, ela explica aos visitantes que perde todo interesse por um produto assim que ele é lançado no mercado. "Gosto de me projetar vinte anos à frente. Mas, evidentemente, tenho de pensar nos próximos dois, três, cinco anos", afirma, sorrindo.[5]

Quando lhe perguntam se ela pretende se aposentar, a resposta é invariável.

— No! Absolutely no! Absolutamente não!

Ela não larga mais o testamento que registrou no final dos anos 1950, a ponto de agora sempre dormir tendo próximo de si o grosso caderno de duzentas páginas, encapado de couro negro, que se parece com uma Bíblia. Ela o refaz continuamente, suprime doações, acrescenta codicilos, ao sabor das novas afeições ou dos desamores.

Naquela manhã, Harold Weil, seu advogado, decidiu que não iria ao encontro diário das oito e meia... Ele discutiu com ela, e, sem dúvida, um pouco mais irritado que de costume, quis marcar o acontecimento, ausentando-se.

Enquanto Madame, acordada desde a aurora, reclama porque ele está atrasado, três ladrões disfarçados de entregadores de flores tocam a campainha da porta do triplex. Eles empurram Albert, o empregado filipino, amarram-no e fazem o mesmo com os dois outros empregados; em seguida, vão diretamente para o quarto de Madame.

Ela está sentada bem ereta na sua cama de acrílico, com jornais e pequenos objetos espalhados à sua volta. Lê o *New York Times* enquanto mastiga uma torrada. Os ladrões lhe pedem a chave do cofre: em Nova York, todos sabem, porque a mídia não deixa de contar, que guarda mais de um milhão de dólares em joias no apartamento.

— Eu sou uma mulher velha, e vocês não me metem medo. Podem me matar, mas não me roubarão. Saiam!

As chaves do cofre estão numa bolsa que se encontra na cama, ao lado dela. Enquanto os ladrões remexem em tudo, olham debaixo dos móveis, abrem as gavetas do banheiro, tiram as roupas do closet, ela dá um jeito de pegá-las. É preciso escondê-las rapidamente, e o primeiro lugar que lhe vem à cabeça é o espaço entre os seios volumosos, sob a camisola.

Bem a tempo. De volta ao quarto, um dos bandidos vê a bolsa, pega-a e esvazia seu conteúdo sobre a cama. Ele acha cem dólares que, rapidamente, mete no bolso. Absorto por esse furto, não vê que Madame, que nem por um segundo perdeu o sangue-frio, conseguiu esconder brincos de diamante que também estavam na bolsa e valiam no mínimo 40 mil dólares. Ela conseguiu cobri-los discretamente com um velho lenço.

Em seguida, ela continua olhando a cena, sempre com a mesma calma aparente. Os ladrões estão furiosos: sem a chave, eles não podem abrir a porta do armário embutido do banheiro, onde fica o cofre. Madame agora controla a situação e se diverte com isso.

— Seu amigo pegou cem dólares — diz, apontando para um dos ladrões. — Cuide para que ele os divida com vocês.

Louco de raiva, o homem que ela acaba de apontar arranca-a brutalmente da cama, sem respeito algum por sua idade avançada, e a amarra a uma cadeira com os lençóis de cetim que rasgou para fazer tiras. Madame, então, começa a berrar. Sua voz estridente consegue afugentá-los. Seu criado, que conseguiu se soltar, acorre, solta-a e avisa a polícia e amigos de Madame.

Weil chega rapidamente. Mala e Niuta, mulher de Roy, chegam quando a polícia já se encontra lá. Madame, um pouco chocada, não para de repetir que os ladrões eram "rapazes gentis", distintos, com mãos limpas e cuidadas. Certamente, eles deviam conhecê-la e — ela acrescenta —, sem dúvida eles trabalharam para ela, na manutenção ou como garçons durante uma de suas recepções.

— Eram amadores — acrescenta, mais tarde, com desprezo. — Eles não pegaram nem os Picasso, nem as peles, nem as caixas de ouro ou as joias nas vitrines.

Toda a cidade fica sabendo do acontecimento. Os jornalistas afluem e se aglomeram diante de sua porta. Os canais de televisão mandam equipes para entrevistá-la.

— Madame, a senhora deve estar esgotada — diz Harold Weil, seu advogado, que, apesar de tudo, se sente um pouco culpado. Ele insiste para que ela se vista. Quer levá-la imediatamente para Greenwich para que repouse. Mas ela protesta energicamente.

— Descansar? Você está louco? Dê-me meu batom e deixe a imprensa entrar. É excelente para os negócios...

Madame se veste e se maquia com cuidado. Ela põe em volta do pescoço as pérolas que os ladrões não conseguiram roubar-lhe e, assim enfeitada, responde às perguntas dos jornalistas que estendem seus microfones, pedindo-lhe detalhes. Em Nova York, por muito tempo falam do caso. Sua popularidade fica mais sólida.

O episódio, contudo, deixa nela marcas profundas. Sua desconfiança já aguçada se transforma em paranoia. Pensa que todos a traem ou a roubam. Manda trocar as fechaduras do apartamento, instala um novo alarme. Teme não ter a mesma sorte se os ladrões voltarem.

Pela primeira vez na vida, de repente, Madame se sente muito velha.

Ela voa pela última vez para a Europa. Em Paris, tem o prazer de rever seus velhos amigos, especialmente as mulheres, que chama de "as intelectuais". Edmonde Charles-Roux, sempre fiel, escreveu a respeito dela um artigo elogioso em *Vogue*. Ela a descreve como uma mulher "elegante, de voz calma e autoritária".

Acompanhada por Patrick, Madame visita pela última vez todos os lugares de que gostava, o mercado das Pulgas de Saint-Ouen, Honfleur, sua fábrica de Saint-Cloud. Fazia tempo que ela vendera a Maison Blanche a um membro da família do presidente René Coty. "Espero que eles gostem dela mais do que eu gostei", disse quando a venda foi concluída. Mas ela conservou o moinho de Combs-la-Ville, e, naquele verão, pela primeira vez, deu uma de suas *garden-parties* que só ela sabe oferecer, e para a qual convidou duzentas pessoas.

O tempo está divino, então ela recebe ao ar livre, em torno do bufê. No jardim, está disposto todo o mobiliário da casa. Transformou o estábulo em bar para manter as bebidas frescas. Para completar a decoração, ela pede ao seu pessoal para pendurar, nas árvores e nos arbustos, todos os quadros de mestres que decoram sua casa de campo, Monet, Renoir, Chagall, Modigliani... Um pouco distante da casa corre um riacho, ladeado de salgueiros-chorões.

— Vamos colocar Picasso à sombra, sob os salgueiros — decide. — De todo modo, ele detesta festas.

"Helena Rubinstein", conclui a jornalista Jean Lorimer, que relata o caso, "era provavelmente a maior, a mais louca e a mais generosa de todas as anfitriãs, inclusive Elsa Maxwell".[6]

Madame se agarra à vida, mas pensa muito na morte. Agora, o século gira sem ela. O presidente Kennedy morreu assassinado em 1963, em Dallas, e Johnson o substituiu. Na América, as mulheres se unem, decididas a conquistar um pouco de liberdade. Betty Friedan acaba de publicar *A mística feminina*, um manifesto a favor das oprimidas, que anuncia as grandes transformações feministas que vão sacudir o planeta.

A contestação toma conta da juventude, que se insurge contra a guerra no Vietnã. Em San Francisco, os hippies reinventam o amor, enquanto o jeans, vestimenta universal, reinventa a moda.

Madame lança um novo creme com hormônios. A foto da publicidade a mostra vestindo uma túnica bordada, diante da Vênus de Milo. A mensagem é ousada, mas clara: a idade avançada produz sabedoria que, por sua vez, cria a beleza. Logo em seguida, ela inventa o *Dancing Yeyé*, uma variante em cores do *mascaramatic*. Mas nem o *packaging* — a embalagem — nem o lançamento a agradam. O conjunto é muito "*old fashioned*" — fora de moda — para ela.

Aos poucos, se deixou distanciar por Revlon, Max Factor, Lauder e Avon. Seu único consolo é estar sempre adiante de Elizabeth Arden. Em 1963, depois de 13 anos de colaboração, David Ogilvy encerra o contrato entre eles. Quando o publicitário lançou sua agência na Madison Avenue, Helena Rubinstein foi uma das primeiras clientes. Mas agora os tempos são difíceis: o orçamento da Revlon ultrapassa dez vezes o dela.

Um editor inglês propôs-lhe publicar sua autobiografia e, apesar de seu horror ao passado, Madame se submete ao exercício, que a ocupa. Jean Lorimer, uma jornalista do *Daily Express,* recolhe suas confidências e vai ser *ghost writer*. Patrick O'Higgins, que reescreverá o livro, a induz a uma maior autenticidade. Ele considera que o público espera uma versão verdadeira de sua vida, e não um romance expurgado, mas Madame não aceita.

O que restará da sua vida, ela pensa, o que passará à posteridade, é o que ela mesma terá cuidadosamente filtrado. Felizmente, não pode controlar tudo.

Se entrega, entretanto, a verdadeiras confidências. Na última vez em que Jean Lorimer se encontra com ela, no mês de dezembro de 1964, pela primeira vez Madame parece nostálgica. Ela confessa que sua vida foi uma sucessão de fracassos, com seu pai, com seu primeiro marido ou com os filhos. O dinheiro não é tudo — prossegue. Sem dúvida ela partiu o coração do pai ao recusar o homem que ele havia escolhido, e ao partir para a Austrália. Com Edward Titus, ela não foi tão compreensiva quanto deveria ter sido. Obcecada demais com a construção de seus negócios, passava com ele apenas um mês ou dois por ano. Ele tinha aventuras, mas nenhuma delas séria.[7]

Madame fica pensativa durante um momento. A jornalista prende a respiração, o instante é frágil. Em seguida, ela continua, quase que sussurrando:

— Agora, com o tempo, eu posso confessar, mas, na época, eu era ciumenta e inexperiente. Eu mesma deveria ter tido aventuras? Com frequência lamentei. Talvez isso tivesse me tornado mais resistente.

Ela fala muito com Patrick que se tornou seu único confidente, amigo mais próximo. Ele lhe pergunta se ela tem medo da morte.

— Não mais! Esperei por muito tempo. Deve ser uma experiência interessante. Não se pode viver para sempre, não é?

Mas Patrick quer acreditar que ela não morrerá jamais, a tal ponto seu cérebro é afiado, seu espírito, vivo, seu senso de humor, sempre intacto. No dia 31 de março de 1965, ela não se sente bem. Como de costume, dá entrada no New York Hospital. Na véspera, tinha passado a tarde inteira na fábrica de Long Island.

De manhã, ficou na cama, com sua equipe ao redor. Irritou-se com a maquete de uma campanha publicitária porque as letras eram "pequenas demais" e não havia bastante texto para se ler. Em seguida, respondeu quase que secamente a Mala a respeito das instruções de uso de uma nova linha de produtos de maquiagem, complicada demais em sua opinião.

— É preciso ser simples para que todos possam compreender imediatamente.

Terminado o trabalho, ela relaxou um pouco, e se interessou pelas últimas fofocas da cidade.

— Givenchy continua desenhando modelos para Audrey Hepburn? Ele é um gentleman, e ela é uma lady; eles foram feitos para se entenderem.

Alguém lhe pergunta se gostou de *007 contra Goldfinger*, que foi ver com Sara Fox.

— Brutal demais! Mau exemplo. Mas eu o vi duas vezes![8]

No hospital, para onde foi transportada à tarde, por ordens médicas, ela tem um ataque, seguido de uma embolia. Ela morre no dia seguinte de manhã, em seu quarto no hospital. Aos 93 anos.

Sozinha.

* * *

Seu falecimento é anunciado na primeira página de todos os jornais americanos. No mundo inteiro, a imprensa lhe dedica artigos. Recordam sua história, esmiúçam seu império. No *Herald Tribune*, uma homenagem de Patrick O'Higgins que, por causa desse acontecimento excepcional, ocupou o lugar da crônica da jornalista Eugenia Sheppard, resume o sentimento geral, partilhado por sua família e equipe: "Pensávamos que ela fosse imortal."

No momento em que morre, Helena Rubinstein está presente em mais de trinta países, tem 14 fábricas em funcionamento, emprega 32 mil pessoas em dezenas de salões de beleza em 15 diferentes países. Sua fortuna pessoal chega a 100 milhões de dólares em propriedades, valores e obrigações, joias, obras de arte, móveis e dinheiro vivo nos bancos de três continentes.

O velório acontece numa funerária. Na mais profunda tristeza, Patrick O'Higgins repete incansavelmente suas frases. "Lembre-se de que sou sua amiga. Você está progredindo? Está se tornando mais forte? O que há de novo?" Contrariamente ao resto da família, ele pensa — e Mala tem a mesma opinião — que Madame não gostaria de uma cerimônia "simples", e eles fazem de tudo para que essa última festa seja a mais grandiosa.

Eles teriam gostado de que o velório acontecesse no apartamento, mas têm de abrir mão. Mala e ele escolhem "com cuidado e amor" as joias e as roupas para acompanhá-la em sua última morada, suas "boas pérolas", esmeraldas, seus anéis em camafeu e seus rubis. A roupa com a qual ela está vestida é uma túnica de Saint Laurent, bordada em *strass*. Sempre auxiliado por Mala, Patrick envia braçadas de flores, cravos, delfínios, peônias para cercar o caixão que se parece com um caramanchão.

No momento em que uma greve de táxis paralisa a cidade, o *Tout-New York* se acotovela durante três dias para lhe prestar homenagens. Naquele caixão, Madame parece espantosamente pequena, mais ainda do que em vida. Ela se parece com "uma boneca mexicana, bela e ricamente enfeitada". Sua pele está lisa, seus cabelos brilham, ela parece ter sido desenhada por um artista. Seu rosto reflete uma serenidade jamais vista. "Jamais esquecerei", emociona-se O'Higgins, "a nobreza de seus traços".

Madame está enterrada no cemitério de Nova Jersey, ao lado do príncipe Artchil Gourielli, seu marido. Ali, finalmente, ela descansa.

O império sem a Imperadora

Nas 44 páginas, das quais 27 de codicilos, do famoso testamento do qual ela não se separou até o último sopro, Madame registrou uma centena de herdeiros, que vão receber quantias mais ou menos importantes. Nem todos ficam satisfeitos. Muitos se consideram lesados, como seu criado filipino, Albert, que a serviu fielmente durante anos, e que recebe uma renda de 500 dólares anuais, o que o deixa enraivecido.

Mala herda as pérolas brancas e negras, um Derain, um Nadelman, um Kandinsky, e uma renda anual de 5 mil dólares, mas ela mantém suas altas funções na empresa, o que faz O'Higgins dizer com filosofia, que a tia desejava que ela perpetuasse o negócio. "Se ela lhe tivesse legado uma quantia mais importante, então, quem sabe? Talvez Mala preferisse se retirar?"[1] Não será o caso. No triunvirato que se instala, depois da morte de Madame, Roy passa a dirigir a empresa, enquanto Mala, ainda encarregada das atividades de criação, auxilia o irmão, Oscar Kolin, que se tornou vice-presidente.

O próprio Patrick O'Higgins não é muito recompensado por sua lealdade. Madame lhe deixou 5 mil dólares líquidos e 2 mil dólares anuais até sua morte — ele morre em junho de 1980, aos 58 anos. De acordo com Harold Weil, o advogado, Madame disse essas duras palavras quando acrescentou o codicilo: "Para que ele não morra de fome!" Mas o admirável rapaz toma o partido dela e encontra argumentos para compreendê-la.

Afinal, argumenta, ele não faz parte da família e trabalhou apenas 14 anos para sua riquíssima patroa. Supondo-se que viva mais vinte anos, calcula (ainda não sabe, mas morrerá 18 anos depois), isso representa 45 mil dólares da época. O'Higgins conclui que, se Madame não quis lhe deixar a quantia toda, foi porque ela sabia que ele era muito gastador, e quis protegê-lo de seus próprios demônios.

Na empresa, todos recebem quantias variadas, das secretárias "minha filha" de Madame, a Sara Fox, diretora de marketing. Boris Forter herda um quadro de Sutherland que vende para comprar um carro esporte. As amigas jornalistas não são esquecidas: Marie-Louise Bousquet herda uma renda de 1.200 dólares por ano, e Grace Davidson de 3 mil dólares.

Madame recusou-se a dar a maioria dos objetos pessoais, com exceção das roupas e das peles. Estas são divididas entre Niuta, a mulher de Roy, e Mala. Os vestidos, que enchiam seus armários, e dos quais, alguns, como os modelos Poiret, têm mais de 50 anos, são legados a museus ou a parentas e amigas, de acordo com a precedência. Suas irmãs recebem joias: Stella, um colar de pérolas, e Manka, os rubis.

Alguns meses depois da morte de Madame, a galeria Parke-Bernet de Nova York por ordem dos executores testamentários, organiza a venda em leilão de suas joias. Embora o acontecimento tenha sido vibrante e muito difundido na mídia, o resultado, em contrapartida, foi decepcionante. Em três horas, quase tudo foi vendido, mas as "boas" pérolas, incluindo a fileira que ela havia comprado na Riviera no dia em que descobriu a primeira infidelidade de Edward Titus, os anéis, os brincos de diamante talhados em forma de pera, as safiras, os topázios, as esmeraldas do tamanho de uma rolha de garrafa, rendem apenas meio milhão de dólares, ou seja, a metade da quantia que se poderá esperar da venda de tais tesouros.

Pouco tempo depois, as coleções de arte, por sua vez, são vendidas, ainda por Parke-Bernet. A venda dura dez dias e rende 5 milhões de dólares, a metade do imposto sobre transmissão. O catálogo detalhado é formado por cinco grossos tomos e compreende as pinturas, as esculturas, os desenhos, as gravuras, os móveis antigos, as estátuas, os objetos de Arte Primitiva, africana e oceânica. Mais de 10 mil pessoas desfilam para admirar aquelas obras-primas sem precedente.

Alguns quadros, esses realmente falsos, são retirados da venda, dentre os quais um Picasso representando Guillaume Apollinaire, que constitui um dos "pequenos erros" de Madame. Mas o restante das coleções atinge somas astronômicas, em comparação com as quantias irrisórias que Madame desembolsou para adquiri-las. Uma única máscara Senoufo é vendida por 80 mil dólares. A estátua de Brancusi, *Brid in Flight*, se vai por 40 mil dólares.

Em 1990, a *Bangwa Queen*, a preciosidade da coleção de Arte Africana de Madame é revendida por colecionadores que compraram a peça em leilão. Eles pagaram por ela 29 mil dólares e obtêm 3,5 milhões. No mesmo ano, Sotheby's revende *La Négresse Blanche* de Brancusi por 8 milhões de dólares.

Seus parentes próximos se beneficiam de sua fortuna. O filho, os netos, os sobrinhos e as sobrinhas, todos recebem quantias mais ou menos significativas. Entretanto, uma vez pagos os impostos sobre transmissão, a maior parte vai para um truste familiar, do qual a família recebe os dividendos. Madame queria assim lhes dizer que todos deveriam trabalhar para viver.

O restante do dinheiro vai para a Fundação Helena Rubinstein cujos escritórios ainda se encontram na Madison Avenue. Quando a empresa foi vendida, as cotas do negócio americano, as companhias estrangeiras e as propriedades que lhes pertenciam também foram para essa Fundação. O conselho é formado por membros de sua família. Diane Moss, filha de Oscar Kolin, sucedeu a seu pai na presidência, Susan e Louis Slesin, os enteados de Roy, morto em abril de 1989, são respectivamente a diretora e o tesoureiro.

Embora o lugar não tenha nada de luxuoso, as telas que ornamentam as paredes têm um valor inestimável. São os retratos de Madame pintados por Salvador Dalí, Dufy, Marie Laurencin, Helleu e Vertès. O mais impressionante é, sem dúvida, o de Graham Sutherland, o mais suave, o de Marie Laurencin. "Minha fortuna provém das mulheres e deve voltar a elas bem como a seus filhos para melhorar a qualidade de suas vidas", afirmou Madame, ao criar a Fundação. Todos os anos ela oferece bolsas cujo montante varia entre um e 2 milhões de dólares, destinados principalmente à educação, à saúde e à cultura.

O triplex da Park Avenue, o "castelo nos ares", foi comprado por um advogado que o revende um ano depois... para Charles Revson! Pode-se imaginar com que apetite *the nailman* se vingou da Imperadora. Ele levou mais de dois anos para redecorá-lo de acordo com seu próprio gosto espalhafatoso.

Patrick O'Higgins, convidado para jantar, alguns anos mais tarde, descreve, com sua mordacidade habitual, aquela decoração de novo-rico que "teria feito Madame rir muito". Nada tem graça aos olhos experientes do rapaz. "O Rei das Unhas tem um gosto muito comum", dizia Madame, "mas foi graças a isso que ele venceu".

O quai de Béthune foi inicialmente vendido ao conde de Chandon, em seguida, revendido a um rico libanês, antes de ser comprado pela terceira vez. Ele acaba de ser inteiramente redecorado pelo arquiteto decorador parisiense François-Josef Graf. Segundo este, nada restou do apartamento inicial, exceto o majestoso terraço que domina Paris, e o corrimão da escada.[2]

Stella continua vivendo no 216, boulevard Raspail, no apartamento do qual sua irmã lhe concedeu o uso até sua morte. Ceska permanece em Londres, no *pied-à-terre* decorado por David Hicks. Ela sobrevive apenas 18 meses a Helena.

Em Nova York, a indústria da beleza parece se concentrar inicialmente no prédio da General Motors, já que, sucessivamente, Estée Lauder e Revlon compram escritórios ali. Em 1970, é a vez da empresa Helena Rubinstein Inc. se instalar nele. O lugar é então chamado pela imprensa e pelos publicitários de "General Odours".[3] Roy, Oscar e Mala contratam decoradores para dar ao conjunto um toque refinado, seguindo o exemplo de Madame. Seus móveis e quadros parecem pontes entre o passado e o futuro: encontram-se ali algumas peças de seu mobiliário vitoriano, estátuas de Nadelman, espelhos, mobiliário Knoll que lhe pertenceram.

Três anos depois, os herdeiros de Madame, sem dúvida atolados pela gestão de uma empresa tão gigantesca, vendem o negócio para a Colgate Palmolive por 143 milhões de dólares. A família se retira, então, do comércio da beleza. Mas Colgate não consegue manter a liquidez da marca. Rapidamente, ela se desvaloriza apesar de algumas campanhas lançadas com grande reforço publicitário.

Em 1980, Albi Entreprise Inc., um pequeno negócio de cosméticos, torna-se seu comprador. Ele não consegue devolver-lhe o brilho. O negócio é revendido em 1988 para a L'Oréal. Desde então, a marca é distribuída numa centena de países. A venda dos produtos se concentra na Europa e na Ásia onde Helena Rubinstein tem um grande crescimento.

A marca, que inventou o primeiro rímel automático, ainda se distingue pela criatividade e por sua competência em matéria de maquiagem: assim é o rímel *Lash Queen Feline Blacks*, um de seus maiores sucessos.

Os produtos, a exemplo das linhas *Collagenist, Prodigy* e o mais novo *Prodigy Powercell*, que estimula a renovação celular da pele, resultam de pesquisas extremamente avançadas. Com a permanente preocupação de inovação, a marca conserva laços muito fortes com os grandes cientistas, do mesmo modo que Madame havia estabelecido em seu tempo. De acordo com Elisabeth Sandager, diretora-geral internacional: "Se Helena Rubinstein ainda estivesse viva, certamente teria firmado a parceria que assinamos em 2008 com o doutor Pfulg, fundador de Montreux, na Suíça. Desenvolvemos com esse cirurgião, mundialmente conhecido, uma linha de cuidados inovadora, inspirada nos atos de cirurgia estética."

De acordo com Béatrice Dautresme,[4] a criação do programa Mulheres para a Ciência, em associação com a Unesco, que a cada ano premia pesquisadoras do mundo todo, foi inspirada diretamente na incessante obsessão de Madame em mesclar estreitamente Beleza e Ciência.

Em 2007, Demi Moore se tornou o rosto da marca... Uma mulherzinha "determinada, inteligente, forte e sedutora",[5] à imagem de Helena Rubinstein.

Sem dúvida, Madame a teria apreciado bastante.

Notas

Prefácio

1. "Madame Rubinstein: The Little Lady from Krakow has Made a Fabulous Success of Selling Beauty" [Madame Rubinstein: A pequena dama da Cracóvia fez da venda da beleza um sucesso fabuloso], Elaine Brown Keifer, *Life,* 21 de julho de 1941.
2. Susan Slesin, *Over the top: Helena Rubinstein, Extraordinary Style, Beauty, Art, Fashion and Design* [A melhor das melhores: Helena Rubinstein, estilo, beleza, arte, moda e design extraordinários], Pointed Leaf Press, 2004.

O exílio

1. Edmond Charles-Roux, 1957.
2. *My Life for Beauty*, Helena Rubinstein, Simon Schuster, 1965. *Minha vida dedicada à beleza*. Tradução de Evangelina Mendonça. Rio de Janeiro: Bloch, 1967.
3. *Ibid.*

Kazimierz

1. Data de nascimento controversa: 1870 ou 1872? Esta última data é citada por Patrick O'Higgins no livro Madame, *Dans l'enfer doré d'Helena Rubinstein* [Madame, no inferno dourado de Helena Rubinstein], Robert Laffont, 1971.
2. Fotocópias do passaporte de Helena Rubinstein (1922) (www.ancestry.com).
3. *My Life for Beauty*, Helena Rubinstein.
4. Entrevista da autora com Litka Fasse, prima de segundo grau de Helena Rubinstein. Junho de 2009. Quando Litka e sua mãe Giza Goldberg se refugiam em Paris depois da guerra, graças a Helena Rubinstein, que as ajudou a emigrar, discute-se a retomada

dos estudos da jovem de 16 anos, ao que HR se opõe radicalmente. "Por que ela deveria ter o diploma de ensino médio? Eu não tenho!"

5. Fonte: Alfred Silberfeld, genealogista.
6. *Madame, Dans l'enfer doré d'Helena Rubinstein, op. cit.*

A família Rubinstein

1. *Je suis esthéticienne* [Sou esteticista], Helena Rubinstein, Éditions du Conquistador, 1957.
2. *My Life for Beauty*, Helena Rubinstein, *op. cit.*
3. *Ibid.*
4. "War Paint: Madame Helena Rubinstein et Miss Elizabeth Arden, Their Lives, their Times, their Rivalry" [Maquiagem de Guerra: Madame Helena Rubinstein e Miss Elizabeth Arden, suas vidas, época, rivalidade], Lindy Woodhead, Wiley, 2004.
5. *My Life for Beauty*, Helena Rubinstein, *op. cit.*

Um novo mundo sem compaixão

1. *The Age*, Melbourne, 25 ago. 1979.
2. *Ibid.*

242, Collins Street

1. *Madame, dans l'enfer doré d'Helena Rubinstein, op. cit.*
2. *Herald Melbourne,* 1971.
3. Fotocópias do pedido de naturalização de Helena Rubinstein (fonte: Antoine Silberfeld).

Beleza é poder

1. *The Mercury*, 12 de outubro de 1906.
2. *Ibid.*
3. *Histoire de la Beauté,* George Vigarello, Points Seuil, 2004. *História da Beleza*. Tradução de Léo Schlafman. Rio de Janeiro: Ediouro, 2006.
4. *The Art of Feminine Beauty* [A arte da beleza feminina], Helena Rubinstein.
5. *Ibid.*

A volta às origens

1. *Le monde d'hier, Mémoires d'un Européen* [O mundo de ontem, memórias de um europeu], Stefan Zweig, Belfond, 1933.

2. *Histoire de la Beauté, op. cit.*
3. *La chirurgie du bonheur*, Sander Gilman em *100 000 ans de beauté* (Modernité Globalisation) Gallimard.
4. *Madame, dans l'enfer doré d'Helena Rubinstein*
5. *Au bonheur des dames,* Emile Zola, Livre de Poche [O paraíso das damas. Tradução de Joana Canêdo. São Paulo: Editora Estação Liberdade].
6. *Histoire de la Beauté, op. cit.*
7. *Ibid.*
8. *Ibid.*

Edward William Titus

1. *My Life for Beauty, op. cit.*
2. *Madame, Dans l'enfer doré d'Helena Rubinstein, op. cit.*
3. *Le dernier verre,* Dr Olivier Ameisen, Denoël, 2008. [*O fim do meu vício*. Tradução de Catharina Epprecht, Rio de Janeiro: Fontanar, 2010.]
4. Mensagem eletrônica de Eva Ameisen, irmã de Olivier e Jean-Claude Ameisen e filha de Emmanuel Ameisen — maio de 2010.
   O avô de Emmanuel Ameisen teve nove filhos: Arthur Ameisen (Edward Titus), David, Mala, Lisa, Sarah, Frida, Hanka, Oleg e Jacob, pai de Emanuel. Este foi empregado na empresa pelo tio que ele admirava enormemente. Ao chegar da Polônia antes da guerra, ele viveu em sua casa, rue Delambre (Conversa telefônica com Olivier Ameisen, maio de 2010).
5. Fotocópias do passaporte e do pedido de naturalização de Arthur Ameisen (www.ancestry.com)
6. *Ibid.*
7. Biografia de Arthur Ameisen. Bibliographic Review, Pittsburg http://www.sloco.net/pa-files/Allegheny/Alleg. 1897.8-144.pdf
8. Ancestry.com
9. Correspondência eletrônica com Barry Titus e Eva Ameisen, 2010.

Mayfair Lady

1. *My Life for Beauty,* Helena Rubinstein, *op.cit.*
2. "The Fair Ladies", *Time,* 8 de agosto de 1960.
3. *"Beauty in Jars and Vials",* Jo Swerling, Profiles, *The New Yorker,* 30 de junho de 1928.
4. Paul Morand, Londres, 1933.
5. Ancestry.com. Anuário dos casamentos, de junho a setembro de 1908, em Londres.

24, Grafton Street

1. "War Paints, Madame Helena Rubinstein e Miss Elizabeth Arden, their Lives, their Times, their Rivalty", Lindy Woodhead, *op. cit.*

2. L'Argus, 3 de fevereiro de 1909.
3. *En habillant l'époque* [Vestindo a época], Paul Poiret, Grasset, 1930.
4. *Ibid.*
5. *My Life for Beauty*, Helena Rubinstein, *op. cit.*
6. Palavras de Elizabeth Arden a respeito de sua rival.
7. *The Mercury*, 27 de março de 1909.
8. *My Life for Beauty*, Helena Rubinstein, *op. cit.*
9. *En habillant l'époque*, Paul Poiret, *op. cit.*
10. Poiret, Françoş Baudot, Mémoires de la mode [Memórias da moda], Editions Assouline, 1997.
11. *En habillant l'époque*, Paul Poiret, *op. cit.*

Rica e famosa

1. *En habillant l'époque,* Paul Poiret, *op. cit.*
2. Catálogo telefônico de Londres, página 754 (www.ancestry.com).
3. *Au temps du Boeuf sur le Toit* [No tempo do boi no telhado], Maurice Sachs, Les Cahiers Rouges, Grasset, 1987.
4. *My Life for Beautiful,* Helena Rubinstein, *op.cit.*
5. *Ibid.*
6. Arquivos da marca, L'Oréal, Paris.
7. *Ibid.*

Agora é a nossa vez, Paris!

1. *French ways and their meanings* [Os modos franceses e seus significados], Edith Wharton, Appleton and Company, 1919.
2. *Ibid.*
3. Le diable à Paris [O diabo em Paris], L. Gozlan, 1843, em *Histoire de la Beauté,* de Georges Vigarello, *op. cit.*
4. *Histoire de la Beauté,* Georges Vigarello, *op. cit.*
5. *L'irrégulière, l'itinéraire de Coco Chanel,* Edmonde Charles-Roux, Grasset, 1974.
6. Georges Vigarello, *Histoire de la Beauté, op. cit.*
7. *Ibid.*
8. "Madame de Gencé, Le cabinet de toilette d'une honnête femme", Paris, 1909 em "La beauté veut se voir", por Sabine Melchior bonnet, *100.000 ans de beauté*, Modernité/Globalisation.
9. *100.000 anos de beleza, op. cit.*
10. *Ibid.*

11. "La Chirurgie du bonheur", Sander Gilman, em *100.000 ans de beauté, Modernité/globalisation.*
12. *En habillant l'époque,* Paul Poiret, *op. cit.*
13. *Les salons de la IIIe République,* Anne Martin Fugier, Perrin, 2002, 2009.
14. *Au temps du Boeuf sur le Toit,* Maurice Sachs, *op. cit.*
15. *Misia, La vie de Misia Sert,* Arthur Gold e Robert Fitzdale, Folio, Gallimard, 1980.
16. *Ibid.*
17. *Ibid.*
18. *Madame, Dans l'enfer doré d'Helena Rubinstein,* Patrick O'Higgins, op. cit.
19. *Ibid.*
20. *Ibid.*
21. *L'irrégulière, l'Itinéraire de Coco Chanel,* Edmonde Charles-Roux, *op. cit.*
22. *My Life for Beauty,* Helena Rubinstein, *op. cit.*

A Beleza iluminando o mundo

1. *American Beauty,* Lois W. Banner, Knopf, 1983.
2. *Ibid.*
3. *Ibid.*
4. *Ibid.*
5. "War Paints, Madame Helena Rubinstein et Miss Elizabeth Arden, Their Lives, their Times, their Rivalty", Lindy Woodhead, *op. cit.*
6. *Histoire de la Beauté,* Georges Vigarello, *op. cit.*
7. "The Powder and the Glory" [O pó e a glória], Ann Carol Grossman, Annie Reisman, PBS Documentary based on Lindy Woodhead's War Paint.
8. *Over the top, Helena Rubinstein: Extraordinary Style, Beauty, Art, Fashion, and Design,* Susan Slesin, *op. cit.*
9. *Ibid.*
10. *Ibid.*
11. "Helena Rubinstein's beauty salons, fashion and Modernist Display, Marie J. Clifford" in Winthertur Portfolio.
12. *Ibid.*
13. *Ibid.*
14. Republic of Dreams, Greenwich Village, Ross Wetzsteon, The American Bohemians, 1910-1960, Paperback.

Rubinstein pega a estrada

1. *Je suis esthéticienne,* Helena Rubinstein, *op. cit.*
2. *Ibid.*

3. *Ibid.*
4. *Ibid.*
5. *My Life for Beauty*, Helena Rubinstein, *op. cit.*
6. *Daily Express,* 5 de abril de 1965.

Paris é uma festa

1. *Paris 1919: Six months who changed the world,* Margaret McMillan, Random House Trade Paperback, 2003
2. *Au temps du Bœuf sur le Toit,* Maurice Sachs, *op. cit.*
3. *Paris was our Mistress*[Paris foi nossa amante], Samuel Putnam, Southern Illinois University Press.
4. *Au temps du Bœuf sur le Toit,* Maurice Sachs, *op. cit*
5. *Snob Society,* Francis Dorléans, Flammarion.
6. *Au temps du Bœuf sur le Toit,* Maurice Sachs, Les Cahiers Rouges, Grasset.
7. *Ibid.*
8. *Vogue,* 1934, *in Histoire de la beauté* [Uma história da beleza], Georges Vigarello, *op. cit*
9. *L'allure de Chanel* [O jeito de Chanel], Paul Morand, Folio, Gallimard, 2009.
10. *Colette journaliste* [Colette jornalista], Gérard Bonal & Frédéric Maget, Seuil, 2010.
11. Nathalie Herschdorfer, "Extension du domaine du rêve" [Extensão do domínio do sonho], *100.000 ans de beauté, op. cit.*
12. "People Who Wants to Look Young and Beautiful", Allison Gray, *American Magazine,* dezembro de 1922.
13. *Je suis esthéticienne*, Helena Rubinstein, *op. cit.*
14. "People Who Wants to Look Young and Beautiful", Allison Gray, *American Magazine, op.cit.*
15. *Paris est une fête,* Ernest Hemingway, Gallimard, 1964. [Paris é uma festa. 11. ed. Tradução de Ênio Silveira. Rio de Janeiro: Bertrand Brasil, 2009.]
16. *Passage de l'Odéon, Sylvia Beach, Adrienne Monnier et la vie littéraire à Paris entre les deux guerres*, Laure Murat, Fayard, 2003.
17. *Madame, Dans l'enfer doré d'Helena Rubinstein, op. cit.*
18. *Ibid.*
19. *My Life for Beauty*, Helena Rubinstein, *op. cit.*
20. Poema de Edward Titus para a sua mulher, 1920.
21. "Beauty in Jars and Vials" [Beleza em frascos e ampolas], Jo Swerling, Profiles, *The New Yorker,* 30 de junho de 1928.

A amiga dos artistas

1. *Au temps du Bœuf sur le Toit,* Maurice Sachs, *op. cit.*
2. *My Life for Beauty,* Helena Rubinstein, *op. cit.*

3. *Over the top: Helena Rubinstein, Extraordinary Style, Beauty, Art, Fashion and Design,* Susan Slesin, *op. cit.*
4. *My Life for Beauty,* Helena Rubinstein, *op. cit.*
5. *Ibid.*
6. *Madame, Dans l'enfer doré d'Helena Rubinstein, op. cit.*
7. DV por Diana Vreeland, Paperback Da Capo Press, 2004, Knopf, 1984.
8. *Ibid.*
9. *Sunday Times,* janeiro de 1962.
10. Entrevista da autora com Pierre Bergé, fevereiro de 2010.
11. Arquivos de Helena, L'Oréal, Paris.
12. *Marie-Laure de Noailles, la vicomtesse du Bizarre* [Marie-Laure de Noailles, a viscondessa do bizarro], Laurence Benaim, Grasset, 2001.

E a beleza se tornou uma indústria

1. *New York Post,* 9 de fevereiro de 1939.
2. "Hope in a jar, The making of America Beauty Culture, Kathy Peiss".
3. *Ibid.*
4. *Ibid.*
5. *Ibid.*
6. *The New Yorker*, 3 de março de 1928.
7. *Over the Top, Helena Rubinstein: Extraordinary Style, Beauty, Art, Fashion, and Design,* Susan Slesin, *op. cit.*
8. *Time,* 30 de julho de 1928.
9. "Beauty Jars and Vials", Jo Swerling, Profiles, *The New Yorker,* 30 de junho de 1928.

O pote de creme contra o pote de ferro

1. The Family of Meyer Lehman of Lehman Brothers Remembered by His Descendent, Center of Jewish History, Syracuse Press, 2007.
2. *Antisemitism in America* [Antissemitismo na América], Leonard Dimmersein, Oxford University.
3. *Ibid.*
4. "Wars Paints, Madame Helena Rubinstein et Miss Elizabeth Arden, Their Lives, Their Times, Their Rivalty", Lindy Woodhead, *op. cit.*
5. "Beauty in Jars and Vials", Jo Swerling, Profiles, *The New Yorker*, 30 de junho de 1928.
6. "Wars Paints, Madame Helena Rubinstein e Miss Elizabeth Arden, Their Lives, Their Times, Their Rivalty", Lindy Woodhead, *op. cit.*
7. *Ibid.*
8. *Au temps du Bœuf sur le Toit*, Maurice Sachs, *op. cit.*
9. *Ibid.*

10. Wars Paints, Madame Helena Rubinstein et Miss Elizabeth Arden, Their Lives, Their Times, Their Rivalty", Lindy Woodhead, *op. cit.*

O deslumbrante luto da felicidade

1. *The Art of Feminine Beauty*, Helena Rubinstein, *op. cit.*
2. *Ibid.*
3. "Wars Paints, Madame Helena Rubinstein et Miss Elizabeth Arden, Their Lives, Their Times, Their Rivalty", Lindy Woodhead, *op. cit.*
4. *Madame, dans l'enfer doré d'Helena Rubinstein,* Patrick O'Higgins, *op. cit.*
5. *Over the top, Helena Rubinstein: Extraordinary Style, Beauty, Art, Fashion, and Design,* Susan Slesin, *op. cit.*
6. *Ibid.*

Vida em família

1. *Over the top: Helena Rubinstein, Extraordinary Style, Beauty, Art, Fashion and Design,* Susan Slesin, *op. cit.*
2. Troca de e-mails com Barry Titus, janeiro de 2010.
3. Entrevista com Christian Wolmar, filho de Boris Forter, abril de 2010.
4. *The Mala Rubinstein Book of Beauty,* Mala Rubinstein, Double Day, 1973.
5. *Ibid.*
6. *Ibid.*
7. *Ibid.*
8. *Ibid.*
9. *Yedioth Ahronoth*, 9 de maio de 1984.

Sempre jovem!

1. Hope in a jar, The making of America Beauty Culture, Kathy Peiss, *op. cit.*
2. *Ibid.*
3. Entrevista com Christian Wolmar, filho de Boris Forter, abril de 2010.
4. *Ibid.*
5. *Ibid.*
6. *Mademoiselle Magazine*, agosto de 1937.
7. *Ibid.*

Cheiro de pó de arroz

1. "Elizabeth Arden: Queen". *Fortune, agosto de 1930.*

2. *Ibid.*
3. "Madame Rubinstein: The Little Lady from Krakow has Made a Fabulous Success of Selling Beauty", Elaine Brown Keifer, *Life,* 21 de julho de 1941.
4. "Elizabeth Arden: Queen". *Fortune*, *op. cit.*
5. Marie. J. Clifford, Helena Rubinstein's beauty salons, fashion and Modernist Display, *op. cit.*
6. *Ibid.*
7. DV por Diana Vreeland, *op. cit.*
8. *Ibid.*
9. *Food for beauty, Helena Rubinstein's famous Diet*, David McKay, Nova York, 1938.
10. *Ibid.*
11. Arquivos Helena Rubinstein, L'Oréal, Paris.
12. "The Fair Ladies", *Time,* 8 de agosto de 1960.

Princesa Gourielli

1. *Madame, dans l'enfer doré d'Helena Rubinstein*, Patrick O'Higgins, *op. cit.*
2. Entrevista da autora com a senhora Diane Moss, sobrinha-neta de Helena Rubinstein, junho de 2009.
3. *Smith Weekly*, novembro de 1938.
4. *New York Post,* 9 de fevereiro de 1939.
5. Entrevista da autora com a senhora Erica Titus Friedman, maio de 2009, em Cannes.
6. *Ibid.*
7. *La mode des années 40* [A moda dos anos 1940], Yvonne Deslandres, Seuil-Regard.
8. *L'Ordre*, 1939.
9. *Candide*, 1939.
10. *In my fashion*, Bettina Balland, 1960
11. *Ibid.*
12. *Fire and Ice, The Story of Charles Revson the man who built the Revlon Empire* [Fogo e gelo, A história de Charles Revson, o homem que construiu o império Revlon], Andrew Tobias, William Morrow & Co, 1976.

A guerra vista de Nova York

1. Itv Christian Wolmar, março de 2010.
2. Livremente adaptado de "Madame Rubinstein: The Little Lady from Krakow has Made a Fabulous Success of Selling Beauty", Elaine Brown Keifer, *Life*, 21 de julho de 1941.
3. Helena Rubinstein's beauty salons, fashion and Modernist Display [Os salões de beleza de Helena Rubisntein, moda e Mostra Modernista], Marie J. Clifford, *op. cit.*
4. *Antissemistism in America*, Leonard Dimmersein, *op. cit.*

Um castelo nos ares

1. "Salvador Dali's guest at Helena Rubinstein's Victory Garden Party", *New Yorker*, julho de 1943.
2. Cartas de Roy Titus à mãe, documentos fornecidos por Susan Slesin.
3. *Antissemitism in America*, Leonard Dimmersein, *op. cit.*
4. Entrevista da autora com Litka Fasse, Paris, julho de 2009.

Reconstruir mais uma vez

1. *Le dernier verre,* Dr Olivier Ameisen, Denoël, 2008. [O fim do meu vício. Tradução de Catharina Epprecht. Rio de Janeiro: Fontanar, 2010.]
2. *Paris Journal* 1944-1945, Janet Flanner, HBJ Books.
3. Entrevista com Edmonde Charles-Roux, junho de 2009.
4. Nome dado aos jovens que adoram o jazz e chamam a atenção pelo modo de vestir, no período pós-Liberação.
5. O título da coletânea repete uma das misteriosas frases ouvidas na rádio de Londres, durante a Ocupação, uma mensagem codificada destinada à Resistência. Poderia ser traduzida: A primeira dificuldade custa duzentos francos.
6. Entrevista da autora com Christian Wolmar, abril de 2010.

A selva cor-de-rosa

1. *Hope in a jar: The Making of America Beauty Culture,* Kathy Peiss, *op. cit.*
2. "Modern Living: The Pink Jungle" [Vida moderna: a selva cor-de-rosa], *Time,* 16 de junho de 1958.
3. *Fire and Ice, The Story of Charles Revson, the man who built the Revlon Empire,* Andrew Tobias, *op. cit.*
4. *Ibid.*
5. "Modern Living: The Pink Jungle", *Time*, 16 de junho de 1958.
6. *Sunday Times,* janeiro de 1962.
7. *Ibid.*
8. *Madame, Dans l'enfer doré d'Helena Rubinstein,* Patrick O'Higgins, *op. cit.*

O último homem de sua vida

1. *Madame, Dans l'enfer doré d'Helena Rubinstein, op. cit.*
2. *Ibid.*
3. *Ibid.*

4. *Ibid.*
5. Entrevista da autora com Bernard Minoret, fevereiro de 2010.
6. *Madame, Dans l'enfer doré d'Helena Rubinstein, op, cit*
7. "Cosmetic's: Beauty Handmaiden", *Time,* 26 de janeiro de 1953.

A fundadora da ciência da beleza

1. Referência aos anos 1945-1973, período de crescimento acelerado da economia.
2. "Princess of Beauty Business", T. F. James, *Cosmopolitan,* 1959.
3. *Ibid.*

Últimos cartuchos

1. *The Sorcerer's Apprentice* [O aprendiz de feiticeiro], John Richardson, Chicago Press, 2001.
2. *Ibid.*

The show must go on

1. "Modern living: The Pink Jungle" [Vida moderna: a selva cor-de-rosa], *Time,* 16 de junho de 1958.
2. *Ibid.*
3. "Princess of Beauty Business", TF James, *Comopolitan,* 1959.
4. *Je suis Esthéticienne,* Helena Rubinstein, *op. cit.*
5. *My Life for Beauty*, Helena Rubinstein, *op. cit.*
6. *Madame, Dans l'enfer doré d'Helena Rubinstein,* Patrick O'Higgins, *op. cit.*
7. "Princess of Beauty Business", TF James, *Cosmopolitan*, 1959.
8. *Ibid.*
9. Arquivos Helena Rubinstein, L'Oréal, Paris.
10. *My Life for Beauty,* Helena Rubinstein, *op. cit.*
11. Arquivos Helena Rubinstein, L'Oréal, Paris.
12. *Madame, Dans l'enfer doré d'Helena Rubinstein,* Patrick O'Higgins, *op. cit.*

Não se pode viver para sempre

1. Entrevista da autora com Pierre Bergé, fevereiro de 2010.
2. *Madame, Dans l'enfer doré d'Helena Rubinstein*, Patrick O'Higgins, op. cit.
3. *Ibid.*
4. *My Life for Beauty,* Helena Rubinstein, *op. cit.*

5. "Princess of Beauty Business". TF James, *Cosmopolitan,* 1959.
6. *Daily Express*, 6 de abril de 1965.
7. *Ibid.*
8. "A Tribute" [Tributo], Patrick O'Higgins, *Herald Tribune*, 11 de abril de 1965.

O império sem a Imperadora

1. *Madame, Dans l'enfer doré d'Helena Rubinstein*, Patrick O'Higgins, *op. cit.*
2. Entrevista telefônica da autora com François-Joseph Graf, arquiteto decorador, outubro de 2009.
3. "War paints Madame Helena Rubinstein and Elizabeth Arden, their Lives, their Times, their Rivalty", Lindy Woodhead, *op. cit.*
4. Entrevista da autora com Béatrice Dautresme, vice-presidente da L'Oréal França, junho de 2009.
5. Citação retirada do site L'Oréal, marca Helena Rubinstein.

Bibliografia

Autobiografias e obras de Helena Rubinstein

Helena Rubinstein, *My life for Beauty*, Simon e Schulster, Nova York, 1965.
Helena Rubinstein, *Je suis Esthéticienne,* Editions du Conquistador, 1957.
Helena Rubinstein: *The Art of Feminine Beauty,* Horace Liveright, 1930.
Helena Rubinstein, *Food for Beauty,* David Mc Kay, Nova York, 1938.

Biografias

Maxene Fabe: *Beauty Millionaire, The Life of Helena Rubinstein,* Thomas Y Crowell Company, Nova York, 1972.
Catherine Jadzdewski: *Helena Rubinstein*, Assouline, 2003.
Madeleine Leveau-Fernandez: *Helena Rubinstein*, Flammarion, 2003.
Patrick O'Higgins: *Madame, Dans l'enfer doré d'Helena Rubinstein,* Robert Laffont, 1971.
Susan Slesin: *Over the top, Helena Rubinstein: Extraordinary Style, Beauty, Art, Fashion and Design,* Pointed Leaf Press, 2004.
Lindy Woodhead: *War paints Madame Helena Rubinstein and Miss Elizabeth Arden, their Lives, their Times, their Rivalty,* Wiley, 2004.

Ensaios, documentos

Le goût de l'Australie, Mercure de France, 2009.
Dr. Olivier Ameisen, *Un dernier verre,* Denoël, 2008.
Claude Arnaud, *Jean Cocteau,* NRF, Gallimard, 2003.

Laurence Benaim, *Marie-Laure de Noailles, La Vicomtesse du Bizarre,* Grasset, 2001.

François Baudot, *Schiaparelli,* Assouline, 1997.

Veronique Chalmet, *Peggy Gugenheim,* Payot, 2009.

Edmonde Charles-Roux, *L'Irrégulière, l'itinéraire de Coco Chanel,* Grasset, 1974.

Colette journaliste, Editions du Seuil, 2010.

Marie-Françoise Colombani e Michèle Fitoussi, *ELLE,* une Histoire des Femmes 1945-2005, Editions Filippachi, 2005.

Francis Dorléans, *Snob Society,* Flammarion, 2009.

Umberto Eco, *História da Beleza.* Tradução de Eliana Aguiar. Rio de Janeiro: Record, 2004.

Dan Frank, *Bohèmes,* Calmann Lévy, 1998. [*Boêmios.* Tradução de Hortencia Santos Lencastre. Planeta, 2004.]

Anne Martin Fugier, *Les salons de la IIIe République,* Perrin, 2003.

John Glassco, *Mémoires de Montparnasse,* Viviane Hamy, 2010.

Arthur Gold e Robert Fitzdale, *Misia: La vie de Misia Sert,* Folio, Gallimard, 1980.

Albert Londres, *Le juif errant est arrivé,* Le Serpent à Plumes, 1998.

Emmanuelle Loyer, *Paris à New York: Intellectuels français en exil 1940-1947,* Grasset, 2005.

Adrienne Monnier, *Eternelle libraire,* não comercializado, março de 2010.

Laure Murat, *Passage de l'Odéon, Sylvia Beach, Adrienne Monnier et la vie littéraire à Paris entre les deux guerres,* Fayard, 2003.

Paul Morand, *L'Allure de Chanel,* Folio, Gallimard, 2009.

Abbé Mugnier, *Journal Mercure de France,* 1985.

Pauline Peretz (sob a direção de) *New York, histoire, promenade, anthologie, dictionnaire,* Robert Laffont Bouquins, 2009.

Paul Poiret, *En habillant l'époque,* Grasset, 1986.

Samuel Putnam, *Les mémoires de Kiki de Montparnasse,* 1930.

Maurice Sachs, *Au temps du Bœuf sur le Toit,* Les Cahiers Rouges, Grasset e Fasquelle, 1987.

Dominique de Saint Pern, *Les amants du soleil noir,* Grasset, 2005.

— *L'extravagante Dorothy Parker,* Grasset, 1994. [*A extravagante Dorothy Parker.* Tradução de Glória de Carvalho Lins. Rio de Janeiro: Civilização Brasileira, 1997.]

Michèle Sarde, *Colette libre et entravée,* Points Seuil, 1984.

Yannick Ripa, *Les femmes en France de 1880 à nos jours,* Editions du Chêne, 2007.

Georges Vigarello, *Histoire de la Beauté,* Points Seuil, 1984. [*História da beleza.* Tradução de Léo Schlafman. Rio de Janeiro: Ediouro, 2006.]

Françoise Wagener, *Je suis née inconsolable, Louise de Vilmorin,* Albin Michel, 2008.

Stefan Zweig, *Le monde d'hier,* Belfond, 1982.

Cent mille ans de beauté L'Oréal, Gallimard, 2009.

Tony Allan, *American in Paris,* Bison Books, 1977.

Frederick L. Allen, *Only Yesterday, An Informal History of the 20's,* Harper & Row, 1931.

Bettina Balland, *In my fashion,* David Mc Kay Inc., 1960.
Lois W. Banner, *American Beauty,* Knopf, 1983.
Morley Callaghan, *The Summer in Paris,* Paperback, 2007.
Fleur Cowles, *Friends and Memories,* Jonathan Cape, 1975.
Leonard Dimmerstein, *Antisemitism in America,* Oxford University Press, Nova York, 1994.
Eleanor Dwight, *Diana Vreeland*, Harpers Collins, 2002.
Janet Flanner, Paris-Journal (1944-1955) (HBJ).
Janet Flanner, Paris-Journal (1956-1964) (HBJ).
Billy Klüver e Julie Martin, *Kiki's Paris Artists and Lovers 1900-1930*, Abrams 1989.
Stanislaw Markowski, *Kazimierz, The Jewish Quarter of Cracow, 1870-1988,* Nicolas Jeanson Editor, 2006.
Hermione Lee, *Edith Wharton*, Random House, 2007.
The Family of Meyer Lehman of Lehman Brothers, Remembered by His Descendent. Center of Jewish History, Syracuse Press, 2007
Kathy Peiss, *Hope in a jar: The making of American Beauty Culture*, Holt, 1998.
Samuel Putnam, *Paris was our Mistress,* Southern Illinois University Press, 1947.
John Richardson, *The Sorcerer's Apprentice*, Chicago, 2001.
Mala Rubinstein, *The Mala Rubinstein Book of Beauty,* Doubleday, 1973.
D.V., Diana Vreeland, William Morrow & Co, 1976.
Noel Riley, *Sylvia Beach and the Lost Generation, A History of Literary Paris in the Twenties and Thirties*, Fitch Norton, 1985.
Penelope Rowlands, *A Dash of Daring: Carmel Snow and Her Life in Fashion, Art and Letters,* Atria Simon & Schuster, 2005.
Andrew Tobias, *Fire and Ice, The Story of Charles Revson — the Man who Built the Revlon Empire.*
Edith Wharton, *A Backward Glance, an Autobiography,* Touchstone, Simon and Schuster, 1933/1998.
Edith Wahrton, *French Ways and Their Meanings,* Appleton and Company, 1919.
The Powder and the Glory, Ann Carol Grossman, Annie Reismann, Documentário da PBS baseado em War Paint, de Lindy Woodhead.

Romances

D. H. Lawrence, *O amante de Lady Chatterley*, Livre de Poche.
Ernest Hemingway, *Paris é uma festa*, Gallimard, 1964.
Ludwig Lewisohn, *O destino de mr Crump*, Phébus Poche, 1998.
Isaac Bashevis Singer, *Le Manoir*, Stock, 1968.
Isaac Bashevis Singer, *Le Spinoza de la rue du Marché,* Denoël Folio, 1997.
Paul Loup Sulitzer, *Hannah, L'Impératrice*, Stock Editions Nº 1, 1985.
Jules Verne, *Le Tour du Monde em quatre-vingts jours,* Livre de Poche, 1976.

Catálogos

Park Benet Galleries NY, 1996, The Helena Rubinstein.
Collection Catalogs, venda de 20-29 de abril de 1965.

Estudos

Helena Rubinstein Beauyty Salons, Fashion and Modernist Display, Marie J. Clifford, Winterthurt Museum, Portfolio 2003.

Les Juifs et les Etats-Nations dans l'Europe Contemporaine, Victor Karady, Actes de la Recherche en sciences sociales, 1997 (Persée http://www.persee.fr).

"La société multiculturelle et multinationale de Galicie de 1772 à 1918: Allemands, Polonais, Ukrainiens et Juifs", conferência de Isabel Röskau-Rydel. Anuário de l'Ecole Pratique des Hautes Etudes acessado em 26 de novembro de 2008 (http://ashp.revues.org/index).

Páginas da internet consultadas

www.ancestry.com
www.genealogy.com
www.onlinenewspaper.com/australi.html
http://newspapers.nla.gov.au/
www.oldmagazinearticles.co
www.kracow-info.com/jewishq.html
www.circe.paris.sorbonne.fr/villes (dez séculos de presença judaica na Cracóvia)
www.scrapbookpages.com/poland/kazimierz
www.lexilogos.com/yiddish-dictionnary.htm
www.nytimes.com
www.times.com

Agradecimentos

Obrigada a Jane Creech, Barbara Friedman, Diane Moss, Nicholas Pappas, Laurie Shapley, em Nova York; a Albert Silberfeld e Barry Titus, na Flórida; a Olivier Ameisen, Eva Ameisen, Pierre Bergé, Marie Chauveau, Edmonde Charles-Roux, Charles Dantzig, Béatrice Dautresme, Litka Fasse, François-Joseph Graf, Bernard Minoret, Christine Mue, Elaine Sciolino, Antoine Silberfeld, Maougocha Smorag, em Paris; a Erica Friedman em Cannes: a Christian Wolmar, em Londres.

Todos me esclareceram ou guiaram de um modo ou de outro, e sempre com muita atenção, gentileza e disponibilidade.

Um muito obrigada póstumo a Patrick O'Higgins. Sua narrativa tão engraçada, afetuosa e viva imediatamente fez com que eu gostasse de Helena Rubinstein, sua patroa. Eu teria gostado de conhecê-lo, de verdade.

Obrigada a Elizabeth Sandager, diretora internacional da L'Oréal Luxe, a Marie-Hélène Arwheiller, ex-gerente de Comunicação e Imagem Helena Rubinstein, e a Florence Lafragette, que agora a substitui nessa função. As três me permitiram o acesso aos arquivos de Helena Rubinstein em Paris e constantemente me ajudaram e me apoiaram em minhas pesquisas.

Um grande obrigada também a Thierry Consigny.

Obrigada a Susan Slesin que amistosamente abriu seus arquivos e sua editora em Nova York e partilhou comigo suas lembranças da "avó postiça" e a admiração por ela.

Obrigada a Manuel Carcassonne, meu editor e muito querido amigo, que desde o início acredita neste projeto do qual ele é o idealizador e que me forçou a ir mais longe, a "dar mais", a ultrapassar meus limites.

Obrigada a Charline Bourgeois-Tacquet pelo entusiasmo e leitura afiada, precisa, surpreendente.

Obrigada ao *dream team* do 61, rue des Saints-Pères, Christophe Bataille, Antoine Boussin, Aline Gurdiel, Agnès Nivière, Muguette Vivian e Jean-François Paga, diretor artístico superinspirado.

Obrigada a Susanna Lea, à sua energia, à sua amizade e ao "*seu bom par de sapatos para conquistar o mundo*".

Obrigada a Marie-Françoise Colombani, minha amiga, cujos acessos de risos e histórias engraçadas me acompanharam durante esses longuíssimos meses do inverno de 2010. Melhor que ninguém, ela sabe o como e o porquê. Que ela se lembre apenas de nossos e-mails sonolentos, às cinco horas da manhã quando o nosso primeiro dia de trabalho já começava. Um dia vamos rir disso... Aliás, já estamos rindo.

E *last but not least*, obrigada a Guy Princ, que suporta sem se queixar, há 16 anos, meus fins de semana de estudos e minhas noites de escritas, meu despertar madrugador e minhas idas para a cama excessivamente tardias, nossas férias a três (ele, eu e meu notebook), minhas irritações (passageiras), meus estresses, meu cansaço, minha indisponibilidade.

Seu apoio me é mais que precioso.

ESTA OBRA FOI COMPOSTA PELA ABREU'S SYSTEM EM ADOBE GARAMOND
E IMPRESSA EM PROCESSO SOB DEMANDA PELA UM LIVRO SOBRE
PAPEL OFFWHITE PARA A EDITORA SCHWARCZ A PARTIR DE 2025